비상 독해路

수능 국어 1등급

예비 고등~고등3

수능 개념을 바탕으로 실전 감각을 길러요

독서, 고난도 독서
기출 개념을 익히고 학습하는 수능 예상 문제집

독서 기본, 독서
기출로 실전 감각을 키우는 기출문제집

예비 중등~중등3

영역별 독해 전략을 바탕으로 독해력을 강화해요

비문학 1~3권
독해력을 단계별로 단련하는 중등 독해

어휘편 1~3권
중등 전 과목 교과서 필수 어휘 학습

문학편 1~3권
감상 스킬을 단련하는 필수 작품 독해

초등3~예비 중등

본격적으로 학습 독해 실력을 쌓아요

비문학 시작편 1~2권
초등에서 처음 만나는 수능 독해의 기본

비문학 1~2권
초등 독해의 넥스트레벨 고급 독해

문학 1~3권
시험에 꼭 나오는 작품 독해

세상이 변해도
배움의 즐거움은
변함없도록

시대는 빠르게 변해도
배움의 즐거움은
변함없어야 하기에

어제의 비상은
남다른 교재부터
결이 다른 콘텐츠
전에 없던 교육 플랫폼까지

변함없는 혁신으로
교육 문화 환경의 새로운 전형을
실현해왔습니다.

비상은 오늘, 다시 한번
새로운 교육 문화 환경을 실현하기 위한
또 하나의 혁신을 시작합니다.

오늘의 내가 어제의 나를 초월하고
오늘의 교육이 어제의 교육을 초월하여
배움의 즐거움을 지속하는 혁신,

바로, 메타인지학습을.

상상을 실현하는 교육 문화 기업 비상

메타인지학습
초월을 뜻하는 meta와 생각을 뜻하는 인지가 결합된 메타인지는
자신이 알고 모르는 것을 스스로 구분하고 학습계획을 세우도록 하는
궁극의 학습 능력입니다. 비상의 메타인지학습은 메타인지를 키워주어
공부를 100% 내 것으로 만들도록 합니다.

중등

수능
독해

3

심화

비문학 독해

중등 수능 독해
단계별 전략

"중등 수능 독해"는 지문 길이와 어휘를 조절한 실전 문제 비율, 문제의 난이도, 지문의 영역, 기출 문제 등을 학생들의 수준에 맞게 단계별로 제시하였습니다.

수능 독해를 처음 접하는 학생은 1권을, 수능 독해 실력을 한 단계 올리고 싶은 학생은 2권을, 수능 독해 실력을 완성하고 싶은 학생은 3권을 선택하여 학습합니다.

1권 기본   **예비 중1 ~ 중1**

지문 길이의 단계별 구성

1,000자 내외의 짧은 지문 실전 (65%)	1,200자 내외의 긴 지문 실전 (35%)

지문 내용과 어휘의 단계별 제시

- 인문
- 사회
- 과학
- 기술
- 예술

수능 독서에서 출제되는 5개 영역을 **기본** 수준에 맞는 내용과 어휘로 구성

수능형 독해 사고력을 위한 기출문제의 단계별 반영

예상 문제 **70%**	기출문제 **30%**

↑
기본 수준에 맞는 중3 성취도 평가 반영

수능 독해
사고력 완성

3권 심화   중3 ~ 예비 고1

2권 발전   중1 ~ 중2

1,000자 내외의 짧은 지문 실전 (35%)	1,200자 내외의 긴 지문 실전 (65%)

1,000자 내외의 짧은 지문 실전 (50%)	1,200자 내외의 긴 지문 실전 (50%)

수능 독서에서 출제되는 5개 영역과 최근 수능 경향인
융합 지문을 심화 수준에 맞는 내용과 어휘로 구성

수능 독서에서 출제되는 5개 영역을
발전 수준에 맞는 내용과 어휘로 구성

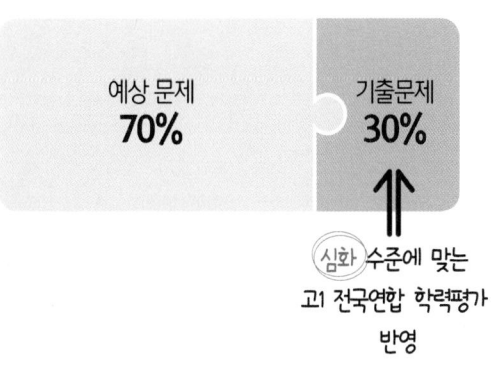

예상 문제 70%	기출문제 30%

심화 수준에 맞는
고1 전국연합 학력평가
반영

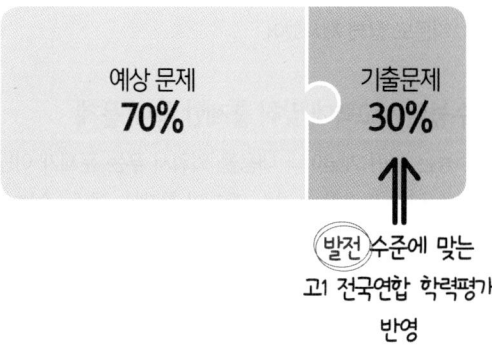

예상 문제 70%	기출문제 30%

발전 수준에 맞는
고1 전국연합 학력평가
반영

이 책의 구성과 사용법

1 독해 원리 이해

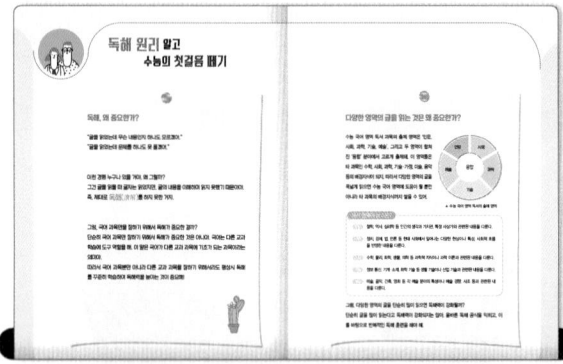

독해 원리를 아는 것이 수능 독해의 시작!

독해, 왜 중요한가? 다양한 영역의 글을 읽는 것이 왜 필요한가? 등 독해에 대한 궁금증을 풀어 줄 거야. 그리고 '독해쌤'이 알려 주는 3단계 독해 원리를 꼼꼼하게 읽은 후, 실전 문제에 독해 공식을 적용하여 독해 학습을 해 보자.

2 단계별로 구성된 실전

핵심어와 각 문단의 중심 내용을 찾으며 읽으면 글의 내용을 쉽게 파악할 수 있어.

수능형 문제를 경험하고 수능의 자신감을 키워 봐!

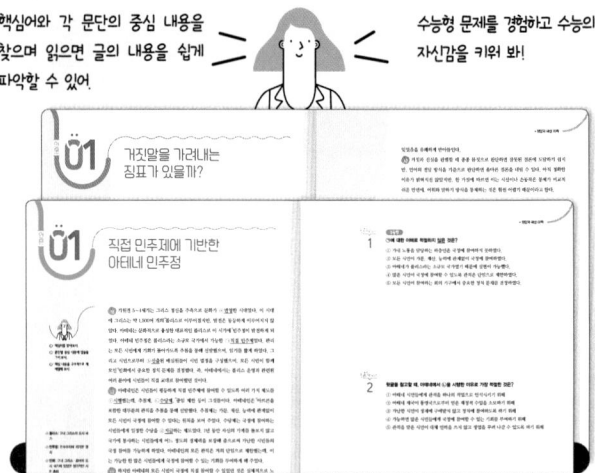

단계별 독해 연습이 가능한 실전 구성

- "중등 수능 독해"는 '짧은 지문 실전'과 '긴 지문 실전'으로 실전 문제를 단계적으로 구성했어. 앞에서 익힌 '독해쌤의 독해 원리' 기억하지? 독해쌤의 독해 원리에 따라 '짧은 지문 실전'과 '긴 지문 실전'의 지문을 분석하는 연습을 하면 글을 효율적으로 읽는 능력을 기를 수 있어.
- 수능에서 독서 지문은 '인문, 사회, 과학, 기술, 예술'의 영역에서 출제가 돼. "중등 수능 독해"는 각 영역별 지문을 제재, 길이, 난이도를 고려하여 단계적으로 제시했어. 특히 3권에서는 최근 수능 경향을 고려하여 '융합' 영역의 지문도 함께 제시했어.

수능의 사고력에 맞춰 출제한 독해 문제

수능은 어떤 개념이나 내용을 외워서 푸는 문제가 아닌, 사고 능력을 평가할 수 있는 문제가 출제돼. "중등 수능 독해"에서는 지문을 읽고 '사실적, 추론적, 비판적' 사고 능력을 평가할 수 있는 문제를 제시했어. 그리고 실전 수능에 가까운 '수능형' 문제도 준비해 뒀으니 다소 어렵더라도 수능형 문제를 정복하면서 수능에 대한 자신감을 키워 보자.

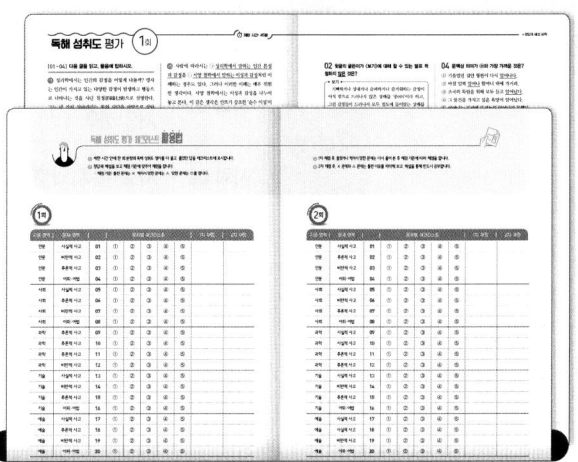

3 독해 성취도 평가 & 독해 체크리스트

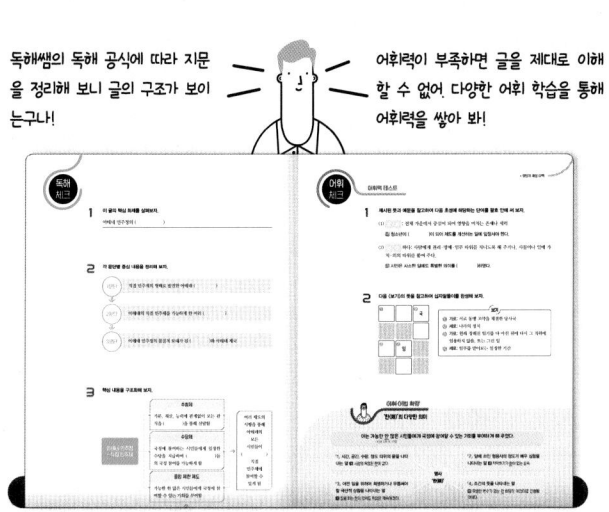

독해쌤의 독해 공식에 따라 지문을 정리해 보니 글의 구조가 보이는구나!

어휘력이 부족하면 글을 제대로 이해할 수 없어. 다양한 어휘 학습을 통해 어휘력을 쌓아 봐!

독해 체크 활용하기

지문을 다 읽고 나면 '독해 체크'에 지문의 핵심 내용을 정리해 봐. 이렇게 독해 연습을 하다 보면 글을 정확하게 이해하게 되고, 빠르게 읽을 수 있게 되어 독해력이 향상된단다.

어휘 체크 활용하기

집을 지을 때 기둥을 받쳐 주는 주춧돌처럼 어휘력은 독해의 기본이야. 기본이 탄탄하지 않으면 아무리 글을 읽어도 독해력이 향상되지 않아. "중등 수능 독해"에서는 실전 문제에 필수적으로 '어휘·어법' 문제를 제시했어. 그리고 '어휘 체크'에서는 지문에 나온 어휘를 바탕으로 다양한 어휘 학습 장치를 마련해 뒀어. 재미있게 어휘를 학습하면서 어휘력을 길러 보자.

독해력을 스스로 점검하는 독해 성취도 평가

- 독해 성취도 평가는 수능에 출제되는 모든 영역을 지문으로 제시하고 수능형 문제로 구성한 고난도 평가 문제야. '짧은 지문 실전'과 '긴 지문 실전'을 학습하면서 쌓아 온 독해력을 점검 및 평가해 볼 수 있어.

- 독해 성취도 평가 2회를 모두 풀었다면 독해 체크리스트를 작성해 보고 평가 결과를 스스로 분석해 봐. 분석을 통해 자기의 독해 수준이 어느 정도 향상되었는지 점검해 보고 이후의 학습 계획을 세워 보자.

차례와 학습 계획

◎ 1일 실전 2회씩, 20일 학습을 계획하여 꾸준히 학습해 봅시다.

◎ 학습을 마친 후, 자기의 이해도에 따라 학습 점검 칸을 😦 😛 🙂 😄 색칠해 봅시다.

일차		학습 내용	쪽수	날짜	학습 점검
	과학 02	기생충이 있어 건강한 지구	100	/	😦 : 😛 : 🙂 : 😄
12day	과학 03	가장 오랫동안 의학을 지배한 사람, 갈레노스	104	/	😦 : 😛 : 🙂 : 😄
	과학 04	우리 몸의 화학 반응	108	/	😦 : 😛 : 🙂 : 😄
13day	기술 01	자기 부상 열차	112	/	😦 : 😛 : 🙂 : 😄
	기술 02	기술을 구성하는 삼면체	116	/	😦 : 😛 : 🙂 : 😄
14day	기술 03	제습기의 비밀	120	/	😦 : 😛 : 🙂 : 😄
	기술 04	모션 캡처, 움직임을 포착하다	124	/	😦 : 😛 : 🙂 : 😄
15day	예술 01	밤하늘을 나는 낮 새	128	/	😦 : 😛 : 🙂 : 😄
	예술 02	한국 전통 건축의 비대칭적 대칭	132	/	😦 : 😛 : 🙂 : 😄
16day	예술 03	영화 속 소리에 귀 기울이면	136	/	😦 : 😛 : 🙂 : 😄
	예술 04	감정을 표현하는 아름다운 언어, 음악	140	/	😦 : 😛 : 🙂 : 😄
17day	융합 01	목적론적 세계관과 기계론적 자연관	144	/	😦 : 😛 : 🙂 : 😄
	융합 02	컴퓨터와 색상	148	/	😦 : 😛 : 🙂 : 😄
18day	융합 03	화학의 '중화'와 경제학의 '균형'	152	/	😦 : 😛 : 🙂 : 😄
	융합 04	색이 우리에게 미치는 영향	156	/	😦 : 😛 : 🙂 : 😄
19day		독해 성취도 평가 1회	162	/	😦 : 😛 : 🙂 : 😄
20day		독해 성취도 평가 2회	171	/	😦 : 😛 : 🙂 : 😄
✓		독해 체크리스트	180		

3단계
독해 성취도 평가

독해 원리 알고
수능의 첫걸음 떼기

독해, 왜 중요한가?

"글을 읽었는데 무슨 내용인지 하나도 모르겠어."
"글을 읽었는데 문제를 하나도 못 풀겠어."

이런 경험 누구나 있을 거야. 왜 그럴까?
그건 글을 읽을 때 글자는 읽었지만, 글의 내용을 이해하며 읽지 못했기 때문이야.
즉, 제대로 **독해**(讀解)를 하지 못한 거지.

그럼, 국어 과목만을 잘하기 위해서 독해가 중요한 걸까?
단순히 국어 과목만 잘하기 위해서 독해가 중요한 것은 아니야. 국어는 다른 교과
학습에 도구 역할을 해. 이 말은 국어가 다른 교과 과목에 기초가 되는 과목이라는
의미야.
따라서 국어 과목뿐만 아니라 다른 교과 과목을 잘하기 위해서라도 평상시 독해
를 꾸준히 학습하여 독해력을 높이는 것이 중요해!

다양한 영역의 글을 읽는 것은 왜 중요한가?

수능 국어 영역 독서 과목의 출제 영역은 '인문, 사회, 과학, 기술, 예술', 그리고 두 영역이 합쳐진 '융합' 분야에서 고르게 출제돼. 이 영역들은 타 과목인 수학, 사회, 과학, 기술·가정, 미술, 음악 등의 배경지식이 되지. 따라서 다양한 영역의 글을 폭넓게 읽으면 수능 국어 영역에 도움이 될 뿐만 아니라 타 과목의 배경지식까지 쌓을 수 있어.

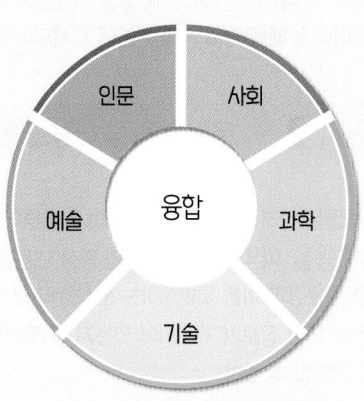

▲ 수능 국어 영역 독서의 출제 영역

독서 영역의 성격은?

인문 철학, 역사, 심리학 등 인간의 생각과 가치관, 특정 사상가와 관련된 내용을 다룬다.

사회 정치, 경제, 법, 언론 등 현대 사회에서 일어나는 다양한 현상이나 특성, 사회적 흐름을 반영한 내용을 다룬다.

과학 수학, 물리, 화학, 생물, 의학 등 과학적 지식이나 과학 이론과 관련된 내용을 다룬다.

기술 정보 통신, 기계·소재, 화학 기술 등 생활 기술이나 산업 기술과 관련된 내용을 다룬다.

예술 미술, 음악, 건축, 영화 등 각 예술 분야의 특성이나 예술 경향, 사조 등과 관련된 내용을 다룬다.

그럼, 다양한 영역의 글을 단순히 많이 읽으면 독해력이 강화될까?

단순히 글을 많이 읽는다고 독해력이 강화되지는 않아. 올바른 독해 공식을 익히고, 이를 바탕으로 반복적인 독해 훈련을 해야 해.

독해쌤이 알려 주는 독해 원리

● 단계별 독해

원리 1   핵심어를 찾아보자.

글을 읽고 무슨 내용인지 파악이 안 될 때가 있지? 이건 글을 읽고 난 후 중심 화제에 대해 글쓴이가 어떤 태도를 취하는지, 글쓴이가 글을 쓴 목적이나 글에 숨겨진 의도가 무엇인지를 제대로 파악하지 못했기 때문이야. 그럼 이를 파악하기 위해서는 제일 먼저 무엇을 해야 할까?

바로 글의 **핵심어**를 찾아야 해. 글을 읽으면서 핵심어를 찾는 것은 글을 읽는 기본이면서 가장 중요한 일이지. 핵심어는 보통 글의 첫 문단이나 둘째 문단의 시작 부분에 제시되어 있는 경우가 많으니까 주의 깊게 살펴보도록 해.

원리 2   문단별 중심 내용을 파악하자.

한 편의 글은 여러 개의 문단들이 모여서 이루어져 있어. 따라서 글 전체의 내용을 이해하기 위해서는 각 문단을 읽으면서 **문단의 중심 내용을 파악**해야 해. 문단의 중심 내용을 파악하려면 어떻게 해야 할까?

바로 중심 문장과 이를 뒷받침하는 문장들의 관계를 살펴봐야 해. 문장들은 다양한 정보들로 구성되어 있어. 따라서 글의 중심 화제와 관련해 어떤 정보가 제시되어 있는지 살펴보면 중심 문장과 뒷받침 문장의 구분이 가능해지고, 중심 문장을 바탕으로 문단 간의 관계를 파악할 수 있어.

그럼, 정보들 간의 관계를 쉽게 파악하기 위한 팁을 알려 줄게. 바로 기호를 사용하는 거야. 기호를 사용하면 정보들 간의 관계를 한눈에 파악할 수 있어.

- ✅ 핵심어라고 생각되는 부분에 ⬭ 표시하고, 핵심어의 개념이나 특성이 설명된 부분에 밑줄(_____) 긋기
- ✅ 핵심어 이외의 중요 정보들은 핵심어 표시 기호와 다른 기호(☐ , △ , ▽ 등)로 나타내기
- ✅ 대비되는 상황을 나타낼 때는 ⟷ , 원인과 결과를 나타낼 때는 ⟹ , 시간의 흐름이나 과정을 나타낼 때는 ⟶ 등과 같은 화살표를 사용하여 정보 간의 의미 관계를 표시하기
- ✅ 순접이나 역접, 전환, 예시 등의 의미를 나타내는 단어나 구의 경우 ╲╱ 로 표시하기
- ✅ 중요한 정보가 여러 개일 때는 밑줄(_____)을 긋고, ①, ②, ③ 등과 같은 번호를 붙이기
- ✅ 글쓴이의 견해나 주장, 태도, 글의 주제 등은 물결 (∿∿∿)로 표시하기

원리 3   핵심 내용을 재구성하자.

기호를 사용하여 글을 읽었다면, 이제 글의 **핵심 내용을 재구성하여 정리**해야 해. 핵심 내용을 정리할 때는 정보 간의 관계를 한눈에 파악할 수 있도록 표나 도식을 활용하여 시각적으로 표현해야 해. 이때 글의 전개 방식을 알면 핵심 내용을 좀 더 쉽게 시각적으로 재구성할 수 있어.

글의 전개 방식에는 병렬, 비교·대조, 과정, 문제 해결 등이 있는데, 글쓴이는 자신의 견해나 주장, 핵심 정보를 효과적으로 전달하기 위해 이런 전개 방식을 활용하여 글을 써. 따라서 글의 전개 방식을 파악하고, 이를 바탕으로 핵심 내용을 재구성하면 정보 간의 관계를 한눈에 파악할 수 있어.

병렬(나열)	정보나 주장을 나열하여 글을 전개함. 주로 '첫째, 둘째, ……' 등과 같은 말을 사용함
비교·대조	대상 간의 유사점(비교)이나 차이점(대조)을 바탕으로 글을 전개함
과정	시간의 흐름이나 과정이 드러나게 글을 전개함. 주로 '먼저, 다음은, 마지막으로' 등과 같은 말을 사용함
문제 해결	대상에 대한 문제점(한계)과 그에 대한 대안(방안)을 짝지어 글을 전개함

● 독해 원리에 따라 다음 글을 읽어 보세요.

「뉴욕 타임스」와 「워싱턴 포스트」를 비롯한 미국의 많은 신문들은 선거 과정에서 특정 후보에 대한 지지를 표명한다. 전통적으로 이 신문들은 후보의 정치적 신념, 소속 정당, 정책을 분석하여 자신의 입장과 같거나 그것에 근접한 후보를 선택하여 지지해 왔다. 그러나 근래 들어 이 전통은 적잖은 논란거리가 되고 있다. 신문이 특정 후보를 지지하는 것이
_{핵심어}
실제로 영향력이 있는지, 또는 공정한 보도를 사명으로 하는 신문이 특정 후보를 지지하는 행위가 과연 바람직한지 등과 관련하여 근본적인 의
_{글쓴이의 문제 제기}
문이 제기되고 있는 것이다.

신문의 특정 후보 지지가 유권자의 표심에 미치는 영향은 생각보다 강하지 않다는 것이 학계의 일반적인 시각이다. 1958년 뉴욕 주지사 선거에서 「뉴욕 타임스」가 록펠러 후보를 지지해 그의 당선에 기여한 유명한 일
_{신문의 특정 후보 지지가 유권자의 표심에 강하게 영향을 끼친 사례}
화가 있긴 하지만, 지지 선언의 영향력은 해가 갈수록 줄어들고 있다. 이 현상은 '선별 효과 이론'과 '보강 효과 이론'으로 설명할 수 있다.

선별 효과 이론에 따르면, 개인은 미디어 메시지에 선택적으로 노출되고, 그것을 선택적으로 인지하며, 선택적으로 기억한다. 예를 들면, '가' 후보를 싫어하는 사람은 '가' 후보의 메시지에 노출되는 것을 꺼려할 뿐만 아니라, 그것을 부정적으로 인지하고, 그것의 부정적인 면만을 기억하는 경향이 있다. 한편 보강 효과 이론에 따르면, 미디어 메시지는 개인의 태도나 의견의 변화로 이어지지 못하고, 기존의 태도와 의견을 보강하는 차원에 머무른다. 가령 '가' 후보의 정치 메시지는 '가' 후보를 좋아하는 사람에게는 긍정적인 태도를 강화시키지만, 그를 싫어하는 사람에게는 부정적인 태도를 강화시킨다. 이 두 이론을 종합해 보면, 신문의 후보 지
_{이론을 활용하여 주장을 강화함}
지 선언이 유권자의 후보 선택에 크게 영향을 미치지 못한다는 것을 알 수 있다.

신문의 후보 지지 선언이 과연 바람직한가에 대한 논쟁도 계속되고 있다. 후보 지지 선언이 언론의 공정성을 훼손할 수 있다는 것이 이 논쟁의 핵심 내용이다. 이런 논쟁이 일어나는 이유는 신문의 특정 후보 지지가 언론의 권력을 강화하는 도구로 이용될 뿐만 아니라, 수많은 쟁점들이
_{신문의 후보 지지 선언에 대한 비판의 근거 ①}
복잡하게 얽혀 있는 선거에서는 후보에 대한 독자의 판단을 선점하려는
_{신문의 후보 지지 선언에 대한 비판의 근거 ②}
비민주적인 행위가 될 수 있기 때문이다. 일부 정치 세력이 신문의 후보 지지 선언을 정치 선전에 이용하는 문제점 또한 이에 대한 비판의 근거로
_{신문의 후보 지지 선언에 대한 비판의 근거 ③}
제시되고 있다.

독해 원리에 따라
글 읽기

☑ 핵심 화제 찾기
이 글은 선거 과정에서 신문의 특정 후보 지지 선언에 대한 글쓴이의 의견을 드러내고 있어.

☑ 문단별 중심 내용 파악하기
글쓴이는 1문단에서 신문의 특정 후보 지지에 대한 문제를 제기한 후, 2~3문단에서 선별 효과 이론과 보강 효과 이론을 근거로 들어 신문의 선거 후보 지지 선언이 영향력이 약함을 주장하고 있어. 그리고 4문단에서 신문의 후보 지지 선언의 문제점을 지적하고 있어.

☑ 핵심 내용 구조화하기

신문의 특정 후보 지지에 대한 문제 제기
↓
선별 효과 이론과 보강 효과 이론을 통해 알아본 신문의 후보 지지 선언의 영향력
↓
신문의 후보 지지 선언의 문제점

이 글은 신문의 특정 후보 지지의 영향력은 생각보다 약하다는 글쓴이의 견해를 드러내기 위해 특정 이론을 활용하여 주장을 뒷받침하고 있어. 이와 같이 글쓴이가 무엇에 대해 말하고 있는지(핵심어) 그 대상을 찾은 후 대상을 어떻게 설명하는지 살펴보아야 해. 이러한 읽기 방법을 사실적 읽기라고 하고, 사실적 능력을 평가하는 문제를 사실적 사고 유형이라고 해.

그리고 이 글에 제시된 선별 효과 이론이나 보강 효과 이론의 다른 사례를 생각해 보며 읽는 방법을 추론적 읽기라고 해. 지문에 제시되어 있는 정보나 글의 흐름을 바탕으로 생략되어 있는 내용을 추리하거나 새로운 정보를 구성해 내는 읽기 방법으로 이러한 능력을 평가하는 문제를 추론적 사고 유형이라고 해.

한편, 신문의 후보 지지 선언이 보도의 공정성을 해치지 않는지 따져 보며 읽는 것을 비판적 읽기라고 해. 그리고 이를 바탕으로 출제된 문제를 비판적 사고 유형이라고 해.

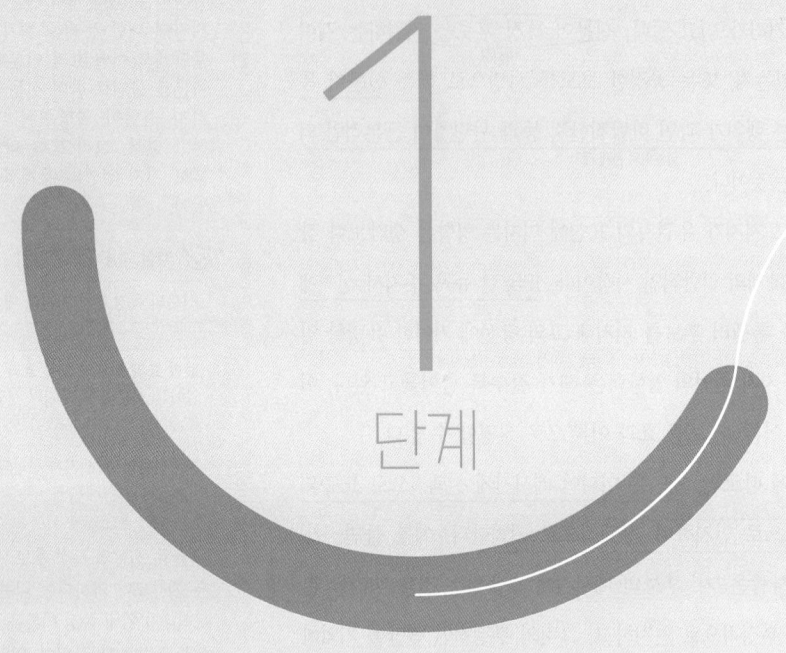

1 단계

짧은 지문 실전

직접 민주제에 기반한 아테네 민주정

☑ 핵심어를 찾아보자.
☑ 문단별 중심 내용에 밑줄을 그어 보자.
☑ 핵심 내용을 구조적으로 재배열해 보자.

가 기원전 5~4세기는 그리스 정신을 주축으로 문화가 ⓐ번영한 시대였다. 이 시대에 그리스는 약 1,500여 개의°폴리스로 이루어졌지만, 발전은 동등하게 이루어지지 않았다. 아테네는 문화적으로 융성한 대표적인 폴리스로 이 시기에°민주정이 발전하게 되었다. 아테네 민주정은 폴리스라는 소규모 국가에서 가능한 ㉠직접 민주제였다. 관리는 모든 시민에게 기회가 돌아가도록 추첨을 통해 선발했으며, 임기를 짧게 하였다. 그리고 시민으로부터 ⓑ선출된 배심원들이 시민 법정을 구성했으며, 모든 시민이 함께 모인°민회에서 중요한 정치 문제를 결정했다. 즉, 아테네에서는 폴리스 운영과 관련된 여러 분야에 시민들이 직접 교대로 참여했던 것이다.

나 아테네인은 시민들이 평등하게 직접 민주제에 참여할 수 있도록 여러 가지 제도를 ⓒ시행했는데, 추첨제, ㉡수당제,°중임 제한 등이 그것들이다. 아테네인은°아르콘을 포함한 대부분의 관직을 추첨을 통해 선발했다. 추첨제는 가문, 재산, 능력에 관계없이 모든 시민이 국정에 참여할 수 있다는 원칙을 보여 주었다. 수당제는 국정에 참여하는 시민들에게 일정한 수당을 ⓓ지급하는 제도였다. 1년 동안 자신의 가계를 돌보지 않고 국가에 봉사하는 시민들에게 어느 정도의 경제력을 보장해 줌으로써 가난한 시민들의 국정 참여를 가능하게 하였다. 아테네인의 모든 관직은 거의 단임으로 제한했는데, 이는 가능한 한 많은 시민들에게 국정에 참여할 수 있는 기회를 부여하게 해 주었다.

다 하지만 아테네의 모든 시민이 국정에 직접 참여할 수 있었던 것은 실제적으로 노예와 아테네 제국이 존재했기 때문이라고 볼 수 있다. 시민들이 시민적 생활에 ⓔ충실하기 위해서는 그들이 직접 생계를 돌보지 않더라도 그들을 대신해서 생업을 꾸려 가고 가내 노동을 담당할 대체 인력이 필요했는데, 이들의 대체 인력이 바로 전체 인구의 약 35~40%에 달했던 노예들이다. 또한 아테네 제국에서 얻는 경제적 혜택도 급진적 민주정을 발전시킬 수 있는 요인이었다. 아테네인이 동맹국으로부터 많은 재정 수입을 확보하지 못했다면 시민들에게°공무 수당으로 제공할 자금도 충분치 못했을 것이며, 하층민의 정치 참여는 불가능했을 것이다. 결국 노예와 아테네 제국은 고전기 아테네 민주정이 발전하기 위한 물질적 토대였던 것이다.

● 폴리스: 고대 그리스의 도시 국가
● 민주정: 민주주의에 의거한 정치
● 민회: 고대 그리스·로마의 도시 국가에 있었던 정기적인 시민 총회
● 중임: 임기가 끝나거나 임기 중에 개편이 있을 때 거듭 그 자리에 임용함
● 아르콘: 고대 그리스 도시 국가의 행정을 맡아보았던 최고 책임자
● 공무 수당: 국가나 공공 단체의 일을 한 사람에게 지급하는 수당

수능형

1 ㉠에 대한 이해로 적절하지 <u>않은</u> 것은?

① 가내 노동을 담당하는 하층민은 국정에 참여하지 못하였다.

② 모든 시민이 가문, 재산, 능력에 관계없이 국정에 참여하였다.

③ 아테네가 폴리스라는 소규모 국가였기 때문에 실현이 가능했다.

④ 많은 시민이 국정에 참여할 수 있도록 관직은 단임으로 제한하였다.

⑤ 모든 시민이 참여하는 회의 기구에서 중요한 정치 문제를 결정하였다.

2 윗글을 참고할 때, 아테네에서 ㉡을 시행한 이유로 가장 적절한 것은?

① 아테네 시민들에게 관직을 하나의 직업으로 인식시키기 위해

② 아테네 제국이 동맹국으로부터 얻은 재정적 수입을 소모하기 위해

③ 가난한 시민이 생계에 구애받지 않고 정치에 참여하도록 하기 위해

④ 가능하면 많은 시민들에게 국정에 참여할 수 있는 기회를 부여하기 위해

⑤ 관직을 맡은 시민이 대체 인력을 쓰지 않고 생업을 꾸려 나갈 수 있도록 하기 위해

3 ⓐ~ⓔ의 사전적 의미로 적절하지 <u>않은</u> 것은?

① ⓐ: 번성하고 영화롭게 됨

② ⓑ: 여럿 가운데서 골라냄

③ ⓒ: 시험적으로 행함

④ ⓓ: 돈이나 물품 따위를 정하여진 몫만큼 내줌

⑤ ⓔ: 충직하고 성실함

1 이 글의 핵심 화제를 살펴보자.

아테네 민주정의 (   )

2 각 문단별 중심 내용을 정리해 보자.

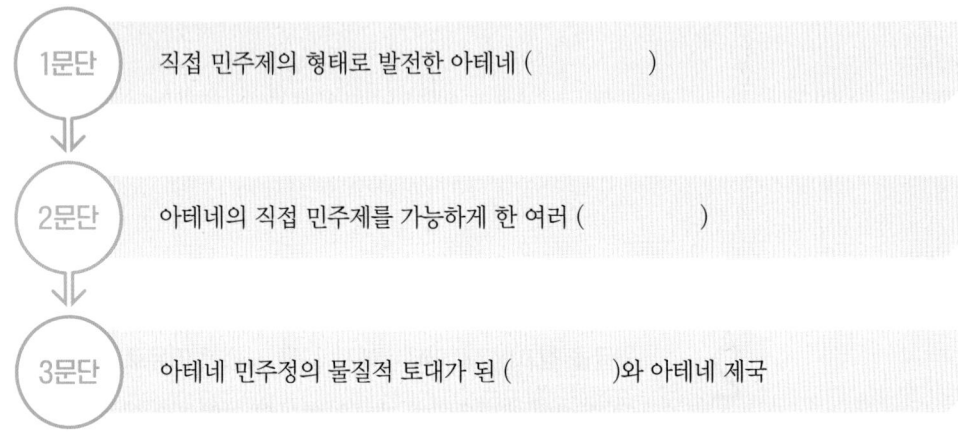

1문단 직접 민주제의 형태로 발전한 아테네 (   )

2문단 아테네의 직접 민주제를 가능하게 한 여러 (   )

3문단 아테네 민주정의 물질적 토대가 된 (   )와 아테네 제국

3 핵심 내용을 구조화해 보자.

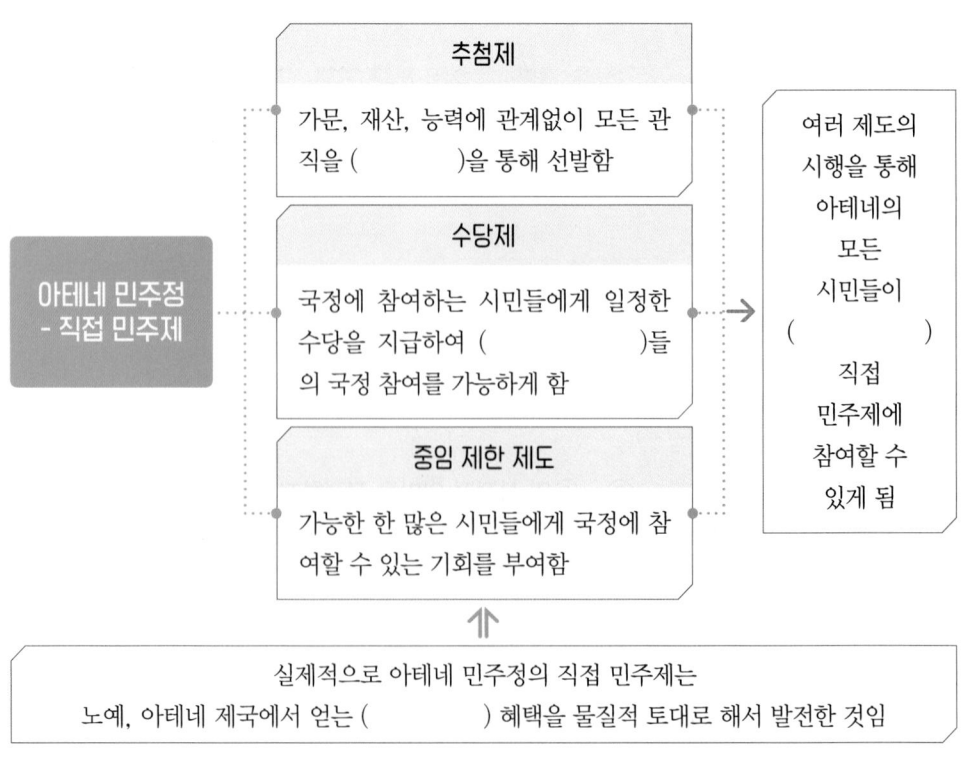

추첨제

가문, 재산, 능력에 관계없이 모든 관직을 (   )을 통해 선발함

수당제

국정에 참여하는 시민들에게 일정한 수당을 지급하여 (   )들의 국정 참여를 가능하게 함

중임 제한 제도

가능한 한 많은 시민들에게 국정에 참여할 수 있는 기회를 부여함

아테네 민주정
- 직접 민주제

여러 제도의 시행을 통해 아테네의 모든 시민들이 (   ) 직접 민주제에 참여할 수 있게 됨

실제적으로 아테네 민주정의 직접 민주제는
노예, 아테네 제국에서 얻는 (   ) 혜택을 물질적 토대로 해서 발전한 것임

어휘 체크

어휘력 테스트

1 제시된 뜻과 예문을 참고하여 다음 초성에 해당하는 단어를 괄호 안에 써 보자.

(1) **ㅈ ㅊ** : 전체 가운데서 중심이 되어 영향을 미치는 존재나 세력

예 청소년이 (　　　　)이 되어 제도를 개선하는 일에 앞장서야 한다.

(2) **ㅂ ㅇ** 하다: 사람에게 권리·명예·임무 따위를 지니도록 해 주거나, 사물이나 일에 가치·의의 따위를 붙여 주다.

예 시인은 사소한 일에도 특별한 의미를 (　　　　)하였다.

2 다음 〈보기〉의 뜻을 참고하여 십자말풀이를 완성해 보자.

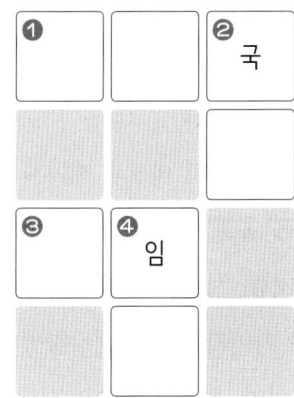

보기
1 가로: 서로 동맹 조약을 체결한 당사국
2 세로: 나라의 정치
3 가로: 원래 정해진 임기를 다 마친 뒤에 다시 그 직위에 임용하지 않음. 또는 그런 일
4 세로: 임무를 맡아보는 일정한 기간

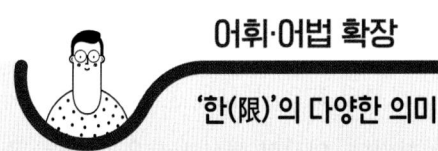

어휘·어법 확장

'한(限)'의 다양한 의미

이는 가능한 **한** 많은 시민들에게 국정에 참여할 수 있는 기회를 부여하게 해 주었다.
「4」의 의미로 쓰임

「1」 시간, 공간, 수량, 정도 따위의 끝을 나타내는 말 예 사람의 욕망은 <u>한</u>이 없다.

「2」 앞에 쓰인 형용사의 정도가 매우 심함을 나타내는 말 예 적막하기가 <u>한</u>이 없는 숲속

명사 '한(限)'

「3」 어떤 일을 위하여 희생하거나 무릅써야 할 극단적 상황을 나타내는 말
예 집을 파는 <u>한</u>이 있어도 학업은 계속하겠다.

「4」 조건의 뜻을 나타내는 말
예 특별한 변수가 없는 <u>한</u> 회담은 예정대로 진행될 것이다.

※ 표준국어대사전을 검색해 보면 '한'은 무려 15개의 단어가 등재되어 있다. 제시된 '한(限)'⁶외에도 관형사 '한''과 명사 '한(恨)'⁵, 접사 '한-'¹³ 등이 글에서 자주 활용되는 단어이므로, 각 단어의 의미 차이를 알아 두면 글의 의미를 명확히 이해하는 데에 도움이 될 수 있을 것이다.

원효와 의상의 불교 사상

- ☑ 핵심어를 찾아보자.
- ☑ 문단별 중심 내용에 밑줄을 그어 보자.
- ☑ 핵심 내용을 구조적으로 재배열해 보자.

● **도반**: 함께 도를 닦는 벗

● **문하**: 가르침을 받는 스승의 아래

● **중생**: 모든 살아 있는 무리

● **교리**: 종교적인 원리나 이치. 각 종교의 종파가 진리라고 규정한 신앙의 체계를 이른다.

가 원효와 의상은 통일 신라의 불교를 ⓐ대표하는 인물로, 이들은 불교계의 ˚도반이자 서로 다른 길을 걸었던 경쟁자였다. 원효와 의상은 보덕 화상의 ˚문하에서 불경을 공부하다 선진 불교를 배우기 위해 함께 당나라로 떠났다. 어느 날 날이 저물어 동굴 속에서 잠을 자던 원효는 목이 말라 잠결에 뒤척이다가 머리맡 바가지에 있는 물을 시원하게 마시고 다시 잠이 들었다. 다음 날 아침 원효는 자신이 마신 물이 해골 물이라는 것을 알고 구역질을 하다가 그 물은 어제와 오늘 아무것도 달라지지 않았고, 달라진 것은 자신의 마음이라는 것을 떠올리게 되었다. 그리고 '마음이 생겨나므로 모든 것이 생긴다.'는 '일체유심조(一切唯心造)'를 깨닫고 의상과 헤어져 신라로 되돌아오게 되었다.

나 신라로 돌아온 원효는 경전을 홀로 읽으며 '일심(一心)' 사상을 깨달았다. 원효는 물과 얼음이 근본적으로 같은 것처럼, 서로 다르게 보이는 주장도 모두 부처의 가르침에서 비롯된 것이므로 근본적으로 차이가 없다고 생각하였다. 그리고 일체의 이론은 결국 그 깨달음의 바탕인 일심일 뿐이며, 하나인 마음의 진리를 각기 다른 시각에서 보기 때문에 다양한 이론이 생긴다고 하였다. 원효는 당시 불교가 여러 분파로 나뉘어져 다투는 상황을 일심 사상을 통해 극복하려 했으며, 어떤 것에도 구속받지 않고 자비를 ⓑ실천하는 무애행(無礙行)을 통하여 참다운 불교를 대중화하고 보편화하였다.

다 한편, 의상은 당나라의 지엄으로부터 화엄 사상을 ⓒ전수받고 돌아와 제자들을 가르치고 백성들을 ⓓ교화하는 데 힘썼다. 의상의 핵심 사상은 '하나는 곧 모두이며 모든 것이 하나다.'는 것으로, 부처는 모든 ˚중생을 헤아리며, 모든 중생은 수행을 통해 자신이 본디부터 부처라는 것을 깨닫게 된다는 뜻을 담고 있었다. 또한 의상은 우주의 본질 속에 눈에 보이는 현상이 있고, 현상 가운데 본질이 있다는 것을 강조하였다. 이 말은 지배층의 정치 이념으로 해석되어 왕의 마음속에 백성들이 있으며, 모든 백성은 왕을 우러르며 산다는 지배층의 논리로도 쓰였다.

라 원효와 의상은 사상의 기반이 되는 사유 체계가 달랐고, ˚교리를 연구하는 방식과 내세우는 이론도 달랐지만 서로를 ⓔ배척하지 않았다. 오히려 원효는 의상과 토론을 하며 의심스러운 부분을 해소했고, 의상은 원효의 학설을 수용하기도 했다. 덕분에 통일 신라의 불교는 백성들에게는 정신적 위안을 주고 지배층에게는 왕권을 강화하기 위한 사상적 토대의 역할을 할 수 있었다.

1

윗글에 대한 설명으로 가장 적절한 것은?

① 원효와 의상의 사상을 중심으로 통일 신라 불교의 변천 과정을 설명하고 있다.
② 통일 신라의 시대적 배경을 중심으로 원효와 의상의 불교 사상을 분석하고 있다.
③ 원효와 의상의 핵심 사상을 설명하고 두 사람의 불교 사상이 갖는 의의를 밝히고 있다.
④ 원효와 의상의 생애를 바탕으로 두 사람이 추구했던 불교 사상의 공통점을 제시하고 있다.
⑤ 불교의 일반적인 원리를 바탕으로 원효와 의상의 불교 사상에 담긴 특이점을 비교하고 있다.

수능형

2

윗글을 참고하여 〈보기〉를 이해한 것으로 적절하지 않은 것은?

보기

깨끗함과 더러움은 그 성품이 둘이 아니고, 참과 거짓 또한 서로 다르지 않다. 그러므로 하나[一]라고 한다. 이 둘이 없는 곳에서 모든 법은 가장 진실되어 허공과는 다르므로 스스로 신령스럽게 아는 성품이 있으니, 이를 마음[心]이라고 부른다. 그러나 이미 둘이 없는데 어찌 하나가 있으며, 하나가 없는데 무엇을 일러 마음이라 하겠는가? 이 같은 도리는 언어와 생각을 초월했으니 무엇이라고 지목할지를 몰라 억지로 하나인 마음[一心]이라고 한다.

① 깨끗함과 더러움도 대립적인 것으로 보이나 근본적으로는 차이가 없는 것이다.
② 일심 사상은 진실되고 신령스러운 것이므로 모든 깨달음의 바탕이 되는 것이다.
③ 하나의 마음을 가지기 위해 수행을 통해 자신이 본디부터 부처임을 깨달아야 한다.
④ 참과 거짓이 서로 다르지 않은 것은 모두 부처의 가르침에서 비롯된 것이기 때문이다.
⑤ 일심 사상의 도리는 언어와 생각을 초월한 것이므로 종파 간의 논쟁은 무의미한 것이다.

3

ⓐ~ⓔ의 문맥적 의미를 활용하여 만든 문장으로 적절하지 않은 것은?

① ⓐ: 한국 미술을 대표하는 작가님과의 대화에 참석했다.
② ⓑ: 아무리 계획을 훌륭하게 잘 세웠더라도 실천하지 않으면 소용이 없다.
③ ⓒ: 전통의 맛을 지키기 위해 명인의 비술을 전수받고 글로도 기록하였다.
④ ⓓ: 서로 이웃한 두 나라는 국경선 문제로 오랜 시간 동안 교화하고 있었다.
⑤ ⓔ: 내가 속한 집단의 의견과 다른 의견을 가진 사람이라도 배척해서는 안 된다.

1 이 글의 핵심 화제를 살펴보자.

(   )와 의상의 불교 사상과 그 의의

2 각 문단별 중심 내용을 정리해 보자.

> 1문단 (   )를 깨달으면서 의상과 다른 길을 걷게 된 원효

> 2문단 원효의 핵심 사상인 (   )의 특징

> 3문단 의상의 핵심 사상인 (   )의 특징

> 4문단 원효와 의상의 불교 사상의 (   )

3 핵심 내용을 구조화해 보자.

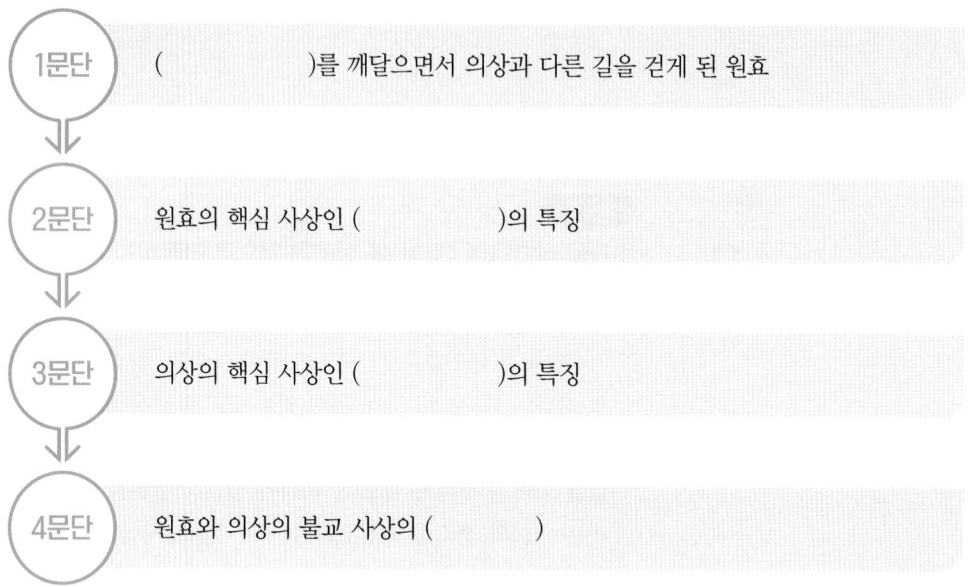

원효의 불교 사상	의상의 불교 사상
• 일심 사상을 내세움 • 서로 다르게 보이는 주장도 모두 ( )의 가르침에서 비롯된 것이므로 근본적으로 차이가 없음을 전함 • 하나인 마음의 ( )를 다른 시각에서 보아 다양한 이론이 생겼음을 지적하며, 당시 불교가 여러 분파로 나뉘어져 다투는 상황을 일심 사상을 통해 극복하려고 함 • ( )을 통해 참다운 불교를 대중화하고 보편화함	• 화엄 사상을 내세움 • 부처는 모든 중생을 헤아리며, 모든 중생은 ( )을 통해 자신이 본디부터 ( )라는 것을 깨닫게 된다는 뜻을 전함 • 우주의 ( ) 속에 현상이 있고, 현상 가운데 본질이 있음을 강조함 • 지배층의 정치 이념으로 해석되어 왕권 강화를 위한 지배층의 논리로 쓰임

서로 배척하지 않고 공존의 태도를 보임

⬇

통일 신라의 불교가 백성들에게 정신적 (   )을 주고, 지배층에게는 왕권을 강화하기 위한 사상적 토대의 역할을 할 수 있게 함

어휘 체크

어휘력 테스트

1 다음 단어의 뜻을 참고하여 끝말잇기를 완성해 보자.

강		경
세력이나 힘을 더 강하고 튼튼하게 함	수행을 많이 한 승려	지방에서 서울로 감

행		경
행실, 학문, 기예 따위를 닦음	기술이나 지식 따위를 전하여 받음	종교의 교리를 적은 책

2 다음 단어를 활용하기에 적절한 문장을 찾아 바르게 연결해 보자.

❶ 비롯되다 •

❷ 보편화하다 •

• ㉠ 올바른 행실은 올바른 마음가짐에서 ( ).

• ㉡ 정부가 주도하여 재활용품 사용을 ( ).

어휘·어법 확장

'일체'와 '일절'의 구별

> 그리고 일체의 이론은 결국 그 깨달음의 바탕인 일심일 뿐이며~
> 「명사」「1」 모든 것

일체	• 「명사」「1」 모든 것 「2」 '전부' 또는 '완전히'의 뜻을 나타내는 말 **예** 재산 일체를 기부하다. / 권한을 일체로 맡기다. • 「부사」 모든 것을 다 **예** 걱정 근심은 일체 털어 버리자.
일절	아주, 전혀, 절대로의 뜻으로, 흔히 행위를 그치게 하거나 어떤 일을 하지 않을 때에 쓰는 말 **예** 출입을 일절 금하다.

➡

• '일체'는 명사와 부사로 쓰이고, '일절'은 부사로만 쓰임
• 부사 '일체'는 '모든 것을 다'의 뜻을, 부사 '일절'은 '아주'의 뜻을 나타냄
• 부사 '일절'은 흔히 사물을 부인하거나 행위를 금지할 때 쓰는 말이므로, 이와 같은 경우에 '일체'를 쓰지 않도록 유의해야 함

※ '일체'와 '일절'은 '우리 식당은 조미료를 일체(→ 일절) 안 씁니다.', '안주 일절(→ 일체)'과 같이 단어를 잘못 혼용하여 쓰는 것을 종종 발견할 수 있다. 두 단어의 의미와 품사를 구분하여 용법에 맞게 정확한 단어를 사용할 수 있어야 한다.

기본권, 보장이 먼저일까? 제한이 먼저일까?

- ✓ 핵심어를 찾아보자.
- ✓ 문단별 중심 내용에 밑줄을 그어 보자.
- ✓ 핵심 내용을 구조적으로 재배열해 보자.

자연법: 인간 이성을 통하여 발견한 자연적 정의 또는 자연적 질서를 사회 질서의 근본 원리로 생각하는 법

성문화(成文化)되어: 글이나 문서로 나타나

실정법: 경험적·역사적 사실에 의하여 성립되고, 현실적인 제도로서 시행되고 있는 법

조례(條例): 지방 자치 단체가 법령의 범위 안에서 지방 의회의 의결을 거쳐 그 지방의 사무에 관하여 제정하는 법

가 기본권은 인간이 살아가는 데 필요한 기본적인 권리를 헌법에 의해 보장받을 수 있도록 법률로 규정한 것을 말한다. 우리나라 헌법에서는 인간의 존엄과 가치 및 행복 추구권을 포괄적 기본권으로 규정하고 있으며, 국가 권력은 국민의 기본권을 보장함으로써 법률에 의한 제한의 정당성을 확보하고 있다. 간혹 기본권을 인권과 ㉠헷갈려 하는 경우가 있는데, 인권은 인간이면 당연히 누리는 자연법상의 권리로서 기본권을 법적으로 규정하는 토대가 되는 반면, 기본권은 헌법에 성문화되어 규정된 인권 즉, 실정법 상의 권리이다.

나 인간은 다른 사람과 더불어 사는 사회적 존재이므로 개인의 기본권 행사가 타인의 기본권을 침해할 경우 국가가 국민의 기본권을 제한할 필요가 있다. 다만 국가가 아무런 조건 없이 기본권을 제한할 수 있는 것은 아니다. 헌법에는 국민의 모든 자유와 권리는 국가 안전 보장, 질서 유지 또는 공공복리라는 공익을 위하여 필요한 경우에 한하여 법률로써 제한할 수 있다고 명시되어 있다. 즉 기본권을 제한할 때에는 국민의 대표 기관인 국회에서 제정한 법률에 근거해야 하며, 법률의 근거가 없거나 위임 없이 명령, 조례, 규칙 등을 통해서는 제한할 수 없다.

다 더불어 국가가 기본권을 제한할 때 지켜야 할 원칙이 있다. 먼저 기본권을 제한하려는 목적이 헌법 및 법률에 의해 그 정당성이 인정되어야 하고, 그 목적을 달성하기 위해 선택한 방법이 효과적이고 적절해야 한다. 또한 입법자가 선택한 기본권 제한의 조치가 입법 목적 달성을 위하여 설령 적절하다 할지라도 가능한 한 보다 완화된 형태나 방법을 모색함으로써 국민의 기본권은 필요한 최소한의 범위에서 제한되어야 하며, 그 제한을 통해서 보호하려는 공익과 침해되는 사익을 비교할 때 보호되는 공익이 더 크거나 균형이 유지되어야 한다.

라 하지만 기본권 제한의 요건을 충족하였다고 해서 기본권의 제한이 항상 정당화되는 것은 아니다. 헌법에는 기본권을 제한하는 경우에도 자유와 권리의 본질적인 내용을 침해할 수 없다는 내용을 명시하고 있다. 헌법 재판소는 헌법에서 부여된 기본권은 제한할 수 있되, 제한하여야 할 현실적인 필요성이 아무리 큰 것이라고 하더라도 기본권의 본질적인 내용을 침해하는 경우에는 기본권 제한이 허용될 수 없음을 밝히고 있다.

사실적 사고

1

윗글에서 알 수 있는 내용으로 적절하지 <u>않은</u> 것은?

① 기본권은 인권과 달리 헌법에 성문화되어 국가 권력에 의해 보장받는다.

② 기본권 제한의 요건을 충족하였어도 기본권의 본질적인 내용까지 침해할 수는 없다.

③ 기본권은 사회 구성원 모두가 가지는 권리이므로 타인의 기본권을 침해할 경우 개인의 기본권 행사가 제한될 수 있다.

④ 국가의 안전 보장과 질서 유지를 위해 긴급하게 기본권을 제한할 필요가 있을 때에는 대통령의 명령에 의해 제한할 수 있다.

⑤ 기본권을 제한하려는 목적이 법에 의해 정당성이 인정되더라도 기본권의 제한으로 인한 피해가 최소한의 범위에 그쳐야 한다.

추론적 사고

2

수능형

윗글을 참고하여 〈보기〉를 이해한 내용으로 적절하지 <u>않은</u> 것은?

> **보기**
>
> A씨는 ○○시청 앞 광장에서 집회를 열겠다고 신고한 것에 대해 ○○시가 집회를 허가하지 않자, 헌법 제21조에서 보장하고 있는 기본권인 집회의 자유를 ○○시가 침해했다며 법원에 '옥외 집회 금지 통고 처분 집행 정지'를 신청했다. 이에 ○○시는 최근 심각한 감염병의 확산으로 인한 국가적 위기 상황에서 불가피하게 집회를 불허하였다면서 시민의 생명과 안전을 위해 앞으로도 많은 사람들이 모이는 집회는 허용하지 않을 방침이라고 밝혔다.

① 법원에서는 ○○시가 집회를 불허함으로써 A씨의 기본권을 제한한 것이 법률에 근거한 것인지를 판단하겠군.

② 법원에서는 ○○시의 집회 불허 방침이 적절하다고 판단하더라도 완화된 형태나 방법을 모색해야 한다고 볼 수도 있겠군.

③ ○○시는 기본권을 제한하려는 목적 달성을 위해 A씨가 신고한 집회를 불허하는 것이 가장 효과적인 방법이라고 생각했겠군.

④ 법원에서 ○○시의 집회 불허 방침이 적절하다고 판단할 때는 집회 불허로 침해되는 사익보다 보호할 수 있는 공익이 더 크다고 판단했기 때문이겠군.

⑤ ○○시는 감염병 확산으로 인한 국가적 위기가 기본권 제한의 현실적인 필요성에 해당하므로 기본권의 본질적인 내용을 제한하는 것이 가능하다고 봤겠군.

어휘·어법

3

문맥상 ㉠을 한자어로 바꾼 것으로 가장 적절한 것은?

① 혼기(混記)하는 ② 혼노(惛怓)하는

③ 혼동(混同)하는 ④ 동일화(同一化)하는

⑤ 표리일체(表裏一體)하는

1 이 글의 핵심 화제를 살펴보자.

인간의 (　　　　　)을 제한할 때의 요건과 원칙

2 각 문단별 중심 내용을 정리해 보자.

1문단　기본권의 개념 및 기본권과 (　　　　)의 차이점

2문단　기본권 (　　　　)의 요건

3문단　기본권을 제한할 때 지켜야 할 (　　　　)

4문단　기본권의 (　　　　)은 침해할 수 없는 기본권의 제한

3 핵심 내용을 구조화해 보자.

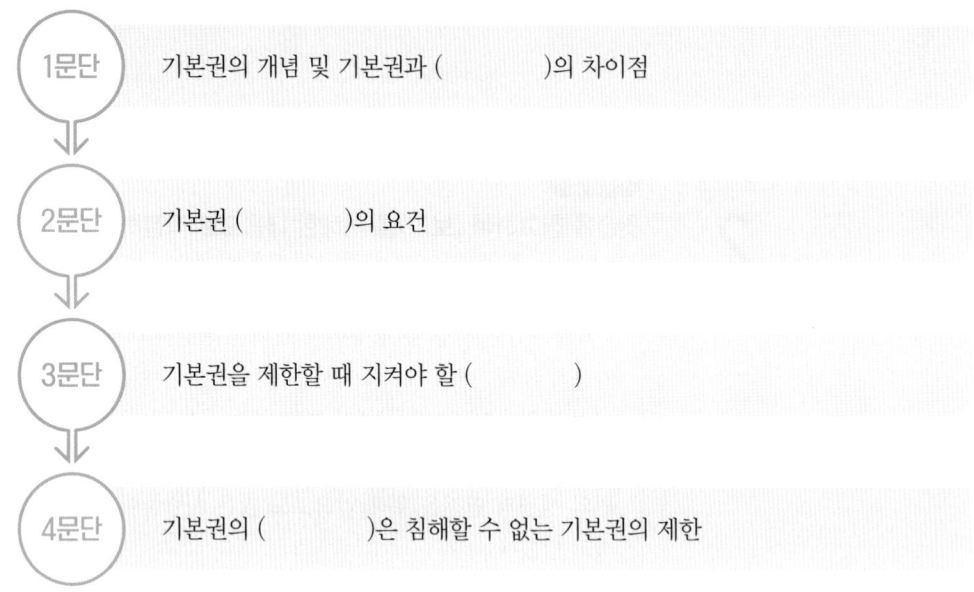

기본권
인간이 살아가는 데 필요한 기본적인 권리를 (　　　)에 의해 보장받을 수 있도록 법률로 규정한 것. 자연법상의 권리인 인권과 달리 실정법상의 권리에 해당함

⬇ 개인의 기본권 행사가 타인의 기본권을 침해

기본권 제한

기본권 제한의 요건	기본권 제한의 원칙	기본권 제한의 한계
국가 안전 보장, 질서 유지 또는 (　　　　)라는 공익을 위하여 필요한 경우에 한하여 법률로써 제한할 수 있음	• 목적의 (　　　　) • 방법의 적절성 • 피해의 (　　　　) • 법익의 균형성	기본권을 제한하는 경우에도 (　　　　)와 권리라는 기본권의 본질적인 내용은 침해할 수 없음

어휘 체크

어휘력 테스트

어휘 체크

어휘력 테스트

1 제시된 뜻과 예문을 참고하여 다음 초성에 해당하는 단어를 괄호 안에 써 보자.

(1) ㅇㄱ : 인간으로서 당연히 가지는 기본적 권리

　예 그의 인간에 대한 사랑은 (　　　　　) 운동으로 발현되고 있다.

(2) ㅁㅅ : 분명하게 드러내 보임

　예 ○○신문은 사건의 진상을 (　　　　　)적으로 다루지 않아 지탄을 받았다.

(3) ㅈㄷㅅ : 사리에 맞아 옳고 정의로운 성질

　예 소수의 의견이라고 해도 여론화해서 (　　　　　)이 획득되면 큰 힘을 발휘할 수 있다.

2 다음 〈보기〉의 뜻을 참고하여 십자말풀이를 완성해 보자.

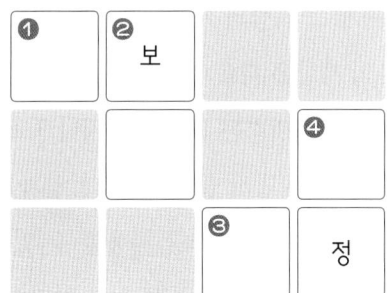

보기

❶ 가로: 확실히 보증하거나 가지고 있음
❷ 세로: 어떤 일이 어려움 없이 이루어지도록 조건을 마련하여 보증하거나 보호함
❸ 가로: 제도나 법률 따위를 만들어서 정함
❹ 세로: 양이나 범위 따위를 제한하여 정함

어휘·어법 확장

'-ㄹ지라도'의 의미와 쓰임

입법자가 선택한 기본권 제한의 조치가 입법 목적 달성을 위하여 설령 적절하다 할지라도
가능한 한 보다 완화된 형태나 방법을 모색함으로써~

'하다'의 어간 + 어미 '-ㄹ지라도'

어미 '-ㄹ지라도'

(('이다'의 어간, 받침 없는 용언의 어간, 'ㄹ' 받침인 용언의 어간 또는 '-으시-' 뒤에 붙어)) 앞절의 사실을 인정하면서 그에 구애받지 않는 사실을 이어 말할 때에 쓰는 연결 어미. 어떤 미래의 일에 대하여 '그렇다고 가정하더라도'의 뜻을 나타낸다.

예 마음에 걱정이 있을지라도(← 있을 지라도(×)) 내색하지 마라.

예 그것이 비록 꾸며 낸 이야기일지라도(← 이야기일 지라도(×)) 아이들에게 교훈이 될 것이다.

'지'는 의존 명사로 쓰일 때가 있고 어미 '-ㄹ지'의 일부로 쓰일 때가 있다. 그래서 간혹 어미 '-지'를 의존 명사 '지'로 오인해서 '할지라도'를 '할 지라도'라고 띄어 쓰는 경우가 있다. 하지만 의존 명사 '지'는 시간의 경과를 나타내는 것으로, '집을 떠나 온 지 3년이 지났다./강아지가 집을 나간 지 사흘 만에 돌아왔다.'와 같이 쓰이며, 명사이므로 앞에 오는 용언의 관형형과 띄어 쓴다. 그러나 '-ㄹ지라도'와 같은 활용 어미는 단어의 일부로 보기 때문에 언제나 앞의 어간에 붙여 써야 한다.

사회 복지와 자유

가 사회 복지 정책을 비판하는 사람들의 논리 중 하나는, 사회 복지 정책 추진에 필요한 세금을 많이 낸 사람들이 혜택을 그만큼 돌려받지 못할 때가 많은데 이것이야말로 개인의 자유를 침해한 것이 아니냐는 것이다. 일반적으로 사회 복지 정책이 제공하는 재화와 서비스는 공공재적 성격이 있어 이를 이용하는 데 차별을 두지 않는다. 따라서 강제적으로 낸 세금의 액수와 그 재화의 이용을 통한 이득 사이에는 차이가 존재할 수 있다. 이처럼 세금을 많이 낸 사람들이 적은 이득을 보게 될 경우에는 낸 액수와 얻은 이익의 차이만큼 불필요하게 그 사람의 자유를 제한하였다고 볼 수 있다.

나 그러나 이러한 자유의 제한은 다음과 같은 측면에서 합리화될 수 있다. 사회 복지 정책을 통해 제공하는 재화와 서비스는 보편성을 지니므로 사회 전체를 위해 강제적으로 제공하는 것이 개인의 자유에 맡겨 둘 때보다 더 양과 질을 높일 수 있다. 예를 들어, 각 개인에게 민간 부문의 의료 서비스를 사용할 수 있는 자유가 주어질 때보다 모든 사람이 공공 의료 서비스를 받을 수 있을 때 의료 서비스의 양과 질은 전체적으로 높아진다. 이는 모든 사람을 대상으로 하는 의료 서비스의 양과 질이 높아져야만 개인에게 돌아올 서비스의 양과 질도 높아질 수 있기 때문이다. 이런 경우 세금을 많이 낸 사람이 누릴 수 있는 소극적 자유는 줄어들지만, 사회 구성원들이 누릴 수 있는 적극적 자유의 수준은 전반적으로 높아지는 것이다.

다 자유 민주주의 사회에서는 개인의 자유를 보장해야 하지만 무제한의 자유를 모든 사람에게 보장하기는 불가능하므로 우리가 추구해야 할 자유는 제한적일 수밖에 없다. 사회 복지 정책이 시장에서의 거래에 의한 자원 배분에 개입하여 개인의 자유로운 선택의 기회를 제한할 때는 소극적 자유를 침해하는 것이지만 그로 인해 빈자(貧者)들의 적극적인 자유가 더 ㉠신장될 수도 있다. 이처럼 사회 복지 정책은 한쪽의 소극적 자유를 줄이는 반면 다른 한쪽의 적극적 자유를 증진시키는 방향으로 결정되는 경우가 많다.

라 소극적 자유의 제한으로 인한 사회적 효용의 감소보다 적극적 자유의 증진으로 인한 사회적 효용의 증가가 더 크기 때문에 적극적 자유를 높이는 것이 소극적 자유를 줄이는 것보다 사회적으로 더 바람직할 수 있다. 소극적 자유의 제한이 적극적 자유를 확대하여 인간이 인간답게 살 수 있는 사회적 가치를 실현하는 데 용이하다면 이를 사회적으로 합의하고 인정할 수밖에 없다.

사실적 사고

1

윗글에 대한 설명으로 가장 적절한 것은?

① 권위 있는 학자의 주장을 인용하여 사회 복지 정책 확대의 타당성을 강조하고 있다.

② 공공재의 성격을 지닌 서비스에 관한 예시를 통해 사회 복지 정책의 효용을 제시하고 있다.

③ 개인의 자유가 침해된 구체적인 사례를 활용하여 사회 복지 정책의 강제성을 비판하고 있다.

④ 최근 몇 년간 우리나라 사회 복지 정책의 집행 실적을 언급하여 상황의 심각성을 환기하고 있다.

⑤ 사회 복지 정책의 유래와 발전 과정을 설명하여 중심 화제에 대한 독자의 궁금증을 해소하고 있다.

추론적 사고

수능형

2

윗글의 글쓴이의 관점에 부합하지 않는 것은?

① 사회 복지 정책이 제공하는 재화의 경우 이용에 제한을 두어야 한다.

② 사회 복지 정책은 인간다운 삶의 보장이라는 사회적 가치의 실현에 도움이 된다.

③ 세금을 많이 내면서 사회 복지 정책의 혜택을 적게 보는 사람의 자유는 제한된 측면이 있다.

④ 자유 민주주의 사회라고 하더라도 개인의 자유가 전적으로 보장될 수는 없는 것이 현실이다.

⑤ 소극적 자유의 제한으로 감소되는 사회적 효용이 적극적 자유의 증진으로 증가되는 사회적 효용보다 적은 것이 사회적인 차원에서 더 바람직한 방향이다.

어휘·어법

3

㉠에 대한 〈보기〉의 사전적 의미를 참고할 때, 문맥상 ㉠이 들어가기에 적절하지 않은 것은?

〈보기〉

신장(伸張)
발음　[신장]
부표제어　신장–되다, 신장–하다

「명사」 세력이나 권리 따위가 늘어남. 또는 늘어나게 함

① 아버지께서 새로 시작한 사업이 나날이 신장하는 추세이다.

② 전기 자동차 회사의 서비스가 그전에 비하여 신장한 게 보인다.

③ 선생님께서 꾸준히 지도한 결과 아이들의 글쓰기 능력이 크게 신장되었다.

④ 상대국 수역에서의 어업 조건은 양국 협의를 통해 매년 신장되게 되어 있다.

⑤ 권농 정책의 적극적인 추진으로 인구와 농지가 증가하면서 국력이 급속도로 신장되었다.

1 이 글의 핵심 화제를 살펴보자.

사회 (　　　　) 정책으로 인한 (　　　　　　　)의 확대

2 각 문단별 중심 내용을 정리해 보자.

1문단　사회 복지 정책을 (　　　　)하는 입장에 대한 소개

↓

2문단　보편적 차원에서 (　　　　　) 자유의 수준을 높이는 사회 복지 정책

↓

3문단　가난한 사람들의 적극적 자유를 (　　　　)시키는 사회 복지 정책

↓

4문단　사회 복지 정책을 사회적으로 (　　　　)하고 인정해야 하는 이유

3 핵심 내용을 구조화해 보자.

사회 복지 정책을 비판하는 관점

• 납부한 세금의 액수만큼 혜택을 보지 못하는 개인의 경우 자유가 침해된 것일 수 있음
• 사회 복지 정책에 의한 자원의 배분은 개인의 소극적 (　　　　)를 제한할 수 있음

↕

사회 복지 정책에 대한 글쓴이의 관점

(　　　)적 자유의 (　　　　)으로 감
소하는 사회적 효용
　　　　< 　　　　
(　　　)적 자유의 (　　　　)으로 증
가하는 사회적 효용

⇓

적극적 자유를 높이는 것이 소극적 자유를 줄이는 것보다 사회적으로 더 바람직한 이유

소극적 자유의 제한이 적극적 자유를 확대하여 인간이 인간답게 살 수 있는 (　　　　　　　)
를 실현하는 데 용이하기 때문

어휘 체크

어휘력 테스트

1 다음 단어의 뜻을 참고하여 끝말잇기를 완성해 보자.

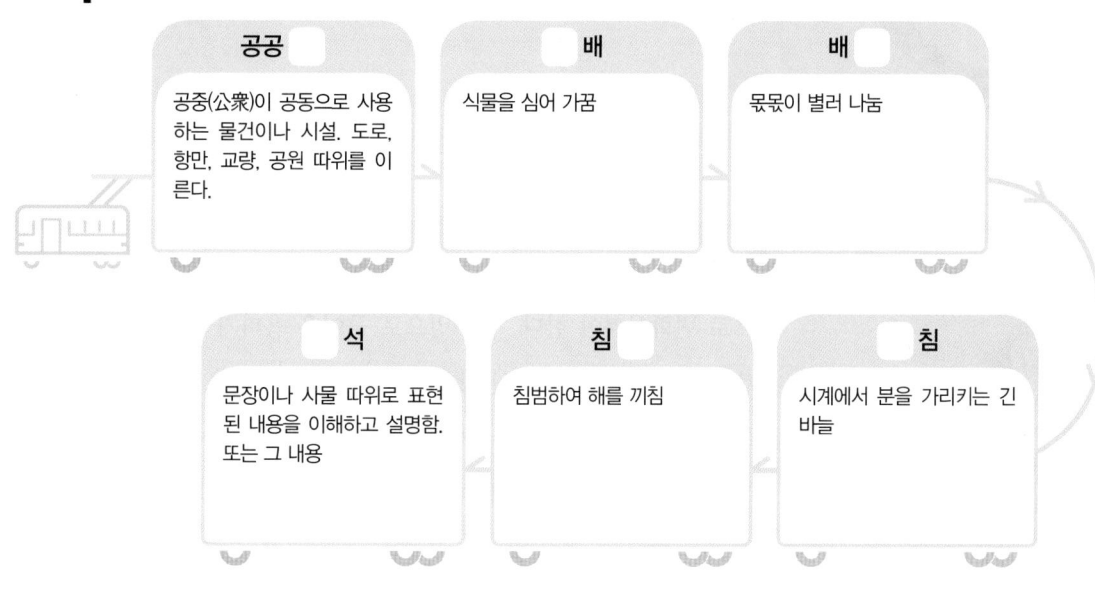

공공[　]	[　]배	배[　]
공중(公衆)이 공동으로 사용하는 물건이나 시설. 도로, 항만, 교량, 공원 따위를 이른다.	식물을 심어 가꿈	몫몫이 별러 나눔

[　]석	[　]침	[　]침
문장이나 사물 따위로 표현된 내용을 이해하고 설명함. 또는 그 내용	침범하여 해를 끼침	시계에서 분을 가리키는 긴 바늘

2 다음 단어를 활용하기에 적절한 문장을 찾아 바르게 연결해 보자.

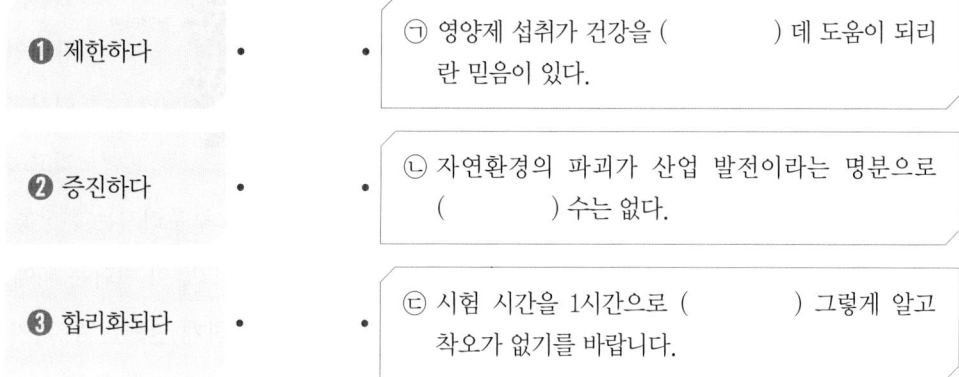

❶ 제한하다　·

❷ 증진하다　·

❸ 합리화되다　·

· ㉠ 영양제 섭취가 건강을 (　　　) 데 도움이 되리란 믿음이 있다.

· ㉡ 자연환경의 파괴가 산업 발전이라는 명분으로 (　　　) 수는 없다.

· ㉢ 시험 시간을 1시간으로 (　　　) 그렇게 알고 착오가 없기를 바랍니다.

어휘·어법 확장

'높이다'와 '높아지다'의 차이

• 적극적 자유를 <u>높이는</u> 것이 소극적 자유를 줄이는 것보다 사회적으로 더 바람직할 수 있다.
• 사회 구성원들이 누릴 수 있는 적극적 자유의 수준은 전반적으로 <u>높아지는</u> 것이다.

	높이다
	사동사
높다	
	높아지다
	피동사

위 문장에 쓰인 '높이다'와 '높아지다'는 모두 '품질, 수준, 능력, 가치 따위가 보통보다 위에 있다.'는 의미의 '높다'에서 온 것이다. '높이다'는 사동의 의미를 지닌 접미사 '–이–'를 통해 '높게 하다'라는 뜻을 지니는 사동 표현이고, '높아지다'는 피동의 의미를 지닌 '–아/어지다'를 통해 '높게 되는 일을 당하다'라는 뜻을 지니는 피동 표현이다. 여기서 주목할 점 하나는 '높이다'와 '높아지다'는 모두 어떤 움직임이나 작용을 나타내기 때문에 품사가 동사라는 점이다. 하지만 그 뿌리에 있는 '높다'라는 말은 어떤 상태나 성질을 나타내기 때문에 품사가 형용사이다.

과학

귀의 청각 기능

- ☑ 핵심어를 찾아보자.
- ☑ 문단별 중심 내용에 밑줄을 그어 보자.
- ☑ 핵심 내용을 구조적으로 재배열해 보자.

- 🜨 **음파**: 공기나 그 밖의 매질(媒質)이 발음체의 진동을 받아서 생기는 파동
- 🜨 **코르티 기관**: 속귀의 달팽이관 바닥막 위에 있는 기관. 소리의 진동을 신경 흥분으로 변환하여 속귀 신경에 전달한다.
- 🜨 **진폭**: 진동하고 있는 물체가 정지 또는 평형 위치에서 최대 변위까지 이동하는 거리. 진동하는 폭의 절반이다.
- 🜨 **활동 전위**: 생물체의 세포나 조직이 활동할 때에 일어나는 전압의 변화
- 🜨 **축삭**: 신경 세포에서 뻗어 나온 긴 돌기

가 귀가 소리를 ㉠감지하기 위해서는 공기를 통해 전달되는 음파를 액체 형태의 파동으로 변화시켜야 한다. 귓구멍으로 들어온 음파가 고막을 진동하면 그 진동은 중이(中耳)에 있는 세 개의 뼈인 망치뼈, 모루뼈, 등자뼈로 전달되고, 그중 하나인 등자뼈와 연결된 난원창을 통해 내이(內耳)로 들어가게 된다. 이 진동은 내이의 달팽이관 안에 있는 림프액에 압력을 가해 파동을 일으키고, 이때 생성된 압력파는 다시 달팽이관과

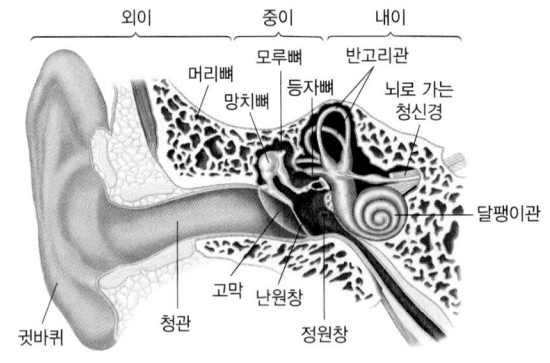

그 안의 기저막을 누르게 된다. 이에 대한 반응으로 기저막은 위아래로 진동하게 되고, 기저막에 붙어 있는, 림프액의 진동을 감지하는 장치인 코르티 기관의 털 세포들 역시 위아래로 진동하게 된다. 그리고 움직이는 털 세포들은 털 세포 바로 위를 덮고 있는 덮개막에 의해 구부러지는 현상을 반복하게 되는데, 이에 따라 청신경 세포의 감각에 변화가 ㉡초래되고, 이 변화는 뇌에서 소리로 ㉢인지된다.

나 귀에서 뇌로 전달되는 소리를 변하게 만드는 두 가지 중요한 요인은 바로 소리의 크기와 높낮이이다. 소리의 크기, 즉 세기는 음파의 진폭에 따라 결정된다. 큰 진폭을 가지고 있는 소리는 기저막을 더 강렬하게 흔들기 때문에 털 세포의 털이 더 심하게 구부러지고 이에 따라서 청신경에서도 높은 빈도의 활동 전위가 발생하게 된다.

다 소리의 높낮이는 음파의 진동수에 따라 결정된다. 높은 진동수의 음파는 높은 소리를 만들고, 낮은 진동수의 음파는 낮은 소리를 만든다. 달팽이관을 통해서 이러한 소리의 높낮이를 구별할 수 있는데, 그 이유는 기저막의 구조와 성질이 일정하지 않기 때문이다. 난원창과 ㉣이웃한 기저 부위의 기저막은 상대적으로 좁고 딱딱하며 끝으로 갈수록, 즉 정점 부위로 갈수록 넓어지고 유연해진다. 따라서 기저막의 각 부위는 특정 진동의 영향을 가장 많이 받는다. 청신경의 축삭은 각 청신경이 발원한 기저막의 위치를 기준으로 대뇌 피질의 청각 영역에 질서 있게 ㉤분포한다. 따라서 대뇌 피질의 특정 부위가 흥분하면 특정 높이의 소리를 인지하게 되는 것이다.

(그림 내 명칭: 외이, 중이, 내이, 머리뼈, 망치뼈, 모루뼈, 등자뼈, 반고리관, 뇌로 가는 청신경, 달팽이관, 귓바퀴, 청관, 고막, 난원창, 정원창)

1 윗글의 내용과 일치하지 <u>않는</u> 것은?

① 난원창은 중이에 있는 세 개의 뼈 중 하나인 등자뼈와 연결되어 있다.

② 달팽이관에서 생성된 압력파에 의해 기저막과 털 세포가 진동하게 된다.

③ 고막은 공기를 통해 전달되는 음파를 액체 형태의 파동으로 변화시킨다.

④ 귀에서 뇌로 전달되는 소리의 크기와 높낮이는 음파의 진폭과 진동수에 의해 결정된다.

⑤ 기저막의 좁고 딱딱한 부위에서 인지하는 음파의 진동수와 넓고 유연한 부위에서 인지하는 음파의 진동수는 다르다.

수능형

2 윗글을 참고하여 〈보기〉를 이해한 내용으로 적절하지 <u>않은</u> 것은?

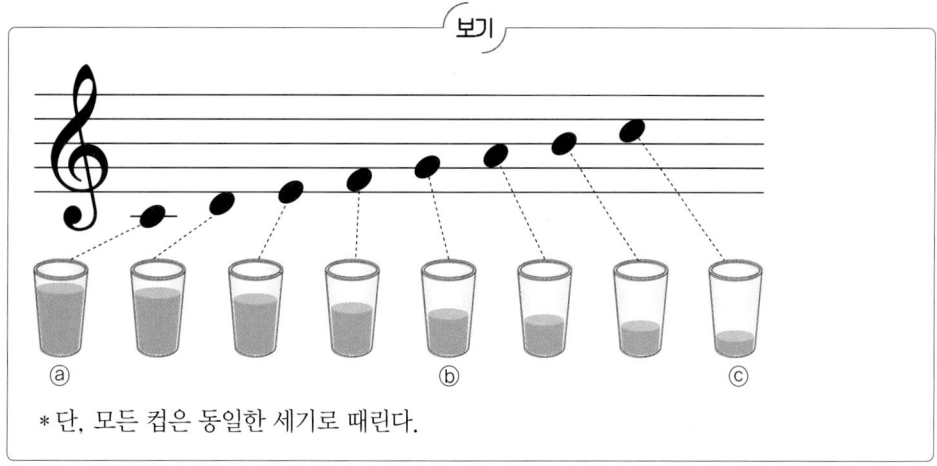

* 단, 모든 컵은 동일한 세기로 때린다.

① @~ⓒ는 컵 속에 담긴 물의 양이 많을수록 낮은 진동수의 소리를 만들어 내겠군.

② @를 때릴 때보다 ⓑ를 때릴 때 털 세포의 털이 더 심하게 구부러지겠군.

③ @를 때릴 때와 ⓑ를 때릴 때 흥분하는 대뇌 피질의 위치가 서로 다르겠군.

④ @를 때릴 때와 ⓒ를 때릴 때 청신경에서는 동일한 빈도의 활동 전위가 발생하겠군.

⑤ ⓑ를 때릴 때와 ⓒ를 때릴 때 소리를 다르게 인식하는 것은 기저막의 구조와 성질이 일정하지 않기 때문이겠군.

3 ㉠~㉤의 사전적 의미로 적절하지 <u>않은</u> 것은?

① ㉠: 단속하기 위하여 주의 깊게 살핌

② ㉡: 일의 결과로서 어떤 현상을 생겨나게 함

③ ㉢: 어떤 사실을 인정하여 앎

④ ㉣: 나란히 또는 가까이 있어서 경계가 서로 붙어 있음

⑤ ㉤: 일정한 범위에 흩어져 퍼져 있음

1 이 글의 핵심 화제를 살펴보자.

뇌가 (　　　　　)를 인지하는 과정 및 소리의 크기와 높낮이를 결정하는 요인

2 각 문단별 중심 내용을 정리해 보자.

1문단　　(　　　　　)를 통해 전달된 소리가 (　　　　　)에서 인지되기까지의 과정

↓

2문단　　소리의 (　　　　　)를 결정하는 요인

↓

3문단　　소리의 (　　　　　)를 결정하는 요인

3 핵심 내용을 구조화해 보자.

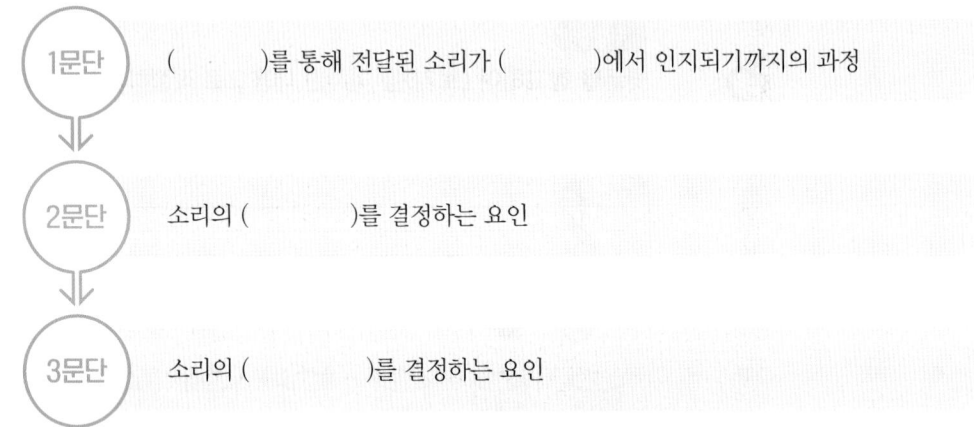

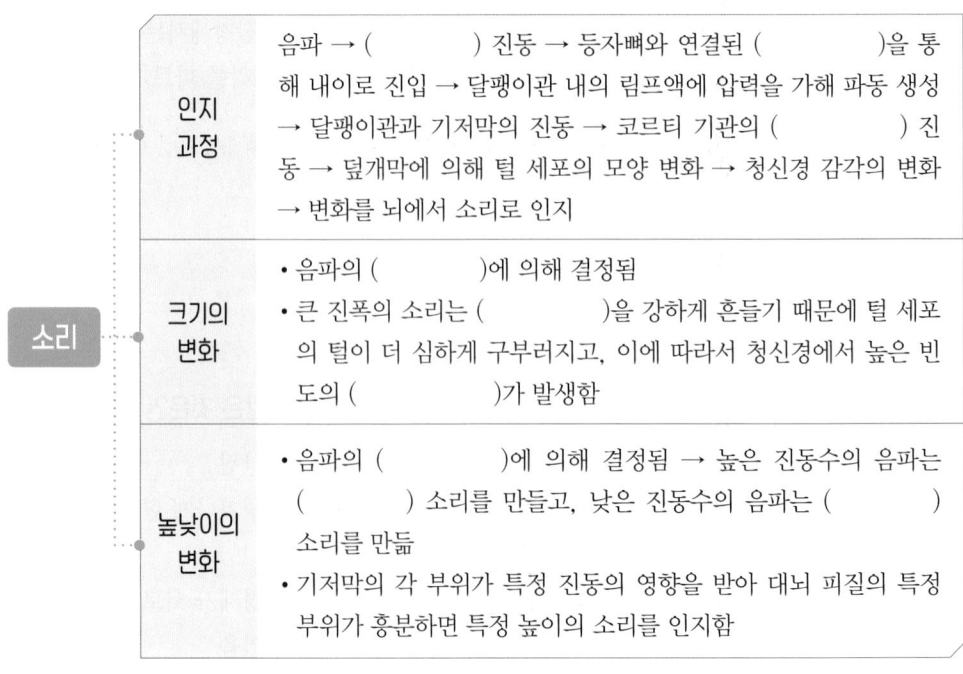

소리	인지 과정	음파 → (　　　　　) 진동 → 등자뼈와 연결된 (　　　　　)을 통해 내이로 진입 → 달팽이관 내의 림프액에 압력을 가해 파동 생성 → 달팽이관과 기저막의 진동 → 코르티 기관의 (　　　　　) 진동 → 덮개막에 의해 털 세포의 모양 변화 → 청신경 감각의 변화 → 변화를 뇌에서 소리로 인지
	크기의 변화	• 음파의 (　　　　　)에 의해 결정됨 • 큰 진폭의 소리는 (　　　　　)을 강하게 흔들기 때문에 털 세포의 털이 더 심하게 구부러지고, 이에 따라서 청신경에서 높은 빈도의 (　　　　　)가 발생함
	높낮이의 변화	• 음파의 (　　　　　)에 의해 결정됨 → 높은 진동수의 음파는 (　　　　　) 소리를 만들고, 낮은 진동수의 음파는 (　　　　　) 소리를 만듦 • 기저막의 각 부위가 특정 진동의 영향을 받아 대뇌 피질의 특정 부위가 흥분하면 특정 높이의 소리를 인지함

어휘력 테스트

1 다음 단어를 활용하기에 적절한 문장을 찾아 바르게 연결해 보자.

❶ 가하다 •

❷ 상대적 •

❸ 발원하다 •

• ㉠ 두 자매는 많이 닮았지만 (   ) 특성을 가지고 있었다.

• ㉡ 그는 열심히 노력한 덕분에 빌린 원금에 이자를 (   ) 갚았다.

• ㉢ 고소설은 고대 기록 문학에서 (   ) 고려 시대에 형성되었다.

2 다음 〈보기〉의 뜻을 참고하여 십자말풀이를 완성해 보자.

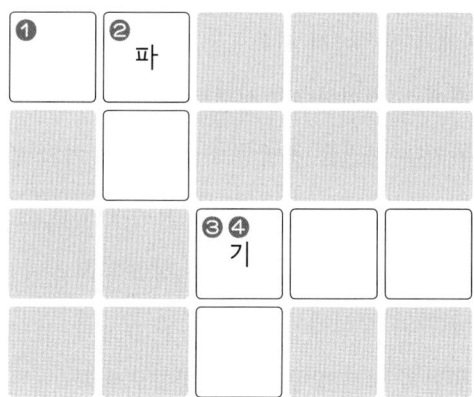

보기

❶ 가로: 공기나 그 밖의 매질(媒質)이 발음체의 진동을 받아서 생기는 파동
❷ 세로: 물결의 움직임
❸ 가로: 상피 세포, 근육 세포, 내피 세포 등의 바닥면과 결합 조직 사이에 형태가 없는 세포 바깥 물질로 이루어진 얇은 판
❹ 세로: 기본이 되는 표준

어휘·어법 확장

'지다'의 띄어쓰기

즉 정점 부위로 갈수록 넓어지고 유연해진다.

띄어 쓰는 경우	• '지다'가 동사로 쓰여서 '어떤 현상이나 상태가 이루어지다.', '어떤 좋지 아니한 관계가 되다.', '물 따위가 한데 모여 모양을 이루거나 흐르다.'의 의미로 쓰일 때에는 띄어 쓴다. **예** • 서산에 노을이 진다. / • 동료와 원수를 진 관계가 되다. / • 낙숫물 지는 소리가 들린다.
붙여 쓰는 경우	• '지다'가 동사 뒤에서 '-어지다'의 구성으로 쓰여 '남의 힘에 의하여 앞말이 뜻하는 행동을 입음을 나타내는 말'이나 '앞말이 뜻하는 대로 하게 됨을 의미하는 말'의 의미로 쓰일 때에는 붙여 쓴다. **예** • 새로운 말이 만들어진다. / • 그의 말이 사실인 것처럼 믿어진다. • '지다'가 형용사 뒤에서 '-어지다'의 구성으로 쓰여 '앞말이 뜻하는 상태로 됨을 나타내는 말'의 의미로 쓰일 때에도 붙여 쓴다. **예** 방이 깨끗해진다.

지구 자전의 증거

☑ 핵심어를 찾아보자.
☑ 문단별 중심 내용에 밑줄을 그어 보자.
☑ 핵심 내용을 구조적으로 재배열해 보자.

가 ㉠지구가 자전하고 있다는 사실은 누구나 알고 있다. 지구의 자전에 의해 태양과 달, 별을 포함한 모든 천체는 매일 동쪽에서 뜨고 서쪽으로 진다. 아침에 태양이 뜨고 저녁에 태양이 지고 나면 하나둘 별이 나타나는데, 동쪽에서는 계속 새로운 별이 떠오르고, 서쪽으로는 별이 진다. 이러한 운동을 ㉡천체의 일주 운동이라고 한다.

나 그렇다면 지구가 자전하고 있다는 사실은 어떻게 ⓐ증명할 수 있을까? 앞서 언급한 천체의 일주 운동이 지구 자전의 증거가 될 수 있을 것이라고 생각하기 쉽지만 실은 그렇지 않다. 천체가 동쪽에서 서쪽으로 일주 운동을 하는 것은 천구가 동쪽에서 서쪽으로 움직이는 것에 ⓑ기인한다고 설명해도 되기 때문이다.

다 과학자들은 지구 자전을 증명하기 위해 여러 가지 방법을 모색했다. 과학자들이 제시한 지구 자전의 증거로는 코리올리의 효과와 푸코˚진자가 있다. 먼저 ㉢코리올리의 효과를 이해하기 위해 회전하는 원판을 상상해 보자. 만약 회전 원판의 중심에서 바깥쪽으로 구슬을 굴리면 구슬은 원판의 회전 방향과 반대 방향으로 휘며 ㉣진행할 것이다. 자전하는 지구상에서의 운동도 이와 마찬가지라서, 북반구의 어떤 지점에서 물체를

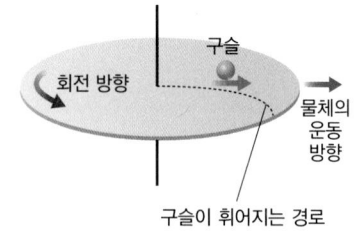

회전 방향
구슬
물체의 운동 방향
구슬이 휘어지는 경로

던지면 지구의 자전 때문에 물체는 진행 방향의 오른쪽으로 휘어질 것이고, 남반구의 어떤 지점에서 물체를 던지면 물체는 진행 방향의 왼쪽으로 휘어질 것이다. 이러한 현상을 코리올리의 효과라고 한다. 코리올리의 효과는 대기의 운동에서도 나타나는데, 북반구에서는 고기압 중심에서 바람이 오른쪽으로 휘어서 바깥쪽으로 불어 나간다. 또 대기 대순환에 의해 발생하는 북반구의 극동풍, 편서풍, 북동 무역풍도 코리올리의 효과 때문에 진행 방향의 오른쪽으로 휜다.

● **진자**: 줄 끝에 추를 매달아 좌우로 왔다 갔다 하게 만든 물체

● **진동면**: 파동의 진동 방향과 진행 방향을 포함한 면. 여기서는 진자가 왕복 운동을 할 때 진자를 매단 줄이 지나가며 만드는 가상의 면을 의미함

라 다음으로 ㉤푸코 진자에 대해 이해해 보자. 1851년 푸코는 파리의 판테온 사원 천장에 진자를 매달고 진자의˚진동면이 회전한다는 것을 지구 자전의 증거로 ⓓ제시했다. 지구가 자전하지 않는다면 진자의 진동면은 항상 같은 방향을 ⓔ유지할 것이고, 지구가 자전한다면 진자의 진동면은 회전할 것이다. 푸코는 실험을 통해 진자의 진동면이 시계 방향으로 회전하는 것을 확인하고, 이를 근거로 지구가 반시계 방향으로 회전하고 있음을 증명했다.

추론적 사고

1 윗글을 읽고 추론한 내용으로 적절한 것은?

① 지구의 자전이 멈추면 북반구의 대기 대순환도 멈추게 될 것이다.

② 지구의 남반구는 북반구와 달리 동쪽에서 서쪽으로 자전할 것이다.

③ 지구가 자전하지 않는다면 낮과 밤이 현재보다 더 빨리 바뀔 것이다.

④ 남반구의 고기압 중심에서는 바람이 왼쪽으로 휘어서 불어 나갈 것이다.

⑤ 푸코가 남반구에서 진자 실험을 했다면 진자의 진동면은 회전하지 않았을 것이다.

비판적 사고

2 **수능형**

㉠~㉣에 대한 설명으로 적절한 것끼리 짝지은 것은?

> a. ㉠과 ㉡은 ㉣의 진동면이 회전하는 원인으로 작용한다.
> b. ㉠과 ㉣을 통해 과학자들은 ㉢을 증명하려 하였다.
> c. ㉡은 ㉢과 마찬가지로 ㉠으로 인해 발생한다.
> d. ㉡과 달리 ㉢은 ㉠의 증거라고 쉽게 인정받을 수 있다.

① a, b   ② a, c   ③ b, c
④ b, d   ⑤ c, d

어휘·어법

3 ⓐ~ⓔ의 문맥적 의미를 활용하여 만든 문장으로 적절하지 <u>않은</u> 것은?

① ⓐ: 그는 자신의 결백을 <u>증명</u>하기 위해 최선을 다했다.

② ⓑ: 그 도시의 땅값 상승은 갑작스러운 인구 증가에서 <u>기인</u>하였다.

③ ⓒ: 이 문제는 무려 두 시간에 걸쳐 협상을 <u>진행</u>했다.

④ ⓓ: 그녀는 반대 입장의 직원들에게 파격적인 대안을 <u>제시</u>했다.

⑤ ⓔ: 전 세계의 평화를 <u>유지</u>하기 위해서는 서로를 배척하는 태도를 버리고 협력적인 태도를 가져야 한다.

1 이 글의 핵심 화제를 살펴보자.

지구 자전의 증거인 '(　　　　　　)'와 '(　　　　　)'

2 각 문단별 중심 내용을 정리해 보자.

1문단 지구의 자전에 의한 천체의 (　　　　　)

2문단 천체의 일주 운동이 지구 (　　　　)의 증거로 인정받기 어려운 이유

3문단 지구 자전의 첫 번째 증거인 (　　　　　)

4문단 지구 자전의 두 번째 증거인 (　　　　　)

3 핵심 내용을 구조화해 보자.

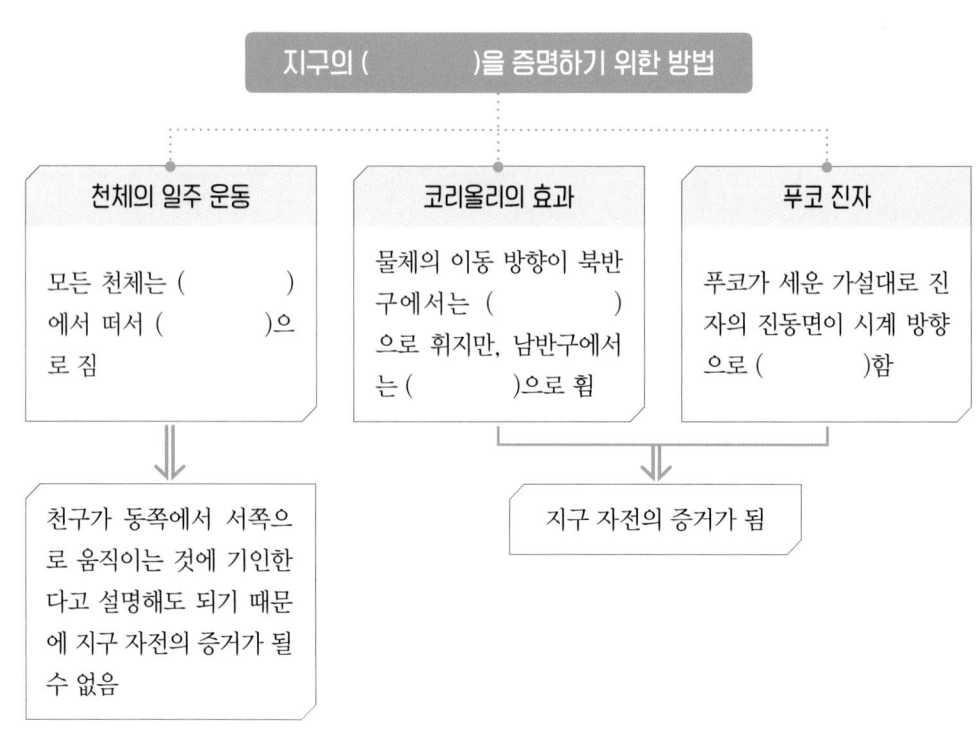

지구의 (　　　　)을 증명하기 위한 방법

천체의 일주 운동	코리올리의 효과	푸코 진자
모든 천체는 (　　　　)에서 떠서 (　　　　)으로 짐	물체의 이동 방향이 북반구에서는 (　　　　)으로 휘지만, 남반구에서는 (　　　)으로 휨	푸코가 세운 가설대로 진자의 진동면이 시계 방향으로 (　　　)함

천구가 동쪽에서 서쪽으로 움직이는 것에 기인한다고 설명해도 되기 때문에 지구 자전의 증거가 될 수 없음

지구 자전의 증거가 됨

어휘 체크

어휘력 테스트

1 제시된 뜻과 예문을 참고하여 다음 초성에 해당하는 단어를 괄호 안에 써 보자.

(1) ㅊㅊ : 우주에 존재하는 모든 물체. 항성, 행성, 위성, 혜성, 성단, 성운, 성간 물질, 인공위성 따위를 통틀어 이르는 말

예 아이의 꿈은 (   )를 관측하며 우주를 연구하는 것이다.

(2) ㄷㄱ : 천체(天體)의 표면을 둘러싸고 있는 기체

예 지구의 (   )는 질소와 산소가 높은 비중으로 구성되어 있다.

(3) ㅈㄱ : 어떤 사실을 증명할 수 있는 근거

예 직접적인 (   )가 발견되지 않아 범인은 풀려났다.

2 다음 단어를 활용하기에 적절한 문장을 찾아 바르게 연결해 보자.

❶ 지다 •

❷ 굴리다 •

❸ 회전하다 •

• ㉠ 눈덩이를 (   ) 눈사람을 만들었다.

• ㉡ 이미 해가 (   ) 아버지는 돌아오지 못했다.

• ㉢ 등대의 (   ) 불빛이 어둠이 가득한 바다를 비추었다.

어휘·어법 확장

조사 '으로'의 다양한 쓰임

지구의 자전에 의해 태양과 달, 별을 포함한 모든 천체는 동쪽에서 뜨고 서쪽으로 진다.
「1」의 의미로 쓰임

「1」 움직임의 방향을 나타내는 격 조사
예 집으로 가는 길

「4」 어떤 물건의 재료나 원료를 나타내는 격 조사
예 콩으로 메주를 쑤다.

「5」 어떤 일의 수단·도구를 나타내는 격 조사
예 톱으로 나무를 베다.

조사 '으로'

「3」 변화의 방향을 나타내는 격 조사
예 자식을 훌륭한 사람으로 키우다.

「9」 시간을 나타내는 격 조사
예 시험 시간을 한 시간으로 제한했다.

「10」 시간을 셈할 때 셈에 넣는 한계를 나타내는 격 조사
예 자동차 면허 시험을 보는 것이 이번으로 일곱 번째가 된다.

Ö1 음성 피드백

☑ 핵심어를 찾아보자.
☑ 문단별 중심 내용에 밑줄을 그어 보자.
☑ 핵심 내용을 구조적으로 재배열해 보자.

● **간뇌**: 대뇌 반구와 중간뇌 사이에 있는 부분. 셋째 뇌실 주위를 둘러싸고 있으며 시상, 시상 하부, 시상 상부, 시상 후부 따위로 이루어져 있다.

● **시상 하부**: 셋째 뇌실의 바깥 벽과 바닥을 이루는 사이뇌의 아랫부분. 자율 신경 내분비 기능, 체온, 수면, 생식, 물질대사 따위의 중추 역할을 한다.

● **뇌하수체**: 사이뇌의 시상 하부 아래쪽 가운데에 가느다란 줄기로 연결된 짝이 없는 콩알만 한 샘.

● **티록신**: 갑상샘에서 분비되는 호르몬. 아이오딘을 함유하며 물질대사를 조절한다.

● **열팽창률**: 일정한 압력 아래서 물체의 열팽창의 온도에 대한 비율

가 날씨가 추워지면 우리 몸은 간뇌의 시상 하부가 뇌하수체에 명령을 내려 갑상선을 ㉠자극하는 물질을 ㉡분비하고, 갑상선은 티록신이라는 호르몬을 분비하여 체온을 높인다. 그런데 티록신 농도가 지나치게 높아지면 티록신은 자신을 만들도록 명령을 내린 시상 하부를 제어함으로써 그 농도를 낮추게 된다. 이처럼 어떤 원인에 의해 결과가 나타나고, 그 결과가 역으로 원인을 제어함으로써 일정한 상태를 유지하는 자동 조절 방식을 '음성 피드백'이라고 한다. 우리 몸은 이런 방식으로 체온, 체내 수분량, 혈당량 등의 균형을 유지한다.

나 일상생활 속 기기에 활용되는 기술 중에는 인체 시스템의 음성 피드백과 유사한 것들이 있다. 이 기술은 어떤 필요에 의해 일정한 상태를 유지해야 하는 기계, 도구, 장치에 주로 사용되는 것으로, 기술이 사용된 대표적인 기계로는 전기다리미를 들 수 있다. 전기다리미의 경우 온도가 너무 높아지면 옷이 타 버리게 되고, 온도가 지나치게 낮아지면 옷이 제대로 다려지지 않는다. 따라서 전기다리미가 제대로 작동되기 위해서는 미리 설정해 둔 온도를 유지하는 자동 온도 조절 장치의 ㉢장착이 필요하다.

다 전기다리미는 전기 저항에 의하여 발생하는 열을 이용한 가전 기기이다. 전기다리미의 자동 온도 조절 장치에는 바이메탈(bi-metal)이 사용된다. 바이메탈은 온도 변화를 길이 변화로 변환해 주는 장치로, 철과 구리, 철과 황동처럼 열팽창률이 크게 다른 두 금속을 편평하게 이어 붙인 막대 형태의 부품이다. 바이메탈에 열을 가하면 서로 다른 열팽창률 때문에 두 금속이 늘어나는 길이가 달라

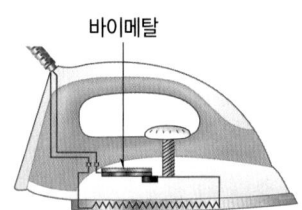
바이메탈

진다. 두 금속은 단단히 결합되어 있기 때문에 일어날 수 있는 변화는 열팽창률이 큰 쪽이 더 많이 팽창하면서 그 반대쪽, 즉 열팽창률이 더 작은 금속 쪽으로 구부러지는 것뿐이다.

라 전기다리미의 온도가 올라가면 바이메탈은 한쪽으로 굽게 된다. 이로 인해 전원 회로가 끊어지면서 다리미의 온도가 낮아진다. 그러나 온도가 지나치게 낮아지면 열팽창률이 더 큰 금속이 많이 ㉣수축하여 그쪽으로 휘어지며 바이메탈의 원래 형태로 ㉤회복된다. 그러면 전원 회로가 연결되므로 온도가 다시 높아지게 된다. 결국 다리미의 온도는 높아졌다 낮아졌다를 반복하면서 일정한 범위에 머물러 있게 되는 것이다.

사실적 사고

1

윗글을 읽고 알 수 있는 내용으로 적절한 것은?

① 바이메탈은 길이 변화를 온도 변화로 바꾸어 주는 특성이 있다.

② 티록신의 분비가 억제되지 않을 경우 우리 몸은 저체온증에 걸릴 위험이 있다.

③ 전기다리미에서 전원 회로의 일부를 이루는 금속에 전류가 흐르면 열이 발생한다.

④ 티록신 분비가 과다할 때 티록신은 갑상선을 제어하고 갑상선은 다시 뇌하수체를 제어한다.

⑤ 전기다리미에서 휘었던 바이메탈의 온도가 다시 내려가면 열팽창률이 더 작은 쪽으로 구부러진다.

추론적 사고

2

수능형

윗글을 읽은 학생이 〈보기〉에 대해 보일 반응으로 적절하지 않은 것은?

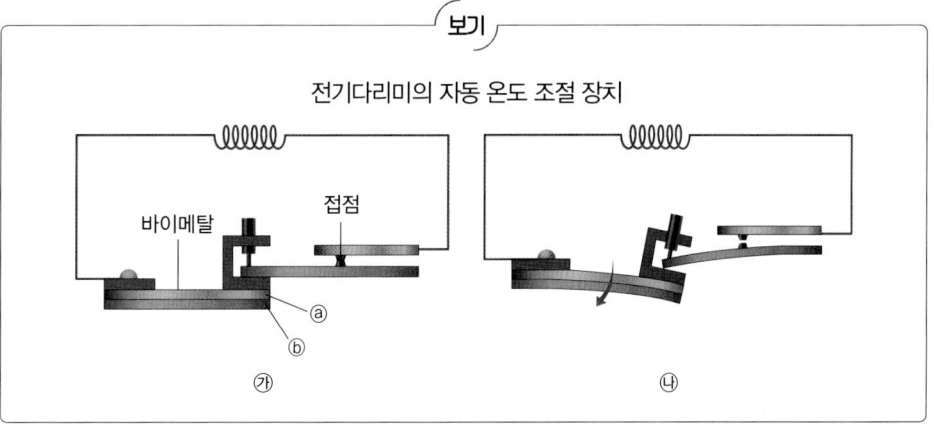

보기

전기다리미의 자동 온도 조절 장치

바이메탈 / 접점 / ⓐ / ⓑ / ㉮ / ㉯

① ⓐ에 비해 ⓑ의 열팽창률이 더 크겠군.

② ⓐ와 ⓑ는 모두 전기가 통하는 금속이어야 하겠군.

③ ⓐ와 ⓑ는 강하게 접착시켜 서로 분리되지 않게 만들어야겠군.

④ ㉮와 달리 ㉯에서는 ⓐ와 ⓑ로 인해 전기 회로가 끊어지는 것이겠군.

⑤ 전원을 꽂은 뒤 뽑지 않으면 '㉮ → ㉯ → ㉮ → ㉯ → …'로 상태가 계속 변화하겠군.

어휘·어법

3

㉠~㉤을 사용하여 만든 문장으로 적절하지 않은 것은?

① ㉠: 코끝의 아릿한 냄새가 우리의 후각을 <u>자극</u>하기 시작했다.

② ㉡: 모혈에서 나오는 피지가 너무 많이 <u>분비</u>되면 여드름이 생긴다.

③ ㉢: 대형 사고의 예방을 위해 운전석에 에어백을 반드시 <u>장착</u>해야 한다.

④ ㉣: 국민들이 보내온 성금으로 지난 홍수 때 무너진 제방을 <u>수축</u>할 수 있었다.

⑤ ㉤: 지금 상태로는 할아버지의 건강이 이전처럼 <u>회복</u>되기는 힘들 것으로 보인다.

1 이 글의 핵심 화제를 살펴보자.

(   )에 사용되는 (   ) 기술

_____

2 각 문단별 중심 내용을 정리해 보자.

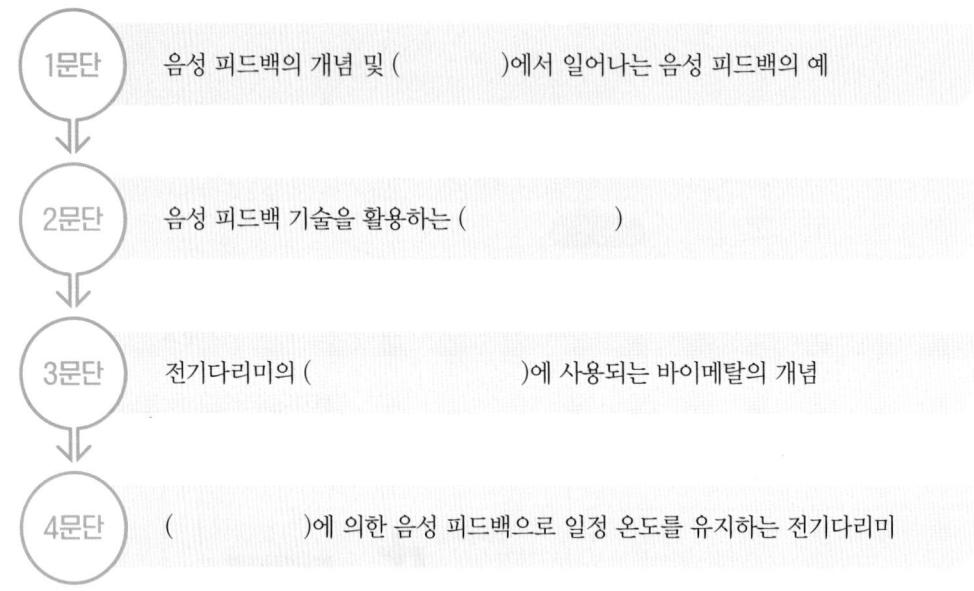

1문단 음성 피드백의 개념 및 (   )에서 일어나는 음성 피드백의 예

2문단 음성 피드백 기술을 활용하는 (   )

3문단 전기다리미의 (   )에 사용되는 바이메탈의 개념

4문단 (   )에 의한 음성 피드백으로 일정 온도를 유지하는 전기다리미

3 핵심 내용을 구조화해 보자.

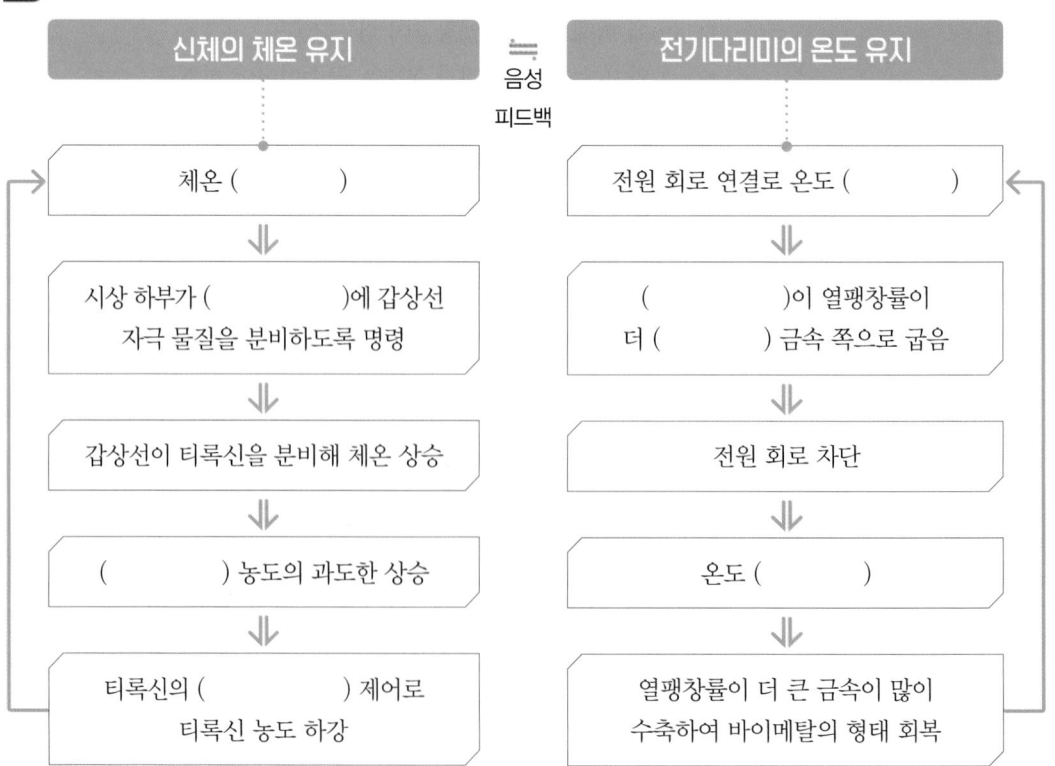

신체의 체온 유지	음성 피드백	전기다리미의 온도 유지
체온 ( )		전원 회로 연결로 온도 ( )
시상 하부가 ( )에 갑상선 자극 물질을 분비하도록 명령		( )이 열팽창률이 더 ( ) 금속 쪽으로 굽음
갑상선이 티록신을 분비해 체온 상승		전원 회로 차단
( ) 농도의 과도한 상승		온도 ( )
티록신의 ( ) 제어로 티록신 농도 하강		열팽창률이 더 큰 금속이 많이 수축하여 바이메탈의 형태 회복

어휘 체크

어휘력 테스트

1 다음 단어의 뜻을 참고하여 끝말잇기를 완성해 보자.

간
대뇌 반구와 중간뇌 사이에 있는 부분. 셋째 뇌실 주위를 둘러싸고 있으며 시상, 시상 하부, 시상 상부, 시상 후부 따위로 이루어져 있다.

하수체
사이뇌의 시상 하부 아래쪽 가운데에 가느다란 줄기로 연결된 짝이 없는 콩알만 한 샘

체
동물체가 가지고 있는 온도

착
의복, 기구, 장비 따위에 장치를 부착함

도
일정한 표적으로 삼기 위하여 개인, 단체, 관직 따위의 이름을 나무, 뼈, 뿔, 수정, 돌, 금 따위에 새겨 문서에 찍도록 만든 물건

도
따뜻함과 차가움의 정도. 또는 그것을 나타내는 수치

2 제시된 뜻과 예문을 참고하여 다음 초성에 해당하는 단어를 괄호 안에 써 보자.

(1) ㄴㄷ : 용액 따위의 진함과 묽음의 정도

예 삼투압은 용액의 ( ) 차이 때문에 일어나는 현상이다.

(2) ㅈㅇ : 기계나 설비 또는 화학 반응 따위가 목적에 알맞은 작용을 하도록 조절함

예 오르막길에서 자동차가 갑자기 ( )가 되지 않아 당황스러웠다.

어휘·어법 확장

'굽다'의 다양한 의미

> 전기다리미의 온도가 올라가면 바이메탈은 한쪽으로 굽게 된다.
> '한쪽으로 휘게'의 의미

굽다¹
「1」 불에 익히다. 예 화롯불에 고구마를 굽다.
「2」 나무를 태워 숯을 만들다. 예 참나무를 베어 숯을 굽다.
「3」 벽돌, 도자기, 옹기 따위의 흙으로 빚은 것이 굳도록 열을 가하다. 예 장인이 옹기를 굽다.
「4」 바닷물에 햇볕을 쬐어 소금만 남게 하다.
　　예 염전에서 소금을 구워 팔았다.
「5」 쇠붙이 따위가 녹을 정도로 열을 가하다.
　　예 대장장이는 쇠를 빨갛게 구웠다.

굽다²
한쪽으로 휘다.
예 활처럼 길이 굽었다.

굽다³
【…을】 윷놀이에서, 한 말이 다른 말을 어우르다.
예 걸이 연속 나와 두 동을 구워 갔다.

해수의 담수화 기술

☑ 핵심어를 찾아보자.
☑ 문단별 중심 내용에 밑줄을 그어 보자.
☑ 핵심 내용을 구조적으로 재 배열해 보자.

◉ **담수화하는**: 바닷물이 소금기가 줄어 민물이 되는. 또는 그렇게 만드는

◉ **미네랄**: 생체의 생리 기능에 필 요한 광물성 영양소. 칼륨, 나트 륨, 인, 철 따위가 있다.

◉ **용존 물질**: 염분 화합물을 비롯 하여 물에 녹아 있는 다양한 물 질

◉ **열원**: 열이 생기는 근원

◉ **응축되어**: 기체가 액체로 변하 게 되어

◉ **반투막**: 용액이나 기체의 혼합 물에 대하여 어떤 성분은 통과 시키고 다른 성분은 통과시키지 아니하는 막

가 물 부족 문제를 해결하기 위한 방법 중 하나가 해수(海水)를 담수화하는 기술이다. 이 기술은 해수에 포함된 염분, 미네랄 등과 같은 용존 물질을 제거하여 식수나 공업용 수 등으로 이용할 수 있도록 만드는 것이다.

나 해수로부터 담수를 얻는 방법으로 기존에 많이 사용되어 온 것은 다단 플래시 증 발법이다. 이 방법은 순간적으로 증기를 방출하는 플래싱 현상을 이용해 해수를 증발시 켜 용존 물질과 수증기를 분리하였다가 수증기를 다시 응결시키는 방법을 말한다. 해수 는 여러 단계를 거친 후 증발이 이루어지는데, 각 단계를 지나며 순차적으로 가열된 해 수는 염수 가열기에서 추가 열원을 공급받아 최고 온도까지 가열된 이후 순간적으로 증 기를 방출하는 플래시 증발이 일어나게 된다. 이렇게 발생된 증기가 열 교환기에서 응 축되어 담수로 생산된다. 그러나 다단 플래시 증발법은 해수 가열에 필요한 열원을 공 급하는 발전소를 함께 건설해야 하므로 비용 대비 효율이 떨어지는 단점이 있다.

다 한편 삼투 현상을 이용하여 해수로부터 담수를 얻는 방법도 있다. 반투막을 사이 에 두고 저농도 용액과 고농도 용액을 따로따로 넣어 두면 저농도 용액의 용매가 고농 도 용액 쪽으로 이동하여 고농도 용액의 양이 증가하게 되는데, 이런 현상을 삼투 현상 이라고 한다. 그리고 이때 용액이 이동하는 힘, 즉 반투막이 받는 압력을 삼투압이라고 한다. 이를 활용한 삼투압 방식에서는 해수를 담수화할 때 고농도 유도 용액을 이용한 다. 반투막으로 칸막이를 한 탱크에 고농도 유도 용액과 해수를 따로 넣어 두면 반투막 을 통해 해수에서 유도 용액 쪽으로 물이 이동한다. 물론 이 용액에서 물을 따로 ⊙뽑 아내야 하는 불편함은 있지만 증발법에 비해 에너지 효율성이 높고 경제적이다.

라 반면 삼투 현상과 달리 고농도 용액에 삼투압보다 높은 압력을 가하면 반대로 저 농도 용액 쪽으로 용매가 이동하게 되는데, 이 현상을 역삼투 현상이라고 한다. 또한 이때 쓰이는 반투막을 역삼투막, 가해진 압력을 역삼투압이라고 한다. 역삼투 현상의 원리를 이용하면 효율적으로 해수를 담수화할 수 있다. 염분의 농도가 높은 해수 탱크 와 염분의 농도가 낮은 민물 탱크 사이에 물만 통과할 수 있는 역삼투막을 설치한 후, 펌프를 이용해 해수 쪽에 압력을 가하면 역삼투 현상이 일어난다. 이를 통해 용존 물질 이 제거된 담수를 생산한다. 이러한 역삼투압 방식은 현재 전 세계적으로 각광받고 있 는 해수의 담수화 기술이다.

1 윗글의 다단 플래시 증발법에 대한 설명으로 적절하지 <u>않은</u> 것은?

① 열 교환기에서 증기를 응축하여 물을 만든다.

② 해수를 가열하기 위한 열원을 별도로 공급받아야 한다.

③ 플래싱 현상을 이용해 용존 물질과 수증기를 분리한다.

④ 삼투 현상을 이용한 방식에 비해 비용 대비 에너지 효율성이 낮다.

⑤ 해수가 가열되기 이전 여러 단계를 거쳐 증발이 반복적으로 일어난다.

수능형

2 윗글을 바탕으로 〈보기〉를 이해한 내용으로 적절하지 <u>않은</u> 것은?

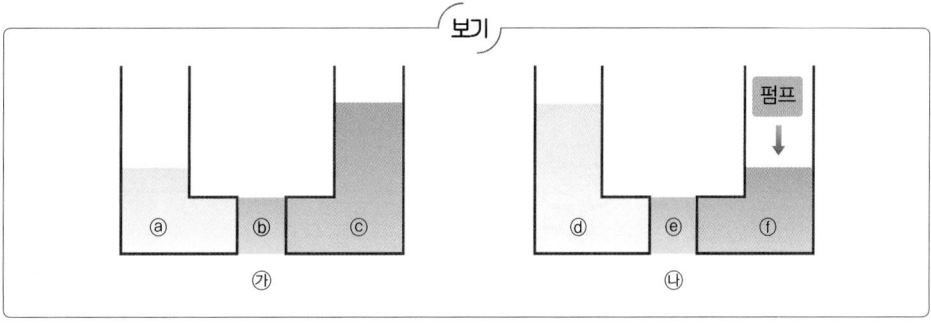

① ⓐ와 ⓕ에는 해수가 담겨 있다.

② ⓑ는 반투막, ⓔ는 역삼투막에 해당한다.

③ 시간이 흐르면 ⓒ에는 고농도 유도 용액과 물이 섞여 있게 된다.

④ ⓓ에는 ⓕ에 비해 염분의 농도가 낮은 민물이 들어 있다.

⑤ ⓕ에 삼투압을 가하면 용존 물질이 제거된 물이 ⓔ를 통과한다.

3 문맥상 ㉠과 바꾸어 쓸 수 있는 말로 가장 적절한 것은?

① 각출(各出)해야

② 검출(檢出)해야

③ 추출(抽出)해야

④ 도출(導出)해야

⑤ 산출(産出)해야

**독해
체크**

1 이 글의 핵심 화제를 살펴보자.

해수로부터 (   )를 생산하는 방법

2 각 문단별 중심 내용을 정리해 보자.

1문단 (   ) 문제를 해결하기 위한 해수 담수화 기술

2문단 해수 담수화에 많이 사용되어 온 (   )

3문단 (   )의 원리와 이를 이용한 해수 담수화 기술

4문단 전 세계적으로 각광받고 있는 (   ) 방식의 원리

3 핵심 내용을 구조화해 보자.

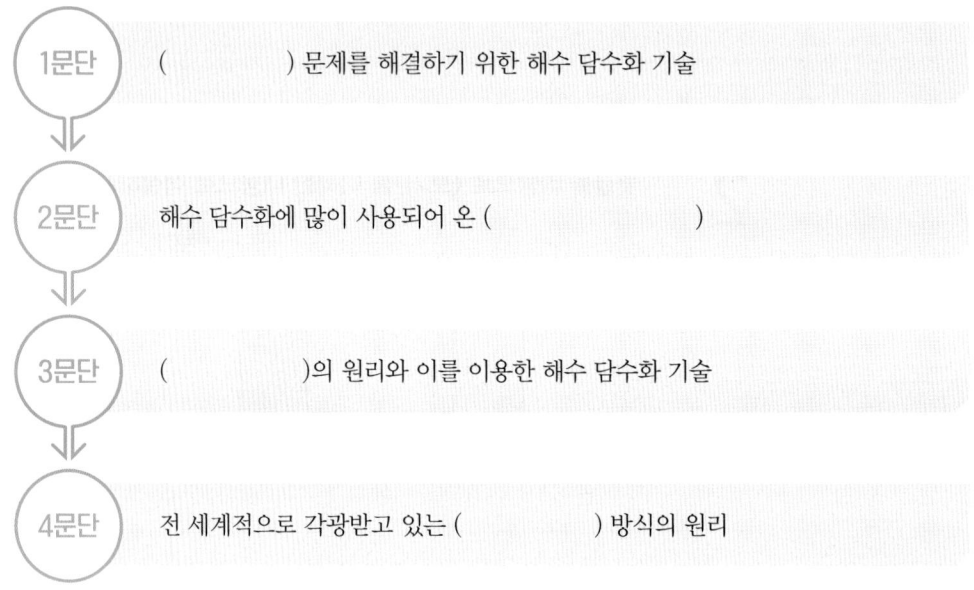

해수의 담수화 기술

다단 플래시 증발법	삼투압 방식	역삼투압 방식
가열된 해수를 추가 열원의 공급을 통해 최고 온도까지 가열 → 순간적으로 증기를 방출하는 ( )을 이용하여 해수 증발 → 수증기를 열 교환기에서 응축하여 담수 생산	( ) 용액과 해수 탱크 사이에 반투막 설치 → 삼투 현상 발생 → 해수에서 유도 용액 쪽으로 물 이동 → 유도 용액과 물을 분리하여 담수 생산	민물 탱크와 해수 탱크 사이에 역삼투막 설치 → 해수 탱크에 ( )를 이용하여 압력을 가함 → 역삼투 현상 발생 → 해수에서 민물 쪽으로 물 이동 → 용존 물질이 제거된 담수 생산

어휘
체크

어휘력 테스트

1 다음 〈보기〉의 뜻을 참고하여 십자말풀이를 완성해 보자.

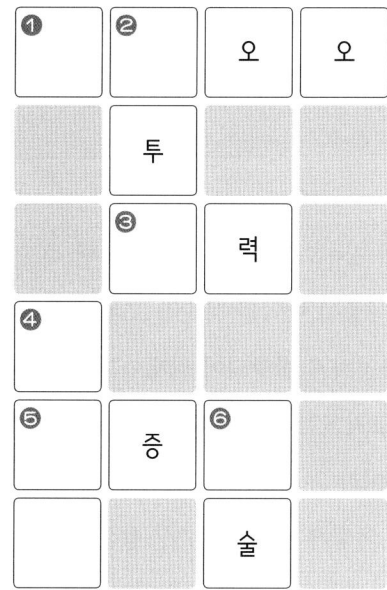

보기
❶ 가로: 서너 사람 또는 대여섯 사람이 떼를 지어 다니거나 무슨 일을 함. 또는 그런 모양
❷ 세로: 삼투 현상이 일어날 때에 반투성의 막(膜)이 받는 압력
❸ 가로: 두 물체가 접촉면을 경계로 하여 서로 그 면에 수직으로 누르는 단위 면적에서의 힘의 단위
❹ 세로: 바닷물이 소금기가 줄어 민물이 됨. 또는 그렇게 만듦
❺ 가로: 기체 상태로 되어 있는 물
❻ 세로: 과학 이론을 실제로 적용하여 사물을 인간 생활에 유용하도록 가공하는 수단

2 다음 단어를 활용하기에 적절한 문장을 찾아 바르게 연결해 보자.

❶ 방출하다 •
❷ 응축하다 •
❸ 각광 •

㉠ 그녀는 압축된 기체를 (   ) 액화하였다.

㉡ 은행이 자금을 (   ) 기업의 숨통이 조금 트였다.

㉢ 그는 주옥같은 명시를 발표함으로써 시단의 귀재로 (   )받고 있는 시인이었다.

어휘·어법 확장

'불편함'은 명사일까? 형용사일까?

물론 이 용액에서 물을 따로 뽑아내야 하는 **불편함**은 있지만 증발법에 비해 에너지 효율성이 높고 경제적이다.

불편하- + -(으)ㅁ = **불편함**

형용사 어간   명사형 어미   형용사

'불편함'은 '불편하다'라는 형용사의 어간 '불편하-'에 명사형 어미 '-(으)ㅁ'이 결합한 것이다. 따라서 용언을 활용한 것에 해당하므로 단어의 품사는 그대로 형용사이다. 한편 어근의 뒤에 붙는 접미사 '-(으)ㅁ'은 명사형 어미와 형태는 같지만 새로운 명사를 만드는 역할을 한다. 예를 들어 '죽음'이라는 단어는 어근 '죽-'에 접미사 '-(으)ㅁ'이 결합하여 만들어진 명사이다. '죽음'은 '죽다'라는 동사에서 파생되었지만 새로운 명사로 인정받은 것이므로 국어사전에 표제어로 등재되어 있다. 그에 비해 '불편함'과 같이 용언의 활용형에 해당하는 단어는 품사가 바뀐 것이 아니므로 국어사전의 표제어로 등재되어 있지 않다.

01

동양 최초의 유량악보, 정간보

- ✔ 핵심어를 찾아보자.
- ✔ 문단별 중심 내용에 밑줄을 그어 보자.
- ✔ 핵심 내용을 구조적으로 재배열해 보자.

오선보: 오선지에 음의 고저, 음이나 휴지(休止)의 장단 따위의 악곡의 구조나 연주법을 나타낸 악보

향악: 우리나라 고유의 음악을 당악(唐樂)에 상대하여 이르는 말

아악: 예전에 우리나라에서 의식 따위에 정식으로 쓰던 음악으로, 고려 예종 때 중국 송나라에서 들여왔던 것을 조선 세종이 박연에게 명하여 새로 완성시켰다.

기보할: 악보를 기록할

변: 한자에서 글자의 왼쪽에 있는 부수

가 오선보와 같이 음의 길이와 높이를 함께 나타낼 수 있는 악보를 유량악보라고 일컫는다. 15세기 조선의 세종이 향악과 아악을 모두 기록하기 위해 창안한 정간보는 동양 최초의 유량악보로 다양하게 변형되어 현재까지 사용되고 있다. 정간보는 한자의 우물 정(井) 자 형태가 원고지처럼 상하좌우로 연결되어 있다 해서 붙인 이름으로, 정간보의 각 칸을 정간(井間)이라 ㉠부른다.

나 그렇다면 정간보는 어떻게 읽어야 할까? 정간보는 기본적으로 오른쪽에서 시작하여 왼쪽으로, 위쪽에서 아래쪽으로 악보를 읽어야 하며, 한 정간 안에서는 왼쪽에서 오른쪽, 위쪽에서 아래쪽의 순서로 율명을 읽어야 한다. 정간보에서 율명은 음의 높이를 나타내는 것으로 모두 12개로 이루어져 있다. 가장 낮은음인 황종(黃鐘)에서부터 시작하여 대려(大呂), 태주(太簇), 협종(夾鐘), 고선(姑洗), 중려(仲呂), 유빈(蕤賓), 임종(林鐘), 이칙(夷則), 남려(南呂), 무역(無射), 응종(應鐘) 순으로 음이 높아진다. 이 율명을 정간보에 기보할 때에는 율명의 첫 글자를 떼어 '黃(황), 大(대), 太(태)' 등으로 쓴다.

다 또한 정간보에서 옥타브의 표시는 문자의 변(邊)에 따라 구별된다. 즉 기본 옥타브의 음에서 1옥타브가 높은음에는 율명에 삼수변(氵)을 하나 붙이고, 2옥타브가 높은음에는 삼수변을 두 개 붙인다. 반대로 1옥타브가 낮은음에는 인변(亻)을 붙이고, 2옥타브가 낮은음에는 두인변(彳)을 붙인다. 예를 들어 '黃(황)'에서 1옥타브가 높은음은 '潢[청황]', 2옥타브가 높은음은 '㶂[중청황]', 1옥타브가 낮은음은 '僙[배황]', 2옥타브가 낮은음은 '㣴[하배황]'으로 표시하는 것이다.

라 정간보에서 한 정간은 한 박을 나타낸다. 한 박보다 긴 음은 정간의 수를 활용하여 표기한다. 예를 들어 한 정간에 율명이 하나 있고 그다음 정간이 빈칸으로 남아 있으면 그 음은 두 박이 된다. 한 박보다 짧은 음은 한 정간 속에 쓰인 율명의 개수와 위치에 따라 결정된다. 예를 들어 하나의 정간이 '⊟'와 같이 2등분되어 있으면 각각 1/2박, '☰'와 같이 3등분되어 있으면 각각 1/3박, '田'와 같이 4등분되어 있으면 각각 1/4박으로 연주한다. 만약 정간이 '⊟'와 같이 나뉘어 있다면 위의 음은 4등분의 절반이므로 1/2박, 아래의 음은 각각 1/4박으로 연주한다.

사실적 사고

1 윗글을 이해한 내용으로 적절하지 <u>않은</u> 것은?

① 율명을 읽는 순서는 정간보를 읽는 순서와 다르다.

② 12개의 율명 중 '무역'은 '대려'보다 높은음에 해당한다.

③ 정간보에 율명을 적을 때에는 율명의 글자를 그대로 적지 않았다.

④ 오선보와 달리 정간보는 음의 길이와 높이를 함께 나타낼 수 있다.

⑤ 현재 사용되고 있는 정간보는 15세기의 정간보가 변형된 형태이다.

추론적 사고

수능형

2 〈보기〉는 '정간보'의 일부를 나타낸 것이다. 윗글을 바탕으로 ⓐ~ⓔ를 이해한 내용으로 적절하지 <u>않은</u> 것은?

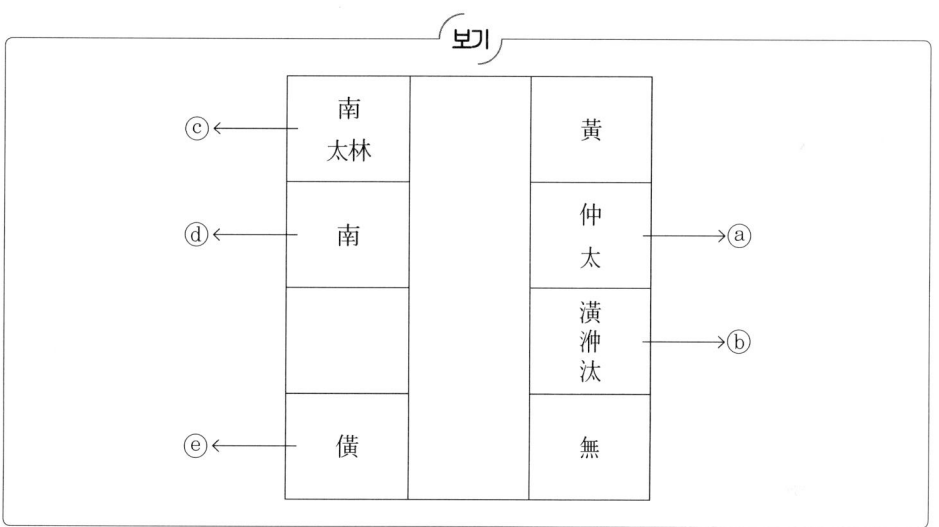

① ⓐ: '仲'과 '太'는 각각 1/2박으로 연주해야 하는군.

② ⓑ: '㳻'은 '仲'보다 1옥타브 높은음을 1/3박으로 연주해야 하는군.

③ ⓒ: '南'은 '太'보다 더 길게 연주해야 하는군.

④ ⓓ: '南'은 한 박으로 연주해야 하는군.

⑤ ⓔ: '僙'은 '黃'보다 1옥타브 낮은음으로 연주해야 하는군.

어휘·어법

3 밑줄 친 단어 중 ㉠과 의미가 가장 유사한 것은?

① 피가 또 다른 피를 <u>불렀다</u>.

② 그는 속으로 쾌재를 <u>불렀다</u>.

③ 생일에 친구들을 집으로 <u>불렀다</u>.

④ 그 가게에서는 값을 비싸게 <u>불렀다</u>.

⑤ 사람들은 그를 불운한 천재라고 <u>불렀다</u>.

1 이 글의 핵심 화제를 살펴보자.

(   )를 읽는 방법

---

2 각 문단별 중심 내용을 정리해 보자.

> **1문단** 정간보의 목적과 명칭의 (   )
>
> ↓
>
> **2문단** 정간보를 읽는 순서와 정간보에 (   )을 기보하는 방법
>
> ↓
>
> **3문단** 정간보에서 (   )를 표시하는 방법
>
> ↓
>
> **4문단** 정간보에서 (   )를 나타내는 방법

---

3 핵심 내용을 구조화해 보자.

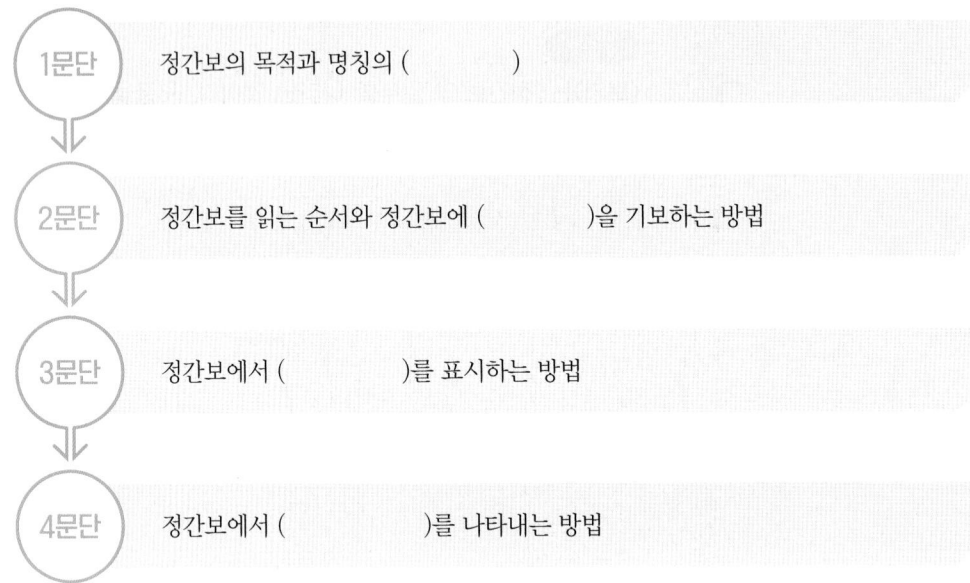

정간보	읽는 순서	악보	오른쪽에서 왼쪽으로, 위쪽에서 아래쪽으로 읽음
		율명	( )에서 ( )으로, 위쪽에서 아래쪽으로 읽음
	표기 방식	음의 높이	• '황종(黃鐘)'에서부터 '응종(應鐘)'까지 음의 높이에 따라 12개의 율명으로 표시함 → 정간보에는 율명의 ( )만 떼어서 기보함 • 옥타브는 문자의 ( )을 활용해 구별하여 표시함
		음의 길이	• 한 정간은 한 박을 나타냄 • 한 정간에 적는 율명의 ( )는 음의 길이에 따라 다르게 함

어휘 체크

어휘력 테스트

1 다음 단어의 뜻을 참고하여 끝말잇기를 완성해 보자.

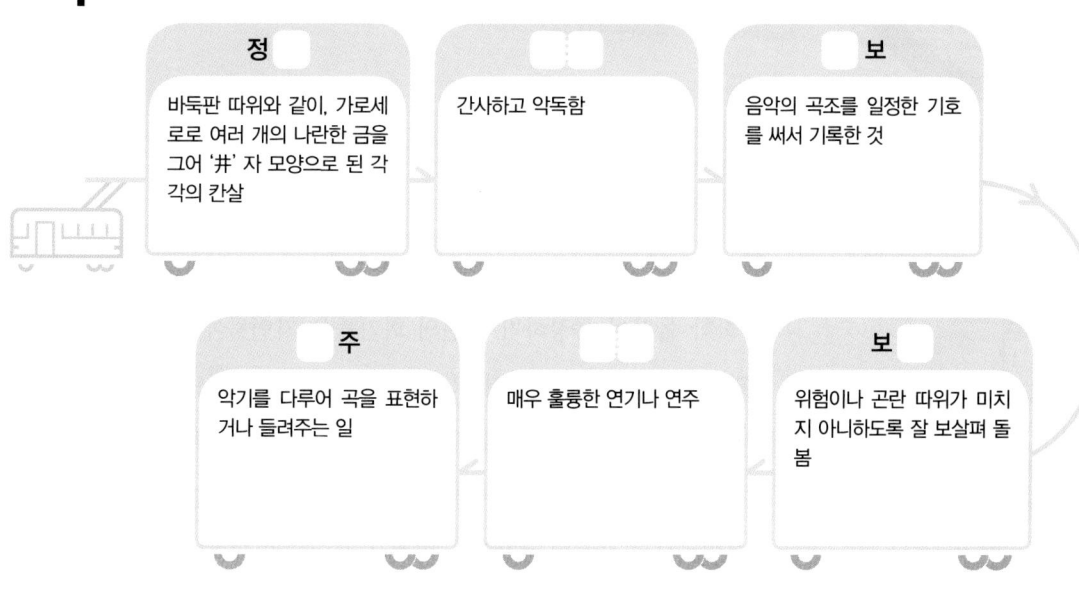

정		보
바둑판 따위와 같이, 가로세로로 여러 개의 나란한 금을 그어 '井' 자 모양으로 된 각각의 칸살	간사하고 악독함	음악의 곡조를 일정한 기호를 써서 기록한 것

주		보
악기를 다루어 곡을 표현하거나 들려주는 일	매우 훌륭한 연기나 연주	위험이나 곤란 따위가 미치지 아니하도록 잘 보살펴 돌봄

2 다음 단어를 활용하기에 적절한 문장을 찾아 바르게 연결해 보자.

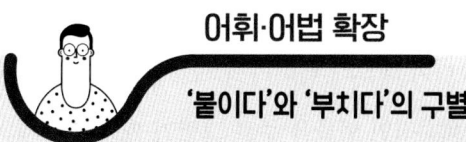

❶ 창안하다 •

❷ 구별하다 •

• ㉠ 그 자매는 너무 닮아서 잘 (   ) 않는다.

• ㉡ 시장의 변화를 감지하고 새 사업을 (   ).

어휘·어법 확장

'붙이다'와 '부치다'의 구별

즉 기본 옥타브의 음에서 1옥타브가 높은음에는 율명에 삼수변(氵)을 하나 **붙이고**~

붙이다	VS	부치다

붙이다

맞닿아 떨어지지 않게 하다.('붙다'의 사동사)
예 • 봉투에 우표를 붙이다.
   • 메모지를 벽에 덕지덕지 붙이다.

부치다

❶ 편지나 물건 따위를 일정한 수단이나 방법을 써서 상대에게로 보내다. 예 편지를 집으로 부치다.
❷ 「1」 어떤 문제를 다른 곳이나 다른 기회로 넘기어 맡기다. 예 안건을 회의에 부치다.

한글 맞춤법에서는 어원이 분명하지 않거나 본뜻에서 멀어진 단어의 경우 소리대로 적도록 하고 있다. 따라서 '붙다'의 사동사인 '붙이다'는 '붙다'의 본뜻을 유지하고 있는 반면, '부치다'는 '붙다'의 본뜻에서 상당히 멀어졌으므로 소리대로 적는 것이다. '붙이다'와 '부치다'를 구별하여 쓰기가 어려울 경우 '붙이다'는 '붙다'의 사동사임을 기억하고 '붙게 하다'로 바꾸어 판단해 보면 된다.

채색의 다양한 방법

- ✔ 핵심어를 찾아보자.
- ✔ 문단별 중심 내용에 밑줄을 그어 보자.
- ✔ 핵심 내용을 구조적으로 재배열해 보자.

- ▶ **용매**: 어떤 액체에 물질을 녹여서 용액을 만들 때 그 액체를 가리키는 말
- ▶ **매재**: 매개하는 추상적인 재료
- ▶ **정제하여**: 물질에 섞인 불순물을 없애 그 물질을 더 순수하게 하여
- ▶ **아교**: 짐승의 가죽, 힘줄, 뼈 따위를 진하게 고아서 굳힌 끈끈한 것

가 현대의 화가들이 화학 물감을 활용하여 그림에 채색을 하는 것과 달리, 19세기 후반 화학 물감이 등장하기 이전의 화가들은 자연물에서 추출한 '피그먼트(pigment)'라 불리는 분말을 용매와 섞어 그림을 채색했다. 피그먼트는 물과 같은 매재(媒材)에 용해되지 않고 혼합되어 물감이 되는 분말로, 쇠의 녹을 벗겨 내 짙은 갈색을 얻어 내거나, 동물의 피 속에서 헤모글로빈을 정제하여 빨간색을 얻어 내는 방식으로 추출했다. 이 피그먼트를 활용하여 채색하는 방법은 시대에 따라 다양한 방법으로 변해 왔다.

나 그리스-로마인들은 벌꿀, 송진을 녹여서 피그먼트와 섞은 후 불에 달군 인두로 화판에 칠하는 방법을 사용했다. 이렇게 제작된 그림을 납화라고 한다. 납화 기법은 습기에 내구성이 강해 건물의 내외 벽을 장식할 때, 배를 도색할 때 사용하였다.

다 중세의 화가들은 아교나 달걀노른자로 피그먼트를 녹인 물감을 활용하여 그림을 그리는 템페라 기법을 사용했다. 템페라 기법은 빨리 마르고, 단단하며, 보존성이 좋고, 균열이 잘 생기지 않는 장점을 가지고 있었지만, 다루기 까다롭고, 굳기 전후의 색 변화가 심하다는 단점도 가지고 있었다. 그렇지만 신속하게 마르는 속성 때문에 유화 기법이 주로 쓰이던 시기에도 유화의 밑그림에 템페라를 사용하는 화가들이 존재했다.

라 15세기 말, 피그먼트를 기름과 섞어 바르는 유화 기법이 이탈리아에 전해지면서 이전까지 대세였던 템페라 기법을 ⊙대체하게 되었다. 중세의 회화는 주로 현실에 존재하지 않는 성인(聖人)들을 그렸기 때문에 템페라의 색채감만으로도 충분히 표현했다. 그러나 르네상스 이후 회화는 세속적인 인물을 주로 그렸기 때문에 색채의 현실감을 잘 드러내는 유화가 더 적합했다. 또한 템페라는 얇은 선을 나란히 그어 가듯이 칠해야 하기 때문에 하나의 색에서 다른 색으로 부드럽게 넘어가는 효과를 내기가 힘들었지만, 유화는 하나의 색이 다른 색으로 점진적으로 바뀌는 효과를 부드럽게 연출할 수 있었다.

마 하지만 유화에도 단점은 있었다. 템페라의 색깔이 바래거나 어두워지지 않고 반영구적인데 비해 유화의 색깔은 시간이 지날수록 어둡게 변했다. 또한 유화는 균열이라는 고질적 문제도 가지고 있었다. 유화를 그릴 때 물감을 두껍게 칠한 곳에 나중에 얇게 덧칠을 할 경우, 두 층 위에서 기름의 건조 시간에 차이가 생겨 표면이 거미줄처럼 갈라졌던 것이다. 물론 경험이 많은 화가들은 채색할 때 아래는 되도록 얇게, 위는 두껍게 칠하는 방식으로 이 문제점을 해결할 수 있었다.

1

윗글을 이해한 내용으로 적절하지 <u>않은</u> 것은?

① 피그먼트는 물에는 용해되지 않고 아교에는 용해된다.
② 쇠나 동물을 활용하면 원하는 색상의 피그먼트를 얻을 수 있다.
③ 템페라는 빨리 마르는 속성 때문에 유화의 밑그림으로 이용되기도 했다.
④ 유화는 기름이 마르는 시간의 차이 때문에 시간이 지날수록 색깔이 어둡게 변한다.
⑤ 르네상스 이후의 화가들이 세속적인 인물을 표현하는 데는 템페라보다 유화가 더 적합했다.

2

수능형

〈보기〉는 템페라 기법을 사용하여 그린 사세타의 그림이다. 윗글을 참고하여 〈보기〉를 이해한 내용으로 적절하지 <u>않은</u> 것은?

▲ 사세타, 「네 성인 곁의 아기 예수와 성모 마리아」

① 〈보기〉는 유화에 비해 색채의 현실감이 잘 드러나지 않는다.
② 〈보기〉는 유화에 비해 신속하게 마르고 단단하며 보존성이 뛰어나다.
③ 〈보기〉는 유화에 비해 색깔이 반영구적이고 균열이 거의 생기지 않는다.
④ 〈보기〉는 하나의 색이 다른 색으로 점진적으로 바뀌는 효과를 연출하기가 어렵다.
⑤ 〈보기〉는 굳기 전과 후의 색깔 변화가 심해 아래는 얇게 위는 두껍게 칠해야 한다.

3

문맥상 ㉠과 바꿔 쓰기에 가장 적절한 것은?

① 완성하게   ② 보완하게
③ 대신하게   ④ 삭제하게
⑤ 존중하게

독해
체크

1 이 글의 핵심 화제를 살펴보자.

시대의 변화에 따른 (　　　　　)의 다양한 방법

2 각 문단별 중심 내용을 정리해 보자.

1문단 　(　　　　　)의 개념과 추출 방식

2문단 　피그먼트를 활용한 (　　　　) 기법의 특징

3문단 　피그먼트를 활용한 (　　　　　) 기법의 특징

4문단 　피그먼트를 활용한 (　　　　) 기법의 특징

5문단 　유화 기법이 지닌 (　　　　) 및 해결 방법

3 핵심 내용을 구조화해 보자.

(　　　　　　　　)를 활용하여 그림을 채색하는 방법

납화 기법

- (　　　　　), 송진을 녹여서 피그먼트와 섞은 후 불에 달군 인두로 화판에 칠하는 방법
- (　　　　)에 대한 내구성이 강해 건물의 내외 벽 장식, 배 도색 등에 사용함

템페라 기법

- 아교나 달걀노른자로 피그먼트를 녹인 물감을 활용하여 그리는 방법
- 빨리 마르고, 단단하며, (　　　　)이 좋고 균열이 잘 생기지 않음
- 다루기 까다롭고, 굳기 전후의 색 변화가 심함
- (　　　　)의 밑그림으로 사용되기도 함

유화 기법

- (　　　　)과 피그먼트를 섞어 바르는 방법
- 색채의 (　　　　)을 잘 드러냄
- 하나의 색이 다른 색으로 점진적으로 바뀌는 효과를 부드럽게 연출함
- 시간이 지날수록 색이 어둡게 변함
- (　　　　)의 문제가 발생하기도 함

어휘 체크

어휘력 테스트

1 제시된 뜻과 예문을 참고하여 다음 초성에 해당하는 단어를 괄호 안에 써 보자.

(1) ㅈㅈ 하다: 물질에 섞인 불순물을 없애 그 물질을 더 순수하게 하다.

예 원유를 (   )하기 위한 시설을 갖추었다.

(2) ㄴㄱㅅ : 물질이 원래의 상태에서 변질되거나 변형됨이 없이 오래 견디는 성질

예 이 기계는 (   )이 뛰어나다.

(3) ㅅㅅㅈ : 세상의 일반적인 풍속을 따르는 것

예 그는 (   )인 가치를 중요하게 여긴다.

2 다음 〈보기〉의 뜻을 참고하여 십자말풀이를 완성해 보자.

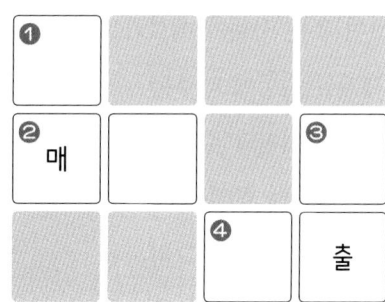

보기

❶ 세로: 어떤 액체에 물질을 녹여서 용액을 만들 때 그 액체를 가리키는 말
❷ 가로: 매개하는 추상적인 재료
❸ 세로: 전체 속에서 어떤 물건, 생각, 요소 따위를 뽑아냄
❹ 가로: 어떤 상황이나 상태를 만들어 냄

어휘·어법 확장

'바래다' vs '바라다'

템페라의 색깔이 <u>바래거나</u> 어두워지지 않고 반영구적인데 비해~

바래다	VS	바라다

'볕이나 습기를 받아 색이 변하다.'를 의미하는 단어임
예 종이가 누렇게 <u>바래다</u>.

'생각이나 바람대로 어떤 일이나 상태가 이루어지거나 그렇게 되었으면 하고 생각하다.'를 의미하는 단어임
예 이번 과제 발표에 팀원들의 적극적인 도움을 <u>바란다</u>.

'바래다'와 '바라다'는 전혀 다른 의미를 담고 있는 단어이지만, 발음상의 유사성 때문에 서로 혼동하여 사용하는 경우가 있다. 특히 '바라다'의 명사형을 '바람'이 아니라 '바램'으로 잘못 사용하는 경우가 많은 편이다. 따라서 '소망'이라는 의미를 표현할 때에는 '바람'을, '색이 변하다, 색이 날아가다'는 의미를 표현할 때에는 '바램'을 사용해야 한다는 것을 기억하여야 한다.

01

융합

지도가 보여 주는 것

- ✓ 핵심어를 찾아보자.
- ✓ 문단별 중심 내용에 밑줄을 그어 보자.
- ✓ 핵심 내용을 구조적으로 재배열해 보자.

실증적: 사고(思考)에 의하여 논증하는 것이 아니고, 경험적 사실의 관찰과 실험에 따라 적극적으로 증명하는 것

해체해야: 단순한 부정이나 파괴가 아니라 토대를 흔들어 새로운 가능성을 탐색하고 숨겨져 있는 의미와 성질을 발견해야

적도: 위도의 기준이 되는 선. 지구의 남북 양극으로부터 같은 거리에 있는 지구 표면에서의 점을 이은 선이다. 지구의 중심을 지나는 자전축에 수직인 평면과 지표와 교차되는 선으로, 춘분과 추분 때 태양이 바로 위를 지나간다.

극점: 위도 90도의 지점. 남극점과 북극점이 있다.

재고해: 어떤 일이나 문제 따위에 대하여 다시 생각해

가 영국의 지리학자 존 브라이언 할리는 근대의 지도가 세계를 실증적이고 객관적으로 담고 있는 것이 아니라 권력 관계를 ⓐ반영하고 있다고 생각했다. 기본적으로 할리는 지도를 언어의 한 모습이라고 생각했으며, '읽고 해체해야 하는 문서'로 보았다. 그는 지도에서 표현하고 있는 내용이 얼마나 정확한가의 문제를 넘어, 지도가 권력의 도구로 사용되며 상징적 역할을 하는 것에 관심을 두었다. 그래서 지도에 사용된 기호나 표현 방식 역시 권력의 의도가 반영된 것으로 보았고, 반영된 의도에 따라 보여 주고 싶지 않은 것은 감추고 보여 주고 싶은 것만을 표현한다고 생각했다.

나 이러한 생각을 잘 보여 주는 사례가 메르카토르 지도이다. 이 지도는 네덜란드의 지리학자 메르카토르가 세계를 원통에 비추는 방식으로 그린 지도로, 수평의 위선과 수직으로 경선이 교차하며 방위가 정확해 항해용 지도로 많이 활용된다. 이 방식으로 지도를 그리면 적도로부터 양 극점으로 갈수록 대륙의 크기가 ⓑ과장되면서 땅의 크기가 실제와는 달

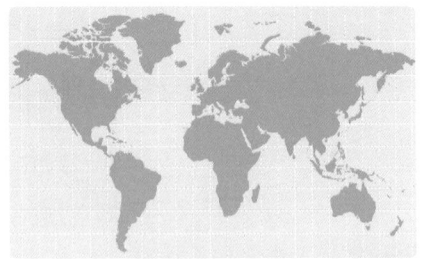

▲ 메르카토르 지도

리 ⓒ왜곡된다. 이 지도에서는 유럽 제국이 지도의 중앙 위쪽에 있고, 북반구는 위쪽에 남반구는 아래에 자리 잡고 있다. 즉 남반구에 비해 북반구가 우위에 있도록 나타낸 것이다. 그리고 적도 근처의 식민지 국가들에 비해 고위도에 위치한 유럽 대륙 및 북아메리카 대륙의 면적이 크게 그려져 있다. 이는 ㉠서구 중심주의적 세계관이 반영된 것으로 서양이 동양의 식민지 국가들을 지배하는 것이 ⓓ정당한 것처럼 만드는 데 이용되기도 하였다.

다 이에 대해 어떤 사람들은 지도를 권력과 관련지어 이해하려는 생각 자체가 일부의 생각에 불과하며, 그 일부의 학자들이 자신들만의 주장을 드러내기 위해 한쪽으로 치우친 말을 사용하고 있다고 비판하기도 한다. 하지만 지도를 권력과 관련지어 이해하는 시도는 지도를 단순히 정확성의 차원에서 접근할 때 ⓔ간과하기 쉬운 사회적 맥락을 재고해 보게 하고 우리의 생각을 넓혀 줄 수 있다는 데서 의의를 찾을 수 있다.

1 윗글에 대한 설명으로 적절하지 <u>않은</u> 것은?

① 중심 화제와 관련한 학자의 견해를 인용하며 글을 시작하고 있다.

② 중심 화제가 독자에게 주는 효용적 가치를 언급하며 글을 마무리하고 있다.

③ 중심 화제에 대한 비판적 관점을 소개한 후 다시 중심 내용을 부각하고 있다.

④ 중심 화제를 뒷받침할 수 있는 구체적인 사례를 소개하여 독자의 이해를 돕고 있다.

⑤ 서로 반대되는 상황을 나란히 제시한 후 문제를 해결할 수 있는 방법을 보여 주고 있다.

수능형

2 ㉠을 뒷받침할 수 있는 근거로 가장 적절한 것은?

① 식민지 국가들은 남반구에 자리 잡고 있는 반면 북아메리카 대륙은 북반구에 자리 잡고 있다.

② 지도를 그린 메르카토르가 네덜란드의 지리학자이기 때문에 유럽 대륙에 대한 애정이 반영되어 있다.

③ 지도의 중앙에 유럽 제국이 위치해 있고 유럽 대륙의 면적이 적도 근처의 국가들에 비해 크게 그려져 있다.

④ 같은 지도라도 어떤 상황에서 어떤 사람이 사용하는지에 따라 지도에 담긴 내용과 사용 방법이 달라질 수 있다.

⑤ 세계를 원통에 비추는 방식으로 그린 지도이므로 적도 근처에 있는 국가들의 면적이 고위도에 있는 다른 나라보다 과장되어 있다.

3 ⓐ~ⓔ를 사용하여 만든 문장으로 적절하지 <u>않은</u> 것은?

① ⓐ: 오후의 햇빛이 호수에 <u>반영</u>되어 눈이 부셨다.

② ⓑ: 정확성을 생명으로 하는 신문 기사에서 <u>과장</u>된 표현은 금물이다.

③ ⓒ: 일본처럼 자기 나라에 유리하도록 역사를 <u>왜곡</u>하는 것이 능사는 아니다.

④ ⓓ: 그의 주장이 <u>정당</u>하다면 구성원 모두 두말없이 그의 뜻을 따를 것이다.

⑤ ⓔ: 아무리 중요하고 좋은 일이라고 해도 그에 따를 부작용이 <u>간과</u>될 수는 없다.

1 이 글의 핵심 화제를 살펴보자.

(   )의 도구로 사용되는 (   )의 상징적 역할
_____

2 각 문단별 중심 내용을 정리해 보자.

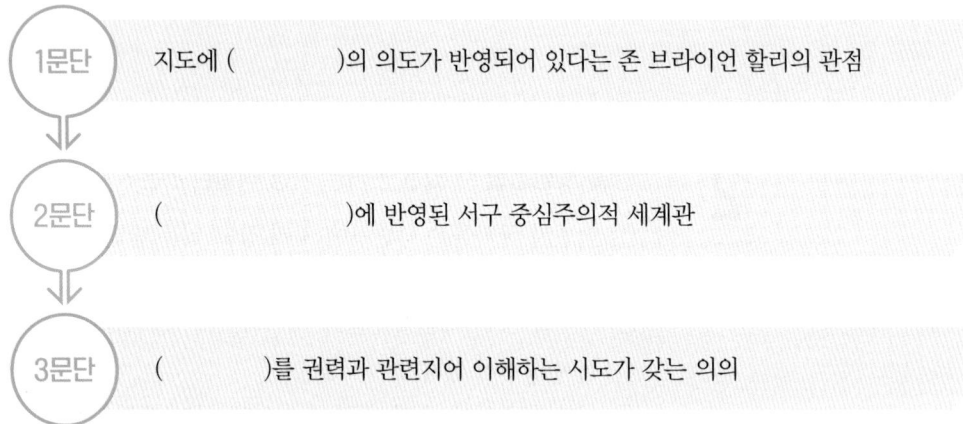

1문단   지도에 (   )의 의도가 반영되어 있다는 존 브라이언 할리의 관점

2문단   (   )에 반영된 서구 중심주의적 세계관

3문단   (   )를 권력과 관련지어 이해하는 시도가 갖는 의의

3 핵심 내용을 구조화해 보자.

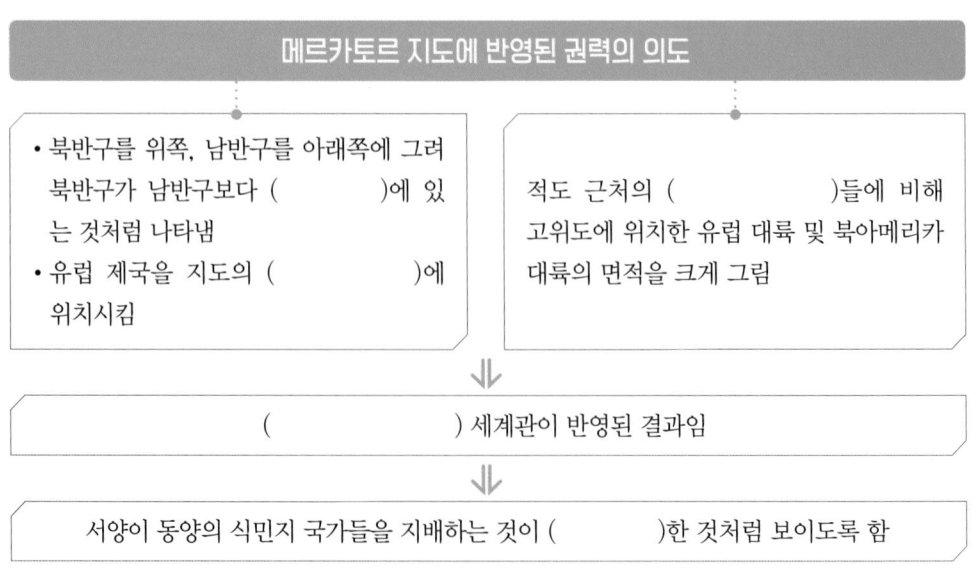

메르카토르 지도에 반영된 권력의 의도

- 북반구를 위쪽, 남반구를 아래쪽에 그려 북반구가 남반구보다 (   )에 있는 것처럼 나타냄
- 유럽 제국을 지도의 (   )에 위치시킴

적도 근처의 (   )들에 비해 고위도에 위치한 유럽 대륙 및 북아메리카 대륙의 면적을 크게 그림

(   ) 세계관이 반영된 결과임

서양이 동양의 식민지 국가들을 지배하는 것이 (   )한 것처럼 보이도록 함

어휘 체크

어휘력 테스트

---

1 제시된 뜻과 예문을 참고하여 다음 초성에 해당하는 단어를 괄호 안에 써 보자.

(1) ㅇㅇ : 남보다 나은 위치나 수준

예 인도는 특히 남성 (   )의 사고방식이 하루빨리 개선되어야 한다.

(2) ㅅㅁㅈ : 정치적·경제적으로 다른 나라에 예속되어 국가로서의 주권을 상실한 나라

예 일제 (   ) 기간을 통해 숱한 동포가 고난을 겪었다.

(3) ㅁㄹ : 사물 따위가 서로 이어져 있는 관계나 연관

예 경찰은 최근에 일어난 일련의 사건을 같은 (   )에서 파악하고 있었다.

2 다음 〈보기〉의 뜻을 참고하여 십자말풀이를 완성해 보자.

〈보기〉
❶ 가로: 사고(思考)에 의하여 논증하는 것이 아니고, 경험적 사실의 관찰과 실험에 따라 적극적으로 증명하는 것
❷ 세로: 위도의 기준이 되는 선. 지구의 남북 양극으로부터 같은 거리에 있는 지구 표면에서의 점을 이은 선이다.
❸ 세로: 큰 관심 없이 대강 보아 넘김
❹ 가로: 사실보다 지나치게 불려서 나타냄

어휘·어법 확장

'넘어'와 '너머'의 구별

그는 지도에서 표현하고 있는 내용이 얼마나 정확한가의 문제를 넘어, 지도가 권력의 도구로 사용되며 상징적 역할을 하는 것에 관심을 두었다.

넘어	VS	너머

기본형 '넘다'에 어미가 붙은 동사의 활용형으로, '높은 부분의 위를 지나가다, 일정한 기준이나 한계 따위를 벗어나 지나다, 일정한 공간을 사이에 두고 건너편으로 뛰다' 등과 같은 동작의 의미를 나타낸다.
예 저 산을 넘어 가는 길은 멀고도 멀다.

'높이나 경계로 가로막은 사물의 저쪽. 또는 그 공간'이라는 의미가 있는 명사로, 공간이나 공간의 위치를 나타낸다. 어간 '넘-'에 '-이'나 '-음' 이외의 모음으로 시작된 접미사가 붙어 다른 품사로 바뀐 것으로 그 어간의 원형을 밝히어 적지 않은 단어에 해당한다.
예 저 산 너머 남촌에는 누가 살길래.

융합

02 징크스는 학습된 것일까?

| 전국연합 기출 |

☑ 핵심어를 찾아보자.
☑ 문단별 중심 내용에 밑줄을 그어 보자.
☑ 핵심 내용을 구조적으로 재 배열해 보자.

◐ **영속적**: 영원히 계속되는. 또는 그런 것

◐ **조건화**: 훈련 과정을 통하여 개 인의 육체적 역량을 증진시키는 것을 이르는 말. 심리학에서는 특별한 다른 자극을 기존의 친 밀한 반응과 연결하여 몇 번이 고 되풀이해서 주어진 일정한 자극에 대하여 반응이 일어나도 록 하는 학습을 이른다.

◐ **유기체**: 생물처럼 물질이 유기 적으로 구성되어 생활 기능을 가지게 된 조직체

◐ **강화**: 수준이나 정도를 더 높임

가 학습(learning)은 '직접·간접의 경험이나 훈련에 의한 비교적 영속적인 행동의 변화'라고 일반적으로 정의한다. 학습의 원리는 두 가지로 설명할 수 있는데, 고전적 조건화와 조작적 조건화가 그것이다.

나 음식(무조건 자극)은 개로 하여금 침(무조건 반응)을 흘리게 만든다. 그러나 음식물을 주기 전에 침을 흘리게 하는 음식과 아무 관련이 없는 종소리(조건 자극)를 계속 들려주면, 음식물이 없이 종소리만 들어도 개는 침(조건 반응)을 흘리게 된다. 이처럼 후천적으로 학습된 반사 행동을 고전적 조건화(classical conditioning)라 한다.

다 조작적 조건화(operant conditioning)는 유기체가 여러 환경에서 능동적으로 반응함으로써 이루어진 조건화이다. 그러므로 고전적 조건화에서는 자극이 먼저 제시되었지만, 조작적 조건화에서는 강화라는 이름으로 자극이 나중에 제시되는 것이 차이점이다. 유기체가 어떤 행동을 수행했을 때 그 행동을 반복할 가능성은 그 행동 뒤에 따르는 ㉠강화(强化)가 어떤 것인가에 달려 있다. 우리들의 생활 습관들은 자세히 보게 되면 조작적 조건화로 학습된 것들이 많이 있다. 그중 하나가 징크스이다.

라 징크스(jinx)라는 말은 고대 그리스에서 마술에 사용하던 새의 이름(jugx)에서 유래한 것으로 사람의 힘이 전혀 미치지 못하는, 마치 마술과 같은 힘으로 일어난 불길한 일이나 운명적인 일을 의미한다. 징크스는 사람의 무의식 속에 은밀히 존재하여 언제 닥칠지 모르는 위험으로부터 자신을 보호하려는 의도에서 비롯한다. 일단 징크스에 걸리면 저항하기 쉽지 않은 것은 이 때문이다. 징크스를 지키지 않을 경우 심리적 불안 상태에 ⓐ휩싸이게 되므로, 웬만하면 징크스를 지키는 편을 선택하게 된다.

마 이런 징크스들은 모두가 조작적 조건화의 결과이다. 손톱을 깎지 않는 징크스의 경우를 예로 들어 보자. 그 사람은 아마도 징크스가 생기기 전에는 손톱 깎는 것과 시험 성적 사이에 연관이 있을 것이라고는 생각하지 못했을 것이다. 실제로도 아무 연관이 없다. 그런데 한번은 공부한 것에 비해 성적이 월등하게 나왔다고 하자. '무엇 때문일까?'라고 생각할 것이다. 그러다가 이전에 하지 않았던 행동, 즉 이번에는 손톱을 깎지 않았다는 것에 생각이 미치게 된다. 결국 '손톱을 깎지 않았다는 것'과 '시험 성적이 좋았다'는 관계없는 두 행동이 연결되어 다음부터는 시험 보기 전에 손톱을 깎지 않게 된다.

1 윗글을 통해 알 수 있는 내용으로 적절한 것은?

① 징크스는 고전적 조건화의 사례에 해당한다.

② 학습은 경험에 의한 단기적인 행동의 변화를 말한다.

③ 징크스를 지키는 것은 사람의 심리적 상태와 무관하다.

④ 조작적 조건화는 고전적 조건화보다 능동적인 조건화이다.

⑤ 징크스는 필연성이 있는 행동들이 연결되어 나타난 결과이다.

수능형

2 〈보기〉를 참고할 때, ㉠의 예로 적절하지 <u>않은</u> 것은?

> 보기
>
> 강화는 어떤 원하는 행동이 나타난 다음에 자극을 제시해 줌으로써 바람직한 행동의 강도와 빈도를 증가시킨다.

① 그림을 잘 그리는 아이에게 물감을 사 주었더니 피아노도 사 달라고 한다.

② 말을 처음 시작한 아기에게 엄마가 자주 칭찬을 해 주었더니 말을 더 빨리 배운다.

③ 축구 경기에서 최선을 다하는 선수에게 응원의 박수를 쳐 주었더니 더 열심히 한다.

④ 사육사의 명령을 잘 따른 동물원의 돌고래에게 먹이를 주었더니 더 멋지게 묘기를 보여 준다.

⑤ 수업 시간에 수업을 열심히 들은 학생에게 사탕을 주었더니 이전보다 더 열심히 수업을 듣는다.

3 ⓐ의 문맥적 의미와 가장 가까운 것은?

① 추모식 현장은 경건한 침묵에 휩싸여 있었다.

② 여기서 죽을 수도 있다는 두려움에 휩싸여 손발이 떨렸다.

③ 정신을 차려 보니 골목 안은 어두운 암흑 속에 휩싸여 있었다.

④ 엄마는 광장에 밀려든 사람들에게 휩싸여 아이의 손을 놓치고 말았다.

⑤ 산불이 번지기 시작해 우리 집까지 불길에 휩싸여 활활 타오르고 있었다.

1 이 글의 핵심 화제를 살펴보자.

조작적 조건화의 결과, (　　　　　)

2 각 문단별 중심 내용을 정리해 보자.

1문단 학습의 (　　　　)과 학습의 원리 소개

↓

2~3
문단 학습의 원리 – (　　　　) 조건화와 (　　　　) 조건화

↓

4문단 징크스의 (　　　　)와 의미 및 징크스를 지키려는 이유

↓

5문단 조작적 조건화의 (　　　　)로 생긴 징크스의 예

3 핵심 내용을 구조화해 보자.

학습의 원리

고전적 조건화

• (　　　　)적으로 학습된 반사 행동
• (　　　　) 없이 조건 자극으로 조건 반응을 형성하는 학습
예 음식 없이 종소리만 듣고 침을 흘리는 개

조작적 조건화

• 유기체가 여러 환경에 (　　　　)적으로 반응하면서 이루어진 조건화
• 어떤 행동을 수행했을 때 (　　　　)에 따라 그 행동의 강도와 빈도가 달라짐

⇩

징크스

• 불길한 일이나 운명적인 일을 의미함
• 무의식적으로 (　　　　)없는 두 행동이 연결되어 징크스가 됨

어휘 체크

어휘력 테스트

1 다음 단어의 뜻을 참고하여 끝말잇기를 완성해 보자.

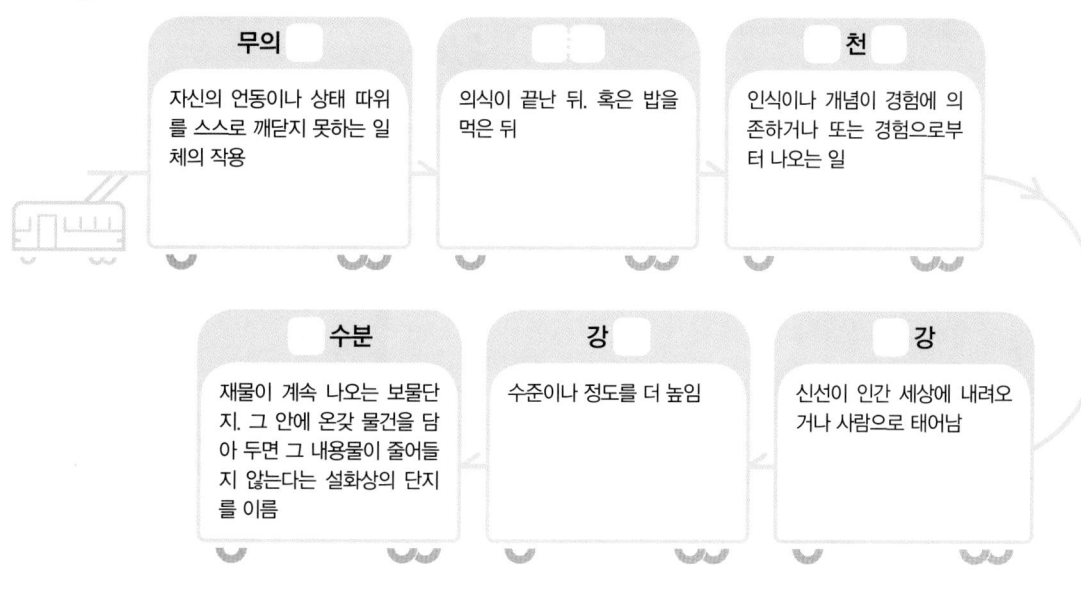

무의
자신의 언동이나 상태 따위를 스스로 깨닫지 못하는 일체의 작용

의식이 끝난 뒤. 혹은 밥을 먹은 뒤

천
인식이나 개념이 경험에 의존하거나 또는 경험으로부터 나오는 일

수분
재물이 계속 나오는 보물단지. 그 안에 온갖 물건을 담아 두면 그 내용물이 줄어들지 않는다는 설화상의 단지를 이름

강
수준이나 정도를 더 높임

강
신선이 인간 세상에 내려오거나 사람으로 태어남

2 다음 단어를 활용하기에 적절한 문장을 찾아 바르게 연결해 보자.

❶ 수행하다

❷ 유래하다

❸ 정의하다

㉠ 이곳의 지명은 이곳에서 많이 재배되던 작물에서 (   ).

㉡ 예술은 새로움을 추구하는 작업이라고 (   ) 수 있다.

㉢ 군인들은 효과적인 작전을 (   ) 승리를 거두었다.

어휘·어법 확장

'손톱'과 관련한 관용어구

손톱을 깎지 않는 징크스의 경우를 예로 들어 보자.

• 손톱만큼도: (주로 부정어와 함께 쓰여) 극히 적은 양을 이르는 말 **예** 오해의 소지는 손톱만큼도 없었다.
• 손톱 제기다: 손톱으로 찍어서 자국을 내다. **예** 아이가 손톱 제긴 사과는 이미 먹을 수가 없었다.
• 손톱도 안 들어가다: 사람됨이 몹시 야무지고 인색하다.
  예 그 사람, 한 번도 웃거나 칭찬을 안 하는 것이 손톱도 안 들어가게 생겼다.
• 손톱 하나 까딱하지 않다: 아무 일도 하지 않고 뻔뻔하게 놀고만 있음을 비난조로 이르는 말
  예 남편이 아내가 혼자서 살림을 하느라 힘들어도 손톱 하나 까딱하지 않는다.

2단계

긴 지문 실전

거짓말을 가려내는 징표가 있을까?

- 핵심어를 찾아보자.
- 문단별 중심 내용에 밑줄을 그어 보자.
- 핵심 내용을 구조적으로 재 배열해 보자.

가 왜 사람들은 거짓말을 제대로 가려내지 못하는 것일까? 텍사스 크리스천 대학교의 찰스 본드 교수는 60개 국 이상에서 온 수천 명의 사람들을 대상으로 거짓말을 어떻게 가려내는지 설명해 달라고 했다. 사람들의 대답은 놀라울 정도로 일치했다. '거짓말쟁이들은 시선을 마주치지 못하고 초조하게 손을 흔들어 대며 자세를 이리저리 바꾼다.'라는 것이 대다수 사람들의 공통된 답변이었다.

나 하지만 사실은 그렇지 않았다. 본드 교수는 거짓을 말하는 사람과 진실을 말하는 사람을 찍은 비디오 자료를 오랜 시간 연구했다. 이 연구에는 디지털 영상을 반복해 기록하는, 훈련된 관찰자가 필요하다. 관찰자는 관찰 대상의 웃음, 눈의 깜빡임, 손동작 같은 특별한 행동을 체크하고, 그런 특별한 행동이 나올 때마다 컴퓨터로 기록했다.

다 이 연구의 결과는 우리가 예상했던 내용에서 크게 ㉠벗어났다. 거짓을 말하는 사람도 진실을 말하는 사람만큼이나 거리낌 없이 상대의 눈을 응시하였고, 초조하게 손을 흔들지 않았으며, 자세를 이리저리 바꾸지 않았던 것이다. 오히려 거짓말쟁이들은 말을 할 때 자세를 바꾸지 않는 편이었다. 사람들은 거짓말과는 아무런 관련이 없는 행동을 주관적으로 해석하기 때문에 진실과 거짓을 쉽게 구별하지 못하였던 것이다.

라 그렇다면 거짓말을 드러내는 징표는 없을까? 그 해답을 찾기 위해 연구자들은 거짓과 진실을 말하는 사람들의 행위에 어떠한 차이가 있는지 추적했다. 열쇠는 바로 거짓말을 할 때 우리가 사용하는 어휘와 말을 전달하는 방식에 있었다. 거짓말의 경우 정보를 드러내면 드러낼수록 허점이 나타날 가능성이 크다. 그래서 거짓을 말하는 사람들이 진심을 말하는 사람보다 적게 말하고 세부를 드러내지 않는 편이다.

마 게다가 거짓말쟁이들은 심리적으로 자신을 거짓으로부터 떼어 놓으려 하기 때문에 자기 자신이나 자기의 감정에 대한 언급을 최대한 자제한다. 그래서 거짓말을 할 때는 '나'라는 말을 거의 쓰지 않는 반면에 진실을 말할 때는 '나'라는 단어를 자주 언급한다.

바 또 다른 중요한 차이는 망각의 정도이다. '지난주에 무얼 했느냐?'는 질문을 받는다고 상상해 보라. 보통 사람이라면 사소한 일들은 기억이 나지 않을 터이고 따라서 정직한 사람은 솔직하게 기억이 안 난다고 인정할 것이다. 그러나 거짓말쟁이들은 그렇지 않다. 별로 중요하지 않은 정보의 경우라도 그들은 대단한 기억력을 발휘하여 아주 사소한 것까지도 기억을 해 내는 일이 많다. 반면 진실을 말하는 사람들은 사소한 것을

- **징표**: 어떤 것과 다른 것을 드러내 보이는 뚜렷한 점
- **허점**: 불충분하거나 허술한 점. 또는 주의가 미치지 못하거나 틈이 생긴 구석
- **망각**: 어떤 사실을 잊어버림

잊었음을 유쾌하게 받아들인다.

 거짓과 진실을 판별할 때 종종 몸짓으로 판단하면 잘못된 결론에 도달하기 쉽지만, 언어의 전달 방식을 기준으로 판단하면 올바른 결론을 내릴 수 있다. 아직 정확한 이유가 밝혀지진 않았지만, 한 가설에 따르면 이는 시선이나 손동작은 통제가 비교적 쉬운 반면에, 어휘와 말하기 방식을 통제하는 것은 훨씬 어렵기 때문이라고 한다.

사실적 사고

1

윗글의 중심 내용으로 가장 적절한 것은?

① 거짓말을 통제하는 방법
② 거짓말에 영향을 주는 요인들
③ 거짓말을 할 때 심리 상태의 변화
④ 거짓말을 판별할 수 있는 과학적 조사법
⑤ 거짓말을 할 때의 행동에 대한 오해와 거짓말 구별법

비판적 사고

수능형

2

윗글의 관점에서 〈보기〉의 '강 씨'를 평가한 것으로 가장 적절한 것은?

┌─ 보기 ─┐

　이번 강도 사건의 피의자 '강 씨'에게 피해자에 대해 물었을 때 '강 씨'의 눈동자는 매우 심하게 흔들렸으며, 현장 사진을 보고는 자세를 바꾸며 한숨을 쉬고 대답했다. '강 씨'는 자신이 알고 있는 사실을 비교적 상세하게 설명하면서도 사건 당시에 대해서는 조금 당황한 표정을 지으며 '잘 기억이 나지 않는다.'고 대답했다. 그러면서도 '강 씨'는 여러 차례 '나는 절대 죄를 저지르지 않았다.'고 강력하게 주장하였다.

① 강 씨가 현장 사진을 보고 자세를 바꾼 건 심리적 위축에서 벗어나기 위한 행동이다.
② 강 씨가 피해자와의 관계를 진술할 때 눈동자가 심하게 떨렸으므로 유력한 용의자이다.
③ 강 씨가 '나'를 자주 언급하며 범죄를 부인한 것은 자신의 행동을 감추기 위해서이다.
④ 강 씨는 경찰의 심문에 당황했지만 객관적 사실만을 이야기하고 있으므로 이번 사건과는 무관하다.
⑤ 강 씨의 언행이 경찰의 의심을 사고 있지만 실제 사용하는 언어의 양상을 볼 때 범인으로 단정할 수는 없다.

어휘·어법

3

'벗어나다'의 다양한 의미 중, ㉠과 의미가 가장 유사한 것은?

① 남의 눈에 들지 못하다.
② 이야기의 흐름(생각)이 빗나가다.
③ 구속이나 장애로부터 자유로워지다.
④ 규범이나 이치, 체계 따위에 어긋나다.
⑤ 공간적 범위나 경계 밖으로 빠져나오다.

1 이 글의 핵심 화제를 살펴보자.

(　　　　　)에 대한 오해와 구별 방법

_____

2 각 문단별 중심 내용을 정리해 보자.

1문단 　거짓말을 하는 사람들에 관한 (　　　　　) 생각

2문단 　(　　　　　)을 하는 사람들의 행동 양식에 관한 연구

3문단 　본드 교수의 연구 결과 및 사람들이 (　　　　)과 거짓을 구별하지 못한 이유

4~6문단 　거짓말의 (　　　) ①~③

7문단 　(　　　　　)의 전달 방식을 기준으로 거짓말을 판별할 수 있는 이유

3 핵심 내용을 구조화해 보자.

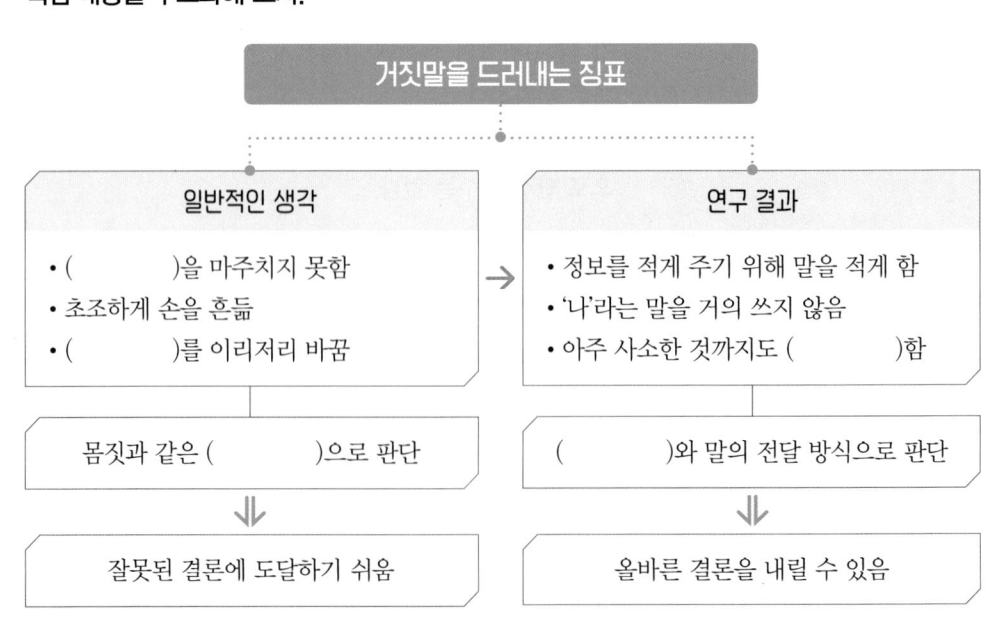

거짓말을 드러내는 징표

일반적인 생각	연구 결과
• (　　　　)을 마주치지 못함 • 초조하게 손을 흔듦 • (　　　　)를 이리저리 바꿈	• 정보를 적게 주기 위해 말을 적게 함 • '나'라는 말을 거의 쓰지 않음 • 아주 사소한 것까지도 (　　　　)함
몸짓과 같은 (　　　)으로 판단	(　　　)와 말의 전달 방식으로 판단
⇩	⇩
잘못된 결론에 도달하기 쉬움	올바른 결론을 내릴 수 있음

어휘력 테스트

1 제시된 뜻과 예문을 참고하여 다음 초성에 해당하는 단어를 괄호 안에 써 보자.

(1) ㅂㅂ : 같은 일을 되풀이함

예 신경이 마비되었던 근육이라도 (   ) 훈련을 열심히 한다면 얼마든지 다시 움직일 수 있다.

(2) ㅇㅋ 하다: 즐겁고 상쾌하다.

예 오랫동안 고민해 왔던 일이 해결되어 (   )한 기분으로 여행을 떠날 수 있게 되었다.

(3) ㅊㅈ 하다: 사물의 자취를 더듬어 가다.

예 경찰은 악성 댓글에 쓰인 허위 사실의 출처가 어디인지를 (   )하고 있다.

2 다음 단어를 활용하기에 적절한 문장을 찾아 바르게 연결해 보자.

❶ 일치하다 ·

❷ 사소하다 ·

❸ 발휘하다 ·

· ㉠ 작년 최고의 선수였던 ○○○은 올해 시합에서 자신의 진가를 충분히 (   ) 못했다.

· ㉡ 문제 해결 방안에 대한 우리 모두의 의견이 (   )에는 많은 시간이 필요했다.

· ㉢ (   ) 다툼으로 시작된 아이들의 갈등이 어른들의 문제로 번져 나갔다.

어휘·어법 확장

'만큼'의 띄어쓰기

거짓을 말하는 사람도 진실을 말하는 사람<u>만큼</u>이나 거리낌 없이 상대의 눈을 응시하였고~

의존 명사 '만큼'	VS	조사 '만큼'

주로 어미 '-은, -는, -을' 뒤에 쓰이며, 앞의 내용에 상당한 수량이나 정도임을 나타내는 말이다.
예 • 노력한 만큼 대가를 얻다.
  • 방 안은 숨소리가 들릴 만큼 조용했다.
		주로 체언의 바로 뒤에 붙어서 앞말과 비슷한 정도나 한도임을 나타내는 말이다.
		예 • 집을 대궐만큼 크게 짓다.
		  • 명주는 무명만큼 질기지 못하다.

'만큼'은 앞말이 용언인 경우에는 의존 명사로 쓰인 것이고, 앞말이 체언이나 조사일 경우에는 조사로 쓰인 것이다. 이를 고려하여 '만큼'이 의존 명사일 때에는 앞말과 띄어 써야 하고, 조사일 때에는 앞말에 붙여 써야 한다.

환곡의 폐해

☑ 핵심어를 찾아보자.
☑ 문단별 중심 내용에 밑줄을 그어 보자.
☑ 핵심 내용을 구조적으로 재배열해 보자.

가 임진왜란과 병자호란을 겪으면서 조선의 토지 제도가 급격히 ⓐ문란해졌다. 농지도 황폐하여 민생의 삶이 곤궁해지고, 화폐 제도도 무너져 국가 재정이 고갈되기 시작했다. 이런 상황에서 조세 제도를 ⓑ일원화한다는 의미로 세금을 쌀로 받기 시작했다. 그런데 °수리가 발달되지 않았던 전통적인 °천수답의 농경 사회에는 소위 보릿고개라고 하는 계절적 빈곤이 불가피하게 발생했고, 쌀로 세금을 받는 대동법(大同法)은 조세의 편의를 위한 제도가 아니라 백성들의 짐이 되기 시작했다. 이러한 상황에서 백성들을 굶주림으로부터 구출하기 위한 방법을 ⓒ모색하다가 '환곡(還穀)'이라는 제도가 마련된 것이다.

나 환곡이란 보릿고개에 양곡을 빌려주고 추수기에 되받는 일종의 구휼(救恤) 제도였다. 당초 환곡의 이자는 봄부터 가을까지 6개월 동안 20%(연리로 치면 40%)였고, 조선 후기에는 6개월에 10%(연리 20%)였으므로, 오늘날에 비하면 다소 °고리(高利)였다고는 하지만 가혹한 정도는 아니었다. 그러던 것이 대동법과 시기적으로 맞물리고 ⓓ혼재되어 훗날에는 그 양자를 구별하지 않은 채 모두가 고리채라는 뜻으로 받아들여지게 되었다. 또한 관리들의 부패가 심해지면서 농민들로서는 °춘궁에 환곡을 얻는 것이 어려워지기 시작했다. 농민들이 요구하는 환곡의 절대량이 부족했기 때문이다.

다 이러한 현상이 나타나자, 지방의 토호 지주들은 남이야 굶주리든 말든 이런 틈을 타서 재산을 불리거나 권세를 얻을 수 있다는 데에 ⓔ주목하였다. 쌀이 식량의 의미를 넘어 그 자체가 상업 자본으로서 화폐의 성격을 띠게 되면서, 이들은 쌀을 매개로 한 축재를 시작했고 이자는 날이 갈수록 높아졌다. 이러한 고리채에 대해 저항할 수 없었던 농민들은 달리 선택의 여지도 없었다.

라 봄에 1섬을 빌려 6개월 후에 1섬 반으로 갚았으니 6개월 이자가 50%인 셈이며 연리로 치면 100%인 고리채인 것이다. 현대의 은행 대출 이자가 연리 5% 정도이며 은행 이자를 0.1%만 낮춰 주어도 기업의 형편이 좋아진다는 점을 염두에 둔다면 생산성이 낮았던 당시의 소작농에게 연리 100%라는 것이 얼마나 가혹한 굴레였던가를 짐작할 수 있다. 농민들은 당장 굶어 죽지 않기 위해 쌀을 꾸었지만 가을이 되면 빚을 갚기는 커녕 빚을 갚기 위해 다시 °장리쌀을 꿔야 하는 악순환이 계속되었다. 본래의 의미와 달리 대동법과 환곡은 결국 소작농을 영원히 소작농으로 묶어 놓는 굴레가 되었다.

마 대동법이나 환곡이 이토록 악법으로 변질되었음에도 우리는 그것이 좋은 제도라

● **수리**: 식용, 관개용, 공업용 따위로 물을 이용하는 일

● **천수답**: 빗물에 의하여서만 벼를 심어 재배할 수 있는 논

● **연리**: 일 년을 단위로 계산하는 이자. 또는 그런 이율

● **고리**: 법정 이자나 보통의 이자를 초과하는 비싼 이자

● **춘궁**: 묵은 곡식은 다 떨어지고 햇곡식은 아직 익지 않아 겪는 봄철의 궁핍. 또는 그것을 겪는 시기

● **장리쌀**: 장리(돈이나 곡식을 꾸어 주고, 받을 때에는 한 해 이자로 본디 곡식의 절반 이상을 받는 변리)로 빌려주거나 또는 장리로 갚기로 하고 꾸는 쌀

고 배워 왔다. 그 이유는 이 시대의 역사가 가진 자들의 기록이었기 때문이다. 대동법과 환곡으로 인해 가난을 겪고, 가난 때문에 배우지 못한 민초들이 가혹한 삶을 살았던 것도 억울한데 역사마저도 가진 자의 편에 서서 사실을 호도하고 왜곡하여 이중의 억울함을 준 것이다. 앞으로는 이와 같은 문제점이 더 이상 발생하지 않도록 역사 기록자는 진실을 기록하고, 우리는 비판적 시각에서 역사를 바라보아야 할 것이다.

사실적 사고

1 윗글에서 답을 찾을 수 있는 질문에 해당하지 <u>않는</u> 것은?

① 환곡 제도의 본래 의미가 변질된 이유는 무엇일까?
② 대동법과 환곡 제도가 나타나게 된 배경은 무엇일까?
③ 대동법과 환곡 제도로 인해 생겨난 폐해에는 어떤 것이 있을까?
④ 대동법과 환곡 제도에 대한 역사 기록에는 어떤 문제점이 있을까?
⑤ 현대인들이 대동법과 환곡 제도를 부정적으로 인식하는 이유는 무엇일까?

비판적 사고

수능형

2 윗글을 읽은 학생이 〈보기〉를 접하고 보일 반응으로 가장 적절한 것은?

〈보기〉

광해군은 재위 15년간, 임진왜란으로 인한 피해를 복구하고 재정 기반을 재건하였다. 또한 민생 안정을 위한 혁신적인 정책을 추진하고, 후금과도 탄력 있는 외교 관계를 추구하여 국내 정치와 외교 면에서 많은 성과를 올렸다. 하지만 광해군의 집권에 불만을 품은 김자점(金自點) 등의 서인들이 반정을 일으킴에 따라 광해군은 폐위되고 강화도와 제주도 등에 유배되었다. 그 후 광해군은 반정 세력에 의해 영창대군 등의 형제를 살해하고 인목대비를 폐하는 등의 패륜적 행위를 한 임금으로만 알려졌다.

① 본래 기록된 의미는 좋았지만 시간이 지나면서 변질되고 왜곡된 기록들이 많네.
② 가진 자들의 기록뿐만 아니라 민생고와 같은 민중에 대한 것들도 기록되어 있어.
③ 역사의 주인은 지도자가 아니라 민중이어야 한다는 결론을 이끌어 낼 수 있겠어.
④ 역사 기록이 주관적 관점을 반영하는 경우가 있으니까 그대로 수용해서는 안 되겠어.
⑤ 역사는 당대에 시행되었던 좋은 제도를 바탕으로 기록하기 때문에 누락된 기록도 있을 수 있겠어.

어휘·어법

3 문맥상 ⓐ~ⓔ와 바꿔 쓰기에 적절하지 <u>않은</u> 것은?

① ⓐ: 어지러워졌다
② ⓑ: 하나로 만든다는
③ ⓒ: 찾다가
④ ⓓ: 합쳐져
⑤ ⓔ: 관심 있게 살폈다

1 이 글의 핵심 화제를 살펴보자.

(   )의 악폐와 그것이 좋은 제도로 잘못 인식되어 온 이유

2 각 문단별 중심 내용을 정리해 보자.

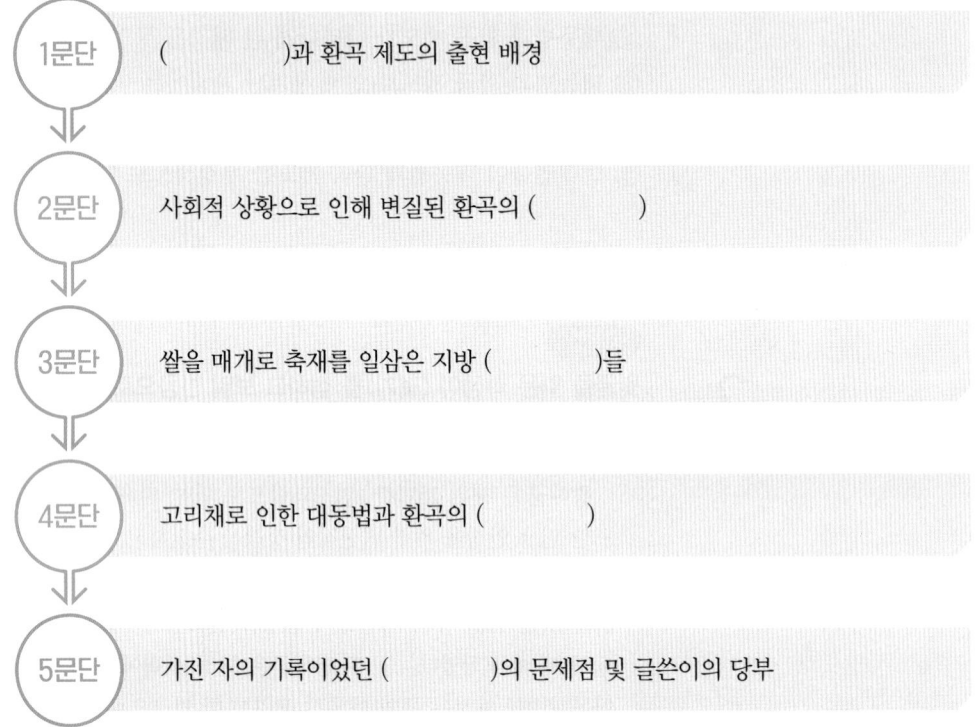

1문단 (   )과 환곡 제도의 출현 배경

2문단 사회적 상황으로 인해 변질된 환곡의 (   )

3문단 쌀을 매개로 축재를 일삼은 지방 (   )들

4문단 고리채로 인한 대동법과 환곡의 (   )

5문단 가진 자의 기록이었던 (   )의 문제점 및 글쓴이의 당부

3 핵심 내용을 구조화해 보자.

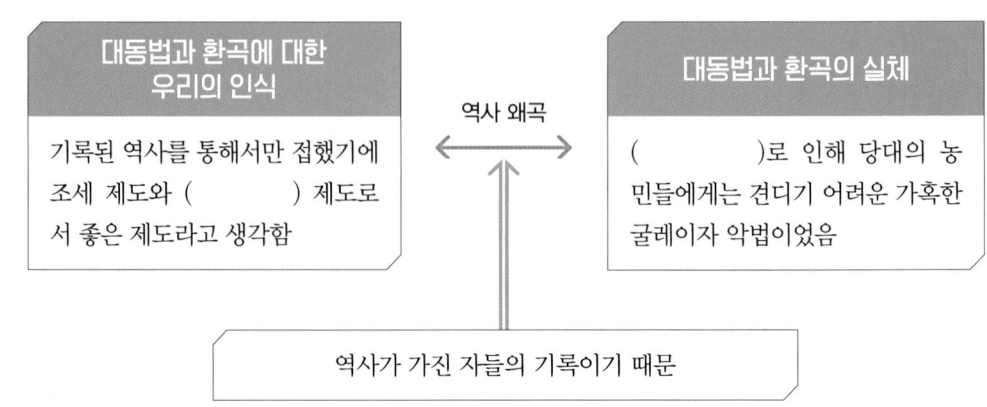

대동법과 환곡에 대한 우리의 인식	역사 왜곡	대동법과 환곡의 실체
기록된 역사를 통해서만 접했기에 조세 제도와 ( ) 제도로서 좋은 제도라고 생각함	⟷	( )로 인해 당대의 농민들에게는 견디기 어려운 가혹한 굴레이자 악법이었음

역사가 가진 자들의 기록이기 때문

어휘
체크

어휘력 테스트

1 다음 단어의 뜻을 참고하여 끝말잇기를 완성해 보자.

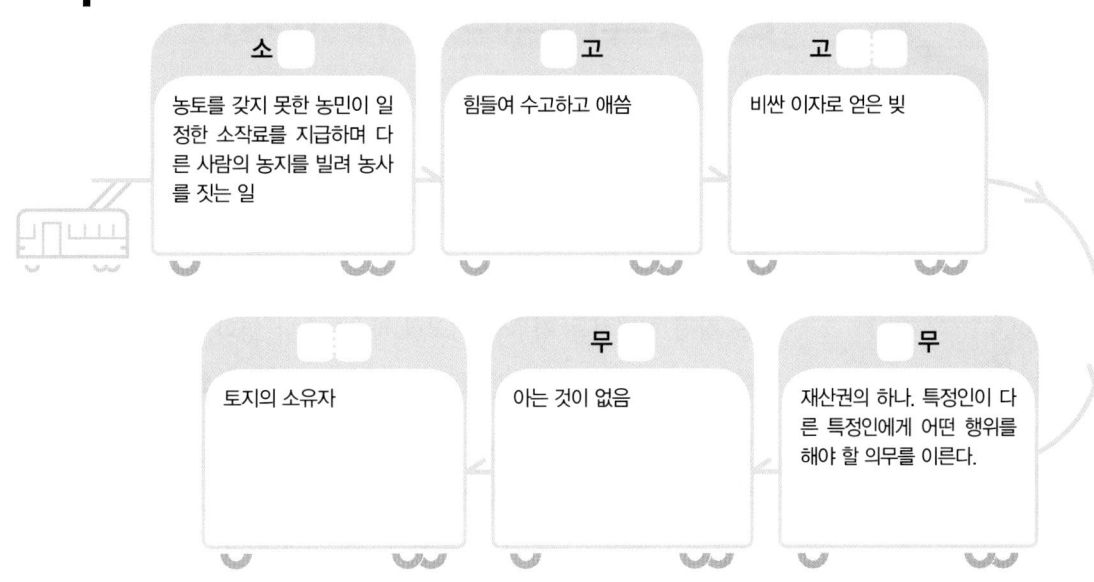

소 ☐	☐ 고	고 ☐
농토를 갖지 못한 농민이 일정한 소작료를 지급하며 다른 사람의 농지를 빌려 농사를 짓는 일	힘들여 수고하고 애씀	비싼 이자로 얻은 빚

☐ ☐	☐ 무	☐ 무
토지의 소유자	아는 것이 없음	재산권의 하나. 특정인이 다른 특정인에게 어떤 행위를 해야 할 의무를 이른다.

2 제시된 뜻과 예문을 참고하여 다음 초성에 해당하는 단어를 괄호 안에 써 보자.

(1) ㅊ ㅈ : 재물이 모여 쌓임. 또는 재물을 모아 쌓음

예 부정 ( )를 일삼은 탐관오리들이 모두 적발되었다.

(2) ㅁ ㅊ : '백성'을 질긴 생명력을 가진 잡초에 비유하여 이르는 말

예 이름 없는 ( )들의 삶 속에도 배워야 할 지혜들이 많다.

(3) ㅎ ㄷ 하다: 명확하게 결말을 내지 않고 일시적으로 감추거나 흐지부지 덮어 버리다.

예 사건의 본질을 ( )하는 사람들 때문에 비리의 주체를 찾기가 힘들다.

어휘·어법 확장

'보릿고개'의 의미와 관련 속담

전통적인 천수답의 농경 사회에는 소위 <u>보릿고개</u>라고 하는 계절적 빈곤이 불가피하게 발생했고~

의미	관련 속담
햇보리가 나올 때까지의 넘기 힘든 고개라는 뜻으로, 묵은 곡식은 거의 떨어지고 보리는 아직 여물지 아니하여 농촌의 식량 사정이 가장 어려운 때를 비유적으로 이르는 말이다.	• <u>보릿고개</u>에 죽는다: 묵은 곡식은 거의 떨어지고 햇보리는 아직 여물지 아니하여 농가가 심히 곤궁함을 비유적으로 이르는 말 • <u>보릿고개</u>가 태산보다 높다: 한 해 동안 농사지은 식량을 가지고 다음 해 보리가 날 때까지 견디어 나가기가 매우 힘듦을 비유적으로 이르는 말

03 현대 사회에서의 연민의 의미와 가치

인문

| 모의평가 기출 |

가 현대인은 타인의 고통을 주로 뉴스나 영화 등의 매체를 통해 경험한다. 타인의 고통을 직접 대면하는 경우와 비교할 때, 뉴스나 영화, 매체를 통한 간접 경험으로부터 타인에게 °연민을 갖기는 쉽지 않다. 더구나 현대 사회는 사회의 구성원들에게 서로의 사적 영역을 침범하지 않도록 주문한다. 현대 사회가 요구하는 이런 존중의 문화는 타인의 고통에 대한 지나친 무관심으로 변질될 수 있다. 그래서인지 현대 사회는 소박한 연민조차 느끼지 못하는 불감증 환자들의 안락하지만 황량한 요양소가 되어 가고 있는 듯하다.

나 연민에 대한 정의는 시대와 문화, 지역에 따라 가지각색이다. 그러나 다수의 학자들이 공통적으로 언급한 내용에 따르면 연민은 다음 두 가지 조건을 충족할 때 생긴다. 먼저 타인의 고통이 그 자신의 잘못에서 비롯된 것이 아니라 우연히 닥친 비극이어야 한다. 다음으로 그 비극이 언제든 나를 °엄습할 수도 있다고 생각해야 한다. 이런 조건에 비추어 볼 때 현대 사회에서 연민의 감정은 무뎌질 가능성이 높다. 왜냐하면 현대인은 타인의 고통을 대부분 그 사람의 잘못된 행위에서 비롯된 필연적 결과로 보기 때문이다. 또한 자신은 그러한 불행을 얼마든지 스스로 예방할 수 있다고 생각하기 때문이다.

다 그러나 현대 사회에서도 연민은 생길 수 있으며 연민의 가치 또한 커질 수 있다. 그 이유는 다음 세 가지로 나누어 제시할 수 있다. 첫째, 현대 사회는 과거보다 안전한 것처럼 보이지만 실제로는 °도처에 위험이 도사리고 있다. 둘째, 행복과 불행이 과거보다 사람들의 관계에 더욱 의존하고 있다. ⓐ친밀성은 줄었지만 사회적·경제적 관계가 훨씬 촘촘해졌기 때문이다. 셋째, 교통과 통신이 발달하면서 현대인은 이전에 몰랐던 사람들의 불행까지도 의식할 수 있게 되었다. 물론 간접 경험에서 연민을 갖기가 어렵다고 치더라도 타인의 고통을 대면하는 경우가 많아진 만큼 연민의 필요성이 커져 가고 있다. 이런 °정황에서 볼 때 ㉠연민은 그 어느 때보다 절실히 요구되며 그만큼 가치도 높다.

라 진정한 연민은 대부분 연대로 나아간다. 연대는 고통의 원인을 없애기 위해 함께 행동하는 것이다. 연대는 멀리하면서 감성적 연민만 외치는 사람들은 은연중에 자신과 고통받는 사람들이 뒤섞이지 않도록 두 집단을 분할하는 벽을 쌓는다. 이 벽은 자신의 불행을 막으려는 방화벽이면서, 고통받는 타인들의 진입을 차단하는 성벽이다. '입구

- 핵심어를 찾아보자.
- 문단별 중심 내용에 밑줄을 그어 보자.
- 핵심 내용을 구조적으로 재배열해 보자.

- **연민**: 불쌍하고 가련하게 여김
- **엄습할**: 뜻하지 아니하는 사이에 습격할
- **도처**: 이르는 곳
- **정황**: 일의 사정과 상황

없는 성'에 출구도 없듯이, 이들은 타인의 진입을 차단한 성 바깥의 위험 지대로 나가지 않는다. 이처럼 안전지대인 성 안에서 자신이 가진 것의 일부를 성벽 너머로 던져 주며 자족하는 동정도 가치 있는 연민이다. 그러나 진정한 연민은 벽을 무너뜨리며 연대하는 것이다.

사실적 사고

1

수능형

윗글을 이해한 내용으로 적절하지 <u>않은</u> 것은?

① 사회가 위험해지면 연민은 많아진다.
② 동정으로 끝나는 연민도 가치가 있다.
③ 현대인은 타인의 고통에 무관심한 경향이 있다.
④ 연민은 가까운 사람에게만 느끼는 것은 아니다.
⑤ 연민은 동양과 서양에서 다르게 규정할 수 있다.

추론적 사고

2

㉠의 주장을 뒷받침하는 정황으로 제시할 수 <u>없는</u> 것은?

① 자연환경이 파괴되면서 피부암 환자가 많아졌다.
② 행위 결과에 스스로 책임지지 않는 사람이 많아졌다.
③ 뉴스를 통해 이주민의 고통을 알게 된 사람이 많아졌다.
④ 사람들 간의 이해관계가 이전보다 복잡하게 연결되어 있다.
⑤ 공장 이전으로 직장을 얻는 사람이 있으면 잃는 사람도 있다.

어휘·어법

3

밑줄 친 말 중, ⓐ의 상황을 표현하는 데 쓰일 수 <u>없는</u> 것은?

① 그 사람과는 <u>너나들이하는</u> 사이다.
② 그들은 <u>데면데면하게</u> 수인사를 나누었다.
③ 그는 사람들과 어울리지 못하고 이방인처럼 <u>겉돈다</u>.
④ 석 달 동안 헤어져 있었대서 <u>설면할</u> 것은 없으련마는.
⑤ 그 일이 있은 후로 그 사람과 <u>서먹서먹하게</u> 지내고 있어.

1 이 글의 핵심 화제를 살펴보자.

현대 사회에서의 진정한 (   )과 (   )의 필요성

2 각 문단별 중심 내용을 정리해 보자.

1문단 타인의 고통에 연민을 느끼지 못하는 (   )

2문단 타인에게 연민을 느끼기 위해 충족되어야 할 두 가지 (   )

3문단 현대인에게 연민의 (   )이 커지는 이유

4문단 진정한 (   )의 의미

3 핵심 내용을 구조화해 보자.

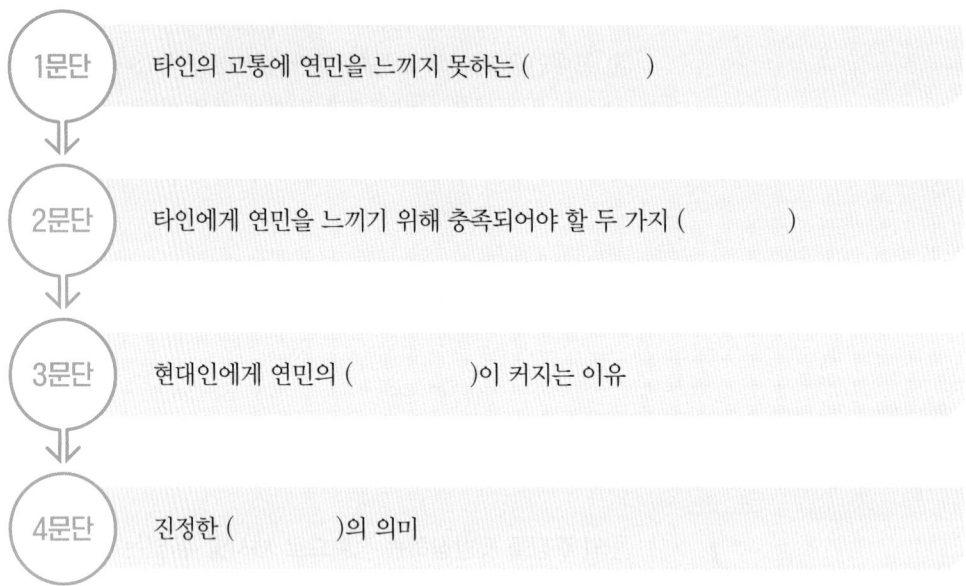

(   )에게 연민의 필요성이 커지는 이유

| 현대 사회는 과거보다 안전한 것처럼 보이지만 실제로는 도처에 (   )이 도사리고 있음 | 행복과 불행이 과거보다 사람들의 (   )에 더욱 의존하게 됨 | (   )과 통신의 발달로 몰랐던 사람들의 불행까지 의식할 수 있게 됨 |

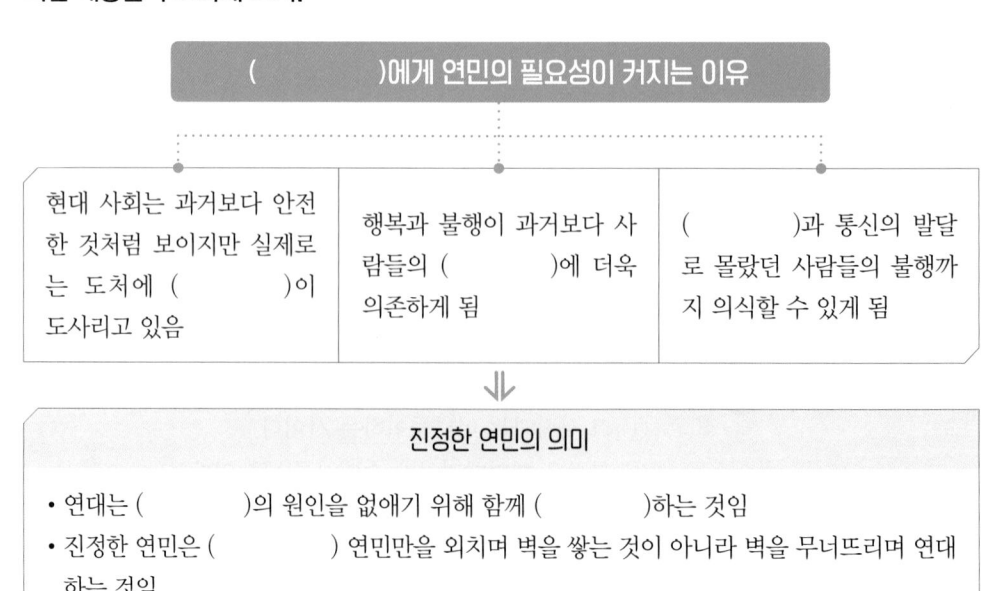

진정한 연민의 의미

• 연대는 (   )의 원인을 없애기 위해 함께 (   )하는 것임
• 진정한 연민은 (   ) 연민만을 외치며 벽을 쌓는 것이 아니라 벽을 무너뜨리며 연대하는 것임

어휘 체크

어휘력 테스트

1 다음 단어를 활용하기에 적절한 문장을 찾아 바르게 연결해 보자.

❶ 동정하다 ·

❷ 침범하다 ·

❸ 황량하다 ·

· ㉠ 어려운 시절에는 서로를 (   ) 마음이 많아 도움의 손길을 나누어 주고는 하였다.

· ㉡ 이곳은 폐허처럼 (   ) 적막하다.

· ㉢ 다른 사람의 사생활을 과도하게 (   ) 않도록 주의를 기울여야 한다.

2 다음 〈보기〉의 뜻을 참고하여 십자말풀이를 완성해 보자.

❶	❷ 연		
	❸		
			❺
	❹	❻ 연	

┌─ 보기 ─┐

❶ 가로: 사물의 관련이나 일의 결과가 반드시 그렇게 될 수밖에 없음
❷ 세로: 여럿이 함께 무슨 일을 하거나 함께 책임을 짐
❸ 가로: 서로 얼굴을 마주 보고 대함
❹ 가로: 남이 모르는 가운데
❺ 세로: 높이어 귀중하게 대함
❻ 세로: 불쌍하고 가련하게 여김

어휘·어법 확장

충족하다? 충족시키다?

다수의 학자들이 공통적으로 언급한 내용에 따르면 연민은 다음 두 가지 조건을 <u>충족할</u> 때 생긴다.

충족하다 ─ '일정한 분량을 채워 모자람이 없게 하다.'의 의미를 가진 단어로, '-게 하다'라는 사동의 뜻을 가지고 있음
예 · 요건을 충족하다.
· 국민 생활의 기본적 수요를 충족하다.

충족시키다 ─ '충족하다'에 접미사 '-시키다'를 붙여 사동의 뜻을 더한 단어임
예 · 요건을 충족시키다. (×)
· 국민 생활의 기본적 수요를 충족시키다. (×)

→ '충족하다'가 이미 사동의 뜻을 가지고 있으므로, 사동의 뜻을 더하는 접미사 '-시키다'를 중복해서 붙이지 않고 '충족하다'로 쓰는 것이 적절함

인재를 등용하는
방법에 대하여

| 전국연합 기출 |

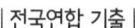

☑ 핵심어를 찾아보자.
☑ 문단별 중심 내용에 밑줄을 그어 보자.
☑ 핵심 내용을 구조적으로 재배열해 보자.

가 당파(黨派)를 없애지 않고서는 전하의 뜻이 이루어지지 못할 것입니다. 신은 일찍이 당파 싸움이 음식 싸움이나 다름없다고 하였습니다. 가령 십여 명이 모여 앉아 연회(宴會)를 차리는 경우에 그들이 서로 예(禮)로써 ⓐ사양하지 않고 각자가 남보다 많이 먹기 위하여 욕심을 낸다면 반드시 싸움이 ⓑ벌어질 것입니다. 그러나 그들을 보고 물으면 "저 사람이 나보다 밥을 많이 먹고 술을 많이 마시기 때문이다."라고 말하지 않고, 분명히 "어른과 아이는 차례가 다른 법이거늘, 저 사람이 너무나 무례하게 굴며, 밥을 흐트러뜨리고 국을 흘려, 저 사람이 너무나 ⓒ공순(恭順)하지 못한 까닭이다."라고 할 것입니다. 이와 같은 변명은 그 어떤 구실이 있더라도 그 원인을 헤아리면 결국 서로 많이 먹기 위한 싸움에 지나지 않습니다.

나 당파 싸움이 이와 같습니다. 그들이 말로는 "저 사람의 직위가 나보다 높고 저 사람의 관록이 나보다 많기 때문이다."라고 하지 않고, 반드시 "저 사람이 임금을 저버리고 국사(國事)를 ⓓ그르쳐서 불충(不忠)하기 그지없고, 역모를 꾸미며, 개인의 이익에만 ⓔ몰두하여 불순(不順)하기가 비할 데 없다."라고 말할 것입니다. 이와 같은 변명의 말들이 더러 근거가 있는 듯하더라도 그 근간을 헤아려 보면 직위와 관록의 싸움에 지나지 않습니다.

다 싸움을 결판내는 것은 힘입니다. 힘이 모자라면 응원할 이를 청하고, 응원하는 이들이 모이면 당파가 됩니다. 그러므로 당파를 보호하려는 심정은 응원을 구하기 위함이고, 응원을 구하려는 것은 힘을 모으기 위함이며, 힘을 모으려는 심리는 서로 많이 먹기 위함입니다. 이로써 본다면 붕당(朋黨)은 그 출발부터가 너무나 비열한 일이라고 하지 않을 수 없습니다.

라 이제 전하께서 크게 깨달으시어 탕평(蕩平) 정책을 실시함으로써 편당적(偏黨的)인 악습을 일소(一掃)하려 하시는 것은 신의 천견(淺見)으로도 넉넉히 짐작할 수 있습니다. 그러나 일월(日月)같이 밝은 빛으로써 아직도 다 비추지 못하는 곳이 있다고 여길 따름입니다. 그것은 붕당의 권외에 서 있는 서북 지방의 백성들이며, 신분상 하층에 속해 있는 빈천한 백성들입니다. 이들은 본래부터 붕당의 싸움과는 아무런 관련이 없었음에도 불구하고 오히려 탕평 정책의 혜택을 받을 수 있는 대상에 포함되지 못하고 있습니다.

● **구실**: 핑계를 삼을 만한 재료
● **일소하려**: 모조리 쓸어버리려
● **천견**: 얕은 견문이나 견해. 자기 의견을 겸손하게 이르는 말

앞으로 더욱 공평한 정책을 키우시어 편협하고 지엽적인 인재 선발 방법을 개혁해 야만 한 나라의 인재들이 빠짐없이 등용될 것입니다. 이보다 큰 국가의 행복이 어디에 또 있겠습니까?

사실적 사고

1

윗글의 글쓰기 전략으로 적절한 것은?

① 상반된 두 현상의 특징을 대비한다.
② 문답 형식을 사용해 통념을 부정한다.
③ 현상의 변화 과정을 순서대로 서술한다.
④ 타인의 견해에 기대어 논지를 전개한다.
⑤ 유사한 상황에 빗대어 문제를 제시한다.

추론적 사고

2

수능형

〈보기〉의 '공자'의 입장에서 윗글에 나타난 당대 현실에 대해 할 말로 적절한 것은?

> **보기**
>
> 공자(孔子)는 개인과 개인, 개인과 사회가 조화롭게 살아가는 세상을 이상으로 여겼다. 공자는 이렇게 조화를 이루며 살아가는 것을 예(禮)라고 말했으며, 이러한 예의 근본 취지를 지키는 것이 중요하다고 말했다. 그가 "예가 아니면 보지 말고, 예가 아니면 듣지 말고, 예가 아니면 말하지 말고, 예가 아니면 움직이지 말라."라고 말한 것은 이 때문이다.

① 관리와 백성 모두가 과거의 악습에 대한 미련을 버려야 예를 실현할 수 있습니다.
② 예를 바탕으로 하여 잘못된 것을 거리낌 없이 말할 수 없는 현실을 개혁해야 합니다.
③ 보고, 듣고, 말하고, 움직이는 것을 모두 예에 맞게 해야 여럿이 힘을 모아 당을 만들 수 있습니다.
④ 당으로 나뉘어 남을 음해하며 이익을 다투는 것을 그만두어야 예의 근본 취지를 지킬 수 있습니다.
⑤ 백성들의 원망을 귀담아듣는 자세는 조화로운 사회의 건설을 위해 관리들이 반드시 지녀야 하는 것입니다.

어휘·어법

3

ⓐ∼ⓔ를 사용하여 만든 문장으로 적절하지 <u>않은</u> 것은?

① ⓐ: 선생님은 주최 측의 부탁에도 강의를 연장하는 것을 <u>사양했다</u>.
② ⓑ: 시간이 흐르면 흐를수록 두 사람의 운동 실력 차이가 크게 <u>벌어졌다</u>.
③ ⓒ: 그는 성실하고 <u>공순하며</u> 소소한 일에 슬퍼하고 기뻐할 줄 아는 사람이었다.
④ ⓓ: 중요하지 않은 사소한 일에 얽매여 큰일을 <u>그르치지</u> 않도록 유의해야 한다.
⑤ ⓔ: 그는 한평생 서가에 쌓인 책에만 <u>몰두하느라</u> 가족을 보살피는 것을 잊었다.

1 이 글의 핵심 화제를 살펴보자.

공평한 ( ) 등용을 위한 정책 개혁의 필요성

2 각 문단별 중심 내용을 정리해 보자.

1문단 ( ) 싸움과 다르지 않은 당파 싸움

2문단 관료들이 ( ) 싸움을 하는 원인

3문단 ( )의 근간에 대한 비판적인 시각

4문단 공평한 인재 등용을 목적으로 하는 ( ) 정책의 한계

5문단 공평한 인재 선발을 위한 정책 ( )의 필요성 강조

3 핵심 내용을 구조화해 보자.

음식 싸움		당파 싸움
• 연회에서 싸움이 일어남 • 싸움의 원인을 상대의 무례함과 공순하지 못함 때문이라고 말함 • 싸움의 근본적인 원인은 결국 서로 많이 먹기 위해 ( )을 냈기 때문임	유사한 상황에 빗대어 문제를 제시함	• 당파 간에 싸움이 일어남 • 싸움의 원인을 상대의 불충과 역모 가담, 개인의 이익 몰두 때문이라고 말함 • 싸움의 근본적인 원인은 결국 당파의 힘을 모아 ( )와 ( )을 더 많이 얻으려 했기 때문임

⇩

글쓴이가 지적한 문제 상황	임금이 탕평 정책을 통해 ( )적인 악습을 없애려 하였으나, 여전히 정책의 혜택을 받을 수 없는 대상들이 존재함

⇩

글쓴이의 당부	나라의 인재들을 ( )하게 등용할 수 있도록 인재 선발 정책과 관련된 개혁을 계속해서 이루어 나가야 함

어휘
체크

어휘력 테스트

정답과 해설 24쪽

1 제시된 뜻과 예문을 참고하여 다음 초성에 해당하는 단어를 괄호 안에 써 보자.

(1) ㄷ ㅍ : 조선 시대에, 정치 세력 결집 단체였던 붕당(朋黨) 안에서 정치적인 입장에 따라 다시 나뉜 파벌

예 사림들도 점차 (　　　　)적 색채를 띠기 시작하였다.

(2) ㅂ ㅇ 하다: 사람의 하는 짓이나 성품이 천하고 졸렬하다.

예 다른 사람에게 (　　　　)한 짓만 일삼는 사람은 언제든 죗값을 받게 되어 있다.

(3) ㅁ ㄹ : 태도나 말에 예의가 없음

예 저의 (　　　　)를 용서해 주십시오.

2 다음 〈보기〉의 뜻을 참고하여 십자말풀이를 완성해 보자.

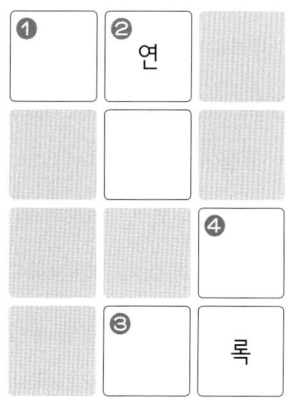

보기
❶ 가로: 사람들 사이에 맺어지는 관계 또는 어떤 사물과 관계되는 연줄
❷ 세로: 축하, 위로, 환영, 석별 따위를 위하여 여러 사람이 모여 베푸는 잔치
❸ 가로: 관원(官員)에게 주던 봉급
❹ 세로: 어떤 물품의 이름이나 책 제목 따위를 일정한 순서로 적은 것

어휘·어법 확장

'비치다' vs '비추다'

일월(日月)같이 밝은 빛으로써 아직도 다 <u>비추</u>지 못하는 곳이 있다고 여길 따름입니다.

비치다	vs	비추다

'빛이 나서 환하게 되다.' 또는 '빛을 받아 모양이 나타나 보이다.'를 의미하는 단어임

예 • 번쩍이는 번갯불에 그의 늠름한 모습이 비치었다.
→ '그의 모습이 나타나 보이다.'의 의미로 사용됨

'빛을 내는 대상이 다른 대상에 빛을 보내어 밝게 하다.' 또는 '빛을 반사하는 물체에 어떤 물체의 모습이 나타나게 하다.'를 의미하는 단어임

예 • 번쩍이는 번갯불이 그의 늠름한 모습을 비추었다.
→ '그의 모습이 비치게 하다.'의 의미로 사용됨

'비추다'에는 '비치다'와 다르게 사동의 의미가 들어 있다. 그래서 빛을 가지거나 낼 수 있는 물체가 문장 속의 다른 대상을 '비치게 하는' 의미로 사용된다.

인문 04　079

이솝 우화_
또 하나의 현실

☑ 핵심어를 찾아보자.
☑ 문단별 중심 내용에 밑줄을 그어 보자.
☑ 핵심 내용을 구조적으로 재배열해 보자.

🔵 **경건주의**: 17세기 말 독일의 개신교가 교의(教儀)와 형식에 치우치는 것에 반대하여 일어난 신앙 운동

🔵 **엄숙주의**: 도덕률을 엄격히 지키는 태도

🔵 **역자**: 글을 번역한 사람

🔵 **누락하거나**: 기입되어야 할 것이 기록에서 빠지거나 또는 그렇게 되게 하거나

🔵 **첨삭했으며**: 시문(詩文)이나 답안 따위의 내용 일부를 보태거나 삭제하여 고쳤으며

🔵 **질타**: 큰 소리로 꾸짖음

가 이솝 우화에 대한 가장 흔한 편견은 '어린이들을 위한 재미있는 교훈집'이라는 것이다. 물론 이솝 우화에는 유익하고 교훈적인 내용이 많이 담겨 있다. 하지만 그것은 어린이들에게 거짓말을 하지 말라든가, 언제나 올바른 일을 하라는 식의 윤리적인 가르침에 그치는 것이 아니다. 오히려 강자가 득세하고 약하고 어리석은 자는 생존할 수 없는 이 험한 세상에서 어떻게 살아남을 수 있는가를 얘기하는, 지극히 현실적인 삶의 지혜이다. 그러므로 이솝 우화는 어린이들보다는 어른들을 위한 우화라 할 수 있다.

나 기독교적인 경건주의와 엄숙주의가 팽배해 있던 빅토리아 시대나 에드워드 시대의 사람들은 이솝 우화를 영어로 번역하면서 역자(譯者)의 가치관에 따라 수많은 우화들을 일부러 누락하거나 첨삭했으며, 기독교적인 교훈을 갖다 붙이기도 했다. 서양 문화가 청교도의 엄격한 도덕주의에 물들기 시작하면서부터, 모든 이야기 속에는 반드시 윤리적인 교훈이나 훈계가 들어가야만 한다고 생각하게 된 것이다. 그래서 당대에는 타락한 삶의 이면을 솔직하게 드러낸 이솝 우화가 별로 환영을 받을 수가 없었다. 일부 유명한 번역본의 경우에는 번역자 자신이 이솝 우화에 직접 손을 대거나 집필한 작품이 절반 이상이나 된다고 한다. 바로 이러한 과정을 거치면서 이솝 우화는 점차 어린이들을 위한 달콤한 교훈집으로 인식되었던 것이다.

다 하지만 이솝 우화를 꼼꼼히 읽어 본 사람이라면, 이 우화가 삶에 대한 통렬한 질타를 재치와 유머로 포장하고 있다는 것을 금방 알 수 있다. 이솝은 아마도 삶에 대해서 낙관적이고 긍정적인 시각을 갖고 있기보다 오히려 인생의 고통과 불공평함을 철저하게 삶의 일부로 인정하고 있었던 것 같다. 끝없는 고난으로 가득 차 있는 인생에 대한 절망, 과욕이 부른 극단적인 이기심, 굶주림을 채우기 위한 어리석은 탐욕, 온통 거짓이 지배하는 삶은 이솝 우화 속에서 생생한 현실로 투영된다. 이솝은 삶의 어두운 이면을 통찰하는 예리한 시각을 가지고 있었던 것이다. 그리고 ㉠<u>이솝이 포착한 삶의 어두운 그림자는 우화의 그물망을 통해 또 하나의 현실이 된다.</u> 이솝 우화의 세계에서 자비나 연민 따위는 찾아볼 수 없다. 이솝 우화를 구성하고 있는 대부분의 주인공들은 잔혹하고 인정 없는 사람들, 교활하고 악한 배신자, 탐욕으로 가득 찬 사기꾼들이다.

라 이솝의 시각에서 보면 인간도 역시 동물과 마찬가지로 냉혹한 정글의 법칙에 의해 지배당하는 존재이다. 이솝 우화 속에 유난히 동물들이 많이 등장하는 것도 실제로 인

간의 삶이 동물적인 본능으로부터 그다지 멀지 않다는 생각의 표현일지도 모른다. 인격화된 동물은 더 이상 동물이 아니다. 가령 약삭빠른 여우는 ⓐ , 다른 동물들을 힘으로 억누르는 사자는 ⓑ , 외양만 꾸미기를 좋아하는 공작새는 ⓒ , 겁이 많은 토끼는 ⓓ , 일하기 싫어하는 당나귀는 ⓔ 의.반영이라 할 수 있다. 결국 이솝 우화에 등장하는 동물들은 우리 자신의 또 다른 얼굴이었던 것이다.

사실적 사고

1 윗글의 내용을 참고하여 '이솝 우화'를 홍보하는 광고물을 제작하려고 한다. 광고 문안으로 가장 적절한 것은?

① 재미있고 유익한 동화—이솝 우화가 주는 꿈과 상상의 세계로!
② 다시 읽어야 할 우화—이솝 우화는 과연 어린이들을 위한 책일까?
③ 세상을 바라보는 따스한 눈길—이솝 우화에 펼쳐진 인간 세상은?
④ 어린이의 필독서—이솝 우화와 함께 중세 시대로 지적 산책을 떠나자!
⑤ 어른과 아이가 함께 읽을 수 있는 고전—이솝 우화와 함께 가족의 사랑을!

비판적 사고

수능형

2 ㉠의 관점에서 〈보기〉를 읽고 토의한 내용으로 가장 적절한 것은?

보기

때는 겨울이었다. 개미들은 눅눅해진 곡식들을 말리고 있었다. 배고픈 매미가 먹을 것을 좀 달라고 개미들에게 부탁했다. 개미들은 대답했다.
"너는 왜 여름 동안 식량을 저장해 놓지 않았니?"
매미는 대답했다.
"그럴 시간이 없었어. 나는 아름답게 노래를 부르고 있었거든."
개미들은 매미를 조롱하며 대꾸했다.
"그래? 그럼 여름에는 노래를 했으니 겨울에는 춤을 추면 되겠네."

① 개미와 같은 부지런한 인간이 되어야 한다는 도덕적 교훈이 담겨 있어.
② 부지런히 먹이를 모으는 개미의 삶만이 가치 있다고 말하기는 좀 어려워.
③ 매미는 갈고닦은 노래 실력이 있으니 먹이를 구할 다른 방법을 찾아보면 좋겠어.
④ 평소에 차근차근 미래를 준비해 두지 않으면 낭패를 당할 수 있음을 시사하고 있어.
⑤ 개미는 재물을 많이 소유하고 있으면서도 매미의 구걸을 매몰차게 거절하는 몰인정한 인물로 형상화되어 있어.

어휘·어법

3 ⓐ~ⓔ에 들어갈 말로 적절하지 않은 것은?

① ⓐ: 사기꾼　　② ⓑ: 권력자　　③ ⓒ: 허영꾼
④ ⓓ: 개구쟁이　　⑤ ⓔ: 게으름뱅이

1 이 글의 핵심 화제를 살펴보자.

(   )에 담겨 있는 현실적인 삶의 지혜
_____

2 각 문단별 중심 내용을 정리해 보자.

1문단 (   )들을 위한 우화인 이솝 우화

↓

2문단 이솝 우화가 (   )들을 위한 교훈집으로 인식된 까닭

↓

3문단 현실의 (   ) 면을 우화의 형식으로 포장하여 표현한 이솝

↓

4문단 이솝 우화의 동물들이 비유하는 (   )의 속성

3 핵심 내용을 구조화해 보자.

이솝 우화	
기존 인식	**글쓴이의 인식**
• 어린이들을 위한 재미있는 ( ) • 이솝 우화가 윤리적인 교훈이나 훈계를 담고 있는 이야기로 인식된 이유: ( )의 엄격한 도덕주의에 영향을 받으면서 이솝 우화 역시 번역의 과정에서 원본에 없던 당대의 윤리적인 가치관을 반영하게 됨	• 지극히 ( )인 삶의 지혜를 담은 어른들을 위한 우화 • 삶에 대한 통렬한 질타, 삶의 어두운 이면을 ( )와 유머로 포장하고 있음 • 우화 속에서 ( )된 동물들은 인간의 이면적 속성을 반영하고 있음

어휘 체크

어휘력 테스트

1 다음 〈보기〉의 뜻을 참고하여 십자말풀이를 완성해 보자.

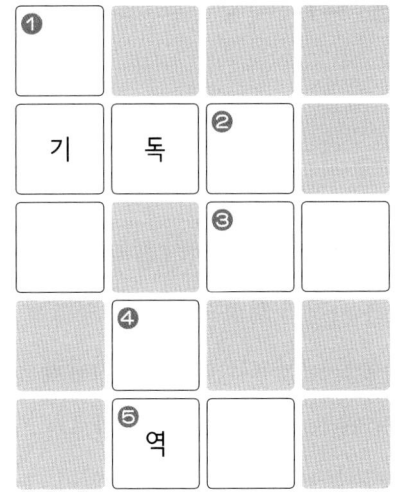

보기

❶ 세로: 자기 자신의 이익만을 꾀하는 마음
❷ 세로: 앞으로의 행동이나 생활에 지침이 될 만한 것을 가르침. 또는 그런 가르침
❸ 가로: 타일러서 잘못이 없도록 주의를 줌. 또는 그런 말
❹ 세로: 어떤 언어로 된 글을 다른 언어의 글로 옮김
❺ 가로: 글을 번역한 사람

2 다음 단어를 활용하기에 적절한 문장을 찾아 바르게 연결해 보자.

❶ 누락하다 •

❷ 투영되다 •

❸ 첨삭하다 •

• ㉠ 선생님께서 학생들의 논술 내용을 (　　　　) 주십시오.

• ㉡ 문학 작품에는 당대 사람들의 삶이 (　　　　) 있기 마련이다.

• ㉢ 총무는 회원들의 회비 금액을 (　　　　) 않도록 철저하게 점검해야 한다.

어휘·어법 확장

'동물'과 관련된 속담

암치 뼈에 불개미 덤비듯	이익이 있을 만한 것에 이 사람 저 사람 덤비어 달라붙는 모양을 비유적으로 이르는 말
여우를 피해서 호랑이를 만났다	갈수록 더욱더 힘든 일을 당함을 비유적으로 이르는 말
족제비 잡은 데 꼬리 달라는 격	애써 얻은 것의 가장 긴요한 부분을 염치없이 빼앗으려는 행동을 비꼬는 말
사자 없는 산에 토끼가 왕 노릇 한다	뛰어난 사람이 없는 곳에서 보잘것없는 사람이 득세함을 비유적으로 이르는 말
당나귀 못된 것은 생원님만 업신여긴다	못된 사람일수록 윗사람이나 남을 격에 맞지 않게 깔봄을 비유적으로 이르는 말
굼벵이가 지붕에서 떨어지는 것은 매미 될 셈이 있어 떨어진다	남 보기에는 못나고 어리석은 행동도 그렇게 하는 그 자신에게 있어서는 요긴한 뜻이 있어 하는 것임을 비유적으로 이르는 말

02 소비자의 선택을 돕는 가격 차별화

- ☑ 핵심어를 찾아보자.
- ☑ 문단별 중심 내용에 밑줄을 그어 보자.
- ☑ 핵심 내용을 구조적으로 재 배열해 보자.

○ 애덤 스미스(Smith, Adam): 영국의 경제학자·철학자. 고전파 경제학의 창시자로, 중상주의적 보호 정책을 비판하고 자유 경쟁이 사회 진보의 요건임을 주장하면서 산업 혁명의 이론적 기초를 다졌다.

○ 공급: 교환하거나 판매하기 위하여 시장에 재화나 용역을 제공하는 일

○ 수요: 어떤 재화나 용역을 일정한 가격으로 사려고 하는 욕구

가 시장에서는 온갖 상품과 서비스가 '가격'을 매개로 거래된다. °애덤 스미스 이래로 초기 고전파 경제학자들은 가격의 형성 과정과 그 역할에 대해 주목했다. 이들은 시장의 구성원들, 즉 특정 물품을 생산하고 판매하는 사람과 그 물품을 구매하려는 사람들이 서로 물품을 교환하기 위해 상호 작용하는 결과로써 가격이 형성된다는 것을 알게 되었다. 또한 시장에 참여자들이 많아지게 되면 개인이 가격에 영향을 미칠 수 없기 때문에, 사람들은 시장 가격을 그대로 받아들이는 경향이 생긴다는 것을 발견하였다. 그로 인해 시장 참여자들은 시장 가격에 ⓐ순응하고, 그 가격에 따라 °공급과 °수요를 늘이거나 줄인다.

나 그런데 시장의 가격 형성 과정을 살펴보면, 상품의 가격이 오를 때 소비가 현저히 줄어드는 경우가 있고, 상품의 가격이 올라도 일정한 수요를 유지하는 경우가 있음을 알 수 있다. 이러한 현상을 '수요의 가격 탄력성'이라고 부르며, 이는 가격에 따른 수요의 변화 정도를 나타낸다. 이 개념은 경제 행위에 있어 대단히 중요한 것으로 경제적 선택이나 협상, 교환, 상점이나 기업의 가격 결정 등 많은 경우에 응용될 수 있다.

다 시장에서는 가격 탄력성을 이용해 다양한 가격 차별화가 이루어지기도 한다. 가령 영화관이나 학교 앞 식당에서 ㉠학생들을 대상으로 가격을 할인해 주는데, 이와 같은 행위가 언뜻 생각하면 학생을 위한 것 같아 보인다. 하지만 학생들은 경제적으로 여유롭지 못해서 가격이 높으면 소비가 현격하게 줄어든다. 이러한 점을 생각하면, 기업이나 가게가 할인을 해 주는 까닭은 가격을 낮춰 소비를 유도하는 방법이며 이것은 자신들의 이윤을 최대한 높이기 위한 것임을 알 수 있다.

라 일반적으로 시장은 일물일가(一物一價), 즉 하나의 상품이 하나의 가격 체계로 ⓑ운용되고 있지만, 단일 가격제는 사회적인 효용의 손실이 많다는 문제가 있다. 가격을 조금 낮췄을 때 더 많은 사람들이 구매할 수 있는 상품이나 서비스가 있다고 하자. 이 경우에 만약 기업이나 가게가 각종 할인 혜택을 준다면 가격 탄력성이 높은 저소득 계층까지 구매 가능한 계층으로 끌어들일 수 있을 것이다. 따라서 시장에서 다양한 가격을 제시하는 것은 사회적 효용을 높일 수 있는 방법이라고 할 수 있다.

마 가격 차별화에 대해 우리가 오해하기 쉬운 한 가지는 성수기와 비수기의 요금을 차별화하는 것을 '바가지요금'이라고 ⓒ매도하는 것이다. 여름철 해변에서 불법적으로

ⓓ자행되는 '바가지요금'은 잘못이겠지만 성수기와 비수기의 요금을 차별화하는 것은 탄력성의 측면에서 볼 때 너무나 당연한 일이다. 따라서 지방 자치 단체들은 바가지요금의 현장 단속에만 치중할 것이 아니라 정상적인 가격 차별화 시스템을 정착시키기 위해 노력해야 한다. 가격 차별화의 핵심은 기업의 이익을 극대화하고 소비자에게 선택의 폭을 넓혀 사회적 효용을 높이는 데에 있다. 무조건 가격을 ⓔ규제하고 바가지요금을 단속하는 것은 결코 소비자를 돕는 일이 아니다.

사실적 사고

1

윗글의 내용과 일치하지 않는 것은?

① 가격 차별화는 가격 탄력성과 밀접한 관련이 있다.
② 단일 가격제는 공급자의 이윤을 최대한 높이기 위한 방법이다.
③ 시장의 규모가 커지면 시장 참여자들은 시장 가격에 순응하게 된다.
④ 성수기와 비수기의 가격을 달리하는 것을 바가지요금이라고만 볼 수 없다.
⑤ 기업은 가격을 결정할 때 매출 확대를 위해 가격 탄력성의 개념을 응용할 수 있다.

추론적 사고

수능형

2

㉠에서 확인할 수 있는 가격과 수요의 관계로 가장 적절한 것은?

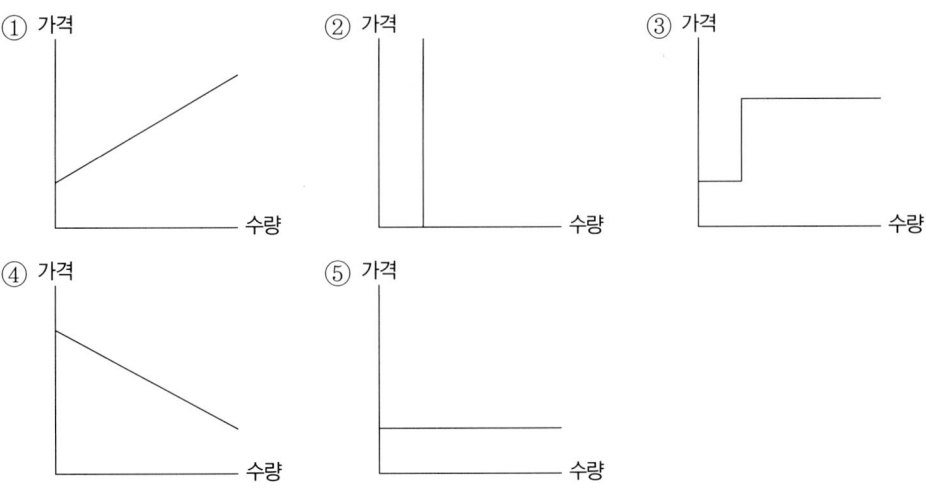

어휘·어법

3

ⓐ~ⓔ의 문맥적 의미를 활용하여 만든 문장으로 적절하지 않은 것은?

① ⓐ: 그는 약삭빠르게 세태에 순응하여 빨리 출세했다.
② ⓑ: 지난날 사회주의 경제는 배급제를 중심으로 운용되었다.
③ ⓒ: 지주들은 농토를 친척 명의로 변경하거나 타인에게 급히 매도했다.
④ ⓓ: 그 다큐멘터리는 지금까지 자행되어 온 부실 공사의 문제점을 파헤쳤다.
⑤ ⓔ: 환경 단체에서는 공해 산업을 규제하라는 성명서를 곧 발표할 예정이다.

독해
체크

1 이 글의 핵심 화제를 살펴보자.

사회적 효용을 높이는 (　　　　　　　)

2 각 문단별 중심 내용을 정리해 보자.

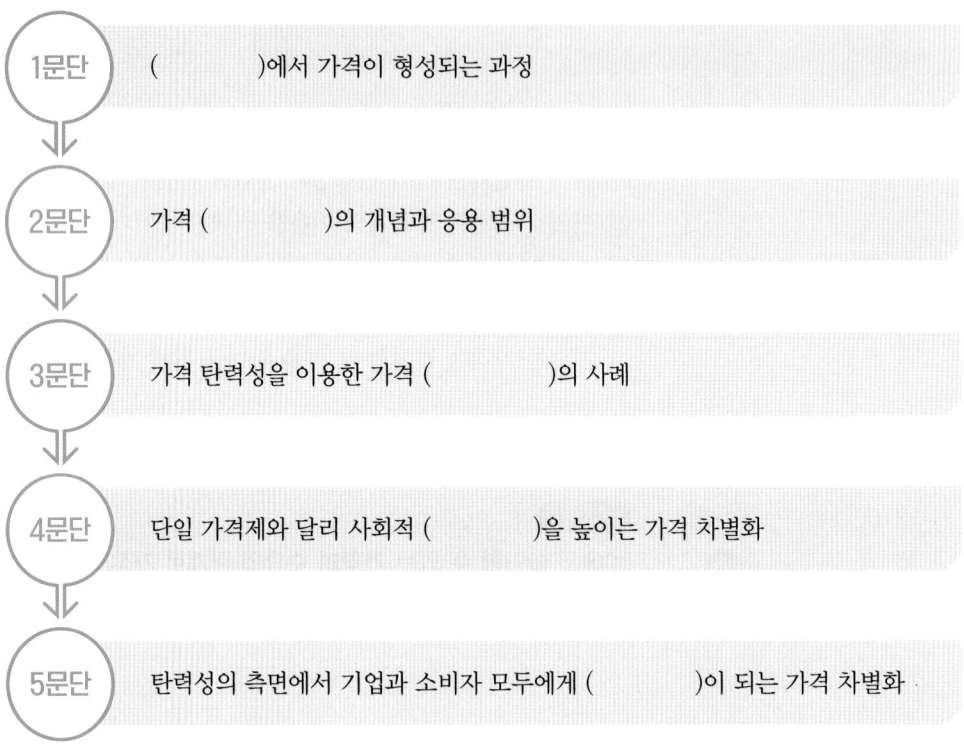

1문단 (　　　　　)에서 가격이 형성되는 과정

2문단 가격 (　　　　　)의 개념과 응용 범위

3문단 가격 탄력성을 이용한 가격 (　　　　　)의 사례

4문단 단일 가격제와 달리 사회적 (　　　　　)을 높이는 가격 차별화

5문단 탄력성의 측면에서 기업과 소비자 모두에게 (　　　　　)이 되는 가격 차별화

3 핵심 내용을 구조화해 보자.

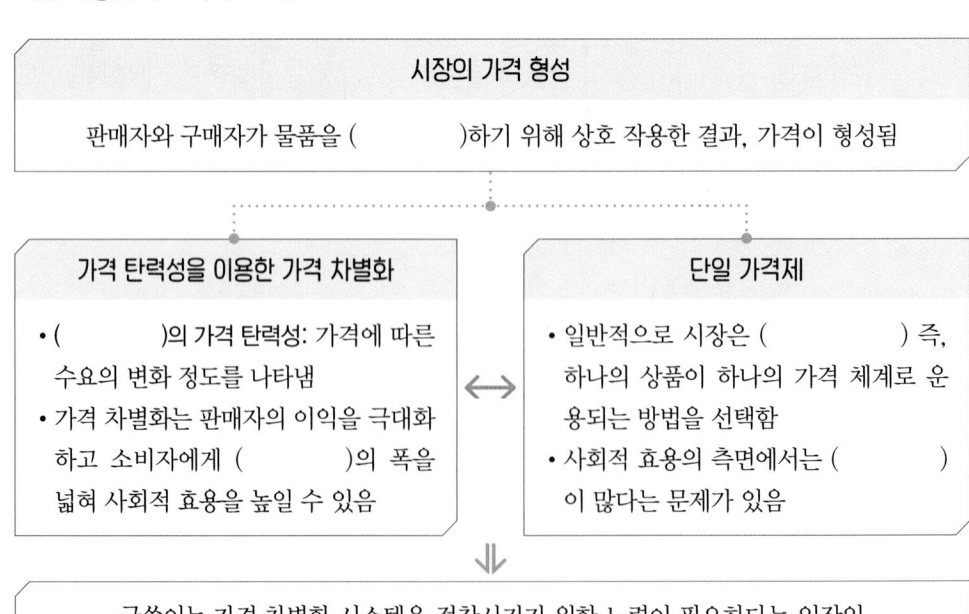

시장의 가격 형성

판매자와 구매자가 물품을 (　　　　　)하기 위해 상호 작용한 결과, 가격이 형성됨

가격 탄력성을 이용한 가격 차별화

- (　　　　)의 가격 탄력성: 가격에 따른 수요의 변화 정도를 나타냄
- 가격 차별화는 판매자의 이익을 극대화하고 소비자에게 (　　　　)의 폭을 넓혀 사회적 효용을 높일 수 있음

↔

단일 가격제

- 일반적으로 시장은 (　　　　) 즉, 하나의 상품이 하나의 가격 체계로 운용되는 방법을 선택함
- 사회적 효용의 측면에서는 (　　　　)이 많다는 문제가 있음

⇓

글쓴이는 가격 차별화 시스템을 정착시키기 위한 노력이 필요하다는 입장임

어휘 체크

어휘력 테스트

1 다음 단어의 뜻을 참고하여 끝말잇기를 완성해 보자.

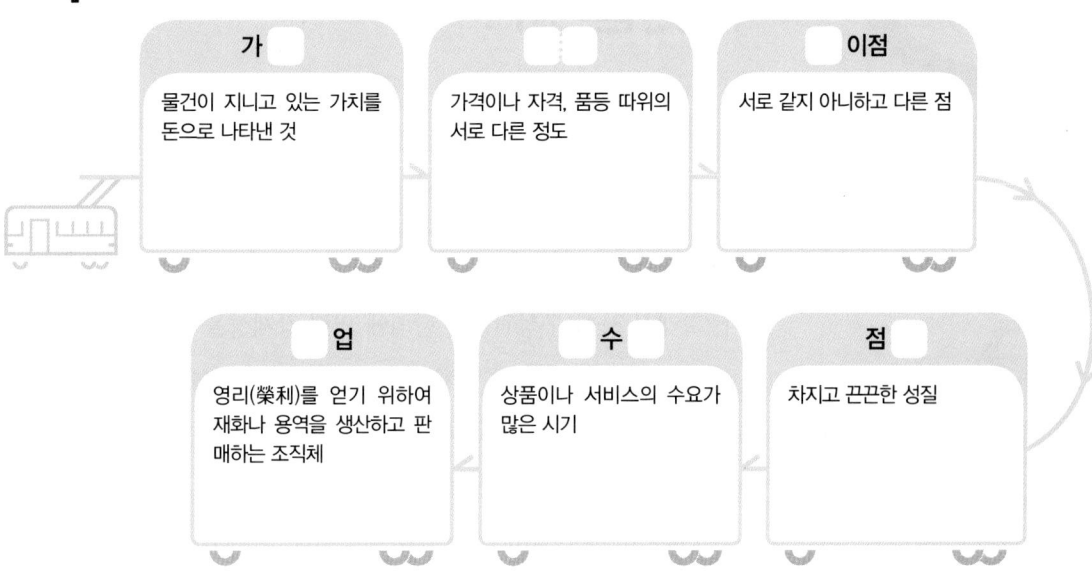

가 ⬜	⬜⬜	⬜ 이점
물건이 지니고 있는 가치를 돈으로 나타낸 것	가격이나 자격, 품등 따위의 서로 다른 정도	서로 같지 아니하고 다른 점

⬜ 업	⬜ 수	⬜ 점
영리(榮利)를 얻기 위하여 재화나 용역을 생산하고 판매하는 조직체	상품이나 서비스의 수요가 많은 시기	차지고 끈끈한 성질

2 제시된 뜻과 예문을 참고하여 다음 초성에 해당하는 단어를 괄호 안에 써 보자.

(1) ㅅㅇ : 어떤 재화나 용역을 일정한 가격으로 사려고 하는 욕구

예 그 상품은 요추에 좋다는 소문이 돌아 어르신들 사이에서 (   )가 급증하고 있다.

(2) ㄱㄷㅎ : 아주 커짐. 또는 아주 크게 함

예 기업은 광고를 통해 자사 제품의 매출을 (   )할 수 있는 방법을 꾀한다.

어휘·어법 확장

'시장'의 동음이의어

시장에서는 온갖 상품과 서비스가 '가격'을 매개로 거래된다.
[경제] 상품으로서의 재화와 서비스의 거래가 이루어지는 추상적인 영역

• 시장: 배가 고픔
　예 시장이 반찬: 배가 고프면 반찬이 없어도 밥이 맛있음을 비유적으로 이르는 말
• 시장(市長): [행정] 지방 자치 단체인 시의 책임자로 집행 기관으로서 시를 맡아서 다스림
　예 서울 시장은 문화 사업에 대한 지원을 검토 중이다.
• 시장(市場): 「1」 여러 가지 상품을 사고파는 일정한 장소 예 농산물 시장의 가격이 저렴하다.
　　　　　　「2」 [경제] 상품으로서의 재화와 서비스의 거래가 이루어지는 추상적인 영역
　　　　　　예 경제 호황으로 소비 심리가 촉진되면서 시장이 확대되었다.

사회 03

법 규정의 적용 원칙은 무엇일까?

- ☑ 핵심어를 찾아보자.
- ☑ 문단별 중심 내용에 밑줄을 그어 보자.
- ☑ 핵심 내용을 구조적으로 재배열해 보자.

- 🔵 **형사 재판**: 형사 사건에 관한 재판. 범죄자에게 형벌을 과하기 위하여 형사 소송법이 정하는 절차에 따라 행한다.

- 🔵 **민사 재판**: 민사 사건에 대하여 민사 소송법에 의거하여 법원에서 행하는 재판

- 🔵 **피고인**: 형사 소송에서, 검사에 의하여 형사 책임을 져야 할 자로 공소 제기를 받은 사람

- 🔵 **선고해야**: 형사 사건을 심사하는 법정에서 재판장이 판결을 알려야

|전국연합 기출|

가 여러 사람들이 모여 사는 곳에서는 크고 작은 ⓐ분쟁이 끊임없이 발생할 수밖에 없다. 그래서 사회 구성원들의 합의에 의해 강제성을 갖도록 만들어진 것이 바로 '법'이다. 하지만 복잡한 현실의 구체적인 상황을 모두 반영하여 법률을 만들려면 법은 무한정 길어질 수밖에 없다. 따라서 법은 추상적인 규정으로 만들어지며, 법을 현실의 구체적인 사건에 ⓑ적용하는 과정은 이른바 '법률적 삼단 논법'에 의해 이루어진다. '법률적 삼단 논법'이란 추상적인 법 규정은 대전제로, 구체적인 사건은 소전제로 놓고, 법 규정이 그 사건에 적용될 수 있는지 판단하여 결론을 이끌어 내는 것을 말한다.

나 예컨대 A의 노트북 컴퓨터를 B가 몰래 가져가서 사용하다 발각되어 A가 B를 검찰에 고소했다고 하자. 검사는 이 사건이 어떤 법 규정에 ⓒ해당되는지 검토한 후, 법정에서 B의 행위가 절도죄를 규정한 형법 규정에 해당되므로 형벌을 받아야 한다고 주장한다. 이에 대해 B의 변호사는 B가 노트북 컴퓨터를 잠시 빌려 쓰려고 했던 것이므로 검사가 내세운 형법 규정에 해당되지 않는다고 주장한다. 그러면 법관은 양쪽의 주장을 참고하여 B의 행위가 검사가 내세운 형법 규정에 해당되는지를 최종 판단한다. 만약 해당된다고 판단되면 법관은 그에 맞는 결론, 즉 유죄 판결을 내린다. 이처럼 검사, 변호사, 법관은 모두 '어떤 사건이 어느 법 규정에 해당되는지'를 계속 염두에 두어야 한다.

다 그런데, 많은 훈련을 거친 법률가들이라 하더라도 어떤 사건에 적용할 수 있는 적당한 법 규정을 찾아내는 일은 결코 쉬운 일이 아니다. 그 이유는 현재 시행되고 있는 법 규정의 수가 엄청나게 많을 뿐 아니라, 기존의 법 규정도 수시로 개정되고, 새로운 법 규정도 계속 만들어지고 있기 때문이다. 또한 어떤 사건에 적용될 가능성이 있는 법 규정이 여러 개 발견되는 경우도 있다. 이로 인해 그 사건에 적용할 수 있는 적당한 법 규정을 찾지 못하게 되는 경우도 생긴다.

라 만일 이와 같이 어떤 사건에 적용할 수 있는 적당한 법 규정을 찾지 못하게 되면 어떻게 될까? 이 경우에 형사 재판과 민사 재판은 서로 다른 결론을 내리게 된다. 국가와 국민이라는 관계를 기반으로 하는 형법에서는, 법률에 미리 범죄와 형벌이 규정되지 않은 경우에는 벌할 수 없다는 죄형법정주의 원리가 엄격하게 적용된다. 따라서 형사 재판에서는 어떠한 사건에 적용할 수 있는 적당한 법 규정이 발견되지 않으면 법관은 법 규정의 적용을 포기하고 피고인에게 무죄를 선고해야 한다. 물론 피고인의 행위가

도덕적으로는 비난의 대상이 될 수도 있지만, 함부로 다른 형법 규정을 가져다 적용할 수 없다는 것이 형법의 대원칙이다.

마 반면, 기본적으로 ⓓ대등한 두 당사자를 대상으로 하는 민사 재판에서는 법 규정이 없다고 해서 그 판결을 포기하는 것이 아니라, 최대한 그 사건과 관련된 일반 원칙을 찾아내서 손해와 이익을 공평하게 ⓔ조정하려고 노력한다. 즉, 법 규정 찾기에 실패해도 관습법이나 건전한 상식을 기준으로 판결을 내리는 것이다.

> **관습법**: 사회생활에서 습관이나 관행이 굳어져서 법의 효력을 갖게 된 것

사실적 사고

1

윗글을 읽고 알게 된 내용으로 적절하지 않은 것은?

① 형법은 국가와 국민의 관계를 기반으로 형성된 법이다.
② 동일한 사건에 적용시킬 수 있는 법 규정이 여러 개 있을 수도 있다.
③ 많은 훈련을 거친 법률가들도 때로는 법 규정 찾기에 어려움을 느낀다.
④ 민사 재판에서는 관습법이나 건전한 상식도 판결의 기준으로 삼기도 한다.
⑤ 형사 재판에서는 적당한 법 규정이 없으면 법 규정이 만들어질 때까지 판결을 미룬다.

비판적 사고

2

수능형

윗글을 읽은 학생이 〈보기〉를 읽고 보일 반응으로 적절하지 않은 것은?

┌─ 보기 ─┐

　'갑'은 공공 기관에서 개인 정보 처리 업무를 담당하고 있는 '을'로부터 '병'의 개인 정보를 받아 자신의 사업에 이용하였다. 이로 인해 '병'은 큰 경제적 손실을 입었다. 이에 검찰은 '갑'과 '을' 모두 '공공 기관의 개인 정보 보호에 관한 법률' 위반 혐의로 형사 재판을 요청하였다. 이에 대법원은 이 법률이 공공 기관의 직원이나 직원이었던 자가 직무상 알게 된 개인 정보를 누설하는 등의 행위를 금지하고 있을 뿐, 그러한 자로부터 개인 정보를 받은 타인이 그 개인 정보를 이용하는 행위를 금지하는 것은 아니므로, '을'로부터 개인 정보를 건네받은 '갑'이 이를 이용한 행위는 위 법률의 적용을 받지 않는다고 판결하였다.

① '갑'은 도덕적인 비난을 면할 수 있겠군.
② '을'은 법 규정에 따른 처벌을 받게 되겠군.
③ '병'이 '갑'에게 손해를 배상받기 위해서는 민사 소송을 제기해야겠군.
④ 대법원은 '갑'의 행위에 대해 검찰이 세운 대전제를 적용할 수 없다고 봤군.
⑤ '갑'과 같은 행위를 한 사람을 처벌하려면 법 규정을 새로 만들 필요가 있군.

어휘·어법

3

ⓐ~ⓔ의 사전적 의미로 적절하지 않은 것은?

① ⓐ 분쟁(紛爭): 말썽을 일으키어 시끄럽고 복잡하게 다툼
② ⓑ 적용(適用): 알맞게 이용하거나 맞추어 씀
③ ⓒ 해당(該當): 어떤 범위나 조건 따위에 바로 들어맞음
④ ⓓ 대등(對等): 서로 견주어 높고 낮음이나 낫고 못함이 없이 비슷함
⑤ ⓔ 조정(調停): 다른 사람을 자기 마음대로 다루어 부림

독해
체크

1 이 글의 핵심 화제를 살펴보자.

법률적 (   )의 적용 방법과 형사·민사 재판의 법 적용 원칙

2 각 문단별 중심 내용을 정리해 보자.

1문단) 법 제정의 (   ) 및 법률적 삼단 논법의 개념

↓

2문단) 법률적 삼단 논법의 구체적 (   )에의 적용

↓

3문단) 사건에 적용할 수 있는 적당한 법 (   )을 찾는 것이 어려운 이유

↓

4문단) (   ) 재판의 법 적용 원칙

↓

5문단) (   ) 재판의 법 적용 원칙

3 핵심 내용을 구조화해 보자.

법률적 삼단 논법의 개념	대전제	( )인 법 규정
	( )	구체적인 사건
	결론	사건에 법 규정을 적용할 수 있는지를 판단하여 결론 도출 → 많은 훈련을 거친 법률가들도 사건에 적용할 수 있는 적당한 법 규정을 찾아내기가 어려움

⬇ 사건에 적용할 적당한 법규를 찾지 못한 경우

형사 재판		( ) 재판
( ) 원리에 따라 법 규정의 적용을 포기하고 ( )를 선고함	↔ 서로 다른 결론을 내림	최대한 사건과 관련된 ( )을 찾아내거나 ( ) 및 건전한 상식을 기준으로 판결을 내림

어휘 체크

어휘력 테스트

1 다음 단어의 뜻을 참고하여 끝말잇기를 완성해 보자.

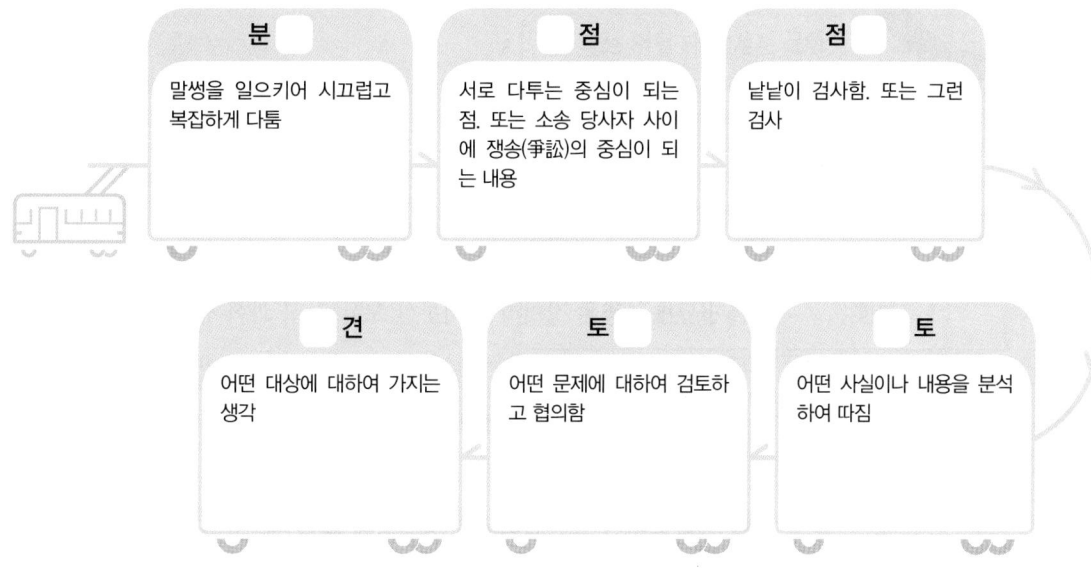

분◻	◻점	◻점
말썽을 일으키어 시끄럽고 복잡하게 다툼	서로 다투는 중심이 되는 점. 또는 소송 당사자 사이에 쟁송(爭訟)의 중심이 되는 내용	낱낱이 검사함. 또는 그런 검사

◻견	◻토	◻토
어떤 대상에 대하여 가지는 생각	어떤 문제에 대하여 검토하고 협의함	어떤 사실이나 내용을 분석하여 따짐

2 다음 단어를 활용하기에 적절한 문장을 찾아 바르게 연결해 보자.

❶ 적용하다 •

❷ 대등하다 •

❸ 조정하다 •

• ㉠ 그동안 부처 간에 빚어졌던 분쟁을 (　　　) 위해 위원회가 설치되었다.

• ㉡ 두 팀은 실력이 (　　　) 경기 결과를 예상하기 어렵다.

• ㉢ 판사는 피고에게 사기죄를 (　　　) 징역 2년을 선고했다.

어휘·어법 확장

염두해 두다? 염두에 두다?

검사, 변호사, 법관은 모두 '어떤 사건이 어느 법 규정에 해당되는지'를 계속 염두에 두어야 한다.

'염두(念頭)'는 '생각의 시초 또는 마음속'을 의미하는 명사로 '고려(考慮)하다'와 같은 맥락에서 많이 쓰인다. 이러한 '염두'에 접사 '-하다'를 붙여 동사로 쓰일 수 있다고 잘못 생각하여 '염두하다(X), 염두해 두다(X)'처럼 표현하는 경우가 많은데, 이는 틀린 표현이다. '염두하다'는 우리말에 없으므로 '염두에 두다'와 같이 표현하는 것이 적절하다.

📋 • 실패의 가능성도 염두에 두고 계획을 세워라.

• 선후창 민요는 표현의 다양화와 함께 개인성의 발휘까지 염두에 둔 형식이다.

정치 문화의 유형화

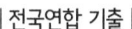

|전국연합 기출|

☑ 핵심어를 찾아보자.
☑ 문단별 중심 내용에 밑줄을 그어 보자.
☑ 핵심 내용을 구조적으로 재배열해 보자.

가 어떤 사회 현상이 나타나는 경우 그러한 현상은 '제도'의 탓일까, 아니면 '문화'의 탓일까? 이 논쟁은 정치학을 비롯한 모든 사회 과학에서 두루 다루는 주제이다. 정치학에서 제도주의자들은 보다 ⓐ선진화된 사회를 만들기 위해서 제도의 정비가 중요하다고 주장한다. 하지만 문화주의자들은 실제적인 '운용의 묘'를 살리는 문화가 제도의 정비보다 중요하다고 주장한다.

나 문화주의자들은 문화를 가치, 신념, 인식 등의 총체로서 정치적 행동과 행위를 특정한 방향으로 움직여 일정한 행동 양식을 만들어 내는 것으로 정의한다. 이러한 문화에 대한 정의를 바탕으로 이들은 투입과 산출의 개념을 기준으로 삼아 정치 문화를 구분하였다. 즉 국민이 정부에게 하는 정치적 요구를 투입이라고 하고, 정부가 생산하는 정책을 산출이라고 하였으며, 이를 기반으로 정치 문화를 편협형, 신민형, 참여형의 세 가지로 유형화하였다.

다 먼저 편협형 정치 문화는 투입과 산출에 대한 개념이 모두 존재하지 않는 정치 문화를 말한다. 국민이 정부에게 요구하는 바인 투입이 없으며, 정부도 산출에 대한 개념이 없어서 적극적 참여자로서의 자아가 있을 수 없다. 사실상 정치 체계에 대한 인식조차 국민들에게 존재할 수 없는 사회이다. °샤머니즘에 의한°신정 정치, 부족 또는 지역 사회 등 전통적인 원시 사회가 이에 ⓑ해당한다.

라 다음으로 신민형 정치 문화는 투입에 대한 개념은 없는 반면 산출에 대한 개념은 있는 정치 문화를 말한다. 투입이 존재하지 않기 때문에 적극적 참여자로서의 자아가 형성되지 못한 사회이다. 이런 상황에서 산출이 존재한다는 의미는 국민이 정부가 해 주는 대로 ⓒ수용한다는 것을 의미한다. 이들 국민은 정부에 복종하는 성향이 강하다. 하지만 편협형 정치 문화와 달리 이들 국민은 정치 체계에 대한 최소한의 인식은 있는 상태이다. 일반적으로 독재 국가의 정치 체계가 이에 해당한다.

마 마지막으로 참여형 정치 문화는 투입과 산출에 대한 개념이 모두 존재하는 정치 문화를 말한다. 국민들이 자신들의 요구 사항을 ⓓ표출할 줄도 알고, 정부는 그러한 국민들의 요구에 응답하는 사회이다. 따라서 국민들은 적극적인 참여자로서의 자아가 형성되어 있으며, 그러한 적극적 참여자들의 의사가 반영된 정치 체계가 존재하는 사회이다. 이는 선진 민주주의 사회로서 현대의 바람직한 민주주의 사회상이다.

● **샤머니즘**: 원시적 종교의 한 형태. 주술사인 샤먼이 신의 세계나 악령 또는 조상신과 같은 초자연적 존재와 직접적인 교류를 하며, 그에 의하여 점을 치는 일을 하거나 예언, 병 치료 따위를 하는 종교적 현상이다.

● **신정 정치**: 신의 대변자인 사제가 지배권을 가지고 종교적 원리에 의하여 통치하는 정치 형태. 고대 유대에서 볼 수 있다.

정치 문화 유형 연구는 어떤 사회가 정치적으로 발전한 사회인가, 민주주의를 제대로 ⓔ구현하기 위해서 우선적으로 필요한 것이 무엇인가 하는 질문에 대한 답을 제시하고 있다는 데서 의의를 찾을 수 있다. 문화주의자들은 국가를 평가할 때 특정 제도의 장단점에 의해서가 아니라 국가의 구성 요소들이 민주주의라는 보편적인 목적을 위해 얼마나 잘 기능하고 있는가를 기준으로 평가하고 있는 것이다.

추론적 사고

1 윗글을 통해 글쓴이가 궁극적으로 말하고자 하는 바로 적절한 것은?

① 정치 발전을 위해서는 국민이 적극적으로 정치에 참여해야 한다.
② 정치 제도보다 정치 제도를 운영하는 운영자의 가치관이 중요하다.
③ 정치 문화의 유형을 구분하는 기준을 투입에서 산출로 바꾸어야 한다.
④ 당면한 사회적 문제를 해결하는 데에는 정치 제도의 개선이 효과적이다.
⑤ 정치에 정부가 과도하게 개입하는 것은 정치 발전에 도움이 되지 않는다.

비판적 사고

2 〔수능형〕
윗글과 〈보기〉를 읽은 학생의 반응으로 적절하지 <u>않은</u> 것은?

> ┌─ 보기 ─┐
>
> 독재 국가에서 선거 혁명을 통해 민주주의를 이루어 가는 갑국은 종교별 투표 성향이 강한 나라이다. 갑국은 새로운 정부를 구성하려고 대통령 선거에서 한 표라도 많으면 당선되는 단순 다수 대표제를 실시하였다. 그 결과 ○○교의 지지를 받은 A가 유효 투표수의 1/3을 득표하여 대통령에 당선되었다. 그러자 정책의 결정과 시행 과정에서 국민적 합의가 잘 이루어지지 않는 문제점이 발생하였다. 현재 차기 대통령 선거를 앞두고 갑국의 여러 시민 단체들은 1차 투표에서 과반수 득표를 못하면 2차 결선 투표를 실시하는 절대 다수 대표제를 채택하자고 요구하고 있다. 하지만 정부는 아직 이것에 대해 본격적으로 검토하지 않고 있다.

① 갑국은 투입보다 산출이 활성화되어 있군.
② A는 투표 성향과 투표 제도 때문에 당선되었군.
③ 갑국은 신민형에서 참여형으로 정치 문화가 변하고 있군.
④ 시민 단체들은 정치적 현상을 제도 개선으로 해결하고자 하는군.
⑤ 문화주의자들은 문제 해결 방법을 제도주의자들과는 다르게 제시하겠군.

어휘·어법

3 문맥상 ⓐ~ⓔ와 바꾸어 쓰기에 적절하지 <u>않은</u> 것은?

① ⓐ: 앞선   ② ⓑ: 들어맞는다   ③ ⓒ: 받아들인다는
④ ⓓ: 드러낼   ⑤ ⓔ: 일으키기

독해 체크

1 이 글의 핵심 화제를 살펴보자.

정치 문화의 (   ) 및 그 연구의 의의

2 각 문단별 중심 내용을 정리해 보자.

1문단 사회 현상의 원인을 바라보는 제도주의자와 (   )의 관점 차이

↓

2문단 문화주의자들이 제시한 (   )의 구분 기준과 유형

↓

3~5문단 (   ), 신민형, 참여형 정치 문화의 개념과 특성

↓

6문단 정치 문화 유형 (   )의 의의

3 핵심 내용을 구조화해 보자.

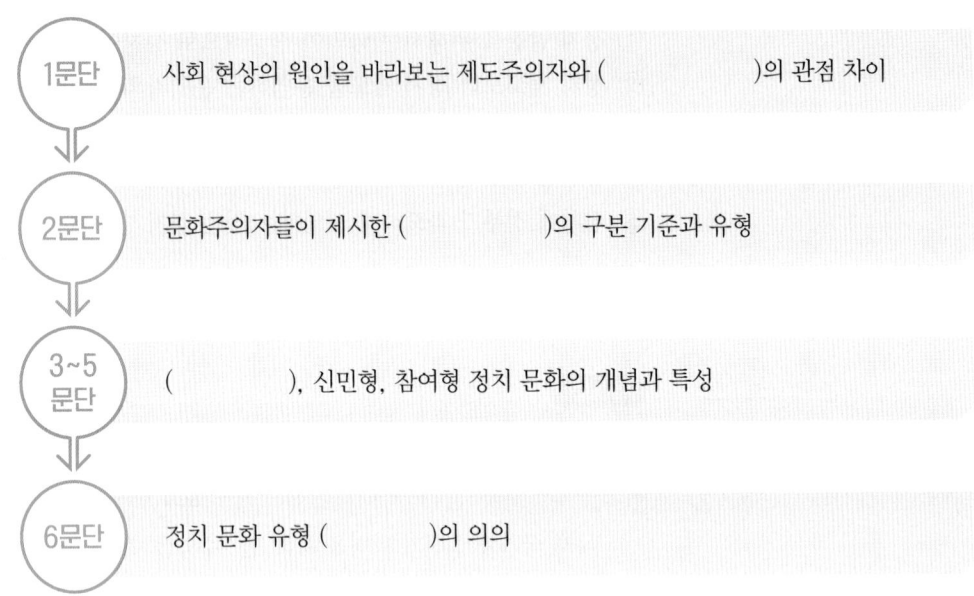

( )의 유형화	투입과 산출의 개념을 기준으로 한 분류 • 투입: 정부에 대한 국민의 정치적 요구 • 산출: 정부가 생산하는 정책

편협형 정치 문화	신민형 정치 문화	참여형 정치 문화
• 투입과 산출에 대한 개념이 모두 존재하지 않음 • 국민들에게 ( )에 대한 인식조차 없음 • 샤머니즘에 의한 신정 정치, 전통적인 ( )가 이에 해당함	• ( )이 존재하지 않고 산출만 있음 • 국민은 정부의 산출을 수용하며, 정부에 ( )하는 성향이 강함 • 독재 국가의 정치 체계가 이에 해당함	• 투입과 ( )이 모두 존재함 • 국민들이 요구 사항을 표출하고 정부는 그에 응답하는 사회임 • 선진 ( ) 사회가 이에 해당함

어휘 체크

어휘력 테스트

1 제시된 뜻과 예문을 참고하여 다음 초성에 해당하는 단어를 괄호 안에 써 보자.

(1) **ㅊ ㅊ** : 있는 것들을 모두 하나로 합친 전부 또는 전체

예 작품은 작가의 신념과 가치관의 (   )라 할 수 있다.

(2) **ㅍ ㅎ** : 한쪽으로 치우쳐 도량이 좁고 너그럽지 못함

예 외래문화의 수용을 무조건 반대하는 것은 (   )한 생각이다.

(3) **ㅅ ㅁ ㄴ ㅈ** : 원시적 종교의 한 형태. 주술사가 신의 세계나 악령 또는 조상신과 같은 초자연적 존재와 직접적인 교류를 하며, 그에 의하여 점을 치는 일을 하거나 예언, 병 치료 따위를 하는 종교적 현상

예 (   )의 대표적인 상징물인 부적은 현대 사회에도 남아 있다.

2 다음 〈보기〉의 뜻을 참고하여 십자말풀이를 완성해 보자.

		❸	
❶		❹	
❷		화	

보기
❶ 세로: 딴 것에 앞서 특별하게 대우하는 것
❷ 가로: 문물의 발전 단계나 진보 정도가 다른 것보다 앞서게 됨
❸ 세로: 성질이나 특징 따위가 공통적인 것끼리 묶여 하나의 틀에 속하게 됨. 또는 그렇게 함
❹ 가로: 어떤 형상을 이룸

어휘·어법 확장

'체계'와 '체제'의 차이

사실상 정치 체계에 대한 인식조차 국민들에게 존재할 수 없는 사회이다.

체계(體系)
일정한 원리에 따라서 낱낱의 부분이 짜임새 있게 조직되어 통일된 전체
예 • 정보 통신 체계를 마련하다.
 • 그들은 일관된 체계나 원칙도 없이 일을 진행시켰다.

체제(體制)
「1」 생기거나 이루어진 틀. 또는 그런 됨됨이(=체재)
예 작품의 구성과 체제 / 체재를 파악해 보자.
「2」 사회를 하나의 유기체로 볼 때에, 그 조직이나 양식, 또는 그 상태를 이르는 말
예 새로운 지도 체제가 들어서다.

별빛의 비밀

✔ 핵심어를 찾아보자.

✔ 문단별 중심 내용에 밑줄을 그어 보자.

✔ 핵심 내용을 구조적으로 재배열해 보자.

파장: 파동(공간의 한 점에 생긴 물리적인 상태의 변화가 차츰 둘레에 퍼져 가는 현상)에서, 같은 위상을 가진 서로 이웃한 두 점 사이의 거리

정량적: 양을 헤아려 정하는 것

항성: 천구 위에서 서로의 상대 위치를 바꾸지 아니하고 별자리를 구성하는 별. 북극성, 북두칠성, 삼태성, 견우성, 직녀성 따위가 있다.

HR도: 헤르츠스프룽·러셀도[Hertzsprung–Russell圖]. 별의 원래 밝기인 절대 등급과 별의 온도를 조사하여 2차원 도표로 나타낸 것으로서 항성의 분류, 내부 구조나 진화의 과정을 조사하는 데 사용됨

가 별들이 하얀빛의 점으로만 느껴지는 도심의 밤하늘과는 달리 시골의 밤하늘에서는 색깔을 구분할 수 있는 여러 색의 별들을 쉽게 ⓐ발견할 수 있다. 이처럼 별의 색이 다른 이유는 무엇일까? 이는 별의 표면 온도와 관계가 있다. 일상적 색감으로는 푸른색이 추워 보이고, 붉은색은 따스하게 느껴지는데, 별의 경우는 반대다. 별의 표면 온도가 높을수록 나오는 빛의 파장은 짧아지기 때문에 파란색을 띠게 된다. 따라서 파란 별일수록 별의 표면 온도가 높고 붉은 별일수록 표면 온도가 낮다.

나 천문학자들은 별의 색깔을 좀 더 정량적으로 결정할 방법을 연구했다. 별의 색깔을 결정하는 ⓑ요인은 가시광선 부분에서 최고 강도의 에너지를 내는 파장이다. 빛의 파장에 따른 강약을 알기 위해서는 프리즘 등을 통해 빛을 무지갯빛으로 분해해 보면 된다. 1666년 뉴턴은 창문에 지름이 약 8mm인 작은 구멍을 내고 프리즘을 놓아 반대쪽의 흰 벽에 비친 무지개색의 띠를 관측했고 그 빛의 띠를 '스펙트럼'이라 했다. 그렇지만 별빛은 너무 어두워서 오랫동안 프리즘으로 스펙트럼을 관측할 수가 없었다. 2백 년이 지난 뒤인 1870년대에야 별빛의 색을 분해할 수 있는 항성 분광기가 만들어졌다. 영국의 천문학자 윌리엄 허긴스는 1876년 망원경의 대물렌즈 앞에 얇은 프리즘이 포함된 대물 프리즘 분광기를 장치하고 직녀성의 별빛 스펙트럼을 사진으로 찍는 데 성공했다. 이 같은 분광 관측을 통해서 별의 온도와 색깔의 관계를 알아낼 수 있었다.

다 현재는 여러 별들을 특징적인 스펙트럼별로 분류한 ⓒ체계를 사용하는데, 보통 ㉠헨리 드레이퍼의 분류법에 따라 고온의 별부터 순서대로 O, B, A, F, G, K, M형으로 분류하고 있다. 이것은 다시 별의 색과도 연관되어 O, B, A형은 청색에서 청백색을, F형은 흰색, G형은 노란색, K형은 주황색, M형은 붉은색과 ⓓ대응된다. 그리고 각 스펙트럼형은 고온에서 저온까지 0~9의 숫자를 붙여서 다시 10단계로 세분한다. 이 방식으로 별들을 분류하면 태양은 G2형, 시리우스는 A0형, 베텔게우스는 M2형으로 표기된다.

라 별의 스펙트럼형을 가로축, 그 별의 절대 광도를 세로축으로 잡고 별들의 ⓔ분포를 나타내면 재미있는 결과를 얻게 된다. 이런 그림을 'HR도'라고 부르는데, 대부분의 별들은 왼쪽 위(밝고 고온, 청색)에서 오른쪽 아래(어둡고 저온, 적색)로 뻗은 띠 모양의 직선으로 나타난다. 이 직선을 '주계열'이라고 부르고 이 위에 늘어선 별들을 '주계열

성'이라고 한다. 'HR도'의 오른쪽 윗부분은 저온의 큰 별인 적색 거성을 나타내고, 왼쪽 영역의 훨씬 아래에는 고온의 작은 별인 백색 왜성을 나타낸다.

 'HR도'를 통해서 각 별들의 현재 상태와 일생을 추측해 볼 수도 있다. 태양은 현재 주계열성이다. 태양은 일생의 대부분을 주계열성으로 보내다가 말기에 주계열을 벗어나서 오른쪽으로 올라가 적색 거성이 된다. 그 후 왼쪽으로 옮겨 가 불완전한 변광성의 시기를 지나면서 주계열을 가로지르게 될 것이다. 시간이 더 지나면 폭발해 크기가 작아져 왼쪽 아래로 내려가면서 마지막에 백색 왜성으로 일생을 마치게 된다.

○ **변광성**: 빛의 세기나 밝기가 시간에 따라서 변하는 항성

사실적 사고

1

윗글의 내용과 일치하는 것은?

① 별빛의 색깔은 빛의 파장 길이에 따라 다르게 나타난다.
② 별의 스펙트럼형은 별의 밝기 순서에 따라 분류한 것이다.
③ 'HR도'에서 주계열성의 별들은 대체로 생명력이 다한 별이다.
④ 별빛을 관측하고 그 색깔을 처음으로 분해한 사람은 뉴턴이다.
⑤ 태양은 외형이 축소되다가 폭발함으로써 일생을 마감하게 된다.

추론적 사고

2

수능형

〈보기〉는 ㉠에 의한 별들의 목록이다. 윗글을 통해 〈보기〉를 이해한 내용으로 적절한 것은?

보기

㉮ F2	㉰ K3	㉱ O5
㉯ A9	㉲ K6	㉳ M3

① ㉮를 기준으로 ㉯, ㉱는 온도가 낮고, ㉰, ㉲, ㉳는 온도가 높다.
② ㉯와 ㉱는 청색 계통의 색을 지녀 온도도 차이가 없다.
③ ㉰와 ㉳의 숫자가 같으므로 온도도 같다고 할 수 있다.
④ ㉰와 ㉲는 주황색 별로 색이 같지만 온도는 ㉰가 높다.
⑤ ㉲는 ㉯보다 온도가 높으므로 더 젊은 별이다.

어휘·어법

3

ⓐ~ⓔ를 사용하여 만든 문장으로 적절하지 않은 것은?

① ⓐ: 진시황릉에서 추가로 새로운 유물들이 발견되었다.
② ⓑ: 그의 성공 요인은 성실한 생활 태도이다.
③ ⓒ: 컴퓨터의 명령 체계는 '0'과 '1'의 조합이다.
④ ⓓ: 급변하는 사태에 대한 신속한 대응이 필요하다.
⑤ ⓔ: 지하철이 다니는 길을 보면 각종 산업의 지역적 분포를 확인할 수 있다.

1 이 글의 핵심 화제를 살펴보자.

(   )의 색깔을 통해 알 수 있는 별의 상태

2 각 문단별 중심 내용을 정리해 보자.

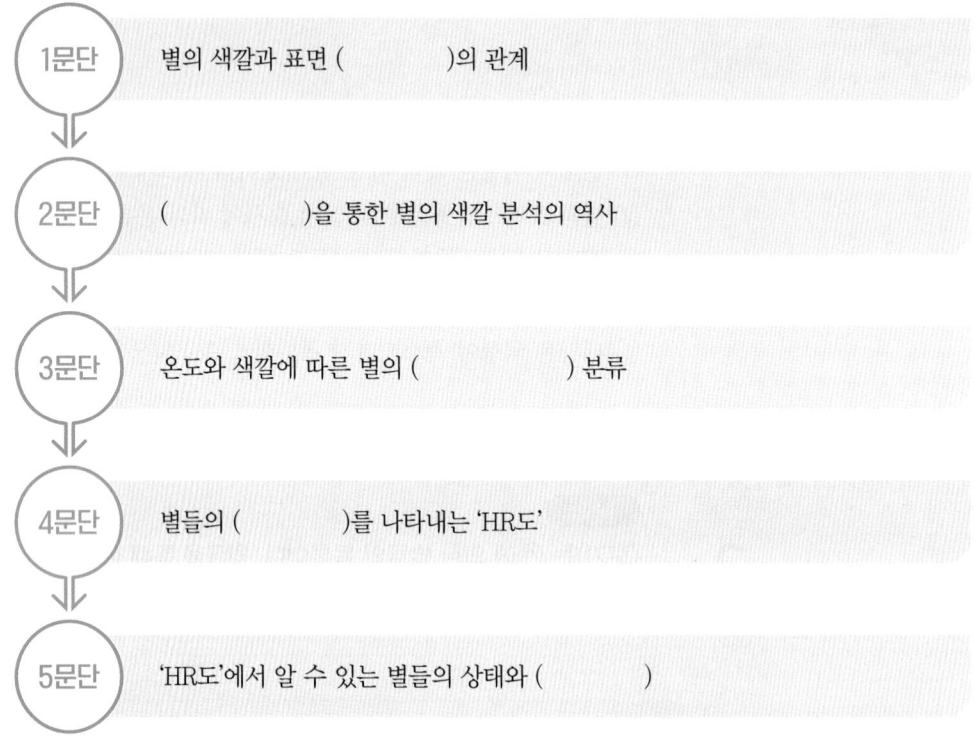

1문단   별의 색깔과 표면 (   )의 관계

2문단   (   )을 통한 별의 색깔 분석의 역사

3문단   온도와 색깔에 따른 별의 (   ) 분류

4문단   별들의 (   )를 나타내는 'HR도'

5문단   'HR도'에서 알 수 있는 별들의 상태와 (   )

3 핵심 내용을 구조화해 보자.

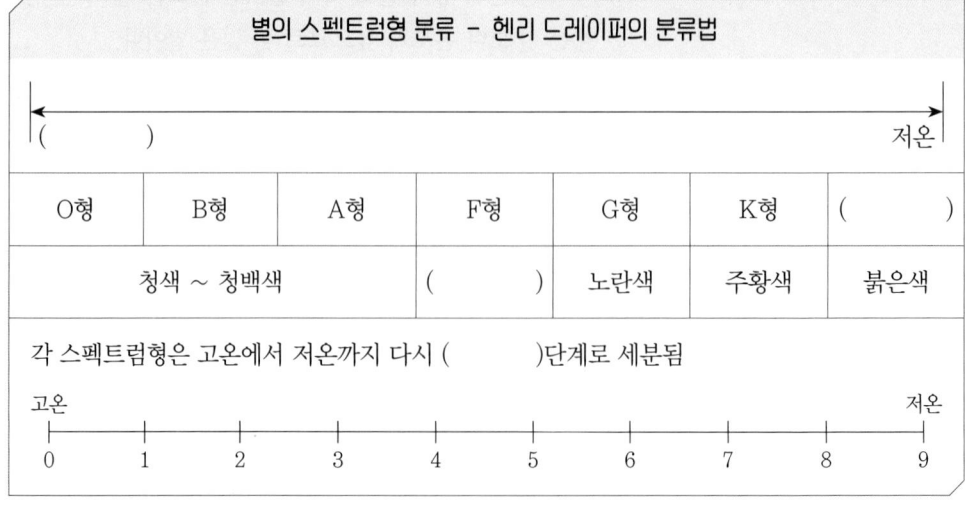

별의 스펙트럼형 분류 – 헨리 드레이퍼의 분류법

(   ) ——————————————————————→ 저온

O형	B형	A형	F형	G형	K형	( )
청색 ~ 청백색			( )	노란색	주황색	붉은색

각 스펙트럼형은 고온에서 저온까지 다시 (   )단계로 세분됨

고온 ——————————————————————————————————— 저온
0   1   2   3   4   5   6   7   8   9

어휘력 테스트

1 제시된 뜻과 예문을 참고하여 다음 초성에 해당하는 단어를 괄호 안에 써 보자.

(1) ㅍ ㅁ : 사물의 가장 바깥쪽. 또는 가장 윗부분

예 벽돌의 (   )이 꺼칠꺼칠하다.

(2) ㅂ ㄹ 하다: 종류에 따라서 가르다.

예 식물은 형태에 따라 몇 가지로 (   )할 수 있다.

(3) ㅅ ㅍ ㅌ ㄹ : 가시광선, 자외선, 적외선 따위가 분광기로 분해되었을 때의 성분

예 프리즘을 통해서 보면 일곱 빛깔의 가시광선 (   )을 볼 수 있다.

2 다음 〈보기〉의 뜻을 참고하여 십자말풀이를 완성해 보자.

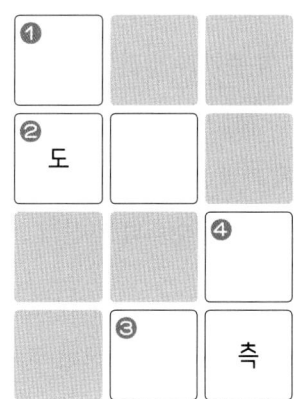

보기

❶ 세로: 따뜻함과 차가움의 정도. 또는 그것을 나타내는 수치
❷ 가로: 도시의 중심부. 대도시의 경우에는 관공서·회사·은행·사무소 따위가 모여 있고 정치적·경제적 기능의 중심이 되어 가장 번창한 곳을 이른다.
❸ 가로: 육안이나 기계로 자연 현상 특히 천체나 기상의 상태, 추이, 변화 따위를 관찰하여 측정하는 일
❹ 세로: 미루어 생각하여 헤아림

어휘·어법 확장

'별'과 관련된 관용구 및 속담

관용구	별 걸듯: 별이 총총히 박히듯 예 별 걸듯 빽빽이 서 있는 나무숲 속도 훤히 밝았다.
	별이 보이다: 충격을 받아서 갑자기 정신이 아득하고 어지럽다. 예 집안이 망했다는 소식을 듣고 별이 보이더니 정신이 없었다.
속담	하늘의 별 따기: 무엇을 얻거나 성취하기가 매우 어려운 경우를 비유적으로 이르는 말 예 그 대회에서 우승하는 것은 하늘의 별 따기이다.
	눈을 떠야 별을 보지: 어떤 성과를 거두려면 그에 상당한 노력과 준비가 있어야 한다는 말 예 그렇게 노력하지도 않으면서 시험에서 1등을 하고 싶다고? 눈을 떠야 별을 보지.

기생충이 있어 건강한 지구

◐ **해악**: 해로움과 악함을 아울러 이르는 말

◐ **박멸할**: 모조리 잡아 없앨

◐ **알레르기(Allergie)**: 처음에 어떤 물질이 몸속에 들어갔을 때 그 것에 반응하는 항체가 생긴 뒤, 다시 같은 물질이 생체에 들어 가면 그 물질과 항체가 반응하 는 일

◐ **가설**: 어떤 사실을 설명하거나 어떤 이론 체계를 연역하기 위 하여 설정한 가정

◐ **숙주**: 기생 생물에게 영양을 공 급하는 생물

가 우리는 기생충을 쓸모없는 존재로 생각한다. 물론 기생충 중에는 목숨을 빼앗아 가거나 설사나 소화 불량을 일으키고 영양 결핍을 초래하는 등 사람에게 악영향을 끼치 는 종류도 있다. 그러나 그런 해악만으로 기생충을 인간의 적으로 규정하는 것은 섣부 른 판단이다. 왜냐하면 기생충의 대부분은 특별한 증상을 일으키지 않기 때문이다.

나 인간은 대부분의 기생충을 적으로 규정하고 기생충을 박멸할 목적으로 구충제를 먹는다. 그러나 기생충 환자가 급격하게 감소하면서 천식이나 아토피성 피부염, 알레 르기성 비염 등의 알레르기성 질환이 급격히 증가하고 있다. 이런 가운데 과학자들은 기생충의 감소가 알레르기성 질환의 증가와 밀접한 관련이 있음을 밝혀냈다. 일반적으 로 알레르기는 부적절한 면역 반응 때문에 ⓐ일어난다. 인체에 외부의 물질이 유입되 면 면역계는 이를 인지하고 필요에 따라 염증 반응을 일으켜 이를 제거한다. 이때 면역 반응이 적절히 조절되지 못하고 과도하게 일어나 자신의 조직을 손상시키는 것이 이른 바 '알레르기 반응'이다.

다 최근 면역계를 구성하는 다양한 세포들 중에 '조절 T세포'라고 불리는 세포들이 알 레르기를 억제한다는 사실이 알려졌다. 조절 T세포는 면역 반응을 억제하고 조절하여 자가 면역 반응이 일어나지 않도록 하는 역할을 한다. 장 속에서 우리가 먹은 음식물들 이 염증 반응을 일으키지 않도록 억제하는 것도 이 세포의 기능이다. 그런데 우리 몸이 기생충에 감염되면 이 조절 T세포가 늘어난다. 영국의 한 대학의 연구 팀은 기생충이 조절 T세포를 통해서 알레르기를 억제한다는 가설을 세웠다. 이 가설을 검증하기 위해 연구 팀은 장에서 기생하는 선충을 실험용 생쥐에게 감염시키고 그 생쥐의 몸에서 조절 T세포가 활동하는 것을 확인했다. 그리고 동일한 실험을 통해 천식을 앓고 있던 생쥐 역시 이 조절 T세포에 의해 증상이 호전되었음을 확인했다. 이로써 (㉠)이 증명 된 것이다.

라 그렇다면 기생충은 왜 면역력을 억제하는 걸까? 과학자들은 기생충이 단지 숙주 의 면역계로부터 자신을 보호하기 위해 숙주의 면역력을 억제하도록 진화했기 때문이 라고 설명한다. 반대로 숙주는 기생충이 면역력을 억제할 것에 대비해 적정 수준보다 과도한 면역 반응을 일으키도록 진화했다는 것이다. 따라서 과학자들은 면역을 억제하던 기생충이 없어지면 면역 반응이 지나치게 일어나기 때문에 알레르기성 질환이 발생한다고 추론했다. 곧 인간의 몸은 기생충의 저항을 감안하여 면역 반응의 수준을 정해 놓았는데, 기생충이 모두 사라져 기생충의 저항이 없어지자 인간의 면역 반응이 지나치게 일어남으로써 알레르기를 유발했다는 것이다.

마 그러나 이것은 우리의 몸으로서도 어쩔 수 없는 일이다. 인간의 몸은 수천만 년 동안 기생충이 득시글거리는 환경에서 진화된 것이지, 오늘날처럼 청결한 상태에서 진화되지 않았다. 자연은 결코 무균 지대, 청정 지대가 아니다. 우리의 몸은 자연과 같이 온갖 기생충과 바이러스가 있는 환경에 맞추어 진화되었다.

비판적 사고

1

수능형

윗글을 읽고 난 후 제기한 의문으로 가장 적절한 것은?

① 인간이 살아온 환경과 자연의 환경이 유사하다고 볼 수 있는가?
② 기생충을 인간에 미치는 이익과 해악에 따라 구분해야 하지 않는가?
③ 조절 T세포가 인체에서 수행하는 기능을 설명해 주어야 하지 않는가?
④ 인체에 알레르기를 유발하는 요인을 어느 한 가지로만 단정할 수 있는가?
⑤ 기생충이 인체에 끼치는 부정적인 측면에 대해서도 언급해야 하지 않는가?

추론적 사고

2

윗글의 ㉠에 들어갈 내용으로 적절한 것은?

① 기생충이 조절 T세포와 알레르기를 제거한다는 사실
② 기생충이 조절 T세포를 통해 알레르기를 억제한다는 사실
③ 기생충이 면역 반응을 통해 조절 T세포를 억제한다는 사실
④ 기생충이 알레르기와 반응하여 면역 반응을 강화한다는 사실
⑤ 기생충이 알레르기를 활성화시켜 조절 T세포를 증가시킨다는 사실

어휘·어법

3

문맥상 의미가 ⓐ와 다르게 쓰인 것은?

① 회오리바람이 <u>일어나</u> 수많은 사람들이 다치는 피해를 입었다.
② 감정의 상승 작용이 <u>일어나</u> 연애 감정이 급속하게 진전되었다.
③ 월드컵 대회가 가까워 오자 식었던 축구 열기가 다시 <u>일어났다</u>.
④ 건강했던 사람이 갑자기 심장 마비가 <u>일어나</u> 병원으로 이송됐다.
⑤ 기적이 <u>일어나서</u> 뇌사 상태에 빠졌던 사람이 몸을 움직이게 되었다.

독해
체크

1 이 글의 핵심 화제를 살펴보자.

(   )이 인체에 미치는 긍정적인 작용

2 각 문단별 중심 내용을 정리해 보자.

1문단   (   )을 부정적으로 인식하는 통념에 대한 반박

2문단   기생충 감소와 알레르기성 질환 (   )의 관련성

3문단   기생충 감염을 통해 확인한 (   )의 기능

4문단   기생충과 (   )의 상호 작용과 그 결과

5문단   기생충이 생존하는 환경에서 (   )해 온 인간

3 핵심 내용을 구조화해 보자.

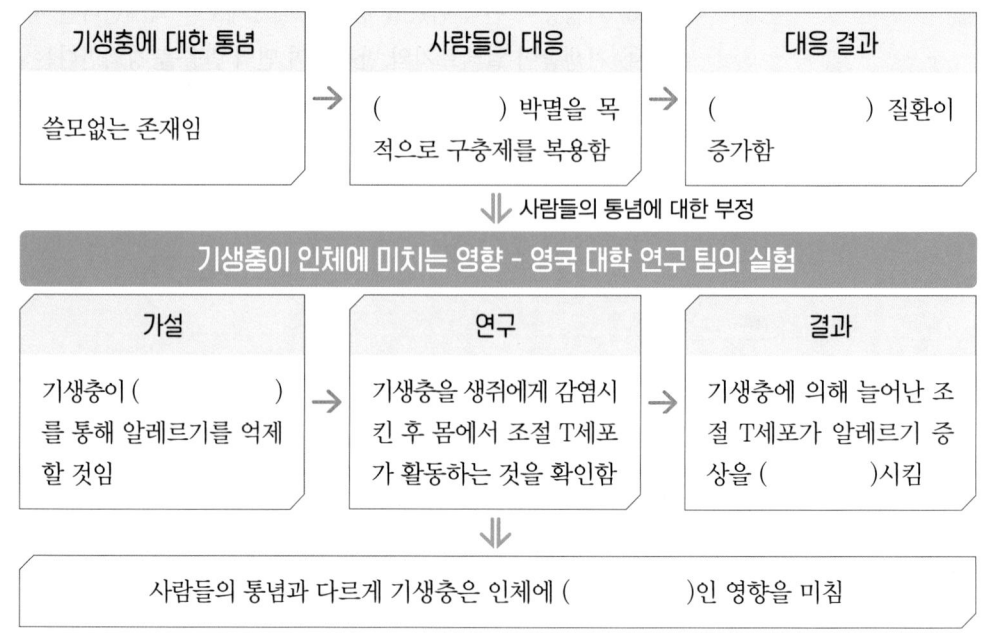

기생충에 대한 통념	사람들의 대응	대응 결과
쓸모없는 존재임	( ) 박멸을 목적으로 구충제를 복용함	( ) 질환이 증가함

⬇ 사람들의 통념에 대한 부정

기생충이 인체에 미치는 영향 - 영국 대학 연구 팀의 실험

가설	연구	결과
기생충이 ( )를 통해 알레르기를 억제할 것임	기생충을 생쥐에게 감염시킨 후 몸에서 조절 T세포가 활동하는 것을 확인함	기생충에 의해 늘어난 조절 T세포가 알레르기 증상을 ( )시킴

⬇

사람들의 통념과 다르게 기생충은 인체에 (   )인 영향을 미침

어휘력 테스트

1 다음 단어의 뜻을 참고하여 끝말잇기를 완성해 보자.

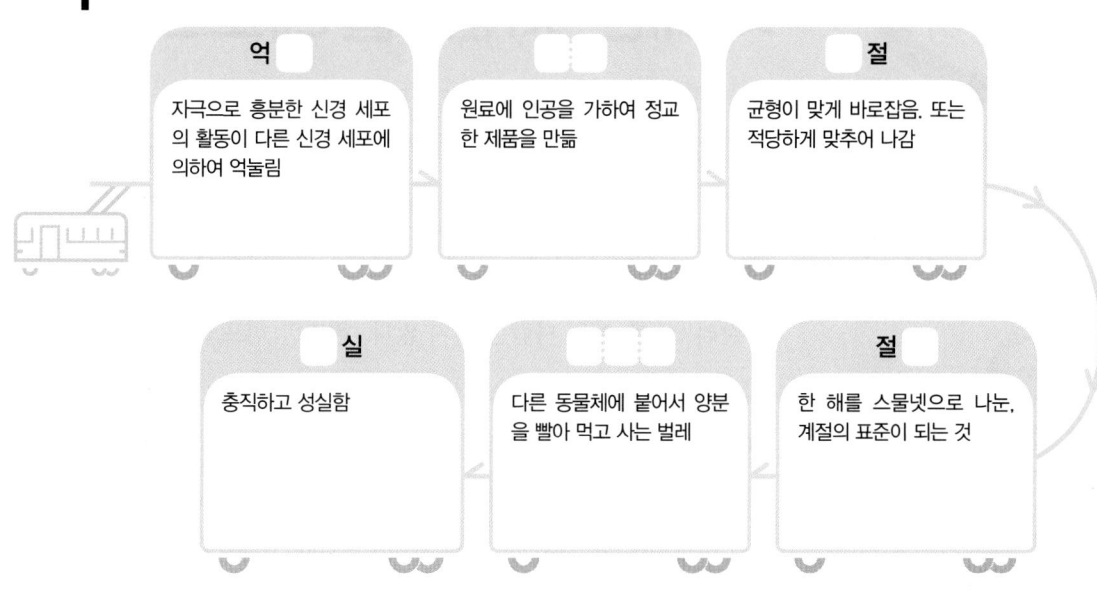

억		절
자극으로 흥분한 신경 세포의 활동이 다른 신경 세포에 의하여 억눌림	원료에 인공을 가하여 정교한 제품을 만듦	균형이 맞게 바로잡음. 또는 적당하게 맞추어 나감

실		절
충직하고 성실함	다른 동물체에 붙어서 양분을 빨아 먹고 사는 벌레	한 해를 스물넷으로 나눈, 계절의 표준이 되는 것

2 다음 단어를 활용하기에 적절한 문장을 찾아 바르게 연결해 보자.

❶ 박멸하다　·

❷ 저항하다　·

❸ 초래하다　·

·　㉠ 파리, 모기, 바퀴 따위를 한꺼번에 (　　　　) 수 있는 살충제가 나왔다.

·　㉡ 한순간의 부주의가 돌이킬 수 없는 재앙을 (　　　　) 수도 있다.

·　㉢ 우리 군은 적군에게 완강하게 (　　　　) 그들이 공격을 단념하게 만들었다.

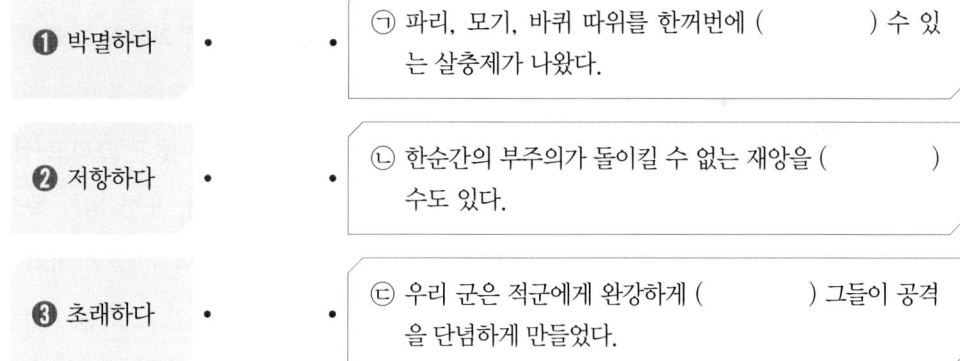

어휘·어법 확장

'유입(流入)되다'의 다양한 의미

인체에 외부의 물질이 <u>유입되면</u> 면역계는 이를 인지하고~

「1」 액체나 기체, 열 따위가 어떤 곳으로 흘러들게 되다. **예** 생활 하수와 공장 폐수가 강으로 <u>유입되고</u> 있다.

「2」 돈, 물품 따위의 재화가 들어오게 되다. **예** 외국인 주식 자금이 국내에 <u>유입된다</u>.

「3」 문화, 지식, 사상 따위가 들어오게 되다. **예** 그는 불교가 삼국에 <u>유입된</u> 과정을 연구하고 있다.

「4」 사람이 어떤 곳으로 모여들게 되다. **예** 농촌 인구가 도시로 <u>유입된다</u>.

「5」 병원균 따위가 들어오게 되다. **예** 지저분한 음식에 의해서 많은 병원균이 우리 몸에 <u>유입된다</u>.

과학

03 가장 오랫동안 의학을 지배한 사람, 갈레노스

✅ 핵심어를 찾아보자.

✅ 문단별 중심 내용에 밑줄을 그어 보자.

✅ 핵심 내용을 구조적으로 재배열해 보자.

| 전국연합 기출 |

가 고대 서양 의학을 대표하는 인물 중 가장 유명한 사람은 히포크라테스다. 그에 비해 갈레노스를 아는 사람은 많지 않다. 하지만 히포크라테스가 의학의 상징이라면, 갈레노스는 해부학과 생리학, 진단법, 치료법에 이르기까지 의학의 모든 분야에 걸쳐 약 1400년 동안이나 서양 의학을 실제로 지배한 인물로 ㉠현대 의학사에서 매우 중요한 위치를 차지한다. 그는 2세기경 그리스에서 태어났으며, 16살에 아버지의 영향으로 의학에 입문했다. 20살이 되던 해 아버지가 세상을 떠나자 갈레노스는 코린트, 스미르나, 알렉산드리아 등 여러 지역을 돌아다니며 다양한 분야의 의학 공부를 하였고, 집필 활동도 시작하였다. 또한 그는 다양한 학파의 스승들로부터 철학적 가르침을 받으면서 유연한 사고방식을 가질 수 있었다. 유학을 마치고 로마에 ⓐ정착한 그는 해부학과 의학 강연을 시작했다.

나 갈레노스는 동물 해부와 실험을 통해 의학적 지식을 얻는 방법론을 세웠다. 그는 주로 원숭이, 돼지 등의 동물 해부와 실험을 통해 여러 ⓑ장기의 기능을 밝혔고, 근육과 뼈를 구분했으며, 7쌍의 뇌신경을 구분했다. 그리고 심장을 해부해 심장 판막을 묘사하고, 정맥과 동맥의 차이점도 관찰했다. 또한 뇌가 목소리를 조절한다는 사실을 증명하기 위해 되돌이 후두 신경을 묶는 실험을 했다. 이외에도 갈레노스는 근육의 조절 기능을 설명하기 위해 척수를 자르기도 하였고, 소변이 방광에서 만들어지는 것이 아니라는 사실을 증명해 보이기 위해 수뇨관을 묶기도 했다. 이처럼 그는 자신의 의학 이론을 대부분 해부와 실험을 통해 증명하려 했다. 특히 갈레노스는 혈액이 혈관을 통해 신체 말단까지 퍼져 나가며 신진대사를 조절하는 물질을 ⓒ운반한다는 사실을 알아냈다. 물론 혈액이 순환한다는 사실까지는 밝혀내지 못했지만 갈레노스가 증명해 낸 의학적 지식들은 동물 해부만을 허용했던 당대의 시대적 상황을 감안한다면 실로 놀라운 발견이 아닐 수 없었다.

다 그러나 갈레노스의 의학에는 문제점 또한 분명히 있었다. 일례로 그는 살모사의 머리, 염소 똥 등을 넣고 끓인 만병통치약을 만들었는데, 어이없게도 그 약은 18세기까지도 매우 중요한 약으로 통용됐다. 또한 그는 혈액에 영혼적인 요소가 있다고 생각하였고, 병든 사람의 피를 뽑아내면 병이 치료된다고 믿었다. 이 때문에 그는 아픈 환자가 찾아올 때마다 피를 뽑아 치료하는 사혈법(瀉血法)을 사용하기도 했다. 그의 의학

● **되돌이 후두 신경**: 후두 속에 있는, 성대문을 열고 닫는 근육을 지배하는 신경

● **수뇨관**: 콩팥에서 방광으로 오줌을 보내는 가늘고 긴 관

이론은 인체를 직접 해부할 수 없었던 로마 시대의 ⓓ제약으로 인해 많은 오류를 범했다. 그럼에도 불구하고 중세 시대 종교와 결합해 의학계를 ⓔ지배하는 절대적인 '교리'처럼 여겨지게 되었다. 갈레노스에 의해 만들어진 '교리'는 16세기까지 악영향을 끼치기도 했다. 하지만 갈레노스는 그때까지 비합리적인 방법에 의존하던 의학계를 동물 해부와 실험이라는 합리적인 방법으로 연구하도록 이끌었다는 점에서 그 의의를 찾을 수 있다.

사실적 사고

1 윗글을 통해 해결할 수 있는 질문이 아닌 것은?

① 갈레노스가 일궈 낸 의학적 성과는 무엇인가?
② 갈레노스는 어떤 방법으로 의학을 연구했는가?
③ 갈레노스는 왜 의학에 철학을 접목시키려 했는가?
④ 갈레노스의 의학적 오류를 드러내는 사례는 무엇인가?
⑤ 갈레노스가 유연한 사고방식을 지니게 된 이유는 무엇인가?

추론적 사고

수능형

2 ㉠의 궁극적인 이유로 가장 적절한 것은?

① 알려지지 않았던 인체의 다양한 기능을 발견했기 때문이다.
② 이전부터 전해 온 동물 해부의 방법을 발전시켰기 때문이다.
③ 현대 의학에서 필요로 하는 의학적 지식을 마련했기 때문이다.
④ 의학을 종교적 절대성을 갖는 수준으로까지 승화시켰기 때문이다.
⑤ 비합리적이었던 의학 연구 방법을 합리적인 연구 방법으로 이끌었기 때문이다.

어휘·어법

3 윗글의 ⓐ~ⓔ를 활용하여 만든 문장으로 적절하지 않은 것은?

① ⓐ: 영원한 정착이 없듯 떠남도 영원한 것은 없다.
② ⓑ: 그의 장기는 뭐니 뭐니 해도 명창에 비길 만한 소리이다.
③ ⓒ: 물건 운반의 편의를 생각해서 시장 가까운 곳에 놓아두었다.
④ ⓓ: 단체 생활에는 여러 가지 제약이 있기 마련이다.
⑤ ⓔ: 우리나라는 오랜 세월 동안 일본의 지배를 당했다.

1 이 글의 핵심 화제를 살펴보자.

(　　　　　　) 방법론을 적용한 갈레노스 의학 이론의 (　　　　　) 및 한계

2 각 문단별 중심 내용을 정리해 보자.

1문단 (　　　　　　)의 의학사적 위치 및 의사가 되기까지의 과정

↓

2문단 갈레노스가 동물 해부와 실험의 방법을 (　　　　) 연구에 적용함으로써 이루어 낸 업적

↓

3문단 갈레노스의 의학에서 나타난 (　　　　) 및 갈레노스의 연구 방법이 의학계에 갖는 의의

3 핵심 내용을 구조화해 보자.

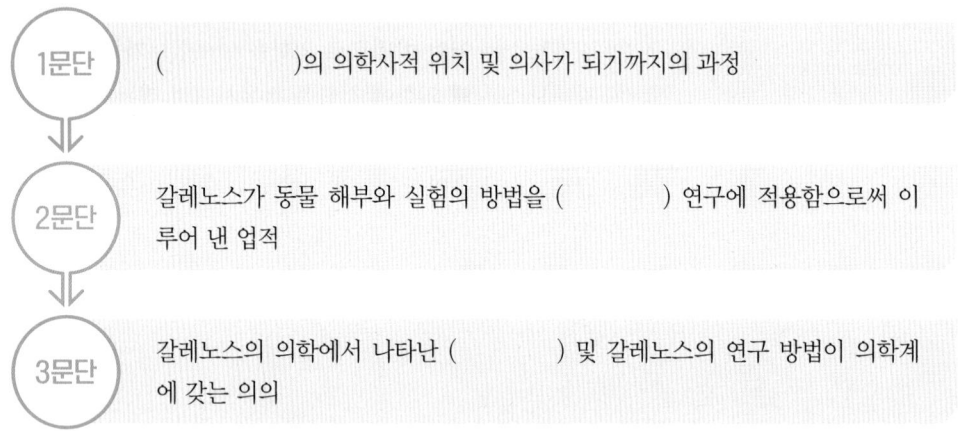

갈레노스의 의학

의학계에 미친 긍정적 영향
- 동물 (　　　　)와 실험을 통해 의학적 지식을 얻는 방법론을 세움 → 비합리적인 방법에 의지하던 당시의 의학계에 새로운 방향을 제시함
- 여러 장기의 기능, 근육의 조절 기능, 혈액의 기능 등 여러 가지 분야의 의학적 지식들을 밝혀냄

↕

의학계에 미친 부정적 영향
- 비합리적인 방법을 적용한 만병통치약 및 (　　　　)을 사람들의 치료에 사용함
- 인체를 직접 해부할 수 없었던 로마 시대의 제약으로 인해 많은 오류를 범함
- (　　　　)와 결합해 의학계를 지배하는 '교리'를 만들어 오랫동안 악영향을 끼침

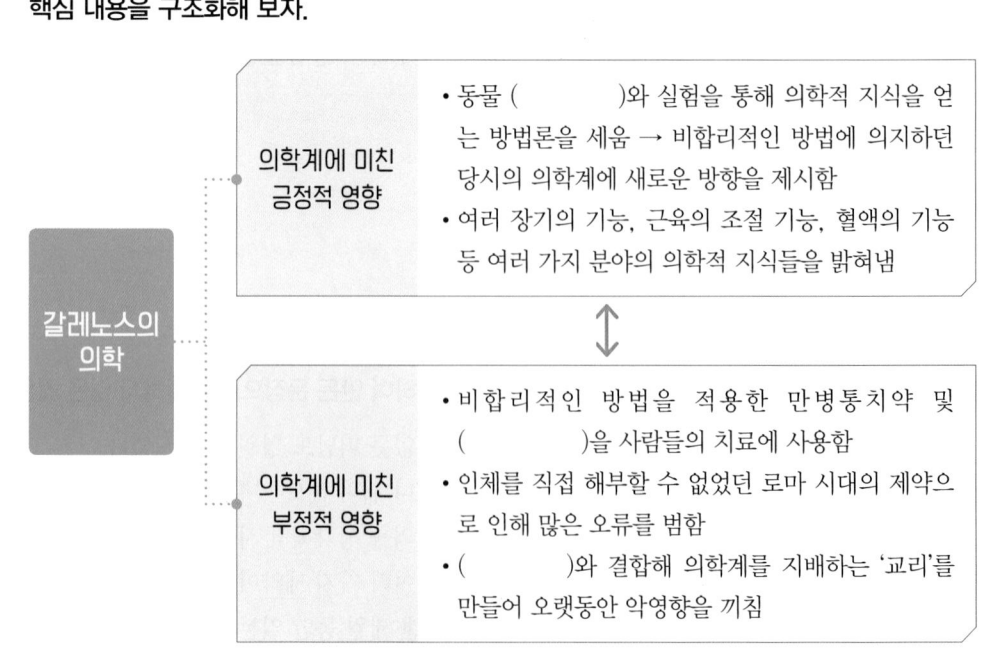

어휘 체크

어휘력 테스트

1 다음 단어를 활용하기에 적절한 문장을 찾아 바르게 연결해 보자.

❶ 입문하다 •

❷ 감안하다 •

❸ 통용되다 •

• ㉠ 그는 어릴 때 선생의 문하에 (   ) 수학했다.

• ㉡ 전 세계적으로 (   ) 수 있는 새로운 컴퓨터 코드의 제정이 시급하다.

• ㉢ 대학 정책을 세울 때에는 각 대학의 개별적이고 구체적인 현실을 (   ) 한다.

2 다음 〈보기〉의 뜻을 참고하여 십자말풀이를 완성해 보자.

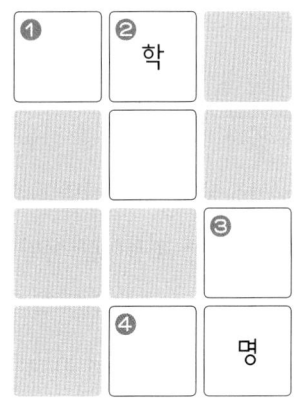

보기

❶ 가로: 타향에서 공부함
❷ 세로: 학문에서의 주장을 달리하는 갈래
❸ 세로: 어떤 사항이나 판단 따위에 대하여 그것이 진실인지 아닌지 증거를 들어서 밝힘
❹ 가로: 어떤 일이나 대상의 내용을 상대편이 잘 알 수 있도록 밝혀 말함. 또는 그런 말

어휘·어법 확장

'유연하다'의 비슷한말 & 반대말

비 비슷한말   반 반대말

비 유약하다
부드럽고 약하다.
예 그는 기질이 유약해서 쉽게 좌절하는 경향이 있다.

유연하다
부드럽고 연하다.
예 유연한 사고방식을 가질 수 있었다.

비 부드럽다
닿거나 스치는 느낌이 거칠거나 뻣뻣하지 아니하다.
예 누렇게 시든 잔디가 부드럽게 발에 밟혔다.

반 경직하다
몸 따위가 굳어서 뻣뻣해지다.
예 사건의 전모를 들으면서, 그의 얼굴은 점점 경직하는 것 같았다.

반 완고하다
융통성이 없이 올곧고 고집이 세다.
예 그는 남의 의견은 무조건 배척하면서 완고하게 자기주장만 한다.

우리 몸의 화학 반응

| 전국연합 기출 |

가 우리 몸은 일반적으로 체내의 어떤 물질이 필요 이상으로 많거나 적을 때에는 그 물질의 생산을 억제하거나 촉진함으로써 균형을 유지한다. 그런데 간혹 어떤 특정 상황에 처했을 때에는 체내에 충분히 생산된 물질임에도 그 물질을 더 많이 만들어 내는 경우가 있다. 우리의 체내의 이런 현상은 어떤 과정을 거쳐 일어나게 되는 것일까?

나 우리 몸의 세포 내에서 어떤 물질은 여러 단계의 화학 반응을 거쳐 다른 물질로 바뀌게 된다. 이때 촉매 ㉠구실을 하는 특정 단백질인 효소에 의해 화학 반응이 이루어지는데, 각 단계에서 화학 반응을 촉매하는 효소는 각기 다르다. 이러한 과정을 통해 세포 내에서는 다양한 산물들이 생기는데, 이때 최종 산물은 체내에서 필요로 하는 요구량보다 많을 수도 있고 적을 수도 있다. 이처럼 최종 산물의 양이 체내의 요구량과 맞지 않을 경우 우리 몸은 피드백(feedback)을 통해 체내의 요구량만큼 최종 산물의 양을 조절하게 된다. 일반적으로 피드백에 의한 조절이란 어떤 원인에 의해 나타난 결과가 그 원인에 다시 영향을 주어 변화를 일으키는 현상을 의미하는 것으로 여기서는 화학 반응의 최종 산물이 ㉡특정 단계로 되돌아가서 해당 효소의 활동을 억제하거나 활성화시켜 최종 산물의 양을 조절하는 과정이라 할 수 있다. 이러한 피드백은 체내의 일반적인 상황에서 이루어지는 음성 피드백(negative feedback)과 특정한 상황에서 이루어지는 양성 피드백(positive feedback)으로 종류를 나눌 수 있다.

다 음성 피드백이란 호르몬의 양을 조절하는 일반적인 피드백 과정으로 일정한 상태로 몸을 ㉢유지하기 위해 최종 산물의 양이 많아지면 화학 반응 ㉣경로의 초기 단계에 작용하는 효소가 억제되고, 반대로 그 양이 적어지면 화학 반응 경로의 초기 단계에 작용하는 효소가 활성화되는 것을 말한다. 예를 들어, 세포는 화학 반응을 통해 당을 분해하여 에너지원인 ATP를 얻는다. 그런데 ATP가 지나치게 생산되어 축적되면 피드백을 통해 화학 반응의 초기 단계에 작용하는 효소를 억제하여 ATP의 생산 속도를 늦춰 ATP의 양을 줄이게 된다.

라 이와 달리, 양성 피드백이란 특정 상황에서 최종 산물을 훨씬 더 많이 생산하기 위해 최종 산물이 화학 반응의 여러 단계 중, 자신의 생산에 ㉤관여하는 어느 한 단계의 효소를 더욱 활성화시키는 것으로 그 예가 많지는 않다. 가령, 우리 몸에 상처가 나서 피가 날 경우, 체내에서는 흐르는 피를 응고시키는 데 필요한 최종 산물인 피브린이 생

[A]

- **촉매**: 자신은 변화하지 아니하면서 다른 물질의 화학 반응을 매개하여 반응 속도를 빠르게 하거나 늦추는 일
- **효소**: 생물의 세포 안에서 합성되어 생체 속에서 행하여지는 거의 모든 화학 반응의 촉매 구실을 하는 고분자 화합물을 통틀어 이르는 말
- **피브린(fibrin)**: 피가 굳을 때 피브리노겐에 트롬빈이 작용하여 생기는 섬유 같은 단백질. 무색이나 엷은 황색을 띤 고체로, 물에 잘 녹지 않으며 혈구 세포들과 엉키어 피를 굳게 하여 출혈을 그치게 한다.

- 핵심어를 찾아보자.
- 문단별 중심 내용에 밑줄을 그어 보자.
- 핵심 내용을 구조적으로 재배열해 보자.

● 정답과 해설 36쪽

산된다. 이때 양성 피드백을 통해 특정 단계의 효소가 활성화됨으로써 피브린이 더 빨리 생산되고, 축적되며 출혈을 멈추기에 충분한 정도가 될 때까지 최종 산물인 피브린이 생산된다. 즉 우리 몸은 상처가 나서 피가 나는 경우와 같이 특정 상황에 신속하게 대처할 필요가 있을 때 양성 피드백을 통해 훨씬 더 많은 최종 산물을 생산하는 것이다.

사실적 사고

1 윗글의 중심 내용으로 가장 적절한 것은?

① 피드백의 유형과 장단점
② 피드백을 통한 최종 산물의 형태 변화
③ 피드백을 통한 체내 물질의 조절 과정
④ 피드백을 통한 최종 산물의 억제 방법
⑤ 피드백의 원리를 이용한 에너지의 생산 과정

추론적 사고

수능형

2 [A]를 바탕으로 '음성 피드백'을 나타낸 그림으로 적절한 것은? (단, 체내의 요구량은 최종 산물 1개로 가정함)

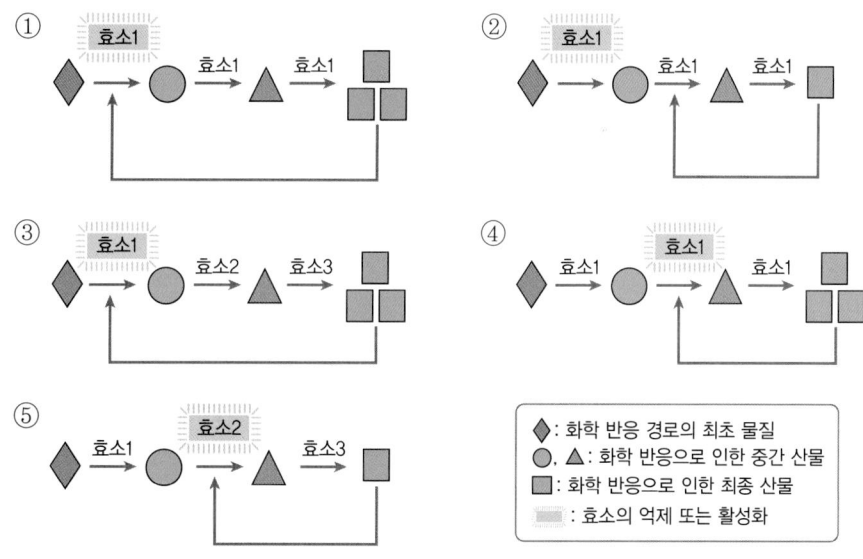

어휘·어법

3 ㉠~㉤의 사전적 의미로 적절하지 않은 것은?

① ㉠: 자기가 마땅히 해야 할 맡은 바 책임
② ㉡: 특별히 지정함
③ ㉢: 임금이 신하에게 내리던 글
④ ㉣: 일이 진행되는 방법이나 순서
⑤ ㉤: 어떤 일에 관계하여 참여함

1 이 글의 핵심 화제를 살펴보자.

(   )을 통한 체내 물질의 (   ) 과정

2 각 문단별 중심 내용을 정리해 보자.

1문단 우리 몸에서 일어나는 화학 (   )의 특징

↓

2문단 체내에서 일어나는 피드백의 (   )과 개념 및 종류

↓

3문단 (   ) 피드백의 체내 작용 과정

↓

4문단 (   ) 피드백의 체내 작용 과정

3 핵심 내용을 구조화해 보자.

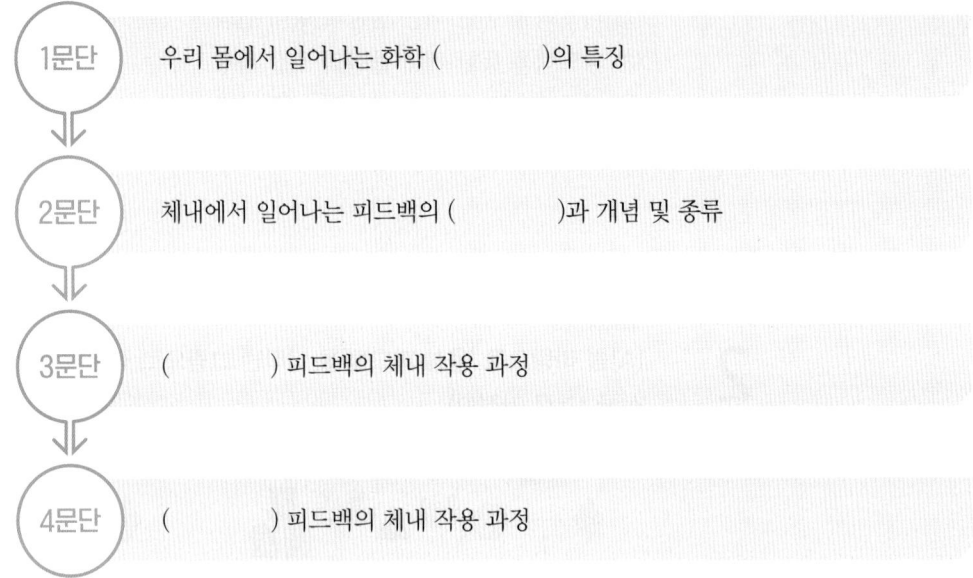

체내에서 일어나는 피드백

체내에서 일어나는 화학 반응을 통해 얻는 최종 산물의 양을 체내의 요구량만큼 (   )하는 역할을 함 → 화학 반응의 최종 산물이 특정 단계로 되돌아가서 해당 효소의 활동을 (   )하거나 활성화시키면서 양을 조절함

음성 피드백

• (   )적인 상황에서 작용함
• 일정한 상태로 몸을 유지하기 위해 화학 반응 경로의 초기 단계에 작용하는 효소가 억제되거나 활성화되는 것임
예 에너지원이 되는 (   )의 양 조절

↔

양성 피드백

• (   ) 상황에서 작용함
• 최종 산물을 훨씬 더 많이 생산하기 위해 생산에 관여하는 어느 한 단계의 효소를 더욱 (   )시키는 것임
예 피 응고에 필요한 피브린 생산

어휘력 테스트

1 다음 단어의 뜻을 참고하여 끝말잇기를 완성해 보자.

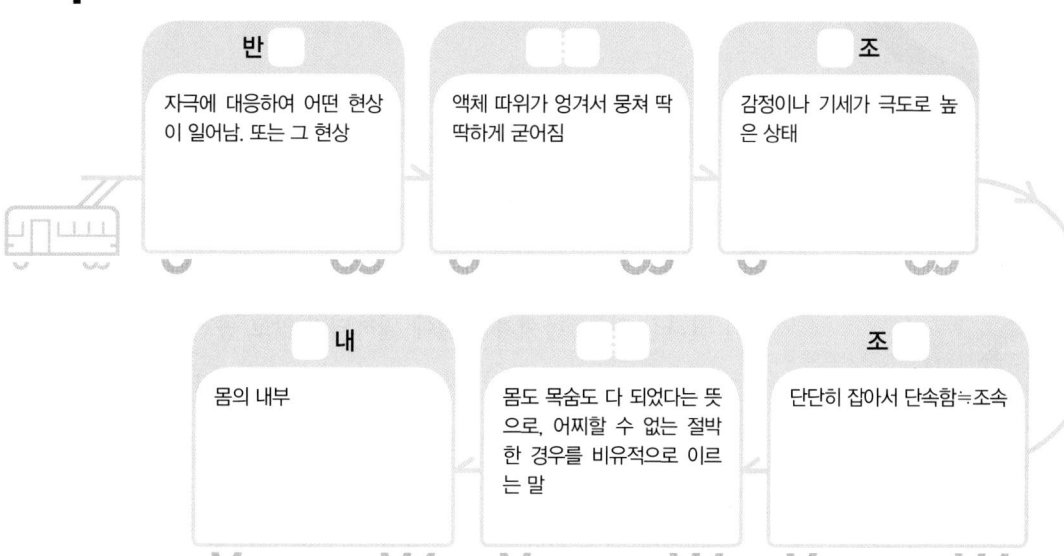

반		조
자극에 대응하여 어떤 현상이 일어남. 또는 그 현상	액체 따위가 엉겨서 뭉쳐 딱딱하게 굳어짐	감정이나 기세가 극도로 높은 상태

내		조
몸의 내부	몸도 목숨도 다 되었다는 뜻으로, 어찌할 수 없는 절박한 경우를 비유적으로 이르는 말	단단히 잡아서 단속함≒조속

2 제시된 뜻과 예문을 참고하여 다음 초성에 해당하는 단어를 괄호 안에 써 보자.

(1) ㅊ ㅈ : 다그쳐 빨리 나아가게 함

　　예 아이의 발육 (　　　　　)을 위해서는 모유가 가장 좋다고 한다.

(2) ㅅ ㅁ : 어떤 것에 의하여 생겨나는 사물이나 현상을 비유적으로 이르는 말

　　예 행복은 성실하고 꾸준한 노력의 (　　　　　)이다.

어휘·어법 확장

'시키다'의 품사에 따른 의미

해당 효소의 활동을 억제하거나 활성화시켜 최종 산물의 양을 조절하는 과정이라 할 수 있다.

동사 '시키다'
「1」 어떤 일이나 행동을 하게 하다.　예 선생님은 지각한 학생들에게 청소를 시키셨다.
「2」 음식 따위를 만들어 오거나 가지고 오도록 주문하다.
　　예 어머니는 중국집에 자장면 두 그릇을 시키셨다.

접미사 '-시키다'
「1」 행위를 나타내는 일부 명사 뒤에 붙어, '어떤 사람으로 하여금 그렇게 하도록 하다'의 뜻을 더하여 동사를 만드는 말　예 긴장시키다 / 공부시키다 / 복종시키다
「2」 행위를 나타내는 일부 명사 뒤에 붙어, '그 일을 이루거나 그렇게 되도록 하다'의 뜻을 더하여 동사를 만드는 말　예 금지시키다 / 불식시키다 / 약화시키다

자기 부상 열차

☑ 핵심어를 찾아보자.
☑ 문단별 중심 내용에 밑줄을 그어 보자.
☑ 핵심 내용을 구조적으로 재 배열해 보자.

가 일반 전기 열차에서는 바퀴와 레일 간의 마찰력으로 열차가 전진한다. 그런데 속도가 빨라질 경우, 바퀴가 레일에 밀착되지 않고 공전하는 경향이 있어 빠르게 주행하기 어렵다. 이와 달리 자기 부상 열차는 바퀴 없이 자석의 힘을 이용하기 때문에 마찰 저항이 거의 없고 그로 인해 낮은 동력으로 빠른 속도를 낼 수 있다. 초전도 자석을 사용할 경우 30톤에 이르는 차량을 10cm까지도 부상시킬 수 있는데, 부상 높이가 10cm 정도가 되면 시속 500~600km/h의 속도까지 안전 주행이 가능하다고 한다. 아울러 진동과 소음이 거의 없는 장점으로 인해 자기 부상 열차는 미래형 교통수단으로 각광을 받고 있다.

나 자기 부상 열차는 말 그대로 자기장을 이용하여 공중에 떠서 가는 열차이다. 자석 사이나 자석의 양극(N극)과 음극(S극) 사이에는 흡인력이 작용하고, 동일한 극 사이에는 반발력이 작용한다. 자기 부상의 원리는 이 자석의 성질로 열차를 뜨게 하는 것인데, 열차를 움직이는 힘에 따라 ㉠흡인식 자기 부상과 반발식 자기 부상으로 나뉜다.

다 흡인식은 철 등의 자성체 레일과 차체에 고정되어 자기력의 세기를 제어할 수 있는 전자석으로 구성되어 있다. 전자석과 레일의 틈새를 검지(檢知)하여, 틈새가 적어지면 자기력을 약하게 하여 흡인력을 작게 하고, 틈새가 커지면 자기력을 세게 하여 흡인력을 증대시킴으로써 뜨는 높이를 일정하게 유지한다. 반발식은 보통 차체에 장착된 초전도 자석과 레일에 연속적으로 배치한 코일로 구성되어 있다. 초전도 전자석을 실은 열차가 이 코일 위를 통과하면 코일에는 전류가 생기고 이 전류에 의해 코일도 전자석이 된다. 이 때문에 열차의 초전도 자석과 레일의 코일 전자석 사이에 반발력이 작용하게 되고, 이 반발력이 열차를 부상시키는 힘의 원천이 되는 것이다.

라 흡인식은 열차가 부상하는 높이가 1cm 정도 밖에 되지 않아, 운행하면서 수시로 컴퓨터와 감지기를 이용하여 차량과 레일 사이의 간격을 제어하는 시스템이 필요하다. 이에 비해 반발식은 차량과 레일 사이의 간격이 작아지면 자동적으로 반발력이 증대하여 뜨기 때문에 흡인식에 비해 운행이 안정적이고 자기력 제어가 따로 필요하지 않다. 그러나 흡인식이 속도에 관계없이 부상력을 얻을 수 있는 ⓐ데 비해, 부상 높이가 10cm 가량인 반발식은 어느 정도 속도에 도달하기 전까지는 충분한 부상력을 얻을 수 없다. 즉, 반발식의 경우 시스템의 안정성과 신뢰성은 높으나 저속에서는 뜨기 어렵다는 단점

● **공전하는**: 기계나 바퀴 따위가 헛도는

● **마찰 저항**: 운동하는 물체에 작용하는 저항 가운데, 물체 표면에 작용하는 마찰력의 합력

● **초전도**: 어떤 종류의 금속 또는 합금을 냉각할 때, 매우 낮은 온도에서 전기 저항이 사라져 전류가 장애 없이 흐르는 현상

● **자성체**: 자기장 속에서 자기화 하는 물질

● **검지하여**: 검사하여 알아내

이 있다. 반발식은 최소 시속 60~80km/h 이상의 속도가 되어야 자기력을 이용해 부상할 수 있다.

마 몇몇 선진국에서는 도심지의 단거리 구간을 달리는 중·저속형 흡인식 자기 부상 열차가 이미 상업화 단계에 들어갔다. 그러나 반발식은 고온 초전기 전도체의 실용화에 어려움이 있어 시간이 좀 더 걸릴 것으로 예상된다.

사실적 사고

1 윗글의 서술 방식으로 적절하지 <u>않은</u> 것은?

① 자기 부상 열차의 개념과 함께 원리를 설명하고 있다.
② '화제 제시-사례 설명-요약'의 3단 구성을 취하고 있다.
③ 구체적인 수치를 사용하여 내용의 객관성을 확보하고 있다.
④ 열차의 부상 방식을 일정한 기준으로 나누어 제시하고 있다.
⑤ 기존 전기 열차와 자기 부상 열차의 차이점을 밝히면서 화제를 제시하고 있다.

추론적 사고

수능형

2 〈보기〉는 ㉠을 그림으로 나타낸 것이다. A와 B에 대한 설명으로 적절하지 <u>않은</u> 것은?

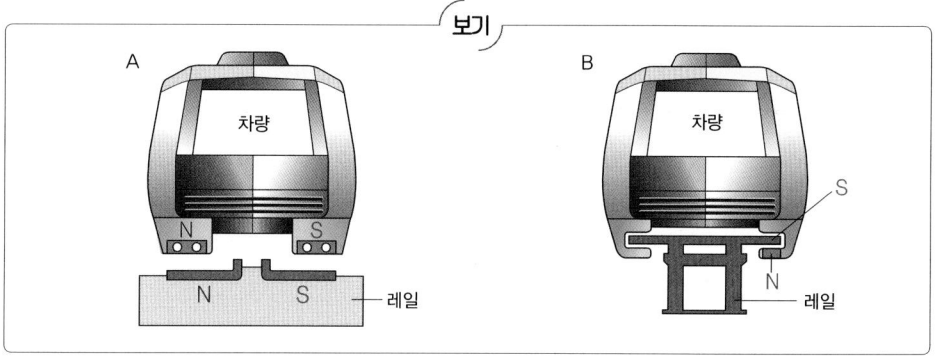

① A는 B와 달리 초전도 자석을 이용한다.
② A는 B에 비해 상용화에 시간이 걸릴 것으로 예상된다.
③ A는 B에 비해 열차가 높이 부상하기 때문에 안정성이 떨어진다.
④ B는 A와 달리 자기력 제어 장치가 필요하다.
⑤ B는 A와 달리 흡인력을 이용해 차체가 뜨는 높이를 일정하게 유지한다.

어휘·어법

3 ⓐ와 의미상 용법이 같은 것은?

① 와, 나무가 정말 큰데.　　　　　② 그가 사는 데는 여기서 멀다.
③ 그는 오갈 데 없는 사람이다.　　④ 그 책을 다 읽는 데 삼 일이 걸렸다.
⑤ 방도 좁은데 가구가 너무 많이 차 있다.

1 이 글의 핵심 화제를 살펴보자.

(　　　　　　　　)의 원리와 특징

2 각 문단별 중심 내용을 정리해 보자.

1문단　(　　　　　　)와 비교되는 자기 부상 열차의 장점

2문단　열차 부상 방식의 (　　　　) – 흡인식 자기 부상, 반발식 자기 부상

3문단　흡인식과 (　　　　　) 자기 부상의 원리

4문단　(　　　　　　)과 반발식 자기 부상의 특징

5문단　자기 부상 열차의 실용화 현황과 (　　　　　)

3 핵심 내용을 구조화해 보자.

자기 부상 열차

- (　　　　　)을 이용하여 공중에 떠서 가는 열차
- 낮은 (　　　　　)으로 빠른 속도를 낼 수 있음
- (　　　　)과 소음이 거의 없음

흡인식 자기 부상	**반발식 자기 부상**
• (　　　　) 레일과 전자석으로 구성됨 • (　　　　)에 관계없이 부상력을 얻을 수 있음 • 부상 높이가 1cm 밖에 되지 않아 간격을 제어하는 장치가 필요함	• 초전도 자석과 (　　　　　)로 구성됨 • (　　　　)에서는 뜨기가 어려움 • 부상 높이가 10cm 정도로 높아 안정적이고 (　　　　) 장치가 필요 없음

어휘 체크

어휘력 테스트

1 다음 단어의 뜻을 참고하여 끝말잇기를 완성해 보자.

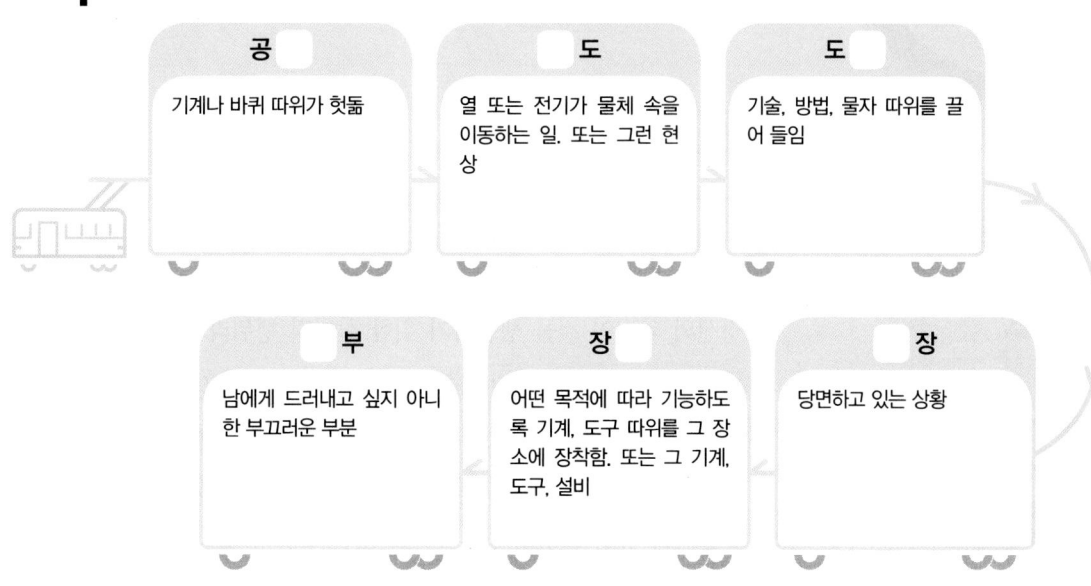

공☐	☐도	☐도
기계나 바퀴 따위가 헛돎	열 또는 전기가 물체 속을 이동하는 일. 또는 그런 현상	기술, 방법, 물자 따위를 끌어 들임

☐부	☐장	☐장
남에게 드러내고 싶지 아니한 부끄러운 부분	어떤 목적에 따라 기능하도록 기계, 도구 따위를 그 장소에 장착함. 또는 그 기계, 도구, 설비	당면하고 있는 상황

2 다음 단어를 활용하기에 적절한 문장을 찾아 바르게 연결해 보자.

❶ 주행하다 •

❷ 부상하다 •

❸ 실용화하다 •

• ㉠ 최초로 가솔린 자동차를 만들어 (　　　) 것은 1856년 독일의 벤츠와 다이믈러였다.

• ㉡ 그의 소설이 일약 베스트셀러로 (　　　).

• ㉢ 과속으로 (　　　) 연료의 낭비가 심하다.

어휘·어법 확장

조사 '까지'의 여러 가지 용법

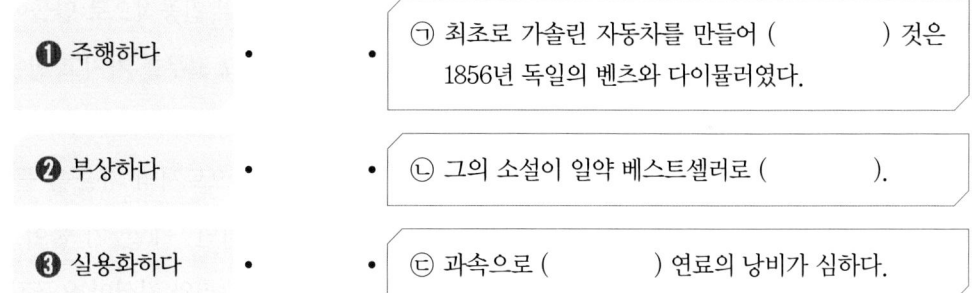

초전도 자석을 사용할 경우 30톤에 이르는 차량을 10cm까지도 부상시킬 수 있는데~
그것이 극단적인 경우임을 나타내는 보조사

용법	예시
그것이 극단적인 경우임을 나타내는 보조사	예 아이가 모형 비행기를 저렇게까지 좋아할 줄은 몰랐어.
이미 어떤 것이 포함되고 그 위에 더함의 뜻을 나타내는 보조사	예 송편이 맛뿐만 아니라 모양까지 좋구나.
어떤 일이나 상태 따위에 관련되는 범위의 끝임을 나타내는 보조사로, 흔히 앞에는 시작을 나타내는 '부터'나 출발을 나타내는 '에서'가 와서 짝을 이룸	예 그 병원은 열두 시부터 한시까지가 점심시간이다.

기술을 구성하는 삼면체

- ☑ 핵심어를 찾아보자.
- ☑ 문단별 중심 내용에 밑줄을 그어 보자.
- ☑ 핵심 내용을 구조적으로 재 배열해 보자.

가 '기술'의 어원은 그리스어인 '테크네(techne)'이다. 아리스토텔레스는 '테크네'를 인간 정신의 외적인 것을 생산하기 위한 실천적 행위라고 정의하였다. 이때의 기술은 인간 정신의 일부로 생각했던 과학과는 구별되게 인간 정신의 밖에 있는 것으로 간주했던 것이다. 그리고 오늘날 우리가 흔히 말하는 기술 외에도 넓게는 예술과 의술까지 포함한 개념으로 널리 쓰였다. 그러다가 19세기를 전후로 산업화를 경험하면서 기술의 의미는 오늘날과 같이 물질적 재화를 생산하는 것으로 구체화되었다.

나 기술이라고 하면 우리는 무엇을 연상하게 되는가? 아마도 전화, 자동차, 컴퓨터, 반도체 등을 떠올릴 것이다. 여기에 기술의 첫 번째 측면인 '인공물로서의 기술'이 있다. 인공물을 풀이하면 '인공적으로 만든 물체'라는 뜻으로, 이를 통해 기술은 인간의 감각으로 느낄 수 있는 물리적 실체이며 인공적으로 만들어진 것임을 알 수 있다. 천연고무를 기술이라고 ⓐ하지는 않지만 그 고무를 가지고 만든 타이어를 기술로 간주하는 것도 이러한 까닭이다.

다 기술의 두 번째 측면으로는 '지식으로서의 기술'을 들 수 있다. 어떤 사람들은 기술이라는 단어에 논리를 뜻하는 접미사인 '-logy'가 붙어 있다는 점에 주목한다. 인공물을 만들고 사용하는 데에도 특정한 논리와 지식이 요구된다는 것이다. 기술의 이러한 측면은 오랫동안 간과되어 왔다. 기술자들이 논문을 발표하기는커녕 자신의 활동을 기록조차 하지 않았던 데다, 기술 지식은 말이나 글로 표현하기 어려워 사람들 사이에 암묵적으로 전수되는 면이 강하기 때문이다. 실제로 기술 지식은 문자 이외에 그림이나 설계도와 같은 시각적 형태를 통해 표현되는 경우가 많다.

라 기술 지식의 근대적 형태라 할 수 있는 공학이 출현하는 과정에서도 기존의 지식을 실제 상황에 적합하도록 변형하고 체계화하려는 기술자들의 적극적인 실천이 중요한 역할을 하였다. 여기서 기술의 세 번째 측면인 '활동으로서의 기술'을 거론할 수 있다. 기술에는 그것을 만든 사람들과 활용하는 사람들의 활동이 함께 녹아 있다. 기술자의 부단한 노력이 없었더라면 오늘날과 같이 풍부한 기술의 세계는 존재하지 않았을 것이다. 또한 ㉠아무리 좋은 인공물이 있어도 널리 사용되지 않는다면 그 의미는 크게 줄어들 수밖에 없다. 활동으로서의 기술에 주목함으로써 우리는 기술이 인간과 무관한 것이 아니라 사람들과의 상호 작용 속에서 변화된다는 점을 포착할 수 있다.

- ◐ **재화**: 사람이 바라는 바를 충족 시켜 주는 모든 물건
- ◐ **연상하게**: 하나의 관념이 다른 관념을 불러일으키게
- ◐ **암묵적**: 자기의 의사를 밖으로 나타내지 아니한 것
- ◐ **공학**: 공업의 이론, 기술, 생산 따위를 체계적으로 연구하는 학문

마 이처럼 기술은 인공물, 지식, 활동의 세 가지 측면을 가지고 있다. 물론 이러한 측면 이외에 다른 측면을 강조하는 경우도 있다. 어떤 사람은 기술의 본질을 '의사소통'에서 찾고, 어떤 사람은 '경영'을 강조하며, 또 다른 사람은 기술의 '문화적 차원'에 주목한다. 기술의 개념은 다양한 방식으로 확장될 수 있지만 적어도 앞서 언급한 세 가지 측면은 기술을 구성하는 필수적인 요소라 할 수 있다.

사실적 사고

1 **윗글의 '기술'에 대한 설명으로 가장 적절한 것은?**

① 기술은 인간과의 상호 작용 속에서 가치가 발휘된다.
② 기술은 그것을 활용할 때 특별한 지식이 필요하지 않다.
③ 지금도 기술은 인간의 정신 밖에 속하는 것으로 간주한다.
④ 기술의 본질은 인공물, 지식, 활동의 측면 이외에서는 찾기 어렵다.
⑤ 기술은 컴퓨터나 반도체 같은 인공물을 만드는 데 가장 많이 활용된다.

추론적 사고

수능형

2 **㉠에 해당하는 사례로 가장 적절한 것은?**

① 연주회 때 휴대 전화의 전원을 꺼 놓는 경우
② 에어컨을 일정 온도 이상에서만 사용하는 경우
③ 이메일의 등장으로 편지를 직접 쓰지 않게 된 경우
④ 초고속 인터넷이 연결된 컴퓨터로 문서 작성만 하는 경우
⑤ 승용차 요일제로 인해 일주일에 한 번 자동차를 주차장에 두는 경우

어휘·어법

3 **문맥상 ⓐ의 의미와 가장 가까운 것은?**

① 우리는 1년 후에 다시 만나기로 <u>했다</u>.
② 우리 부부는 먼 친척 아이를 양자로 <u>했다</u>.
③ 영희는 이번 시험에서도 전교 일등을 <u>했다</u>.
④ 철수네 집은 시내에서 조그만 음식점을 <u>한다</u>.
⑤ 꿀을 얻기 위해 벌을 치는 것을 양봉이라 <u>한다</u>.

독해
체크

1 이 글의 핵심 화제를 살펴보자.

(   )을 구성하는 세 가지 측면

2 각 문단별 중심 내용을 정리해 보자.

1문단   기술의 어원과 (   ) 변화

2문단   기술의 첫 번째 측면 – (   )로서의 기술

3문단   기술의 두 번째 측면 – (   )으로서의 기술

4문단   기술의 세 번째 측면 – (   )으로서의 기술

5문단   기술을 구성하는 데 (   ) 요소인 세 가지 측면

3 핵심 내용을 구조화해 보자.

기술의 세 가지 측면		
'인공물'로서의 기술	**'지식'으로서의 기술**	**'활동'으로서의 기술**
• 인간의 ( )으로 느낄 수 있는 물리적 실체이며 인공적으로 만들어진 것임 • 천연고무는 기술이 아니지만, 그것을 가지고 만든 타이어를 기술로 봄	• 인공물을 만들고 사용하는 데에도 특정한 논리와 ( )이 요구됨 • ( )이나 설계도와 같은 시각적 형태를 통해 표현되는 경우가 많음	• 기술에는 그것을 만든 사람들과 활용하는 사람들의 ( )이 함께 녹아 있음 • 기술은 인간과 무관하지 않고 사람들과의 상호 작용 속에서 변화됨

어휘력 테스트

● 정답과 해설 39쪽

1 제시된 뜻과 예문을 참고하여 다음 초성에 해당하는 단어를 괄호 안에 써 보자.

(1) ㅇ ㅁ : 자기 의사를 밖으로 나타내지 아니함

예 그들은 서로 (   )의 의견 일치를 보았다.

(2) ㅈ ㅅ 되다: 기술이나 지식 따위가 전하여지다.

예 청기와를 굽는 비법은 아버지로부터 아들에게 (   )되었다.

(3) ㅇ ㄱ : 사람의 힘으로 자연에 대하여 가공하거나 작용을 하는 일

예 요즘은 김 양식도 포자를 (   )으로 부착시켜서 하지 않아요?

2 다음 〈보기〉의 뜻을 참고하여 십자말풀이를 완성해 보자.

보기

❶ 세로: 어떤 것을 만드는 데 바탕이 되는 재료
❷ 가로: 사람이 바라는 바를 충족시켜 주는 모든 물건
❸ 가로: 기예와 학술을 아울러 이르는 말
❹ 세로: 병이나 상처를 고치는 기술. 또는 의학에 관련되는 기술

(❷ 재 ...)
(❸ ... 술)

어휘·어법 확장

'접미사'를 활용한 단어 만들기

- 쟁이: '그것이 나타내는 속성을 많이 가진 사람'의 뜻을 더하는 접미사
예 고집쟁이, 겁쟁이, 무식쟁이, 멋쟁이

- 보: '그것을 특성으로 지닌 사람'의 뜻을 더하는 접미사
예 잠보, 싸움보, 털보, 꾀보

접미사
파생어를 만드는 접사로, 어근이나 단어의 뒤에 붙어 새로운 단어가 되게 하는 말

- 장이: '그것과 관련된 기술을 가진 사람'의 뜻을 더하는 접미사
예 양복장이, 간판장이, 옹기장이

- 개: '그러한 행위를 하는 간단한 도구'의 뜻을 더하고 명사를 만드는 접미사
예 날개, 지우개, 덮개

03 제습기의 비밀

| 전국연합 기출 |

- ☑ 핵심어를 찾아보자.
- ☑ 문단별 중심 내용에 밑줄을 그어 보자.
- ☑ 핵심 내용을 구조적으로 재 배열해 보자.

◐ **포화 수증기량**: 공기가 최대한 품을 수 있는 수증기의 양

◐ **흡착시킨다**: 어떤 물질이 달라 붙게 한다.

◐ **다공성**: 물질의 내부나 표면에 작은 구멍이 많이 있는 성질

◐ **이슬점**: 공기가 포화되어 수증 기가 응결될 때의 온도

◐ **프레온**: 탄화수소의 플루오린화 유도체. 화학적으로 안정한 액 체 또는 기체로서 냉장고의 냉 매, 에어로졸 분무제, 소화제 따 위에 쓰이며, 오존층을 파괴하 는 원인이 되는 물질이다.

가 습도에는 절대 습도와 상대 습도가 있는데, 불쾌지수를 따질 때의 습도는 상대 습도를 말한다. 절대 습도는 말 그대로 일정한 부피의 공기 중에 포함되어 있는 수증기의 양을 말하고, 상대 습도란 상대적인 습도, 즉 현재 온도의 °포화 수증기량에 대한 대기 중의 수증기량을 백분위로 나타낸 것이다. 일기 예보에서 말하는 습도는 상대 습도이다. 쾌적한 실내를 위해서는 상대 습도를 40~60%로 유지하는 것이 좋다. 포화 수증기량이 많아지거나 대기 중 수증기량이 적어질수록 상대 습도는 낮아진다. 포화 수증기량은 온도에 따라 높아지게 마련이므로, 공기를 ⓐ가열하면 포화 수증기량을 늘릴 수 있고, 이에 따라 상대 습도를 줄일 수 있다. 또한 공기 중의 습기를 직접 제거해도 상대 습도를 낮출 수 있다. 제습기는 이러한 방식으로 상대 습도를 조절하여 공기를 쾌적하게 한다.

나 공기 중의 습기를 제거하는 방식에는 냉각식과 건조식이 있다. 건조식은 화학 물질인 흡습제를 이용하는 방식인데, 가정에서 사용하는 제습 제품과 같이 공기 중의 습기를 직접 ⓑ흡수하거나 °흡착시킨다. 흡습제가 습기를 더 이상 흡수하지 못하면 흡습제를 다시 가열해서 이때 분리되는 습기를 제습기 바깥으로 내보내면 흡습제를 다시 사용할 수 있다. 이러한 방식은 밀폐된 공간에서 소량의 수분을 ⓒ제거하는 데 유용하다. 흡습제에는 수분을 흡착하는 능력이 뛰어난 °다공성 물질인 실리카 겔, 알루미나 겔, 몰레큘러 시브, 염화 칼슘 등이 있다.

다 냉각식 제습기는 공기 중의 수증기를 물로 응축시켜 습기를 조절한다. 수증기를 응축시키기 위해서는 °이슬점 이하로 공기의 온도를 내려야 한다. 때문에 냉각식 제습기는 냉각을 위해 에어컨과 같이 냉매를 이용한다. °프레온 냉매는 여러 종류가 있는데, 제습기에는 R-22가 사용된다. 습한 공기를 팬으로 빨아들인 뒤 냉매를 이용한 냉각 장치로 통과시킨다. 냉각 장치를 통과하면 공기의 온도가 낮아지고, 공기가 이슬점에 도달해 수증기가 물로 변해 냉각관에 맺혀 물통에 떨어져 모인다. 찬물을 담은 컵의 표면에 물방울이 맺히는 것과 같은 원리인 셈이다. 습기가 제거된 건조한 공기는 응축기를 거쳐 다시 데워진 후에 실내로 ⓓ방출된다. 상대 습도가 높을수록 공기 중의 수증기가 물로 변하기 쉬워 제습에 효과적이다.

라 이러한 유형의 제습 외에 전자식으로 제습을 하는 기기들도 찾아볼 수 있다. 전자식 제습은 펠티에 효과(Peltier effect)를 이용한 열전냉각 방식으로 ⓔ작동한다. 펠티에 효과는, 다른 두 금속의 양 단면을 서로 연결하고 전기를 통하게 하면 그 양 단면에서 발열과 냉각이 동시에 일어나는 현상이다. 전자식 제습기는 이 효과를 적용한 열전 반도체 소자를 사용하며, 냉각되는 금속판 쪽에서 공기 중의 수증기가 응축되어 밖으로 배출된다. 이러한 전자식 제습기는 소음이 없고 소형화가 가능해 카메라나 보청기와 같은 정밀 기기를 보관하는 제습함에 이용된다.

사실적 사고

1

윗글의 내용과 일치하지 <u>않는</u> 것은?

① 상대 습도는 포화 수증기량에 따라 달라진다.
② 일기 예보에서 말하는 습도는 불쾌지수와 관련이 있다.
③ 전자식 제습기는 정밀 기기를 보관하는 제습함에 이용된다.
④ 건조식 제습기는 밀폐된 공간의 습기를 제거할 때 적합하다.
⑤ 냉각식 제습기와 전자식 제습기는 발열과 냉각이 동시에 일어난다.

추론적 사고

수능형

2

〈보기〉는 '냉각식 제습기의 제습 과정'이다. ㉠~㉢의 과정에 나타난 현상과 유사한 사례로 가장 적절한 것은?

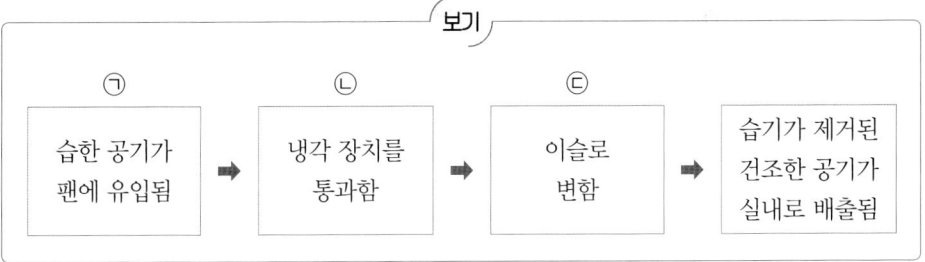

보기

㉠	㉡	㉢	
습한 공기가 팬에 유입됨	➡ 냉각 장치를 통과함	➡ 이슬로 변함	➡ 습기가 제거된 건조한 공기가 실내로 배출됨

① 더운 여름에 아스팔트에 물을 뿌리면 시원해진다.
② 겨울에 처마 끝에 매달린 고드름이 녹아서 물이 된다.
③ 추운 겨울에 따뜻한 집 안으로 들어오면 안경에 김이 서린다.
④ 응급실에서 고열 환자의 몸을 알코올로 닦으면 몸이 차가워진다.
⑤ 여름에 물기가 남아 있는 상태에서 선풍기 바람을 쐬면 시원해진다.

어휘·어법

3

문맥상 ⓐ~ⓔ와 바꿔 쓰기에 적절하지 <u>않은</u> 것은?

① ⓐ: 데우면
② ⓑ: 빨아들이거나
③ ⓒ: 없애는
④ ⓓ: 밀어낸다
⑤ ⓔ: 움직인다

독해 체크

1 이 글의 핵심 화제를 살펴보자.

(　　　　　　)의 유형에 따른 제습 방식

---

2 각 문단별 중심 내용을 정리해 보자.

1문단 (　　　　　　)의 종류와 제습기의 원리

⬇

2문단 (　　　　　) 제습기의 작동 방식

⬇

3문단 (　　　　　) 제습기의 작동 방식

⬇

4문단 (　　　　　) 제습기의 작동 방식

---

3 핵심 내용을 구조화해 보자.

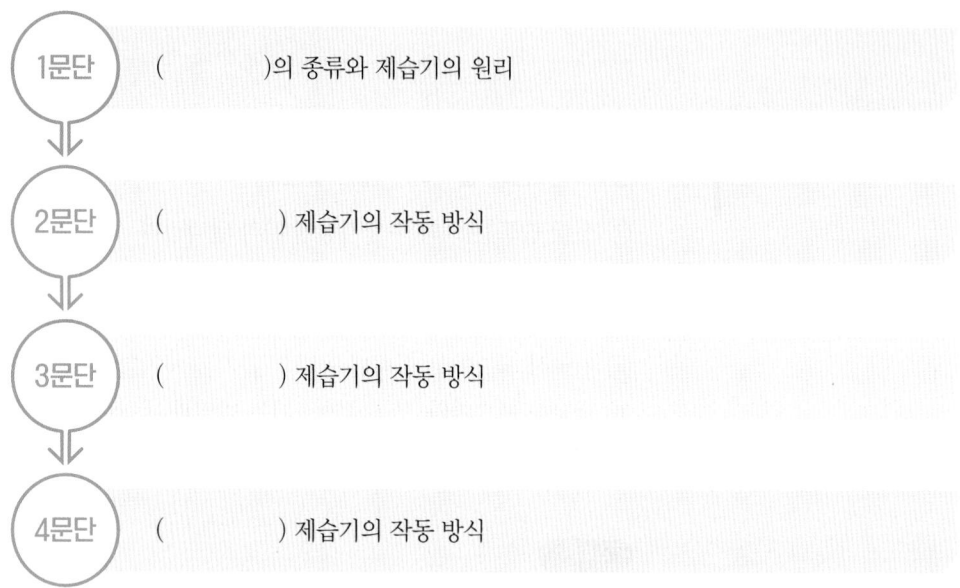

습도
• 절대 습도: 일정한 부피의 공기 중에 포함되어 있는 수증기의 양
• 상대 습도: 현재 온도의 (　　　　　　)에 대한 대기 중의 수증기량을 백분위로 나타낸 것

⬇

제습기
(　　　　　)를 조절하는 방식으로 공기 중의 습기를 제거하는 전기 기구

건조식 제습기	냉각식 제습기	전자식 제습기
• 공기 중에 있는 습기를 (　　　　)를 이용해 직접 흡수하거나 흡착시킴 • 밀폐 공간에서 소량의 수분을 제거하는 데 유용함	• 공기 중에 있는 수증기를 냉매를 이용해 물로 (　　　　)시켜 습기를 조절함 • 상대 습도가 높은 경우에 유용함	• (　　　　) 효과를 이용해 열전냉각 방식으로 작동함 • 정밀 기기를 보관하는 제습함에 이용됨

어휘력 테스트

1 다음 단어의 뜻을 참고하여 끝말잇기를 완성해 보자.

흡		도		도
습기를 빨아들임		공기 가운데 수증기가 들어 있는 정도		칼을 가지고 싸우는 일을 맡아 하던 군사

열		분		분
열이 남. 또는 열을 냄		따로따로 나누어 떠나게 함		축축한 물의 기운

2 다음 단어를 활용하기에 적절한 문장을 찾아 바르게 연결해 보자.

❶ 배출되다 •

❷ 방출되다 •

❸ 응축되다 •

• ㉠ 가스 원액이 초저온 상태로 (   ).

• ㉡ 운동을 많이 하면 열이 몸 밖으로 (   ).

• ㉢ 가정에서도 많은 생활 폐수가 하천에 (   ).

어휘·어법 확장

'늘이다'와 '늘리다'의 구별

공기를 가열하면 포화 수증기량을 <u>늘릴</u> 수 있고~

늘이다	VS	늘리다
주로 '길이'와 관련됨		주로 '넓이'와 '부피'와 관련됨

「1」 본디보다 더 길어지게 하다.
　예 고무줄을 늘이다.
「2」 (주로 '선'과 관련된 말을 목적어로 하여) 선 따위를 연장하여 계속 긋다.
　예 선분 ㄱ과 ㄴ을 <u>늘이면</u> 다른 선분과 만나게 된다.

「1」 물체의 넓이, 부피 따위를 본디보다 커지게 하다.
　예 주차장의 규모를 늘리다.
「2」 수나 분량 따위를 본디보다 많아지게 하거나 무게를 더 나가게 하다. ('늘다'의 사동사)
　예 학생 수를 늘리다.

모션 캡처, 움직임을 포착하다

- 핵심어를 찾아보자.
- 문단별 중심 내용에 밑줄을 그어 보자.
- 핵심 내용을 구조적으로 재배열해 보자.

| 전국연합 기출 |

가 모션 캡처(motion capture)는 공간상에서 제작된 영상을 보다 현실적으로 보여 주기 위해 사용되는 기술이다. 이를 통해 만든 영상은 미세한 움직임까지 정교하게 나타낼 수 있는데, 데이터를 뽑아내는 방식에 따라 기계식, 자기식, 광학식으로 ⓐ구분된다.

나 기계식은 기계 장치를 몸에 부착하여 각 관절 부위의 움직임을 추출하는 방식으로, 설치와 운영이 간편하며 공간의 ⓑ제약을 받지 않는다. 또한 비교적 정확한 데이터를 획득할 수 있고 다른 시스템에 비해 장비의 가격도 저렴하다. 그러나 무거운 기계 장치를 부착해야 하므로 자연스러운 움직임에 제약을 받는다.

다 자기식은 송신기로 전자기장을 ⓒ형성시킨 후, 각 관절에 부착된 센서를 통해 몸의 움직임에 따른 자기장의 변화를 측정하여 위치 데이터를 추출하는 방식이다. 하지만 감지기에 연결된 여러 가닥의 케이블 선이 몸에 붙어 있어 움직임에 제약이 있고, 센서가 반응할 수 있는 자기장의 공간도 제한적이다. 또한 주위의 금속 물체에 의해 데이터의 손실이 발생할 우려가 있다.

라 광학식은 신체 부위에 센서를 부착하고 적외선 카메라로 촬영한 후, 그 이미지를 다시 3차원 위치 데이터로 계산하여 추출하는 방식이다. ㉠광학식 모션 캡처 방식의 데이터를 추출하는 과정은 아래와 같다.

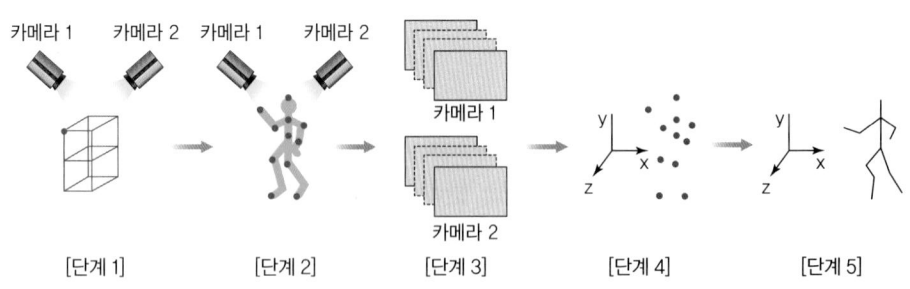

- **자기장**: 자석의 주위, 전류의 주위, 지구의 표면 따위와 같이 자기의 작용이 미치는 공간
- **표식**: 신체 등에 부착하여 신호를 감지하는 표시물

마 [단계 1]에서는 촬영 공간과 대상의 동작을 ⓓ고려하여 적외선 카메라를 설치한다. 이 때 표식이 부착된 구조물을 먼저 중앙에 설치하여 초기 측정을 하는데, 이는 촬영 후에 얻게 될 위치 데이터, 즉 좌푯값을 정확하게 얻기 위해서이다. [단계 2]에서는 대상을 촬영하여 표식에 반사된 좌푯값을 측정하기 위해 표식을 몸에 부착한다. 이 표식은 크기가 작아 위치나 개수에 제한을 받지 않기에 자유로운 동작을 가능하게 한다. [단계 3]에서는 카메라로부터 좌푯값을 뽑아낸다. [단계 4]에서는 이전 단계에서 추출

● 정답과 해설 42쪽

된 2차원적인 좌푯값을 3차원으로 나타낸 후, 좌푯값의 사라진 부분이나 오차가 생긴 부분을 보완 및 수정한다. [단계 5]에서는 좌푯값을 연결해 뼈대 구조를 가지는 모션 데이터로 변환한다.

 촬영 중 동작에 의해 표식이 가려지면 카메라들이 추적할 수 없게 되어 좌푯값이 사라지게 되는 경우가 생긴다. 이런 경우에 3차원의 좌푯값을 얻는 것이 어려워지기 때문에 보완 및 수정 작업을 해야 한다. 때문에 적게는 6대, 많게는 24대 정도의 카메라를 ⓔ활용하여 표식이 가려지는 부분을 최소로 줄여야 한다. 광학식 장비는 다른 시스템에 비해 가격이 비싸지만, 넓은 공간에서 촬영이 가능하고 정밀한 자료를 수집할 수 있기 때문에 현재 활용도가 높다.

사실적 사고

1 **윗글의 중심 화제로 가장 적절한 것은?**

① 모션 캡처의 개념
② 모션 캡처 기술의 전망
③ 모션 캡처의 변천 과정
④ 모션 캡처의 활용 분야
⑤ 모션 캡처의 자료 추출 방식

추론적 사고

수능형

2 **㉠을 이해한 내용으로 적절하지 않은 것은?**

① 동작 중 표식이 가려지는 것을 방지하려면 [단계 1]에서 카메라의 수를 늘려야 한다.
② [단계 2]에서 표식을 부착할 수 있는 곳은 몸의 어느 부위나 가능하다.
③ [단계 3]의 카메라에서 얻어 낸 좌푯값을 [단계 4]에서 입체적 좌푯값으로 변환한다.
④ [단계 4]에서 일부 좌푯값을 구할 수 없었다면 부착된 표식의 크기가 작았기 때문이다.
⑤ [단계 5]에서 좌푯값을 모두 연결하면 뼈대 구조를 지니는 새로운 입체적 형상을 얻을 수 있다.

어휘·어법

3 **ⓐ~ⓔ의 사전적 의미로 적절하지 않은 것은?**

① ⓐ: 일정한 기준에 따라 전체를 몇 개로 갈라 나눔
② ⓑ: 위력이나 위엄으로 약한 사람을 누름
③ ⓒ: 어떤 형상을 이룸
④ ⓓ: 생각하고 헤아려 봄
⑤ ⓔ: 충분히 잘 이용함

1 이 글의 핵심 화제를 살펴보자.

( )의 종류와 원리

2 각 문단별 중심 내용을 정리해 보자.

1문단 모션 캡처의 개념 및 ( )

2문단 ( ) 모션 캡처의 원리와 장단점

3문단 ( ) 모션 캡처의 원리와 단점

4~6문단 ( ) 모션 캡처의 원리와 데이터 추출 과정 및 장단점

3 핵심 내용을 구조화해 보자.

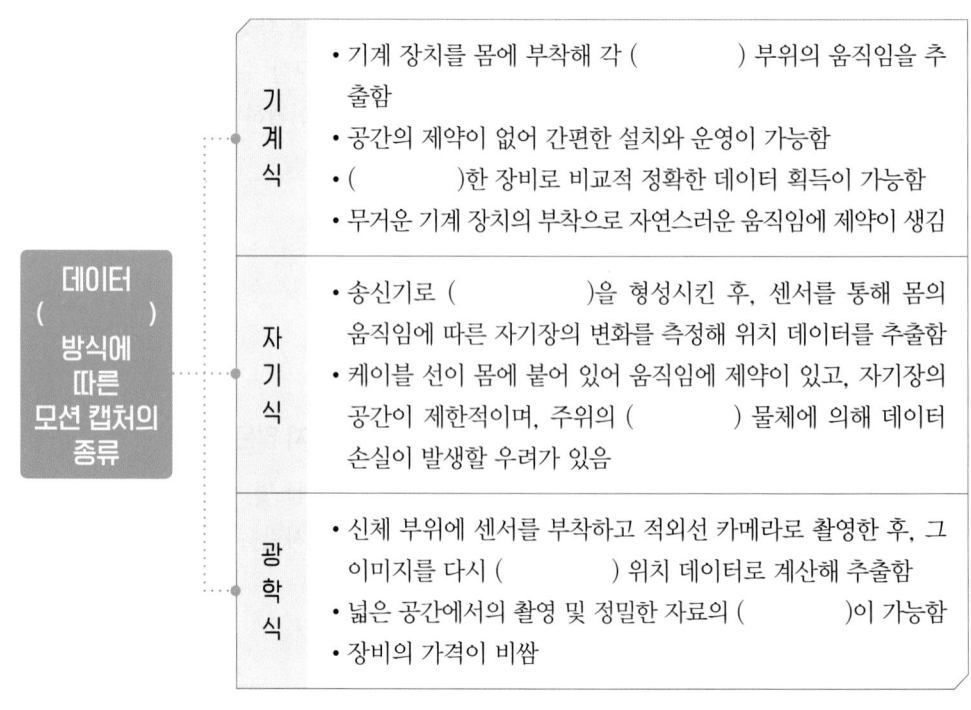

기계식	• 기계 장치를 몸에 부착해 각 ( ) 부위의 움직임을 추출함 • 공간의 제약이 없어 간편한 설치와 운영이 가능함 • ( )한 장비로 비교적 정확한 데이터 획득이 가능함 • 무거운 기계 장치의 부착으로 자연스러운 움직임에 제약이 생김
자기식	• 송신기로 ( )을 형성시킨 후, 센서를 통해 몸의 움직임에 따른 자기장의 변화를 측정해 위치 데이터를 추출함 • 케이블 선이 몸에 붙어 있어 움직임에 제약이 있고, 자기장의 공간이 제한적이며, 주위의 ( ) 물체에 의해 데이터 손실이 발생할 우려가 있음
광학식	• 신체 부위에 센서를 부착하고 적외선 카메라로 촬영한 후, 그 이미지를 다시 ( ) 위치 데이터로 계산해 추출함 • 넓은 공간에서의 촬영 및 정밀한 자료의 ( )이 가능함 • 장비의 가격이 비쌈

데이터 ( ) 방식에 따른 모션 캡처의 종류

어휘 체크

어휘력 테스트

1 제시된 뜻과 예문을 참고하여 다음 초성에 해당하는 단어를 괄호 안에 써 보자.

(1) ㅊㅈ : 일정한 양을 기준으로 하여 같은 종류의 다른 양의 크기를 잼

예 간호사는 체온계로 체온 (   )을 한다.

(2) ㅊㅊ : 전체 속에서 어떤 물건, 생각, 요소 따위를 뽑아냄

예 이 항암제는 한약재에서 (   )한 두 가지 성분을 주원료로 한다.

(3) ㅂㅎ : 달라져서 바뀜. 또는 다르게 하여 바꿈

예 눈은 빛의 자극을 전기 신호로 (   )하여 뇌로 전달하는 기능을 갖고 있다.

2 다음 〈보기〉의 뜻을 참고하여 십자말풀이를 완성해 보자.

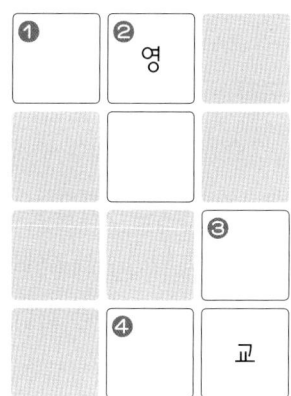

보기

❶ 가로: 사람, 사물, 풍경 따위를 사진이나 영화로 찍음
❷ 세로: 빛의 굴절이나 반사 등에 의하여 이루어진 물체의 상
❸ 세로: 솜씨나 기술 따위가 정밀하고 교묘함
❹ 가로: 둘 이상의 사물을 견주어 서로 간의 유사점, 차이점, 일반 법칙 따위를 고찰하는 일

어휘·어법 확장

'보여 주다'는 반드시 띄어 써야 할까?

| 현실적으로 <u>보여 주기</u> 위해 사용되는~ | VS | 현실적으로 <u>보여주기</u> 위해 사용되는~ |

한글 맞춤법 제47항에 의하면 보조 용언은 띄어 씀을 원칙으로 하되, 경우에 따라 붙여 씀도 허용된다. 즉 '보여 주다'와 같은 단어의 보조 용언은 띄어 써도, 붙여 써도 문법적으로는 문제가 없는 것이다. 다만 보조 용언의 띄어쓰기에서 아래와 같은 사항들에서는 예외적으로 반드시 띄어 써야 한다.

앞말에 조사가 붙을 때	예 '잘도 놀아만V나는구나!', '책을 읽어도V보고'
앞말이 합성 용언인 경우	예 '네가 덤벼들어V보아라.', '이런 기회는 다시없을V듯하다.'
중간에 조사가 들어가는 경우	예 '그가 올 듯도V하다.', '잘난 체를V한다.'

01 밤하늘을 나는 낮 새

가 "국왕께 전해 주시오. °연미복이 담뱃불에 타서 연회에 불참하게 됐다고 말이오."

르네 마그리트가 연회가 열리기 몇 시간 전에°의전 담당에게 한 말로, 그 연회는 마그리트를 위해 벨기에의 국왕이 마련한 것이었다. 하지만 마그리트는 옷이 망가졌다는 핑계로 국왕이 주최하는 연회에 참석하지 않겠다고 통보하였다. 이는 기존의 권위와 질서에 철저히 맞서 온 마그리트의 개성이 잘 ㉠드러나는 일화라고 할 수 있다.

나 미술사가들은 마그리트를 곧잘 '전복자'라고 부른다. '전복'은 '뒤집는다'는 뜻이다. 이는 관습적인 사고를 거부하고 우리가 일상이라고 여기고 있는 현실에 의문을 던져 고정된 시선을 무너뜨리는 마그리트의 모습을 대변하는 표현이다. 마그리트는 기발한 발상을 통해 현실의°경직된 체계를 뒤집는 그만의 독특한 예술 세계를 보여 주고 있는데, 이러한 전복자로서의 면모는 그의 그림을 통해 확인할 수 있다.

▲ 마그리트, 「대가족」

다 「대가족」이라는 작품을 보면, 세로로 된 화면에 밤하늘이 펼쳐져 있고 화면 아래쪽에는 밤바다가 살짝 걸쳐 있다. 그 밤의 서정을 깨는 것은 화면 중앙에 크게 자리한 커다란 새이다. 새는 대낮의 하늘의 모습으로 그려져 있다. 즉, 밤을 배경으로 한 낮 새인데, 날갯짓을 하는 새의 이미지가 푸른색°창공과 하얀 구름으로 구성되어 실루엣처럼 보이는 것이다. 이는 현실에 구속된°피조물이 아니라, 현실에서는 보이지 않는 부분을 가시적으로 드러내는 일종의 상징이라고 할 수 있다.

라 여기서 '보이지 않는 것을 보이게 그리는 작가'라는 마그리트의 또 다른 별칭이 지닌 의미를 새롭게 확인할 수 있다. 보이지 않는 것을 보이도록 그린다는 것은, 단순히 눈이라는 감각 기관으로 볼 수 없는 것을 보게 한다는 말이 아니다. 마그리트는 육체의 감각 기관이나 인식 기관의 위계질서, 또는 소통·교육·이데올로기·정치 체계 등의 위계질서가 인간으로 하여금 진실을 보지 못하게°오도(誤導)하고 있다는 것을 드러내고 그것에 대해 비판적으로 공격하려고 하였다.

마 「대가족」에서와 달리 현실에서는 밤과 낮이 동시에 있을 수 없다. 그럼에도 마그리트가 그것들을 함께 그리고, 나아가 사물인 새의 형상에 공간인 대낮의 하늘 이미지를 겹쳐서 보여 준 것은, 우리가 살고 있는 현실을 직시하라고 일깨우는 것이다. 이처럼 생소하고 낯설기 짝이 없는 그의 전복 행위는 세계와 삶의 주체가 되어야 할 인간이 구조와 권력에 의해 어느새 객체로 밀려나 버린 현실을 반성하게 하고, 우리 스스로가 주체임을 회복하게 하려는 노력이라고 할 수 있다.

사실적 사고

1 윗글을 토대로 '마그리트'를 소개한 제목으로 적절하지 <u>않은</u> 것은?

① 기존의 권위와 질서에 맞선 화가 마그리트
② 감상자와의 만남과 소통을 중시했던 마그리트
③ 뒤집기를 통해 새로운 인식을 제시한 화가 마그리트
④ 현실에 의문을 던져 고정된 시선을 무너뜨린 마그리트
⑤ 위계질서에 의해 현실이 왜곡되는 것을 비판한 화가 마그리트

추론적 사고

수능형

2 윗글을 참고하여 〈보기〉를 감상한 내용으로 적절하지 <u>않은</u> 것은?

> **보기**
>
>  이 그림은 마그리트의 「빛의 제국」이라는 작품이다. 그림의 위쪽에는 맑고 부드러운 구름이 떠 있는 대낮의 푸른 하늘이 자리 잡고 있고, 아래쪽에는 어둠이 깔린 공간적 배경을 바탕으로 가로등 불빛만이 집과 연못을 잔잔하게 비추고 있다.

① 익숙한 풍경을 생소하게 표현해 대상을 색다르게 바라보도록 한 것 같아.
② 어둠 속 가로등 불빛을 강조해 사회적 혼란을 극복하고 새 질서를 모색하려 한 것 같아.
③ 빛과 어둠을 한 화면에 배치함으로써 현실의 이면을 가시적으로 드러내려 한 것 같아.
④ 낮과 밤이 공존한다는 기발한 발상을 통해 경직된 체계를 무너뜨리고 사람들의 반성을 이끌어 내려 한 것 같아.
⑤ 밝은 대낮의 하늘 아래 깔린 지상의 밤의 모습을 통해 어둠에 가려 진실을 바르게 인식하지 못하는 현실을 깨닫게 하려는 것 같아.

어휘•어법

3 문맥상 의미가 ㉠과 가장 가까운 것은?

① 구름이 걷히자 산봉우리가 <u>드러났다</u>.
② 여름옷이지만 그 옷은 어깨가 너무 <u>드러난다</u>.
③ 그녀의 얼굴에는 <u>드러나게</u> 경계의 표정이 어렸다.
④ 경찰은 누구든 혐의가 <u>드러날</u> 경우 엄중 처벌하겠다고 밝혔다.
⑤ 그 집은 알뜰히 가꾸고 정을 쏟은 티가 고스란히 <u>드러나</u> 보였다.

독해
체크

1 이 글의 핵심 화제를 살펴보자.

기존의 (   )와 질서에 맞선 화가 마그리트의 예술 세계

2 각 문단별 중심 내용을 정리해 보자.

1문단   권위와 (   )에 맞섰던 화가 르네 마그리트

2문단   (   )된 관념을 깨기 위해 노력한 마그리트

3문단   마그리트의 그림 (   ) 소개

4문단   보이지 않는 것을 (   ) 그리는 마그리트

5문단   「대가족」에 담긴 마그리트의 (   )

3 핵심 내용을 구조화해 보자.

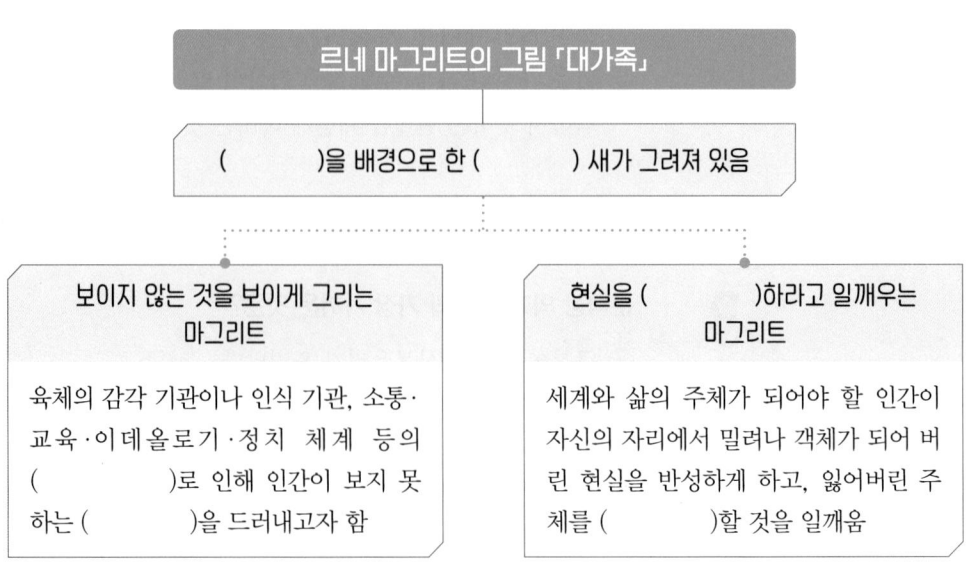

르네 마그리트의 그림 「대가족」

(   )을 배경으로 한 (   ) 새가 그려져 있음

보이지 않는 것을 보이게 그리는
마그리트

육체의 감각 기관이나 인식 기관, 소통·교육·이데올로기·정치 체계 등의 (   )로 인해 인간이 보지 못하는 (   )을 드러내고자 함

현실을 (   )하라고 일깨우는
마그리트

세계와 삶의 주체가 되어야 할 인간이 자신의 자리에서 밀려나 객체가 되어 버린 현실을 반성하게 하고, 잃어버린 주체를 (   )할 것을 일깨움

어휘
체크

어휘력 테스트

1 다음 단어의 뜻을 참고하여 끝말잇기를 완성해 보자.

오 [ ]	[ ] 피	피조 [ ]
그릇된 길로 이끎	도망하여 몸을 피함. 적극적으로 나서야 할 일에서 몸을 사려 빠져나감	조물주에 의하여 만들어진 모든 것. 삼라만상을 이른다.

[ ] 빙	[ ] 결	[ ] 결
얇게 살짝 언 얼음. 근소한 차이를 비유적으로 이르는 말	몸이나 손 따위를 움직이지 못하도록 동이어 묶음. 자유롭지 못하게 얽어 구속함	물이 움직여 그 표면이 올라갔다 내려왔다 하는 운동. 또는 그 모양

2 다음 단어를 활용하기에 적절한 문장을 찾아 바르게 연결해 보자.

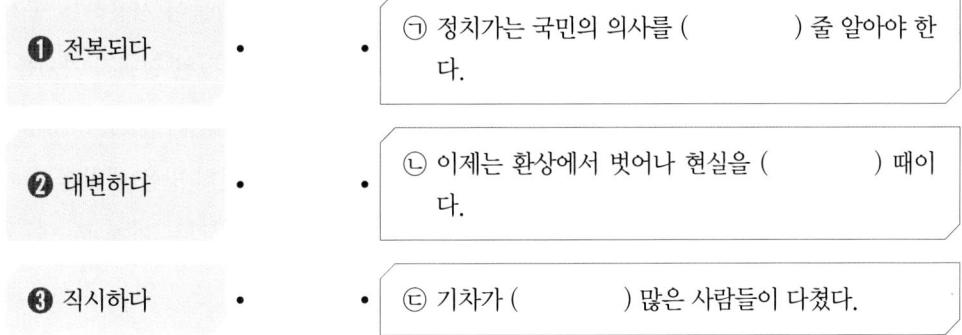

❶ 전복되다 ・

❷ 대변하다 ・

❸ 직시하다 ・

・ ㉠ 정치가는 국민의 의사를 (   ) 줄 알아야 한다.

・ ㉡ 이제는 환상에서 벗어나 현실을 (   ) 때이다.

・ ㉢ 기차가 (   ) 많은 사람들이 다쳤다.

어휘·어법 확장

무너뜨리다? 무너트리다?

현실에 의문을 던져 고정된 시선을 <u>무너뜨리는</u> 마그리트의 모습을 대변하는 표현이다.

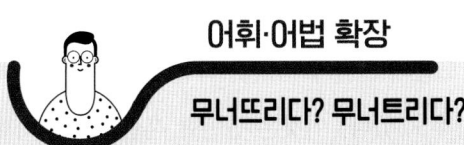

무너뜨리다 **VS** 무너트리다

'무너뜨리다'와 '무너트리다' 중 무엇이 바른 표현일까? 위 문장에 사용된 '-뜨리다'와 '-트리다'는 모두 강조의 뜻을 더하는 접미사로 결론부터 말하자면 둘 다 표준어이다. 예전에는 '-뜨리다'의 형태만 표준어로 인정하였으나, 표준어 규정 제2장 제5절 제26항에서 "한 가지 의미를 나타내는 형태 몇 가지가 널리 쓰이며 표준어 규정에 맞으면 그 모두를 표준어로 삼는다."라고 규정하면서 '-뜨리다'와 '-트리다'가 모두 표준어로 인정되었다.

예 쓰러뜨리다/쓰러트리다, 부러뜨리다/부러트리다, 빠뜨리다/빠트리다, 넘어뜨리다/넘어트리다

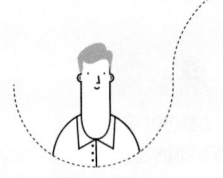

☑ 핵심어를 찾아보자.
☑ 문단별 중심 내용에 밑줄을
   그어 보자.
☑ 핵심 내용을 구조적으로 재
   배열해 보자.

가 ⓐ한국 전통 건축은 비대칭 구성을 큰 특징으로 갖는다. ⓑ궁궐, 서원, 사찰, 향교, 한옥 모두 전체 배치를 놓고 보면 좌우 대칭인 경우가 하나도 없을 정도로 철저하게 비대칭 구성으로 이루어져 있다. 궁궐과 같이 전각 수가 많고 규모가 큰 건물의 경우 대칭을 지키기 어려운 것도 사실이지만, 서양의 경우 베르사유 궁전, 루브르 궁전 등은 거대한 건물임에도 불구하고 대칭 구조로 지어져 있다. 이처럼 세계 각국에서 공통적으로 나타나는 보편적 현상에 가까운 '대칭 구도'를 유독 한국 전통 건축에서 찾아보기 힘든 이유는 무엇일까?

나 서양 고전 건축은 엄격한 대칭을 바탕으로 한 정형적 질서를 최고의 가치로 추구하였다. 또한 서양 건축에서는 실내 공간이 두꺼운 돌 벽으로 엄격하게 구획되면서 모서리가 꽉 맞도록 설계되어 있다. 사람들이 사용하는 공간 형태는 처음부터 건축가에 의해 확정되어 있고, 사용자는 미리 결정된 절대적 가치를 받아들이면 되는 것이다. 이러한 절대주의적 건축관은 20세기에 들어와서 더욱 심화되었다. 건축가들은 도면 위에 일직선으로 복도를 긋고 좌우로 가지런히 방을 배치한 후 사용자에게 그대로 사용할 것을 강요하였다. 이는 경제성과 효율성이라는 기계 문명의 가치관을 근거로 한다.

다 반면 ㉠한국 전통 건축의 자연관은 자연을 직선으로 재단하여 인간만의 질서를 세우려던 서양과는 달랐다. 주변 땅의 생김새를 좇아 물 흐르듯 자연스럽게 건물을 배치하는 경향은 한국 전통 건축이 지니는 두드러진 특징이다. 물리적으로 보았을 때 대칭이 허용되는 경우인데도 비대칭이 나타나며, 대칭보다 비대칭을 더 선호하는 경향을 보이고 있다. 비대칭에는 좌우 모습이 거울에 비치듯 똑같지는 않지만 전체적으로 보았을 때 큰 균형감이 느껴지는 경우도 있다. 이것은 산만한 혼란으로 나타나는 무질서적 비대칭과 달리 나름대로 고도의 질서를 갖는 또 하나의 대칭이다. 이를 '비대칭적 대칭'이라고 한다.

라 비대칭적 대칭 구성이 잘 드러난 예로 소수 서원을 들 수 있다. 소수 서원은 일곱 채의 건물로 구성되어 있지만 이것들을 하나로 묶는 전체적인 질서는 존재하지 않는다. 대칭은 둘째 치고 건물이 일곱 채나 모여 있는데도 그 흔한 축 하나 형성되지 않는다. 그러나 이러한 무질서는 결코 산만한 혼란으로 느껴지지 않는다. 주도적인 중심축이나 대칭 구성 등 눈에 띄는 물리적 질서는 없으나 공간 전체를 보면 편안한 조화가 이루어

▶ **구획되면서**: 토지 따위가 경계
  가 지어져 갈리면서
▶ **재단하여**: 옷감이나 재목 따위
  를 치수에 맞도록 재거나 잘라
  서
▶ **소수 서원**: 조선 중종 때 주세붕
  이 경상북도 영주시의 백운동에
  세운 서원. 백운동 서원을 고친
  이름이며 우리나라 최초의 서원

지고 있는 것이다. 건물이 약간 어긋나고 축은 안 맞을지 몰라도 그 사이사이에 적당한 양의 외부 공간이 있고, 그 속에는 다시 크고 작은 나무들이 담겨 어울리면서 무궁무진하게 변화하는 양상을 보여 준다. 소수 서원은 이처럼 공간의 종류가 무한대로 다양하게 짜인 뒤 수용이나 해석을 각자에게 맡긴다. 이러한 구성 방식은 동양의 무위 사상으로부터 영향을 받은 것으로 이해할 수 있다.

사실적 사고

1 윗글에서 ㉠에 대해 이해한 내용으로 가장 적절한 것은?

① 자연의 결점을 보완하여 인간과 균형을 이루어야 한다.
② 인간의 질서를 우선시하면서 비정형성을 갖추어야 한다.
③ 자연에 순응하고 자연과 가까운 모습으로 살아가야 한다.
④ 자연이라는 현실의 한계를 뛰어넘는 이상적 세계를 구현해야 한다.
⑤ 혼란을 극복한 질서를 바탕으로 새로운 예술 정신을 창조해야 한다.

추론적 사고

수능형

2 윗글을 바탕으로 〈보기〉의 ⓐ와 ⓑ를 이해한 내용으로 적절하지 않은 것은?

보기

▲ ⓐ소수 서원

▲ ⓑ베르사유 궁전

① ⓐ는 전체의 조화를 통해 사용자들에게 다양한 해석의 여지를 남겼군.
② ⓑ에 드러난 질서는 다른 나라의 건축에서도 나타나는 보편적 현상이야.
③ ⓐ는 ⓑ와 달리 주변과의 조화를 위해 주도적인 중심축을 형성하고 있군.
④ ⓑ는 ⓐ와 달리 자연을 직선으로 구획지어 사용자들이 이를 그대로 따르게 하네.
⑤ ⓐ와 ⓑ는 서로 다른 형태를 취하고 있지만 두 공간 모두 각자의 질서를 바탕으로 균형감을 추구하고 있군.

어휘·어법

3 Ⓐ–Ⓑ의 의미 관계와 같은 것은?

① 사람 – 인간   ② 지금 – 현재   ③ 문학 – 소설
④ 전쟁 – 평화   ⑤ 열다 – 잠그다

독해
체크

1 이 글의 핵심 화제를 살펴보자.

한국 전통 건축에 나타나는 비대칭적 (   ) 구성

2 각 문단별 중심 내용을 정리해 보자.

1문단 한국 전통 건축에 나타나는 (   ) 구성

↓

2문단 서양 고전 건축에 나타나는 (   ) 구성

↓

3문단 한국 (   ) 건축에 나타나는 비대칭적 대칭 구성

↓

4문단 (   )에 나타나는 비대칭적 대칭 구성

3 핵심 내용을 구조화해 보자.

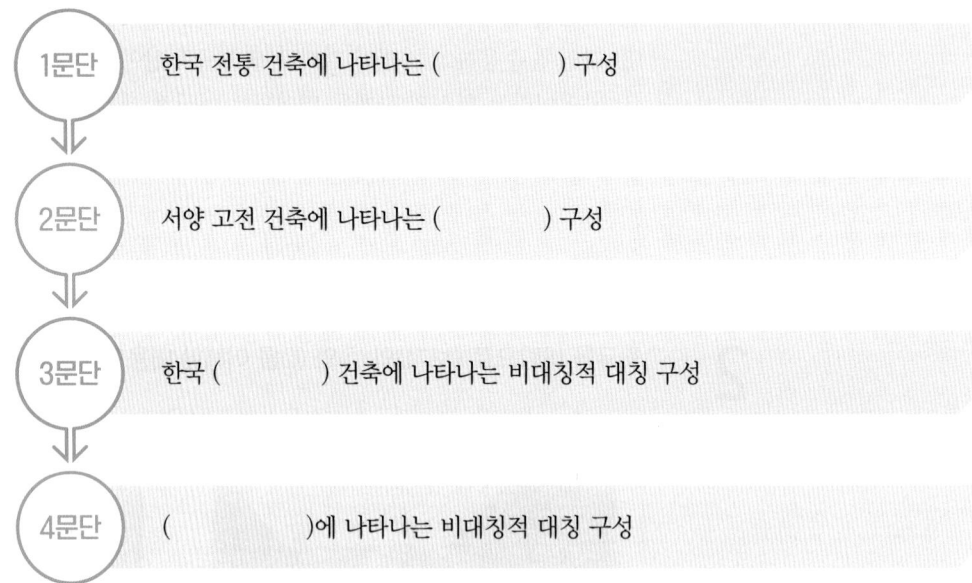

한국 전통 건축		서양 고전 건축
• ( )의 모습을 좇아 물 흐르듯 자연스럽게 건물을 배치함 • 전체적으로 ( )이 느껴지는 비대칭적 대칭을 추구함 • 공간의 종류가 무한대로 다양하게 짜인 뒤 수용이나 ( )을 각자에게 맡김 • 동양의 ( )으로부터 영향을 받음	↔ 대조	• 엄격한 대칭을 바탕으로 한 ( )적 질서를 최고의 가치로 추구함 • 자연을 ( )으로 재단하여 인간만의 질서를 세우려고 함 • 건축가의 일방적인 배치에 따라 사용자에게 그대로 사용할 것을 ( ) 함 • ( )과 효율성이라는 기계 문명의 가치관을 근거로 함

어휘 체크 — 어휘력 테스트

1 제시된 뜻과 예문을 참고하여 다음 초성에 해당하는 단어를 괄호 안에 써 보자.

(1) ㄷ ㅊ : 균형을 위하여 중심선의 상하 또는 좌우를 같게 배치한 화면 구성

예 교과서에 나온 두 도형이 ( )을 이루고 있다.

(2) ㄱ ㅎ : 토지 따위를 경계를 지어 가름. 또는 그런 구역

예 명확하게 ( )을 지어야 임야를 나누기 쉽다.

(3) ㅅ ㅎ : 여럿 가운데서 특별히 가려서 좋아함

예 생활 수준이 높아짐에 따라 무공해 식품의 ( )가 두드러진다.

2 다음 〈보기〉의 뜻을 참고하여 십자말풀이를 완성해 보자.

적

┌─ 보기 ─┐
❶ 가로: 일을 확실하게 정함
❷ 세로: 일정한 형식이나 틀을 갖춘. 또는 그런 것
❸ 가로: 주동이 되어 이끄는. 또는 그런 것
❹ 세로: 토목, 건축, 기계 따위의 구조나 설계 또는 토지, 임야 따위를 제도기를 써서 기하학적으로 나타낸 그림

어휘·어법 확장

'보편'의 비슷한말 & 반대말

비 비슷한말   반 반대말

비 일반
전체에 두루 해당되는 것
예 일반 법칙, 일반 상식

비 공통
둘 또는 그 이상의 여럿 사이에 두루 통하고 관계됨
예 두 사건이 공통으로 가지고 있는 문제

보편
모든 것에 두루 미치거나 통함. 또는 그런 것
예 보편적 현상에 가까운 '대칭 구도'

반 특수
특별히 다름. 어떤 종류 전체에 걸치지 아니하고 부분에 한정됨
예 특수 제작된 등산화, 특수 가공 처리된 천

반 특별
보통과 구별되게 다름
예 특별 대우, 특별 기획

예술

영화 속 소리에 귀 기울이면

☑ 핵심어를 찾아보자.

☑ 문단별 중심 내용에 밑줄을 그어 보자.

☑ 핵심 내용을 구조적으로 재 배열해 보자.

● **표현주의**: 객관적인 사실보다 사물이나 사건에 의하여 야기되는 주관적인 감정과 반응을 표현하는 데에 중점을 두는 예술 사조

● **형식주의**: 사물의 내용적 측면을 경시하고 형식적 측면을 중시하는 태도

● **장르**: 문예 양식의 갈래

| 전국연합 기출 |

가 유성 영화가 등장했던 1920년대 후반에 유럽의 ˚표현주의 또는 ˚형식주의 영화감독들은 영화 속의 소리에 대한 부정적인 ㉠견해가 컸다. 그들은 가장 영화다운 장면은 소리 없이 움직이는 그림으로만 이루어진 장면이라고 믿었다. 그래서 그들은 영화 속 소리가 시각 매체인 영화의 예술적 효과와 영화적 상상력을 빼앗을 것이라고 내다보았다. 하지만 영화를 볼 때 소리를 없앤다면 어떤 느낌이 들까? 아마 영화를 통해 전달하고자 하는 내용이나 구현하고자 하는 분위기, 인물의 심리 등을 파악하기 힘들 것이다. 이런 점을 ㉡고려할 때 영화 속 소리는 영상과 분리해서 생각할 수 없는 필수 요소라고 할 수 있다. 소리는 영상 못지않게 다양한 기능이 있기 때문에 현대 영화감독들은 영화 속 소리를 적극적으로 활용하고 있다.

나 영화의 소리는 크게 대사, 음향 효과, 음악으로 나뉘며, 경우에 따라 대사가 중요할 수도 있고 대사가 없는 부분을 음악이 중요하게 채울 수도 있다. 이러한 소리들이 영화라는 매체에서 재생될 때에는 어떤 소리든 그에 맞는 다양한 기능을 ㉢수행한다. 우선, 영화 속 소리는 다른 예술 ˚장르의 표현 수단보다 더 구체적이고 분명하게 내용을 전달하는 데 도움을 줄 수 있다. 그리고 줄거리 전개에 도움을 주거나 작품의 상징적 의미를 전달하는 역할뿐만 아니라 주제 의식을 강조하는 역할을 하기도 한다. 또 영상에 현실감을 줄 수 있으며, 영상의 시·공간적 배경을 확인시켜 주는 역할도 한다. 가령 현대인의 일상적인 삶을 표현하기 위해 영화 속 소리로 일상생활의 소음을 사용한다면 영상의 사실성을 높일 수 있다.

다 또한 영화 속 소리는 영화의 분위기를 ㉣조성하고 인물의 내면 심리도 표현할 수 있다. 예를 들어 소리는 높낮이와 빠르기에 따라 장면의 분위기나 인물의 내면 심리를 표현하는 데 큰 영향을 미친다. 높은 소리는 대개 불안감이나 긴박감을 자아낼 때 사용하며, 낮은 소리는 두려움이나 장엄함 등을 표현할 때 사용한다. 그리고 소리가 빨라질수록 긴장감은 점점 ㉤고조되고, 반대로 소리가 느려지면 여유롭고 부드러운 분위기가 연출된다.

라 마지막으로, 영화는 다른 시간과 장소에서 찍은 장면들을 연결하여 하나의 이야기를 만든다. 이때 영화 속 소리는 나열된 영상들을 한 편의 작품으로 완성시켜 주는 역할을 한다. 예를 들어 다큐멘터리에서 장면에 나타나지 않으면서 그 내용이나 줄거리를

장외(場外)에서 해설해 주는 내레이션은 각기 다른 시간과 장면에서 찍은 장면들을 자연스럽게 이어 붙임으로써 영상의 시·공간적 간격을 메워 줄 수 있다.

마 이와 같이 영화 속 소리는 작품 내에서 다양한 기능을 수행하기 때문에 영화의 예술적 상상력을 빼앗는 것이 아니라 오히려 더 풍부하게 해 준다. 그래서 현대 영화에서 소리를 빼고 작품을 완성한다는 것은 생각하기 어려운 일이 되었다.

사실적 사고

1 윗글의 중심 내용으로 가장 적절한 것은?

① 영화 속 소리의 역할   ② 영화 속 소리의 한계

③ 영화 속 소리의 편집 기법   ④ 영화 장르에 따른 소리의 종류

⑤ 영화에서 소리와 영상을 연결하는 방법

추론적 사고

수능형

2 윗글을 바탕으로 〈보기〉의 ㉮와 ㉯를 이해한 내용으로 가장 적절한 것은?

> 보기
>
> ㉮ 영화 「오발탄」에서 정신이 온전치 못한 '어머니'는 "가자!"라는 말을 계속해서 반복하고, 주인공도 영화 마지막에 "가자!"를 내뱉는다. 이 짧은 대사는 6·25 전쟁 이후 삶의 방향 감각을 상실한 채 살아가는 가족의 절망과 좌절을 표현한다.
>
> ㉯ 영화 「시민 케인」에서 케인과 그 부인이 식탁에 앉아 사랑의 말을 속삭이는 장면에서는 밝고 경쾌한 음악이 사용되지만, 둘의 사이가 벌어지면서부터는 대화도 간략해지고 음악 소리만 커진다. 그리고 갈등이 최고조일 때는 아예 대화가 없어지고 음악은 무겁게 가라앉는다.

① ㉮와 ㉯ 모두 영화 속 소리의 장단점을 확인할 수 있는 장면이군.

② ㉮와 ㉯ 모두 영상의 시각적 이미지가 주는 예술적 효과를 강조하는군.

③ ㉮는 소리의 반복, ㉯는 소리의 빠르기로 영상에 현실감을 부여하는군.

④ ㉮는 영상의 시간적 배경을, ㉯는 영상의 공간적 배경을 소리를 통해 보여 주는군.

⑤ ㉮는 작품의 주제 의식을 형성하는 데, ㉯는 인물의 내면 심리 변화를 드러내는 데 소리가 도움을 주는군.

어휘·어법

3 ㉠~㉤의 사전적 의미로 적절하지 <u>않은</u> 것은?

① ㉠: 어떤 사물이나 현상에 대한 자기의 의견이나 생각

② ㉡: 옛 자취를 돌이켜 생각함

③ ㉢: 생각하거나 계획한 대로 일을 해냄

④ ㉣: 분위기나 정세 따위를 만듦

⑤ ㉤: 사상이나 감정, 세력 따위가 한창 무르익거나 높아짐. 또는 그런 상태

1 이 글의 핵심 화제를 살펴보자.

영화 속 (   )에 대한 인식의 변화 및 소리의 다양한 (   )

2 각 문단별 중심 내용을 정리해 보자.

1문단   영화 속 소리에 대한 (   )의 변화

2문단   영화 속 소리의 (   )와 다양한 기능

3문단   (   ) 조성과 심리 표현에 활용되는 영화 속 소리

4문단   개별 (   )들을 하나로 연결하는 영화 속 소리

5문단   현대 영화에서 영화 속 소리의 (   )

3 핵심 내용을 구조화해 보자.

영화 속 소리	
영화 속 소리의 종류	대사, 음향 효과, 음악
영화 속 소리의 다양한 기능	• 구체적이고 분명한 ( ) 전달과 줄거리 전개에 도움을 줌 • 작품의 상징적인 의미 전달 및 ( ) 의식을 강조함 • 영상에 ( )을 주고 시·공간적 배경을 확인시켜 줌 • 영화의 ( )를 조성하고 인물의 내면 심리를 표현함 • 나열된 ( )들을 한 편의 작품으로 완성시킴
영화 속 소리의 중요성	유성 영화가 등장했던 초기의 우려와는 달리 영화의 예술적 ( ) 을 빼앗는 것이 아니라 더 풍부하게 해 영화의 중요한 요소가 됨

어휘력 테스트

1 다음 〈보기〉의 뜻을 참고하여 십자말풀이를 완성해 보자.

	❶		❷ 기
		❸	❹
❺		감	

보기

❶ 가로: 그 자리나 장면에서 느껴지는 기분
❷ 세로: 하는 구실이나 작용을 함. 또는 그런 것
❸ 가로: 어떤 내용이 구체적인 사실로 나타나게 함
❹ 세로: 현재 실제로 느껴지는 감정. 또는 현실처럼 느껴지는 감정
❺ 가로: 매우 다급하고 절박한 느낌

2 다음 단어를 활용하기에 적절한 문장을 찾아 바르게 연결해 보자.

❶ 고조되다 •

❷ 장엄하다 •

❸ 나열되다 •

• ㉠ 기록이 입력된 순서대로 (   ) 있었다.

• ㉡ 영국의 근위병들이 총을 어깨에 메고 행진하는 모습이 (   ) 보였다.

• ㉢ 9회 말 역전의 기미가 보이자 관중석의 열기가 점차 (   ) 갔다.

어휘·어법 확장

'자아내다'와 비슷한말

유발하다
어떤 것이 다른 일을 일어나게 하다.
예 이번에 새로 나온 그 광고는 소비자들의 구매 욕구를 <u>유발하였다</u>.

끄집어내다
어떤 판단이나 결론을 찾아내다.
예 그는 이 집과 저 집의 상반된 점을 명쾌하게 <u>끄집어내지는</u> 않았다.

자아내다
어떤 감정이나 생각, 웃음, 눈물 따위가 저절로 생기거나 나오도록 일으켜 내다.
예 높은 소리는 불안감이나 긴박감을 <u>자아낸다</u>.

뽑아내다
힘이나 능력, 기운 따위를 드러나게 하다.
예 이번 감독은 선수 능력을 최대치로 <u>뽑아내는</u> 사람이다.

불러일으키다
어떤 마음, 행동, 상태를 일어나게 하다.
예 학생들에게 과학 기술에 대한 관심을 <u>불러일으키는</u> 노력을 해야 한다.

예술 04
감정을 표현하는
아름다운 언어, 음악

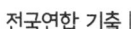

| 전국연합 기출 |

☑ 핵심어를 찾아보자.
☑ 문단별 중심 내용에 밑줄을
   그어 보자.
☑ 핵심 내용을 구조적으로 재
   배열해 보자.

가 옛날부터 사람들은 음악을 소리를 이용하여 무언가를 표현하는 언어에 비유하곤 했다. 그래서 '음악은 언어다'라는 말에 ⓐ담겨진 다양한 의미는 오랜 역사를 통해 여러 관점에서 연구되었다. 즉 언어가 사람들에게 어떤 내용을 전달하는 것처럼 음악도 무언가를 표현한다고 ⓑ여겼고, 이와 같은 점에서 특히 '음악은 감정을 표현하는 언어다'라는 측면이 부각되었다.

나 16세기 르네상스 시대에 들어서면서 고대 그리스 철학자들이 중시했던 음악의 도덕적·윤리적 작용보다는 음악이 지닌 감정적 효과에 관심을 가지기 시작했으며 이는 언어, 즉 가사를 통해 사람의 마음 상태나 사물 혹은 환경 등을 음악적으로 잘 묘사하려는 구체적인 시도들로 나타났다. 시인과 음악가들의 문예 모임인 피렌체의 카메라타는 고대 그리스 비극에서처럼 연극과 음악이 결합된 예술을 ⓒ지향했다. ㉠이를 위해서는 무엇보다 음악이 가사의 내용을 효과적으로 전달할 수 있어야 했다. 그러한 이유로 그들은 이전까지 통용되었던, 여러 성부가 동시에 서로 다른 리듬으로 노래하는 다성 음악 양식이 가사를 낭송하기에 적합하지 않다고 여겨 다성 음악 양식 대신 가사를 잘 전달할 수 있는 단선율 노래인 '모노디 양식'을 고안하게 된 것이다. 이는 르네상스 시대의 음악에서 가사와 그것이 나타내는 감정의 표현에 대한 관심이 증대되었음을 보여 주는 것이었다. 더불어 이러한 시도는 이후 바로크 시대 음악의 가장 중요한 장르인 오페라가 탄생하게 되는 데 영향을 주었다.

다 17세기 바로크 시대에 ⓓ이르러 음악이 감정을 표현한다는 생각은 '감정 이론'으로 체계화되었다. 이것은 우리의 마음 상태를 '기쁨', '분노', '비통함' 등의 단어로 표현하듯이, 특정한 정서가 그것을 연상시키는 음악적 요소인 음정, 화성, 선율, 리듬과 템포 등을 통해 재현될 수 있다고 믿는 것이었다. 여기서 중요한 점은 작곡자는 자기 감정을 드러내는 사람이기보다는 다른 사람의 감정을 그리는 화가에 비유될 수 있다는 것인데, 이때 음악에서 묘사되는 감정은 개인적이고 주관적인 감정이 아니라 공동체를 기반으로 한 유형화된 감정이었다.

라 그렇지만 17세기 '감정 이론'의 영향력은 점차 약화되어 18세기 중반에 이르렀을 때 감정 표현의 원리가 '서술 원리'에서 '표출 원리'로 변하였다. 이때의 감정은 체계화되거나 유형화된 객관적인 감정이 아니라 개개인의 내면에서 표출되는 주관적인 감정

● 성부: 다성 음악을 구성하는 각 부분. 소프라노·알토·테너·베이스 또는 고음부와 저음부, 주성부(主聲部)와 부차 성부 따위로 나누어진다.

● 화성: 일정한 법칙에 따른 화음의 연결

을 의미한다. 철학자 헤겔은 음악의 본질적 특성을 '주관적 내면성'으로 보았는데, 이것은 누구나 느낄 수 있는 객관적인 감정과는 달리 자신의 내면에서 나오는 추상적인 감정이기 때문에 규정할 수 없다고 보는 것이 적절하다는 생각이다. 바로 이러한 점 때문에 그는 가사를 가진 음악이 더 낫다고 생각했다. 즉 기악이 만들어 내는 추상성은 더 구체적이고 명료한 표상으로 ⓔ나아가기 위해 언어로 보완될 필요가 있었던 것이다.

---

1 윗글의 내용과 일치하지 않는 것은?

① 음악에는 인간의 감정이나 의사를 전달하는 기능이 있다.
② 내용 전달 목적의 노래에서는 다성 음악 양식이 효과적이다.
③ 고대 그리스 철학자들은 음악이 지닌 도덕적 기능을 중시하였다.
④ 르네상스 시대의 음악은 인간의 마음을 가사로 전달하고자 하였다.
⑤ 바로크 시대의 음악은 공동체를 기반으로 한 유형화된 감정을 묘사하였다.

수능형

2 ㉠과 다른 입장인 〈보기〉의 밑줄 친 부분을 뒷받침할 수 있는 내용으로 가장 적절한 것은?

보기

오페라의 레치타티보는 주인공의 감정을 충실히 전달하고자 하는 일종의 읊조림인데, 실상 레치타티보에서 음악은 시녀로 전락하고 만다. 이것은 감정 표현을 위한 언어가 음악과 합치하지 않고 오히려 음악을 방해하고 음악과 대립하게 된다는 사실을 보여 준다.

① 끊임없이 바뀌는 색채와 형체의 만화경처럼 음악의 음들은 끊임없이 스스로 변화, 발전하여 아름다운 음악적 형상과 음색을 만들어 낸다.
② 동백꽃은 향기가, 백합은 색깔이 없다. 장미는 이 둘이 모두 있지만 장미가 더 아름답다고 말할 수 없다. 모두가 저마다 아름답기 때문이다.
③ 언어를 위한 시처럼 감각을 위한 시가 있다. 우리에게 필요한 것은 감각을 위한 언어로 우리 안에 잠재해 있는 예술 감각을 일깨우는 일이다.
④ 춤이 감정과 생각을 몸동작과 표정으로 전달하기 위해 춤이 갖는 아름다운 율동성을 버릴수록, 형식은 없고 의미만 있는 팬터마임에 가까워진다.
⑤ 조화로운 구도의 사진이 우리의 눈을 즐겁게 하고, 마음을 기쁘게 한다. 따라서 우리는 조화의 법칙을 연구하여 완벽한 표현을 위한 특별한 것을 빌려 와야 한다.

3 윗글의 ⓐ~ⓔ와 같은 의미로 사용된 것은?

① ⓐ: 옥수수가 광주리에 담겨 있다.
② ⓑ: 얼핏 보니 아는 듯한 얼굴인데, 다시 여겨 살피니 그가 분명하다.
③ ⓒ: 등산복을 입은 사람이 목적한 산을 지향해 걸어갔다.
④ ⓓ: 아이에게 위험한 데서 놀지 말라고 일렀다.
⑤ ⓔ: 이것이 앞으로 우리 회사가 나아갈 방향입니다.

1 이 글의 핵심 화제를 살펴보자.

감정 표현의 관점에서 바라본 서양 (　　　　　) 이론의 변천 과정

2 각 문단별 중심 내용을 정리해 보자.

1문단 (　　　　　)을 표현하는 언어로서의 음악에 대한 관점

2문단 가사를 통해 감정을 표현하는 16세기 음악의 '(　　　　　) 양식'

3문단 공동체의 유형화된 감정을 표현하는 17세기 음악의 '(　　　　　) 이론'

4문단 개인의 주관적 내면 표현을 중시한 18세기 음악의 '(　　　　　) 원리'

3 핵심 내용을 구조화해 보자.

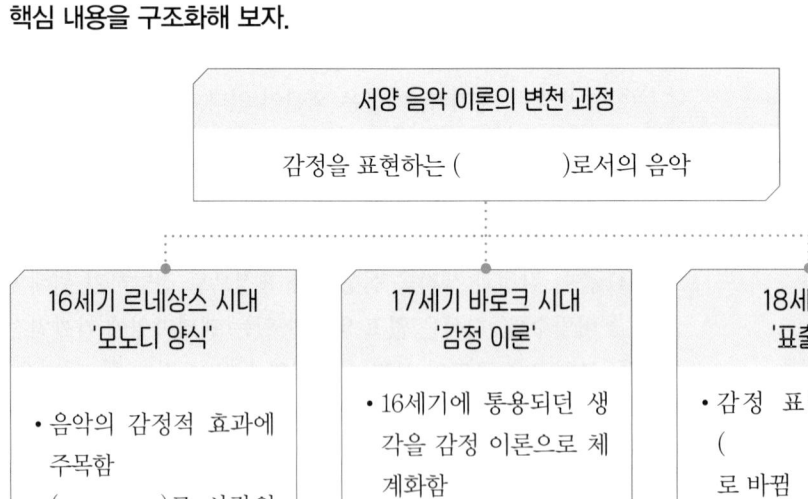

서양 음악 이론의 변천 과정

감정을 표현하는 (　　　　　)로서의 음악

16세기 르네상스 시대 '모노디 양식'

• 음악의 감정적 효과에 주목함
• (　　　　　)로 사람의 마음, 사물, 환경을 음악적으로 묘사하려 함
• 카메라타는 음악이 가사를 잘 전달할 수 있도록 (　　　　　)의 모노디 양식을 고안함

17세기 바로크 시대 '감정 이론'

• 16세기에 통용되던 생각을 감정 이론으로 체계화함
• 음정, 화성, 리듬 등을 통해 특정 (　　　　　)를 재현할 수 있다고 믿음
• (　　　　　)를 기반으로 한 유형화된 감정을 다룸

18세기 중반 '표출 원리'

• 감정 표현의 원리가 (　　　　　)에서 표출로 바뀜
• 개인의 내면에서 표출되는 주관적 감정을 다룸
• 헤겔은 음악의 본질을 주관적 (　　　　　)으로 보았으며, 기악보다 가사를 가진 음악에 더 가치를 둠

어휘 체크

어휘력 테스트

1 다음 단어의 뜻을 참고하여 끝말잇기를 완성해 보자.

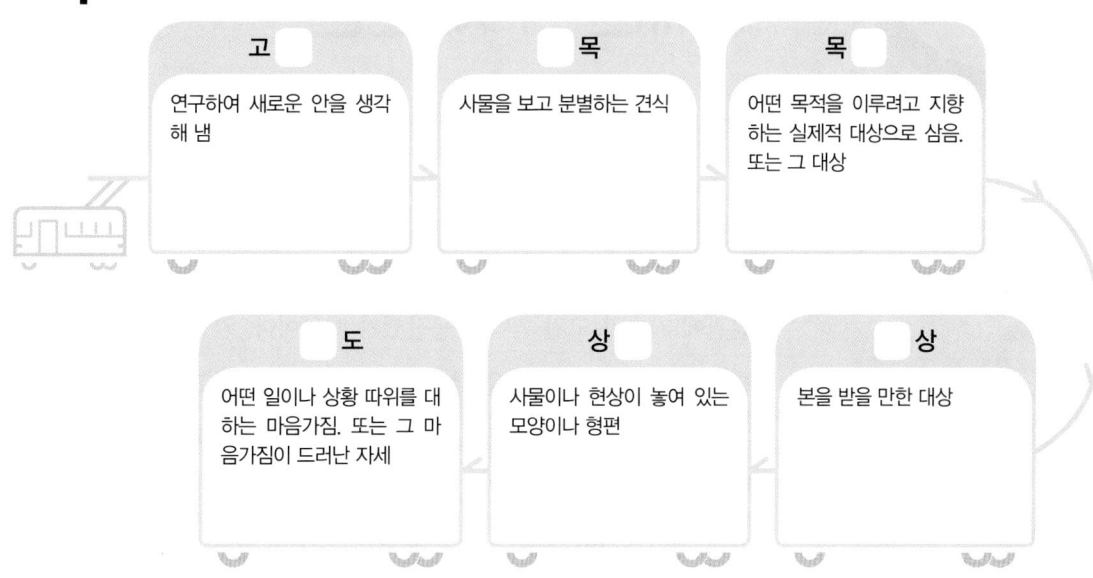

고 □	□ 목	목 □
연구하여 새로운 안을 생각해 냄	사물을 보고 분별하는 견식	어떤 목적을 이루려고 지향하는 실제적 대상으로 삼음. 또는 그 대상

□ 도	상 □	□ 상
어떤 일이나 상황 따위를 대하는 마음가짐. 또는 그 마음가짐이 드러난 자세	사물이나 현상이 놓여 있는 모양이나 형편	본을 받을 만한 대상

2 제시된 뜻과 예문을 참고하여 다음 초성에 해당하는 단어를 괄호 안에 써 보자.

(1) ㅂㅌ : 몹시 슬퍼서 마음이 아픔

　　예 아버지의 급작스러운 죽음에 온 가족이 (　　　　)에 빠졌다.

(2) ㅇㅎㅎ : 공통되는 성질이나 특징에 따라 몇 개의 전형적인 틀로 분류됨

　　예 환경 오염의 해결 방안을 생각할 때, 여러 현상을 (　　　　)한 다음 원인을 제거해야 한다.

어휘·어법 확장

'적합하다'와 '적절하다'의 구별

> 가사를 낭송하기에 **적합**하지 않다고~ / 추상적인 감정이기 때문에 규정할 수 없다고 보는 것이 **적절**하다는~

적합하다	VS	적절하다
일이나 조건 따위에 꼭 알맞다.		꼭 알맞다.

예 • 벼농사에 적합한 기후
　• 그 옷은 따뜻해서 겨울용으로 적합하다.

예 • 적절하고 효과적인 언어 사용
　• 친구를 때린 그의 행동은 적절하지 못했다.

'적합하다'와 '적절하다'는 모두 '꼭 알맞다.'라는 뜻을 내포하고 있어서 쓰임새가 확연히 구별되지는 않는다. 다만 '적합하다'는 '무엇이 무엇에(무엇을 하기에, 무엇으로) 적합하다.'와 같은 문형으로 주로 쓰이는 반면, '적절하다'는 '무엇이 적절하다.'와 같은 문형으로 주로 쓰인다는 차이가 있다.

☑ 핵심어를 찾아보자.
☑ 문단별 중심 내용에 밑줄을
   그어 보자.
☑ 핵심 내용을 구조적으로 재
   배열해 보자.

● **역학**: 물체의 운동에 관한 법칙
   을 연구하는 학문

● **통용될**: 일반적으로 두루 쓰이
   게 될

● **기술될**: 대상이나 과정의 내용
   과 특징이 있는 그대로 열거되
   거나 기록되어 서술될

● **수순**: 정하여진 기준에서 말하
   는 전후, 좌우, 상하 따위의 차
   례 관계

가 17세기에 서양의 과학과 기술이 동양을 앞설 수 있었던 것은 서양에서 기계론적 자연관에 기초한 고전˚역학이 등장했기 때문이다. 갈릴레이와 뉴턴으로 상징되는 고전 역학은 서양의 과학 혁명을 달성하는 주춧돌이 되었고, 아리스토텔레스의 자연관으로 상징되는 '질적인 자연관'에서 '양적인 자연관'ⓐ으로 혁명적인 변화를 야기했다.

나 아리스토텔레스에게 천상의 질서와 지상의 질서는 질적으로 다른 것이었다. 그는 천상의 질서에서만 수학 언어가˚통용될 수 있다고 보았으며, 지상의 질서에서는 일상 언어만이 적절하다고 보았다. 천문학이 수학 언어를 가지고 천상의 질서를 논하는 것이 었다면, 물리학은 일상 언어로 지상 사물의 운동을 논하는 것이라고 생각했기 때문이 다. 이와 같은 이유로 천문학과 물리학은 중세까지 별개의 학문 영역에서 연구되었다.

다 하지만 갈릴레이는 아리스토텔레스와 생각이 달랐다. 갈릴레이는 우주를 질적으 로 다른 여러 공간의 집합으로 이해하지 않고 하나의 동질적인 공간으로 이해하였다. 따라서 갈릴레이는 천문학과 물리학이 동일한 수학적 언어로˚기술될 수 있다고 보았다.

라 아리스토텔레스는 지상의 사물들에 대해 논할 때 목적론적 입장에서 접근했다. 목 적론적 입장은 지상의 사물들이 상호 교환 불가능한 자신만의 고유한 목적, 혹은 고유 한 성질을 가지고 있다고 보는 것이다. 만약 아리스토텔레스의 판단이 옳다면 과학자는 지상의 사물들을 질적으로 차이 나는 것들로밖에 다룰 수 없었을 것이다. 그런데 이와 같은 경우 천상이 아닌 지상의, 질적으로 서로 다른 사물들을 다루게 될 물리학은 수학 적 언어로 사물들의 법칙을 논할 수 없게 된다.

마 그래서 갈릴레이는 수학이란 기본적으로 질이 아니라 양을 다루는 학문이라는 점 에 주목하였고, 아리스토텔레스의 '목적론적 세계관'을 해체하는˚수순을 밟게 되었다. 해체된 목적론적 세계관 대신 출현한 것은 바로 수학에 입각한 '기계론적 자연관'이었 다. '기계론적 자연관'은 모든 사물과 자연 현상이 마치 하나의 기계인 것처럼 분석되고 수학적으로 설명될 수 있다는 신념 체계이다. 그래서 이 자연관은 자연 현상이 지닌 목 적을 논하지 않고, 오직 그것이 가진 기계론적 필연성에만 관심을 집중한다.

바 예를 들어 아리스토텔레스가 시계에 대해 논하게 된다면, 그는 시계가 인간에게 시간을 알려 주려는 목적을 가진 사물이라는 것에 관심을 기울일 것이다. 반면 갈릴레 이는 시계의 목적보다 시계는 어떤 부품으로 이루어져 있는 것인지, 그것들이 어떻게 연결되어 있기에 시침과 분침이 작동하게 되는 것인지에 관심을 기울일 것이다. 이처럼 사물의 기계론적 필연성에만 관심을 기울이는 갈릴레이의 기계론적 자연관은 아리스토텔레스를 중심으로 오랫동안 지속되어 왔던 과학과 기술에 대한 주류를 바꾸어 놓았다. 그리고 기계론적 자연관은 지상 사물의 운동과 자연 현상에 대한 연구에 수학적 언어를 사용할 수 없었던 기존의 제약에서 벗어나게 함으로써 서양의 과학 혁명을 촉발시켰고, 지금까지도 서양의 근대 과학과 기술이 지속적으로 발전할 수 있는 원동력이 되고 있다.

사실적 사고

1 윗글에 대한 이해로 적절하지 <u>않은</u> 것은?

① 아리스토텔레스는 수학 언어와 일상 언어는 질적으로 다른 것이라고 보았다.
② 17세기에 고전 역학이 등장하기 전까지는 동양의 과학 기술이 서양을 앞서 있었다.
③ 질적인 자연관으로 인해 중세까지는 천문학과 물리학을 별개의 학문 영역으로 보았다.
④ 갈릴레이는 천문학과 물리학을 모두 일상 언어로 기술할 수 있는 동일 학문으로 보았다.
⑤ 기계론적 자연관으로 인해 과학자들은 수학적 언어로 사물들의 법칙을 논할 수 있게 되었다.

비판적 사고

수능형

2 윗글을 참고할 때 〈보기〉의 ㉠이 윗글의 두 인물의 견해에 대해 보일 입장으로 적절하지 <u>않은</u> 것은?

보기

상고 시대에 ㉠<u>유부</u>라는 의사가 있었다. 그는 치료할 때 전통 동양 의학에서 주로 사용하는 탕약이나 침을 사용하지 않았다고 한다. 대신 피부를 가르고 살을 열어 막힌 맥을 통하게 하고 끊어진 힘줄을 잇고, 척수와 뇌수를 누르고 고황과 횡격막을 바로잡고, 장과 위를 씻어 내고 오장을 씻어 내어 정기를 다스리고, 신체를 바꾸어 놓았다고 한다.

① 모든 사물은 마치 하나의 기계처럼 분석이 되는 것이겠군.
② 수학이란 기본적으로 질이 아니라 양을 다루는 학문이겠군.
③ 사물들은 상호 교환 불가능한 고유한 성질을 가지고 있겠군.
④ 자연 현상이 지닌 목적보다는 그것이 지닌 필연성에 집중하는 것이 필요하겠군.
⑤ 우주를 여러 공간의 집합으로 보지 않고 하나의 동질적인 공간으로 이해해야겠군.

어휘·어법

3 ⓐ의 '으로'와 쓰임이 가장 가까운 것은?

① 흙으로 그릇을 만들다.
② 그는 계약직으로 이 일을 시작하였다.
③ 그렇게 얌전하던 학생이 말썽꾼으로 변했다.
④ 가난으로 말미암아 학교를 중간에 그만두었다.
⑤ 모든 가족들이 모이는 날짜를 이달 중순으로 정했다.

1 이 글의 핵심 화제를 살펴보자.

아리스토텔레스의 (   )과 갈릴레이의 (   )

2 각 문단별 중심 내용을 정리해 보자.

```
1문단  (                    )의 등장으로 시작된 서양 학문의 혁명적 변화
    ↓
2~3   (                    )의 질적인 자연관과 (          )의 양적인 자연관
문단
    ↓
4~5   아리스토텔레스의 (                    )과 갈릴레이의 (               )
문단
    ↓
6문단  기계론적 자연관이 서야의 근대 (          )과 기술 분야에 가지는 의의
```

3 핵심 내용을 구조화해 보자.

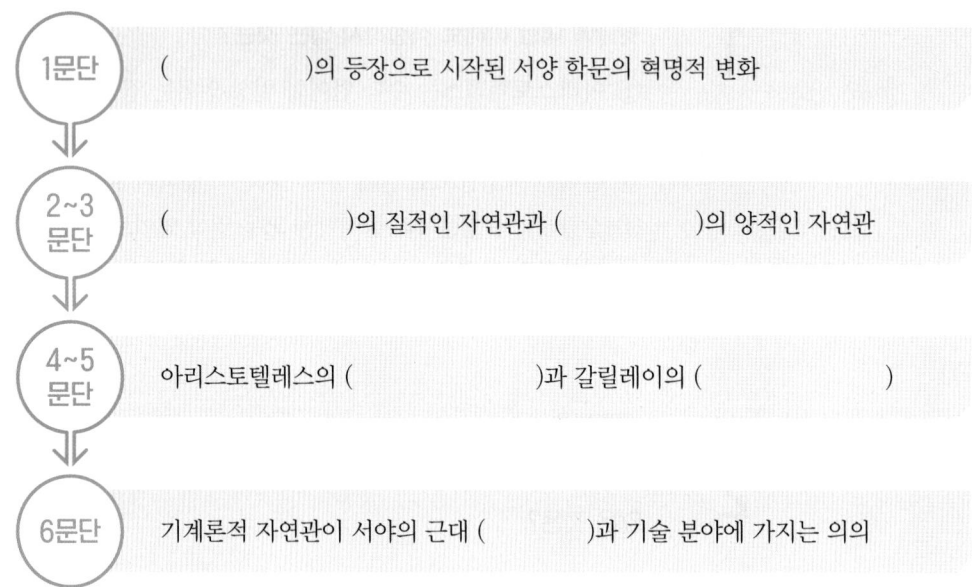

아리스토텔레스의 목적론적 세계관

• (   ) 자연관
• 천상의 질서와 지상의 질서를 질적으로 다르다고 이해하고 천상의 질서에서만 (   ) 언어를 사용하고, 지상의 질서에서는 (   ) 언어를 사용하는 것이 적절하다고 주장함 → 천문학과 물리학이 별개의 학문 영역에서 연구됨
• 지상의 사물들은 상호 교환 불가능한 자신만의 고유한 목적, 고유한 성질을 가지고 있다고 봄

↔

갈릴레이의 기계론적 자연관

• (   ) 자연관
• 우주를 하나의 동질적인 공간으로 이해하고 천문학과 물리학이 동일한 (   ) 언어로 기술될 수 있다고 주장함
• 모든 사물과 자연 현상이 마치 하나의 (   )인 것처럼 분석되고 수학적으로 설명될 수 있다는 신념 체계를 내세움
• 자연 현상이 지닌 (   )을 논하지 않고, 오직 그것이 가진 기계론적 필연성에만 관심을 집중함

어휘 체크

어휘력 테스트

1 다음 단어의 뜻을 참고하여 끝말잇기를 완성해 보자.

별☐	☐☐	☐각
관련성이 없이 서로 다름	자신과 직접적인 관계가 없는 일에 끼어듦	어떤 사실이나 주장 따위에 근거를 두어 그 입장에 섬

☐연	☐춫	☐각
예기치 못한 사이에 급히	기둥 밑에 기초로 받쳐 놓은 돌	본문의 어떤 부분의 뜻을 보충하거나 풀이한 글을 본문의 아래쪽에 따로 단 것

2 제시된 뜻과 예문을 참고하여 다음 초성에 해당하는 단어를 괄호 안에 써 보자.

(1) [ㅊㅂ]하다: 어떤 일을 당하여 감정, 충동 따위가 일어나다. 또는 그렇게 되게 하다.

　　예 그의 말은 오해를 (　　　　　)할 소지가 있었다.

(2) [ㅇㄷㄹ]: 어떤 움직임의 근본이 되는 힘

　　예 그의 연구는 우리나라 전기 발전의 (　　　　　)이 되었다.

어휘·어법 확장

'시간'과 '시각'의 구별

> 그는 시계가 인간에게 시간을 알려 주려는 목적을 가진 사물이라는 것에 관심을 기울일 것이다.

시간
- 어떤 시각에서 어떤 시각까지의 사이를 나타냄 예 영화를 보면서 시간을 보내다.
- 추상적인 의미에서 '때'의 흐름을 나타냄 예 시간이 해결해 줄 문제

시각
- 시간의 흐름에서 어느 한 때, 어느 한 순간 어느 한 시점을 가리킴 예 자정이 넘은 시각
- 초, 분, 시와 같은 단위에 의해 시간상 한 점을 콕 찍어서 가리킴 예 해 뜨는 시각

'시간'을 '선'이라고 본다면, '시각'은 '선' 안에 존재하는 하나의 '점'이라고 볼 수 있다. 따라서 '열차 도착 시각'과 같이 정확하게 어느 한 시점을 가리켜야 한다면 '시각'을, '연습 시간'과 같이 어떤 일에 필요한 일정한 길이의 동안을 나타내야 한다면 '시간'을 사용하는 것이 적절하다.

컴퓨터와 색상

융합

- ☑ 핵심어를 찾아보자.
- ☑ 문단별 중심 내용에 밑줄을 그어 보자.
- ☑ 핵심 내용을 구조적으로 재배열해 보자.

- ▶ 유채색: 색상, 명도, 채도를 가진 빛깔. 빨강, 노랑, 파랑과 이들이 섞인 색들로, 검정, 하양, 회색을 제외한 모든 색이다.

- ▶ 무채색: 색상이나 채도는 없고 명도의 차이만을 가지는 색. 검정, 하양, 회색을 이른다.

- ▶ 순색: 하양, 검정, 잿빛 따위가 섞이지 아니한 빛깔

- ▶ 비트: 정보량의 최소 기본 단위. 1비트는 이진수 체계(0, 1)의 한 자리로, 8비트는 1바이트이다.

- ▶ 조합하여: 약재나 물감, 안료 따위를 일정한 비율로 알맞게 섞어

가 색상, 명도, 채도를 색의 3요소라 한다. 색상이란 빨강, 노랑, 파랑 등으로 구분할 수 있는 색 자체의 독특한 성질을 말한다. 색상은 유채색에만 있고 무채색인 흰색과 검정을 ⓐ섞어도 달라지지 않는다. 명도는 색의 밝고 어두운 정도를 말하며 색상과는 관련이 없다. 색의 밝기는 빛을 얼마나 반사하느냐에 따라 달라지는데, 물체의 표면이 빛을 반사하면 명도값이 최대인 흰색으로, 빛을 흡수하면 명도값이 최저인 검정으로 보인다. 명도는 유채색과 무채색에 모두 있으며, 무채색인 흰색과 검정의 혼합 정도에 따라 달라진다. 채도는 색의 선명한 정도로 가시광선 중 특정 색상의 파장을 얼마나 반사하느냐에 따라 달라진다. 이는 유채색에만 있으며 순색에 가까울수록 높아지고 무채색인 회색을 섞을수록 낮아진다.

나 둘 이상의 색을 혼합하여 다른 색을 만드는 것을 색의 혼합이라 한다. 색의 혼합 방식에는 가산 혼합과 감산 혼합이 있다. 가산 혼합은 빨강, 초록, 파랑, 즉 빛의 삼원색에 의한 혼합 방식으로, 색을 섞을수록 명도가 높아진다. 예컨대 빨강과 초록을 섞으면 노랑, 초록과 파랑을 섞으면 밝은 파랑, 파랑과 빨강을 섞으면 밝은 자주가 되며, 삼원색을 100% 비율로 모두 섞으면 흰색이 된다. 반면 감산 혼합은 밝은 자주, 노랑, 밝은 파랑, 즉 물감의 삼원색에 의한 혼합 방식으로, 색을 섞을수록 명도가 낮아진다. 예컨대 밝은 자주와 노랑을 섞으면 빨강, 노랑과 밝은 파랑을 섞으면 초록, 밝은 파랑과 밝은 자주를 섞으면 파랑이 되며, 삼원색을 100% 비율로 모두 섞으면 검정에 가까운 무채색이 된다.

다 그렇다면 컴퓨터에서 색상은 어떻게 나타낼까? 컴퓨터의 정보는 0과 1로 표현되며 비트라는 단위로 처리되므로 색상도 이진법 코드에 의한 비트 정보로 나타낸다. 즉 8비트의 경우 256가지(2^8), 16비트의 경우 65,536가지(2^{16})의 색을 표현할 수 있다. 비트의 수가 늘어나면 표현할 수 있는 색은 더 많아지지만 그만큼 처리 속도가 느려진다. 이 중 컴퓨터의 운영 체제나 웹 브라우저의 종류와는 ⓑ상관없이 공통으로 사용되는 안전한 색상을 웹 안전색이라 한다. 웹 안전색은 유채색 210가지, 무채색 6가지로 모두 216색으로 ⓒ이루어져 있다.

라 ㉠웹 안전색은 빛의 삼원색인 빨강(R), 초록(G), 파랑(B)의 비율을 조합하여 나타낸다. 컴퓨터에서는 R, G, B를 각각 8비트로 표현하므로 웹에서 ⓓ나타낼 수 있는 색

의 수는 256×256×256인 1,677만 7,216가지가 된다. 그러나 이 경우 컴퓨터의 최소 사양인 8비트 시스템에서 표현 가능한 색의 수보다 많기 때문에 색이 왜곡될 수밖에 없다. 그래서 웹 안전색은 R, G, B 각각의 색을 '0%, 20%, 40%, 60%, 80%, 100%'의 6단계로 나누고 이를 조합하여 6×6×6인 216가지의 색을 만든다. 그러면 8비트 시스템에서도 색의 왜곡이 일어나지 않으므로 이를 안전한 색상이라고 칭한 것이다.

 R, G, B 각각의 색은 16진수 두 자리로 표시한다. 16진수는 10진수와 ⓔ차이가 나도록 10 대신 'A'를, 11 대신 'B',…15 대신 'F'를 사용한다. 이에 따라 웹 안전색에서 '0%, 20%, 40%, 60%, 80%, 100%'의 6단계 색 비율을 각각 '00, 33, 66, 99, CC, FF'로 표시하고 이를 조합하여 색의 값을 나타낸다. 이 경우 기호 '#'을 먼저 쓰고, R, G, B 각각의 색 비율에 해당하는 값을 이어 적는다.

사실적 사고

1

윗글을 통해 알 수 있는 내용이 아닌 것은?

① 무채색과 달리 유채색에는 색의 3요소가 모두 있다.
② 8비트 컴퓨터에서는 최대 256가지의 색을 왜곡 없이 표현할 수 있다.
③ 유채색에 흰색과 검정색을 섞으면 색상은 그대로지만 명도는 달라진다.
④ 웹 안전색은 비트의 수가 늘어날수록 표현할 수 있는 색도 계속 늘어난다.
⑤ 빛의 삼원색과 마찬가지로 물감의 삼원색을 100% 비율로 섞으면 무채색이 된다.

추론적 사고

[수능형]

2

㉠을 이해한 내용으로 적절하지 않은 것은?

① '#FFFFFF'는 무채색인 흰색을 나타낸다.
② '#FFFF00'는 '#FF0000'보다 명도가 더 높다.
③ '#FF3300'와 '#FF33FF'는 색상은 다르지만 명도는 같다.
④ '#FF00FF'는 밝은 자주, '#00FFFF'는 밝은 파랑을 나타낸다.
⑤ '#FF0000', '#00FF00', '#0000FF'는 빛의 삼원색에 해당한다.

어휘·어법

3

ⓐ~ⓔ를 바꾸어 쓴 말로 적절하지 않은 것은?

① ⓐ: 배합(配合)해도
② ⓑ: 무관(無關)하게
③ ⓒ: 조성(造成)되어
④ ⓓ: 구현(具顯)할
⑤ ⓔ: 구별(區別)되도록

1 이 글의 핵심 화제를 살펴보자.

색상의 원리와 (　　　　　)에서 색상을 나타내는 방법

2 각 문단별 중심 내용을 정리해 보자.

1문단 색의 (　　　　　)인 색상, 명도, 채도의 개념 및 특징

↓

2문단 색의 (　　　　　) 방식 – 가산 혼합과 감산 혼합

↓

3문단 (　　　　　)에서 색상을 표현하는 방법과 웹 안전색의 개념

↓

4~5 문단 (　　　　　)의 원리와 색의 값을 표시하는 방법

3 핵심 내용을 구조화해 보자.

색상의 원리	컴퓨터에서의 색상 표현 방법
• 색의 3요소 – 색상: 색 자체의 독특한 성질 – 명도: 색의 밝고 어두운 정도 – 채도: 색의 (　　　　　)한 정도 • 색의 혼합 방식 – (　　　　　) 혼합: 빛의 삼원색을 이용함. 색을 섞을수록 명도가 높아짐 – 감산 혼합: (　　　　　)의 삼원색을 이용함. 색을 섞을수록 명도가 낮아짐	• 이진법 코드에 의한 비트 정보로 나타냄 • 웹 안전색 – 컴퓨터의 운영 체제나 웹 브라우저의 종류와 상관없이 색이 (　　　　　)되지 않는 안전한 색상 – 빛의 삼원색(R, G, B) 각각을 (　　　　　)단계로 나누고 이를 조합하여 216가지 색을 만듦 – R, G, B 각각의 색은 16진수 두 자리로 표시하며, 기호 '(　　　　　)'을 쓴 이후 R, G, B 각각의 색 비율에 해당하는 값을 이어 적음

어휘 체크

어휘력 테스트

1 제시된 뜻과 예문을 참고하여 다음 초성에 해당하는 단어를 괄호 안에 써 보자.

(1) ㅁㄷ : 색의 밝고 어두운 정도. 색의 3요소 가운데 하나이다.

　　예 같은 색상이라도 (　　　　　)에 따라 색이 주는 느낌이 완전히 달라진다.

(2) ㅅㅅ : 하양, 검정, 잿빛 따위가 섞이지 아니한 빛깔

　　예 햇빛이 찬란한 잔디밭 위에 핀 꽃의 (　　　　　)은 눈이 부시게 눈을 찌르고 있었다.

2 다음 〈보기〉의 뜻을 참고하여 십자말풀이를 완성해 보자.

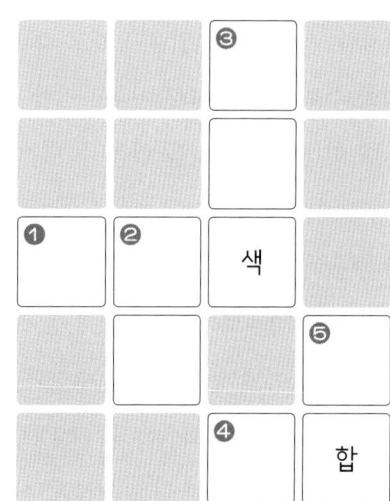

〈보기〉

❶ 가로: 색상, 명도, 채도를 가진 빛깔. 빨강, 노랑, 파랑과 이들이 섞인 색들이다.
❷ 세로: 색의 선명한 정도
❸ 세로: 색상이나 채도는 없고 명도의 차이만을 가지는 색. 검정, 하양, 회색을 이른다.
❹ 가로: 뒤섞어서 한데 합함. 두 가지 이상의 물질이 화학적인 결합을 하지 아니하고 섞이는 일
❺ 세로: 약재나 물감, 안료 따위를 일정한 비율로 알맞게 섞음

어휘·어법 확장

'율'과 '률', 어떻게 구분해야 할까?

삼원색을 100% 비율로 모두 섞으면 흰색이 된다.

한자어 '율/률(率, 律, 慄)'의 표기는 앞에 오는 말의 형태에 따라 달라진다. 즉 모음이나 'ㄴ' 받침 뒤에서는 '율'로 적지만, 그 외의 받침 뒤에서는 '률'로 적는다. 'ㄴ' 받침 뒤에서 '율'로 적는 이유는 발음 때문이다. 우리말에서 받침 'ㄴ'이 'ㄹ'을 만나면 'ㄴ'이 [ㄹ]로 소리가 바뀌므로 '진리(眞理)'는 [질리]로, '신라(新羅)'는 [실라]로 읽는다. 하지만 '분열(分列)'을 한자 본음대로 '분렬'로 적도록 놓아둔다면, '불렬'이라고 발음해야 할 테지만 아무도 그렇게 발음하지는 않는다. 그래서 한글 맞춤법에서

'ㄹ'로 시작하는 한자음 '렬, 률'이 모음이나 'ㄴ' 받침 뒤에 이어질 때에는 '열, 율'로 적도록 하고 있다는 규정을 둔 것이다. 그러므로 '열/렬(列/洌/劣/烈/裂)'도 모음이나 'ㄴ' 받침 뒤에서는 '열'을 쓰고, 그 외의 받침 뒤에서는 '렬'을 쓴다.

모음 뒤	비율(比率), 실패율(失敗率)	치열(熾烈), 우열(優劣)
'ㄴ' 받침 뒤	전율(戰慄), 백분율(百分率)	선열(先烈), 균열(龜裂)
그 외	법률(法律), 합격률(合格率)	극렬(極烈), 행렬(行列)

화학의 '중화'와 경제학의 '균형'

가 산성과 염기성을 표시할 때는 수소 이온 농도 지수, 즉 pH값을 쓴다. pH값은 0에서 14까지 분포하는데, 숫자가 낮을수록 강한 산성, 높을수록 강한 염기성에 해당한다. 우리가 흔히 °양잿물이라고 부르는 수산화 나트륨(NaOH)은 pH값이 13으로 강한 염기성을 띤다. 수산화 나트륨은 비누, 세제, 표백제 등 일상생활 속 다양한 물품들에 함유되어 있는 유용한 물질이지만, 사람이 먹으면 사망하고 피부에 닿으면 상처가 나는 독극물이다. 반면 염산, 즉 염화 수소(HCl)는 pH값이 1로 강한 산성을 띤다. 염화 수소도 먹으면 위험하고, 인체에 닿으면 끔찍한 화상을 입을 수 있기 때문에 취급에 주의해야 하는 물질이다.

나 만약 수산화 나트륨 수용액에 염화 수소 수용액을 섞으면 어떻게 될까? 염화 수소와 수산화 나트륨을 1대1의 혼합 비율로 섞으면 pH 7.0, 즉 중성인 물이 된다. 이 혼합물을 끓이면 흰 °결정이 생기는데 이는 염화 수소도 수산화 나트륨도 아닌 소금이다. 염화 수소(HCl)는 H^+와 Cl^- 이온으로, 수산화 나트륨(NaOH)은 Na^+와 OH^- 이온으로 분해되는데, 여기서 Na^+는 Cl^-와 결합해 염화 나트륨(NaCl) 즉 소금이 되고, OH^-는 남은 H^+와 결합해 물(H_2O)로 남는 것이다. 이처럼 상반된 성질을 가진 두 물질을 섞었을 때 중간 성질을 띠거나 본래 성질을 잃는 화학 현상을 ⓐ'중화'라고 한다.

다 그런데 이런 현상은 자연계만이 아니라 인간 사회에도 존재한다. 정치에서 상반된 지향을 지닌 여당과 야당이 조화를 시도하는 일, 사회적 쟁점에서 찬반 양측이 타협점을 찾아내는 일도 염화 수소와 수산화 나트륨의 중화 같은 것일 수 있다는 말이다.

[A] 그런 관점에서 보자면 경제학에서 가리키는 '균형'도 이와 유사한 개념이라고 할 수 있다. 같은 무게의 두 물체를 °천칭 양쪽에 놓으면 눈금이 움직이지 않듯이 수요량과 공급량이 맞아떨어지는 지점이 '균형 거래량'이고, 그때의 가격이 '균형 가격'이 된다. 공급자는 더 비싼 가격에 팔고 싶고, 수요자는 더 싼 가격에 사고 싶게 마련이다. 하지만 서로 가격이 맞지 않으면 거래가 성립될 수 없다. 따라서 공급자는 자신이 팔 수 있는 최저 가격 이하로는 팔지 않을 것이고, 수요자는 자신이 지불할 수 있는 최고 가격 이상으로는 사지 않을 것이다. 양쪽의 최저 가격과 최고 가격이 맞아떨어져 거래가 이뤄질 때 균형 가격이 성립되며, 갑작스러운 공급량 또는 수요량의 변화가 없다면 이 균형 가격은 그대로 유지된다.

- ° **양잿물**: 서양에서 받아들인 잿물이라는 뜻으로, 빨래하는 데 쓰이는 수산화 나트륨을 이르는 말
- ° **결정**: 원자, 이온, 분자 따위가 규칙적으로 일정한 법칙에 따라 배열되고, 외형도 대칭 관계에 있는 몇 개의 평면으로 둘러싸여 규칙 바른 형체를 이룸. 또는 그런 물질
- ° **천칭**: 저울의 하나

라 그러나 어떤 요인에 의해 수요나 공급에 변화가 오면 균형점이 이동하는 과정에서 거래량과 가격이 변화하게 된다. 예를 들어 어떤 상품이 건강에 좋다는 연구 결과가 알려져 수요가 폭증한다거나 생산 공장의 파업으로 상품의 공급이 급격히 줄어들면, 이전의 균형 거래량과 균형 가격도 변화하면서 새로운 균형점을 찾아가게 되는 것이다.

사실적 사고

1 윗글에 대한 설명으로 가장 적절한 것은?

① 두 이론의 장단점을 비교한 뒤에 새로운 대안을 도출하고 있다.
② 특정 개념이 시대의 흐름에 따라 변화해 온 과정을 추적하고 있다.
③ 예상되는 반론을 언급하고 이를 재반박하면서 주장을 강화하고 있다.
④ 상반된 견해를 지닌 학자들의 이론을 소개하며 차이를 부각하고 있다.
⑤ 서로 다른 분야에서 발견할 수 있는 유사한 현상에 대해 설명하고 있다.

추론적 사고

수능형

2 [A]를 읽고 〈보기〉에 대해 이해한 내용으로 적절하지 <u>않은</u> 것은?

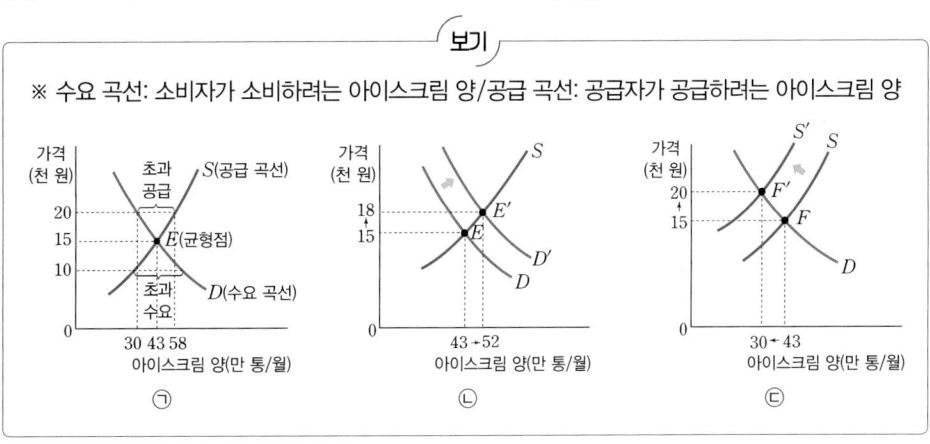

보기

※ 수요 곡선: 소비자가 소비하려는 아이스크림 양/공급 곡선: 공급자가 공급하려는 아이스크림 양

① ㉠: 수요량과 공급량에 변화만 없다면 균형 거래량은 월 43만 통으로 유지되겠군.
② ㉠: 아이스크림 공급자는 1통당 1만 5천 원보다 낮은 가격에는 팔지 않으려 했겠군.
③ ㉡: 아이스크림에 대한 수요 증가로 균형 가격과 균형 거래량이 상승한 것이겠군.
④ ㉢: 아이스크림의 공급 감소로 균형 가격과 균형 거래량이 하락한 것이겠군.
⑤ ㉠~㉢: 두 곡선의 모양이 서로 반대인 이유는 공급자는 아이스크림을 더 비싼 가격에 팔고 싶고, 수요자는 더 싼 가격에 사고 싶은 것과 관련이 있겠군.

어휘 • 어법

3 ⓐ와 가장 가까운 뜻으로 쓰인 것은?

① 화창한 날씨에 중화가 만발했다.
② 중화를 마치고 다시 길을 떠났다.
③ 그 사람에게 중화의 덕이 느껴졌다.
④ 조선은 중화의 속방이 되어 수모를 겪었다.
⑤ 미용실에서는 염기성의 파마 약을 중화하기 위해 산성의 약품을 사용한다.

1 이 글의 핵심 화제를 살펴보자.

'(   )'라는 화학의 개념과 '(   )'이라는 경제학의 개념이 지닌 (   )

2 각 문단별 중심 내용을 정리해 보자.

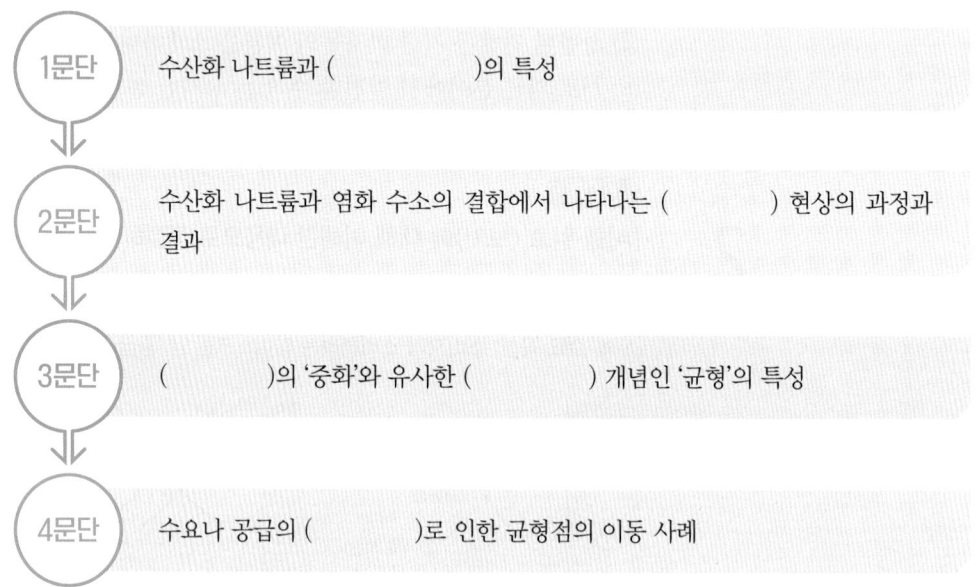

1문단   수산화 나트륨과 (   )의 특성

2문단   수산화 나트륨과 염화 수소의 결합에서 나타나는 (   ) 현상의 과정과 결과

3문단   (   )의 '중화'와 유사한 (   ) 개념인 '균형'의 특성

4문단   수요나 공급의 (   )로 인한 균형점의 이동 사례

3 핵심 내용을 구조화해 보자.

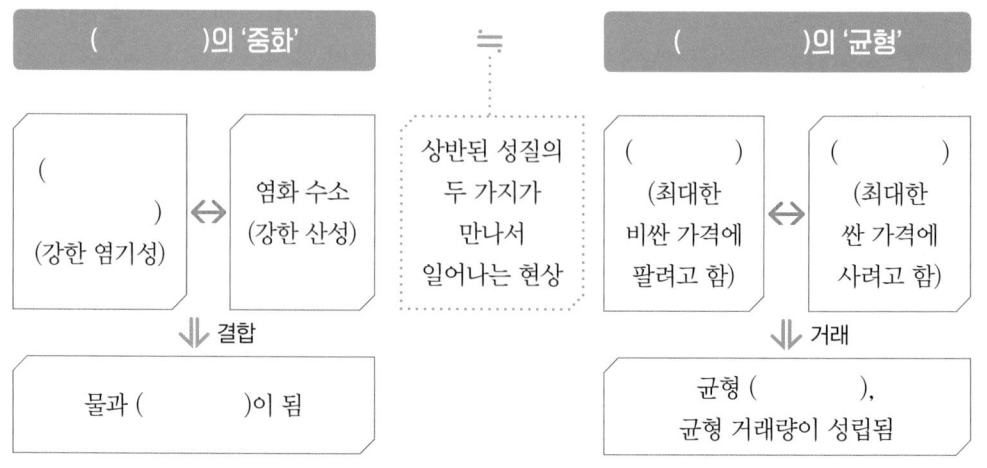

(   )의 '중화' ≒ (   )의 '균형'

(   ) (강한 염기성) ↔ 염화 수소 (강한 산성)

상반된 성질의 두 가지가 만나서 일어나는 현상

(   ) (최대한 비싼 가격에 팔려고 함) ↔ (   ) (최대한 싼 가격에 사려고 함)

↓ 결합

↓ 거래

물과 (   )이 됨

균형 (   ), 균형 거래량이 성립됨

어휘력 테스트

1 다음 단어를 활용하기에 적절한 문장을 찾아 바르게 연결해 보자.

❶ 성립되다 •
❷ 타협점 •
❸ 폭증하다 •

• ㉠ 두 사람 사이의 저작권 양도 계약이 (   ).

• ㉡ 양측의 입장이 너무 확고해서 (   )을 찾을 수가 없다.

• ㉢ 민원이 (   ) 담당자가 모든 업무를 처리하기에는 무리가 있었다.

2 다음 〈보기〉의 뜻을 참고하여 십자말풀이를 완성해 보자.

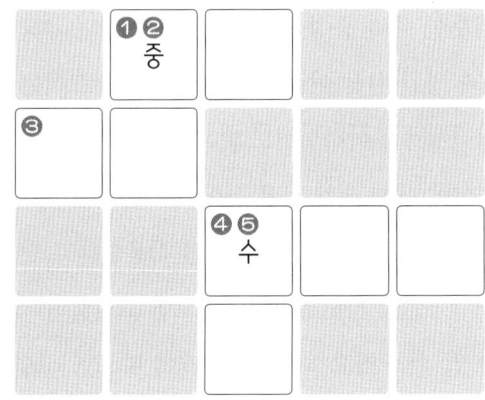

보기

❶ 가로: 서로 반대되는 두 성질의 어느 쪽도 아닌 중간적 성질
❷ 세로: 서로 성질이 다른 물질이 융합하여 각각 그 특징이나 작용을 잃음. 또는 그런 일
❸ 가로: 서로 잘 어울림
❹ 가로: 용매가 물인 용액
❺ 세로: 어떤 재화나 용역을 일정한 가격으로 사려고 하는 욕구

어휘·어법 확장

'–기/–게 마련이다'의 사용

> 공급자는 더 비싼 가격에 팔고 싶고, 수요자는 더 싼 가격에 사고 <u>싶게 마련이다</u>.

'–기 마련이다.'와 '–게 마련이다.'는 두 표현 중 올바른 표현을 선택하여 사용해야 한다고 여기는 사람들이 많다. 그런데 실제로 두 표현은 별다른 구분 없이, 같은 의미(당연히 그럴 것임을 나타냄)를 표현할 때 쓰인다. 또한 두 표현 모두 올바른 표현으로 인정된다.

두 표현 중 올바른 표현이 있을 것이라고 여기는 이유는 '–하기(O) 나름이다', '–하게(X) 나름이다'와 같은 경우에는 '–하기'만 사용할 수 있기 때문이다. '–기'는 '명사+이다'와 통합하여 특별한 의미 없이 어떤 것을 지정하는 기능을 가지고 있다. 그러나 '–게'는 '–게+용언'의 형태로 의미상 동작의 목표나 상태의 기준을 나타내는 특성을 가지고 있다. 따라서 동작성이나 상태성을 전제로 하는 '–게'와 단순히 지정하는 기능을 가지는 '명사+이다'는 서로 어울리기 어려울 수밖에 없다. 그러나 예외적으로 '마련'의 경우에는 두 가지 경우를 모두 허용하고 있으므로 함께 사용하여도 된다.

04 색이 우리에게 미치는 영향

| 전국연합 기출 |

☑ 핵심어를 찾아보자.
☑ 문단별 중심 내용에 밑줄을 그어 보자.
☑ 핵심 내용을 구조적으로 재배열해 보자.

가 유치원생들 앞에 빨간색 세모와 초록색 원이 그려진 큰 깃발을 세우고 선생님이 빨간색 원 그림을 보이며 이와 같은 깃발 아래 모이라고 말했다. 어린이들은 과연 어디로 갈까. 놀랍게도 어린이들은 별다른 고민 없이 빨간색 세모로 몰려든다. 이 실험은 어린이들이 형태보다 색을 우선적으로 인지한다는 사실을 알려 준다.

나 그렇다면 어린이들이 가장 선호하는 색은 무엇일까? 실험 결과에 따르면 가장 좋아하는 색은 빨강이며, 그다음으로 노랑, 핑크, 보라, 주황 순이었다. 주로 차가운 느낌이 들지 않는 따뜻한 색과 중성색계가 상위에 꼽혔다. 따라서 어린이들이 거부감을 많이 느끼는 소아과 병원이나, 어린이들을 주 고객으로 하는 상업 공간은 빨강, 노랑, 핑크, 주황처럼 어린이가 좋아하면서도 밝은 느낌을 주는 색을 칠하는 것이 좋다.

다 이 같은 영향에 대해 색채 응용 분야의 이론가인 파버 비렌은 색이 단순히 심리적인 차원을 넘어 인체에 생물학적으로 직접 작용한다고 말했다. 예를 들어 평상시에는 혈압이 정상인데, 병원에 가서 혈압을 재 보면 고혈압인 사람들이 있다. 이런 사람들을 '백의(白衣) 고혈압 환자'라고 하는데, 통계에 따르면 고혈압으로 분류되는 환자의 약 30%가 이 경우에 해당한다. 정상 혈압인 사람이 병원에만 가면 혈압이 걷잡을 수 없이 오르는 이유는 의사나 간호사가 자신의 혈압을 재는 행위를 보고 너무 긴장하기 때문이다. 주목할 만한 것은 이 같은 증상의 주된 이유가 의사나 간호사, 혹은 병에 대한 막연한 두려움 때문이 아니라 병원 어디서나 흔히 볼 수 있는 흰색 가운 때문이라는 사실이다.

라 또한 시신경에서 흡수된 색이 자율 신경계에도 영향을 준다는 사실이 밝혀졌다. 자율 신경계는 소화, 호흡, 땀 분비, 심장 박동처럼 의식적으로 제어할 수 없는 몸의 움직임을 관장한다. 미국의 한 대학에서 다음의 실험을 했다. 교도소 안에 통제하기 어려운 수감자들을 위해 '핑크색 감방'을 설치하고, 수감자가 규율을 어기거나 공격적 행동을 할 때 적어도 30분 동안 이곳에 있게 했다. 10여 분이 지나자 수감자의 적대감, 공격적 행동, 일반적 폭력 성향이 약화됐다. 이 실험의 연구팀은 핑크색이 자율 신경계에 영향을 미쳐 심장 박동의 급격한 상승을 억제했고, 사람의 에너지를 서서히 약화시키는 작용을 했다고 설명했다.

마 2002년 국내 방송사의 다큐멘터리 프로그램에서 실시한 실험 결과도 주목할 만하다. 여러 색에 노출된 피실험자들의 뇌를 컴퓨터 단층 촬영(CT)을 했더니, 파란색 계열

◐ 시신경: 둘째 머릿골 신경으로, 눈의 망막이 받은 빛의 자극을 뇌로 전달하는 신경

◐ 관장한다: 일을 맡아서 주관한다.

● **두정엽**: 대뇌 반구의 가운데 꼭 대기. 피부·심부 감각과 미각의 중추가 있고, 그 뒤쪽에는 지각·인지·판단 따위에 관한 연합 구역이 있다.

에 노출된 사람은 기억력을 활성화하는 두정엽의 움직임이 활발해졌다고 한다. 또한 2009년 영국에서 성인 1,000명을 대상으로 한 실험에서 파란색을 본 사람은 심장 박동 수와 땀 분비량이 줄어 몸이 편안해지는 진정 작용이 ⓐ일어났다고 한다.

🐝 이처럼 색이 사람에게 미치는 영향은 다양한 실험과 연구 결과를 통해 입증되고 있으며, 기업의 판매 전략이나 범죄 예방, 질병 치료 등에 중요한 요소로 활용되고 있다.

사실적 사고

1 윗글을 통해 알 수 있는 내용으로 적절하지 **않은** 것은?

① 색은 사람의 지적 기능에 영향을 미친다.
② 색을 통하여 심리적 안정을 얻을 수 있다.
③ 색을 통해 사람의 행동 변화를 유도할 수 있다.
④ 색은 어린이보다 어른에게 더 큰 영향을 미친다.
⑤ 어린이들은 형태보다 색에 더 민감하게 반응한다.

추론적 사고

2 수능형

윗글을 참고하여 〈보기〉의 집을 꾸미는 계획을 세운 내용으로 적절하지 **않은** 것은?

보기

⑦ 큰아들 방
ⓒ 막내 방
ⓒ 할아버지 방
ⓔ 거실
ⓜ 부부 침실

① ⑦: 고등학생이므로 학습에 도움이 되는 파란색 계열의 책상을 놓는다.
② ⓒ: 고혈압을 조심해야 할 연세이므로 백색 계열의 벽지나 가구는 피하도록 한다.
③ ⓒ: 유치원생이므로 어린이들이 선호하는 노랑이나 핑크색 침대를 놓는다.
④ ⓔ: 가족의 휴식 공간이므로 파란색 계열의 양탄자를 깔아 편안함을 연출한다.
⑤ ⓜ: 일찍 출근하는 맞벌이 부부이므로 편안히 숙면하도록 붉은색 조명을 설치한다.

어휘·어법

3 문맥상 의미가 ⓐ와 가장 가까운 것은?

① 그만 자고 어서 일어나 학교에 가거라.
② 꺼져 가던 불꽃이 다시 일어나고 있었다.
③ 게임을 하던 동생은 엄마가 부르자 벌떡 일어났다.
④ 감기로 오한과 두통이 일어나 내내 잠을 잘 수밖에 없었다.
⑤ 학생들은 학생회에서 교복 자율화에 대한 문제를 들고 일어났다.

독해
체크

1 이 글의 핵심 화제를 살펴보자.

인간의 (   )와 (   ) 반응에 영향을 미치는 색

2 각 문단별 중심 내용을 정리해 보자.

1문단 — 형태보다 (   )을 우선적으로 인지하는 어린이들

2문단 — 어린이들의 (   ) 색상과 그것의 활용법

3문단 — 인체의 (   ) 반응에 영향을 주는 색

4문단 — 사람의 (   )에 영향을 주는 색

5문단 — (   ) 활성화와 진정 작용에 영향을 주는 파란색 계열의 색

6문단 — 다양한 분야에서 중요 요소로 (   )되는 색

3 핵심 내용을 구조화해 보자.

색의 영향력

• 인간의 심리뿐만 아니라 신체에 직접 작용함
• 기업의 판매 전략, 범죄 예방, (   ) 치료 등과 같은 다양한 분야에서 중요한 요소로 활용됨

심리적 영향
• 어린이들의 선호 색상: 빨강, (   ), 핑크, 보라, 주황의 순으로 나타남 → 따뜻하고 밝은 느낌을 주는 색을 어린이 이용 공간에 활용하면 좋음

신체적 영향
• (   ) 고혈압 환자: 병원에서 보는 흰색 가운의 영향으로 혈압이 높아짐
• (   ) 감방: 수감자의 자율 신경계에 영향을 미쳐 심장 박동의 급격한 상승을 억제하고 에너지를 약화시킴
• 파란색 계열: 사람의 기억력을 활성화하고, (   ) 작용을 함

어휘 체크 — 어휘력 테스트

1 다음 단어의 뜻을 참고하여 끝말잇기를 완성해 보자.

형☐
어떠한 구조나 전체를 이루고 있는 구성체가 일정하게 갖추고 있는 모양

초☐
하늘과 땅이 생겨난 맨 처음

초자☐
자아가 원시적 욕구를 억제하고 도덕이나 양심에 따라 행동할 수 있게 하는 정신 요소

☐어
감정, 충동, 생각 따위를 막거나 누름

치료☐
병이나 상처 따위를 잘 다스려 낫게 하기 위하여 쓰는 약

☐치
열리는 부분의 상부 하중을 지탱하기 위하여 개구부에 걸쳐 놓은 곡선형 구조물

2 다음 단어를 활용하기에 적절한 문장을 찾아 바르게 연결해 보자.

❶ 관장하다 •

❷ 막연하다 •

❸ 선호하다 •

• ㉠ 사무실보다는 현장에서 직접 뛰기를 (　　　　) 젊은이들이 많아졌다.

• ㉡ 나는 (　　　　) 엄마를 이해할 것 같았다.

• ㉢ 그는 오랫동안 학교의 모든 행사를 (　　　　) 오고 있다.

어휘·어법 확장

'걷잡다'와 '겉잡다'의 차이

> 정상 혈압인 사람이 병원에만 가면 혈압이 <u>걷잡을 수 없이</u> 오르는 이유는~

'걷잡다'와 '겉잡다'는 발음의 유사성 때문에 사람들이 혼동하여 쓰기도 한다. 두 단어는 다음과 같이 서로 다른 뜻을 지니고 있으므로 잘 구분해서 써야 한다.

걷잡다		겉잡다
【…을】((주로 '없다'와 함께 쓰여)) 「1」 한 방향으로 치우쳐 흘러가는 형세 따위를 붙들어 잡다. 　예 소문이 걷잡을 수 없이 퍼지다. 「2」 마음을 진정하거나 억제하다. 　예 눈물이 걷잡을 수 없이 흘렀다.		【…을】 겉으로 보고 대강 짐작하여 헤아리다. 예 • 겉잡아도 일주일은 걸릴 일을 하루 만에 다 하라고 하니 말이 안 된다. • 예산을 대충 겉잡아서 말하지 말고 잘 뽑아 보아야 한다.

3
단계

독해 성취도 평가

[01~04] 다음 글을 읽고, 물음에 답하시오.

가 성리학에서는 인간의 감정을 어떻게 다룰까? 맹자는 인간이 가지고 있는 다양한 감정이 발생하고 행동으로 나타나는 것을 사단 칠정(四端七情)으로 설명한다. 그는 네 가지 실마리라는 뜻의 사단을 바탕으로 삼아 인간은 날 때부터 착한 본성을 지녔다는 성선설을 주장하였다. 사단 가운데 맹자가 가장 중시한 것은 남의 어려움을 보았을 때 마음속에서 저절로 생겨나는 불쌍히 여기는 마음, 곧 측은지심(惻隱之心)이었다. 맹자는 아무것도 모르는 어린아이가 우물을 향해 기어가 막 물속에 빠지려는 것을 본다면 아무리 악한 사람이라도 자기도 모르는 사이에 깜짝 놀라 어쩔 줄 모르는 마음이 생긴다고 하였다. 그 마음의 결과가 위험을 무릅쓰고 아기를 구하는 행동으로 나타난다는 것이다.

나 맹자는 이 측은지심에다 자기 잘못을 부끄러워하고 남의 잘못을 미워하는 수오지심(羞惡之心), 남에게 양보하는 사양지심(辭讓之心), 옳고 그름을 따지려는 시비지심(是非之心)을 더하여 사단이라고 불렀다. 그리고 이 네 가지 실마리는 사람이라면 누구나 날 때부터 가지고 있는 것이기 때문에 만일 이 네 가지가 없다면 사람이 아니라고까지 하였다. 측은지심이 잘 발전하면 인(仁)이 되고, 수오지심이 잘 발전하면 의(義)가 되며, 사양지심이 잘 발전하면 예(禮)가 되고, 시비지심이 잘 발전하면 지(智)가 된다고 하였다. 그러니까 사단은 인의예지의 실마리인 셈이다.

다 칠정은 사단과는 차원이 다른 감정이다. 칠정이라는 표현이 처음 보이는 곳은 오경 가운데 하나인 『예기(禮記)』인데, 이 책에는 기뻐하거나 성내거나 슬퍼하거나 두려워하거나 사랑하거나 미워하거나 욕심내는 일곱 가지 감정은 사람들이 배우지 않고서도 저절로 그렇게 할 줄 아는 것이라고 하였다. 사실 사단이나 칠정은 누구에게나 있는 것이다. 다만 사단이 마음속에 있는 순수한 도덕적 감정이라서 그것이 밖으로 드러나기만 하면 언제든 선(善)으로 귀결되는 것이라면, 칠정은 밖으로 드러날 때 지나치거나 모자라면 그 결과가 악이 될 수도 있는 일반적인 감정인 셈이다.

라 사람에 따라서는 ㉠성리학에서 말하는 인간 본성과 감정을 ㉡서양 철학에서 말하는 이성과 감성처럼 이해하는 경우도 있다. 그러나 이러한 이해는 매우 위험한 생각이다. 서양 철학에서는 이성과 감성을 나누어 놓고 본다. 이 같은 생각은 칸트가 강조한 '순수 이성'이라는 표현에 잘 드러나 있다. 칸트가 말한 순수 이성은 감성과 완전히 분리된 순수한 이성만을 가리키는 개념이다. 그러나 성리학에서 말하는 본성과 감정은 다르다. 사람의 모든 감정은 본성에 근거한 것이며 그 본성이 밖으로 드러난 것이 감정일 뿐이다. 즉, 본성은 어떠한 감정이 일어나기 전의 모습인 것이다.

마 예를 들어, 우리가 아침에 눈을 막 뜬 상태나 고요히 명상에 잠긴 상태가 여기에 해당한다. 이러한 상태에서는 즐겁다거나 슬프다거나 하는 구체적인 감정이 없다. 그러나 식사를 하면서 맛있는 반찬을 대하거나 흥겨운 음악을 들으면 즐거운 감정이 ⓐ일어난다. 이런 구체적인 감정은 모두 본성에서 나온다. 실천적 윤리학의 성격을 갖는 성리학에서는 사람의 본성인 사단과는 달리 칠정은 선으로 나타나기도 하고 악으로 나타나기도 하므로 개인의 실천적 선택이 매우 중요하다고 본다.

● **오경(五經):** 유학의 다섯 가지 경서. 시경, 서경, 주역, 예기, 춘추가 있다.

01 윗글의 서술상 특징으로 적절하지 <u>않은</u> 것은?

① 인용을 통해 대상의 개념에 대한 이해를 돕고 있다.
② 특정한 상황에 이르는 과정을 단계적으로 보여 주고 있다.
③ 다른 대상과의 대조를 통해 대상의 특징을 부각시키고 있다.
④ 구체적인 사례를 들어 독자들이 이해하기 쉽게 설명하고 있다.
⑤ 묻고 답하는 방식을 통해 논제를 제시하고 이를 확장하고 있다.

02 윗글의 글쓴이가 〈보기〉에 대해 할 수 있는 말로 적절하지 않은 것은?

• 보기 •

기뻐하거나 성내거나 슬퍼하거나 즐거워하는 감정이 아직 밖으로 드러나지 않은 상태를 '중(中)'이라 하고, 그런 감정들이 드러나서 모두 절도에 들어맞는 상태를 '화(和)'라고 한다. '중'이란 세상의 큰 근본이고 '화'란 세상의 뛰어난 도(道)이다. 드러나기 전에는 중을 이루고 드러나서는 화를 이루는 상태가 완성되면 하늘과 땅이 제자리를 잡고 만물이 모두 제대로 자란다.

– 『중용(中庸)』

① 〈보기〉도 감정을 근본 상태로부터 드러나는 것으로 보고 있군.
② 〈보기〉의 '중'의 상태는 '사단'의 상태와 같다고 볼 수 있겠어.
③ 〈보기〉의 '화'는 성리학의 '칠정'의 개념과 일치한다고 볼 수 있겠어.
④ 〈보기〉를 '사단 칠정'에 대한 설명을 뒷받침하는 자료로 사용할 수 있겠군.
⑤ 〈보기〉의 마지막 문장은 '사단 칠정'이 선으로 귀결될 때와 연결할 수 있겠어.

03 ㉠과 ㉡의 성격을 바르게 정리한 것은?

	㉠	㉡
①	거시적	미시적
②	대립적	절충적
③	유동적	고정적
④	일회적	영구적
⑤	일원적	이원적

04 문맥상 의미가 ⓐ와 가장 가까운 것은?

① 기울었던 집안 형편이 다시 일어나다.
② 아침 일찍 일어나 할머니 댁에 가거라.
③ 조국의 독립을 위해 모두 들고 일어났다.
④ 그 물건을 가지고 싶은 욕망이 일어났다.
⑤ 어머니는 자리에 몸져누워 일어나지 못했다.

[05~08] 다음 글을 읽고, 물음에 답하시오.

㉮ 저금리가 유지되고 있는 우리 사회에서는 저축에 대한 사람들의 의식이 상당히 회의적이다. 물가가 오르기 때문에 저축하면 오히려 손해 보는 일이라는 인식까지도 형성되어 있다. 그러나 저축은 이자율을 보고 하는 것이 아니다. 물가가 올라 화폐의 구매력이 ㉠하락하더라도 저축은 필요한 경제적 행위이다. 경제학적으로 저축은 현재의 소비를 미래의 소비로 지연시키는 것이다. 즉, 미래를 위해 현재의 만족을 제한하는 것이다.

㉯ 지금보다 금융 시스템이 덜 발달했을 때 우리는 개인 신용 사용이 제한적이었기 때문에 목돈 나갈 일을 미리 예측하면서 살아야 했다. 예측에 따라 계획을 해야 했고 미래 재정 계획을 목표로 정하고, 달성하기 위해 소비는 예산을 통해 신중하게 이뤄졌다. 즉, 모든 일상이 일종의 프로젝트나 다름없었다. 과거의 월급날의 풍경을 상상해 보면서 이 일련의 프로젝트가 주는 행복감을 ㉡상기해 보자. 월급봉투를 들고 아이들의 옷을 사 주고 아이가 내년에 들어갈 고등학교 입학금도 마련해야 한다. 빠듯한 살림살이지만 매월 조금씩 떼서 모아 온 저축 통장을 들여다보면 왠지 마음이 뿌듯하다.

다 심리학자들은 사람이 행복해지려면 목표에 집중하라고 조언한다. 미국의 긍정 심리학자인 소냐 루보머스키는 목표를 강조하면서 "행복한 사람을 찾아보면 당신은 그들에게서 어떤 프로젝트를 발견하게 될 것이다."라는 말을 했다. 매월 생활비를 빠듯하게 조정하면서 현재의 소비를 미래의 소비로 지연시키는 경제적 의사 결정은 그 자체가 행복한 프로젝트가 된다. 이자율이 낮은 것은 행복한 프로젝트를 완성하기 위해 금융을 이용하는 비용으로 기꺼이 ⓒ지불되어도 되지 않을까.

라 게다가 물가 상승 때문에 저축이 손해라는 생각 자체도 이미 잘못된 생각이다. 물가가 언제나 오르기만 하는 것은 아니다. 전자 제품의 경우 신기술이 빠르게 개발되고 상용화되면서 가격이 오히려 금세 하락하는 경향이 있다. 현명한 소비자는 의도적으로 전자 제품의 소비를 ⓒ지연하기도 한다. 대체로 물가가 상승하는 품목은 식료품이나 생활을 위한 필수품이다. 이러한 소비 지출은 저축 이자율로 상쇄하려고 하기보다는 임금 상승으로 구매력 감소를 극복하는 것이 맞다.

마 뚜렷한 목표를 전제로 시작한 저축 통장이 매월 쌓이면서 미래의 경제적 목표를 달성하도록 플러스 변화가 이뤄질 것이란 상상만으로도 행복해진다. 심지어 심리학자들은 욕구가 실현되는 순간보다 욕구를 실현할 것이라 상상하는 시간이 더 행복하다고까지 말한다. 반대로 저축을 대신해 신용 카드로 목돈 지출을 하는 오늘날의 보편적인 소비 태도를 생각해 보자. 미래를 예측하고 예산을 세우며 신중한 소비를 해야 하는 불편은 없다. 우리는 미래의 가처분 소득을 끌어다 신용 카드를 편리하게 긁기만 하면 된다. 그러나 결국 월급날 대부분의 돈이 신용 카드 결제금으로 ⓜ상환되는 허탈한 경험을 반복해야 한다. 현재의 소비를 위해 미래를 희생시킨 셈이다. 돈에 늘 불안한 우리, 저축에 대해 금리 효용만 따질 것이 아니라 숨어 있는 심리적 효용 가치도 따져 봐야 할 것이다.

05 (가)~(마)에 대한 설명으로 적절하지 않은 것은?

① (가): 저축에 대한 잘못된 인식을 소개하고 저축의 올바른 의미를 제시하고 있다.
② (나): 예측 가능하고 계획적이었던 과거의 소비 생활을 상상을 통해 보여 주고 있다.
③ (다): 전문가의 말을 인용하여 저축의 긍정적인 측면을 부각하고 있다.
④ (라): 저축으로 인한 손실을 만회하는 방안에 대해 사례를 들어 설명하고 있다.
⑤ (마): 현재의 보편적인 소비 태도의 문제를 지적하고 인식의 변화를 촉구하고 있다.

06 윗글을 읽고 난 후 〈보기〉에 대해 나타낼 수 있는 반응으로 적절하지 않은 것은?

> • 보기 •
> 미국에서 한때 큰 인기를 끈 '크리스마스 저축 클럽'이라는 것이 있다. 크리스마스 때까지 1년간 매주 저축을 하는 은행 계좌로 크리스마스 전에는 찾을 수 없으며 이자는 전혀 없다. 그 상품을 자세히 따져 보면 매주 불입해야 하기 때문에 불편할뿐더러 이자율이 '0'이기 때문에 수익성에서도 매력이 없으며, 심지어 크리스마스 전에는 찾지 못하기 때문에 현금으로 활용하기도 어렵다.

① 이자율이 '0'이니 요즘 같으면 사람들이 이 저축 상품에 회의적인 반응을 보이겠어.
② 당시 사람들은 매주 저축을 하며 크리스마스를 기다리는 행복한 경험을 했겠군.
③ 적은 액수라도 어렵고 힘든 과정에서 한 저축이 더 큰 행복감을 맛보게 하는군.
④ 이 저축 가입자들은 당장의 욕구를 충족해야 하는 요즘 사람들과 많이 다르군.
⑤ 크리스마스에 쓸 목돈을 마련하겠다는 목표로 현재 소비를 지연시킨 사례군.

07 〈보기〉를 바탕으로 윗글의 글쓴이에게 제기할 만한 질문으로 가장 적절한 것은?

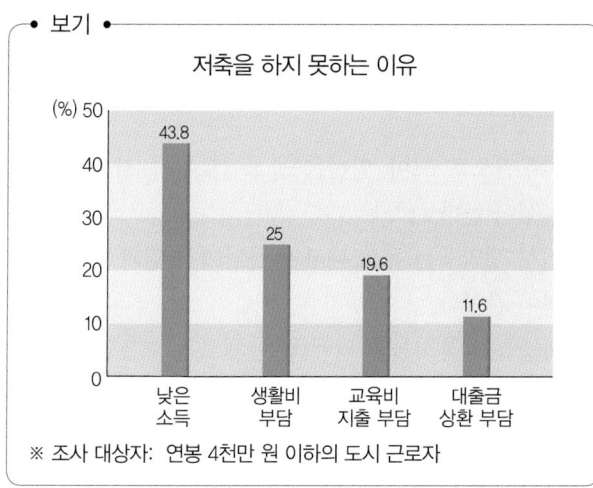

● 보기 ●

저축을 하지 못하는 이유

(%) 50

43.8 — 낮은 소득
25 — 생활비 부담
19.6 — 교육비 지출 부담
11.6 — 대출금 상환 부담

※ 조사 대상: 연봉 4천만 원 이하의 도시 근로자

① 계획적인 저축을 하려면 개인의 소비 상황부터 점검해 봐야 하지 않을까요?

② 저축에 회의적인 이유를 개인의 소득과 지출의 측면에서도 따져 봐야 하지 않을까요?

③ 지나치게 현재의 소비를 제한하는 것이 전반적인 경제 활동을 위축시키지는 않을까요?

④ 높은 금리를 주는 저축 상품으로 사람들의 소득을 늘리는 게 더 큰 행복을 주지 않을까요?

⑤ 저축을 하지 못하는 사람들에게 저축을 대신할 다른 금융 상품을 제공해야 하지 않을까요?

08 ㉠~㉤을 바꿔 쓴 말로 적절하지 <u>않은</u> 것은?

① ㉠: 떨어지더라도

② ㉡: 떠올려

③ ㉢: 치러도

④ ㉣: 늦추기도

⑤ ㉤: 맞바꿔지는

[09~12] 다음 글을 읽고, 물음에 답하시오.

㉮ 동물에게는 음식물을 섭취하는 '구멍'이 필수적으로 필요하다. 몸의 내부가 하나로 되어 있는 히드라와 같은 생물은 하나의 구멍이 입과 항문의 역할을 겸하고 있다. 우리의 먼 조상도 입과 항문의 역할을 하나의 구멍이 하고 있었다. 그러나 진화를 하면서 장이 몸의 반대쪽에 구멍을 만들고 두 구멍이 입과 항문이라는 '분업 체제'를 취하여 음식물이 한 방향으로 흐르게 되었다.

㉯ 포유류의 입이 지닌 가장 큰 특징은 씹을 수 있다는 점이다. 양서류나 파충류의 경우에는 콧구멍이 우리의 입천장에 해당하는 부분에 이어져 있으므로 음식물을 입에 넣은 채로는 호흡을 할 수 없기 때문에 기본적으로 음식물을 통째로 삼켜야 한다. 그러나 포유류는 진화에 의해 구강과 비강을 나누는 '이차 구개'라는 칸막이를 획득하여, 음식물을 입에 넣고도 호흡을 할 수 있게 되었다. 또한 포유류는 음식물을 씹음으로써 그것을 효율적으로 소화시킬 수 있게 된 것이다.

㉰ 그러나 인간으로 진화되는 과정에서 음식물을 씹는 기능은 점점 퇴화해 간다. 고릴라 등의 유인원과 사람의 옆얼굴을 비교해 보면 사람의 턱이 짧은 것을 알 수 있다. 사람의 경우에는 음식물을 만들 때 도구와 불을 이용하게 되면서 씹는 능력의 필요성이 줄어든 것이다. 다른 포유류의 주둥이가 앞으로 튀어나와 있는 데 반해 사람의 입 끝이 납작한 것은 이런 진화의 이유에서이다.

㉱ 반면 척추동물의 눈이 어떤 단계를 거쳐 진화하였는지는 아직도 수수께끼로 남아 있다. 척추동물의 조상에 가까운 형태를 지닌 창고기는 반투명의 몸속 중심 부근을 따라 빛을 느끼는 시세포가 분포하고 있다. 그러나 눈이라 할 만한 것은 없다. 그런데 무두류(無頭類)로부터 진화하였으리라 생각되는 무악류(無顎類)인 칠성장어에는 완전한 눈이 있어 양자 사이에 큰 비약이 있다. 창고기의 시세포와 칠성장어가 지닌 눈의 중간 단계를 채워 줄 진화 생물은 지금도 알려져 있지 않다. 마치 진화의 역사 속에 돌연, 완전한 눈이 나타난 것처럼도 보인다.

[A]

마 귀는 청각과 평형 감각을 담당하는 기관이다. 청각은 달팽이관, 평형 감각은 삼반규관과 전정이 담당하고 있으며 이들을 포함하는 귀의 안쪽을 내이라 부른다. 내이의 기원은 잘 알려져 있지 않지만, 현대의 어류에도 보이는 '측선'이라는 감각 기관을 그 기원으로 보는 경우가 많다. 여러 어류의 몸 측면에는 하나 또는 여러 개의 선이 뻗어 있는데 이것이 측선이며, 구멍 난 비늘이 선 모양으로 늘어서 있다. 비늘의 구멍 안쪽에는 털이 붙어 있는 감각 세포가 있는데 구멍으로부터 들어온 물은 이 세포에 붙어 있는 털을 흔들게 된다. 이 털의 흔들림을 통해 수류와 수압의 변화, 수중의 소리를 감지하는 것이 측선의 역할이다. 측선은 먹이가 있는 곳을 찾거나 안정적으로 헤엄치는 데 도움이 된다. 초기 척추동물의 두부(頭部)에 있었던 측선이 몸속으로 파고 들어 가 내이가 되었다는 것이 내이의 측선 기원설이다.

바 콧구멍이 원래 두 개였다고 단정 짓는 것은 잘못된 판단이다. 우리의 먼 조상은 콧구멍이 네 개나 있었다. 사람의 코는 냄새를 맡는 기관이며, 호흡하는 공기의 출입구이기도 하다. 코는 폐와 통해 있기 때문에 호흡기의 일부가 되었다. 그러나 아가미 호흡을 하는 어류의 코는 수중의 냄새를 느끼는 기관이지만 호흡에는 사용되지 않는다. 물고기의 코는 양쪽 끝에 구멍이 난 단순한 관이며, 그 관의 중간에 냄새를 느끼는 세포가 집합되어 있다. 콧구멍은 폐 호흡을 하는 폐어의 단계에서부터 입천장 부분을 관통하여 호흡기의 일원으로 진화하였다. 물고기의 콧구멍 4개 중 둘은 진화 과정에서 눈으로 이동하게 된다. 눈물을 계속 흘리면 콧물이 쉽게 나오는데, 이것은 비루관이라는 관을 통해 눈과 코가 이어져 있어 넘치는 눈물이 비강으로 흘러 들어오기 때문이다. 이 비루관이야말로 우리 조상이 물고기였을 무렵, 코의 관이었던 것이 바뀐 것으로 볼 수 있다.

- **무두류**: 척삭동물문의 한 아문. 몸길이가 매우 작고 가늘며 양 끝이 뾰족한 물고기 모양으로 머리 부위는 분화되어 있지 않다.
- **무악류**: 위아래 턱이 없는 어류로 몸은 뱀장어 모양을 한 가장 하등한 척추동물을 통틀어 이르는 말
- **삼반규관**: 척추동물의 속귀에 있는 반원 모양의 관
- **전정**: 속귀에서 앞쪽은 달팽이관, 뒤쪽은 반고리관과 통해 있는 달걀 모양의 공간

09 윗글을 통해 알 수 있는 내용이 <u>아닌</u> 것은?

① 눈이 어떻게 진화하였는가에 대한 연구는 미진한 상태이다.
② 귀를 다치게 되면 청각과 평형 감각에 손상을 입을 수 있다.
③ 비루관으로 보아 인간은 물고기로부터 진화했을 가능성이 높다.
④ 원시 생명체는 몸의 내부가 하나여서 입과 항문의 구멍이 같았다.
⑤ 파충류는 음식물을 입에 넣은 채로는 호흡할 수 없기 때문에 이빨이 발달했다.

10 〈보기〉는 진화된 물고기의 해부도이다. 윗글의 내용으로 볼 때, ⓐ~ⓔ의 각 기관에 대한 명칭과 설명으로 적절하지 <u>않은</u> 것은?

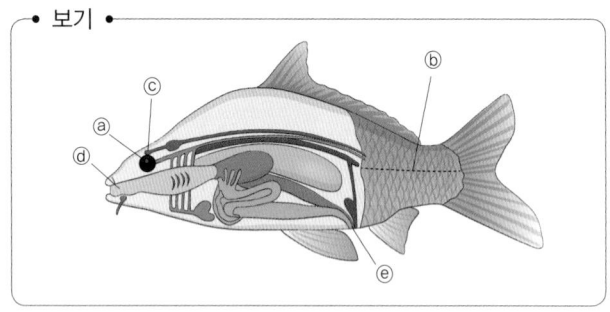

• 보기 •

① ⓐ 눈: 무두류에는 없고 무악류부터 나타나기 시작하였다.
② ⓑ 측선: 어류의 특징으로 내이의 기원이 되는 감각 기관이다.
③ ⓒ 코: 냄새를 느끼는 후각 기관이자 공기의 출입구이기도 하다.
④ ⓓ 입: 비강과 구강이 사실상 구분된 이차 구개가 존재하지 않는다.
⑤ ⓔ 항문: 음식물이 몸 밖으로 배출되는 분업 체제의 일부이다.

11 윗글을 다음과 같이 정리하였을 때, 각 과정에 대한 설명으로 적절하지 <u>않은</u> 것은?

동물은 음식물을 섭취하는 구멍이 반드시 필요하다.	① 인간도 동물이므로 음식물을 섭취하는 구멍이 필요하다.
입과 항문은 하나의 구멍이었으나 반대쪽에 구멍을 만들어 음식물이 한 방향으로 흐르게 진화하였다.	② 진화가 분업화로 진행되는 과정을 보여 주는 예이다.
포유류는 음식물을 입에 넣고도 호흡을 할 수 있게 진화되었다.	③ 포유류는 음식물을 씹지 않고 먹음으로써 효율적으로 소화를 시킬 수 있게 되었다.
인간은 점점 음식물을 씹는 기능이 퇴화되었다.	④ 사람은 씹는 능력의 필요성이 줄어들었기 때문이다.
눈, 귀, 코와 같은 기관도 그 나름대로의 진화 과정을 거쳤다.	⑤ 인간 얼굴의 각 기관은 진화가 이루어졌다.

12 [A]로 보아 윗글에 대해 반론할 수 있는 내용으로 가장 적절한 것은?

① 진화를 인간의 관점에서만 파악하고 있는 것은 아닌가.
② 진화의 과정을 보여 주는 구체적 사례가 부족하지 않은가.
③ 척추동물과 무척추동물의 진화 과정을 구분해야 하지 않는가.
④ 진화만으로는 생물의 발달 과정을 온전하게 설명할 수 없지 않은가.
⑤ 진화가 반드시 효율적인 방향으로만 이루어진다고 할 수 없지 않은가.

[13~16] 다음 글을 읽고, 물음에 답하시오.

가 '사용 후 핵연료'가 독성을 잃고 안전하게 되기까지는 매우 오랜 시간이 필요하다. 일부 핵폐기물이 내뿜는 방사성 물질의 독성은 10만 년 뒤에도 남아 있다. 인류가 사용 후 핵연료를 어떻게 오랜 시간 관리할 수 있을까. 그래서 나온 것이 '수동적 관리'이다. 사용 후 핵연료를 100~200년 동안 능동적으로 관리해 비교적 안전한 수준으로 독성을 떨어뜨린 뒤 안전한 장소에 장기 ⓐ처분하는 것이다. 현재 수동적 관리 방안으로는 지하 약 500m 이하 암반층에 사용 후 핵연료를 장기 저장하는 '심층 처분' 방식이 있다. 그리고 이보다 더 깊은 3~5km에 묻는 '심층 시추공 처분' 방법도 대안으로 떠오르고 있다.

나 심층 처분이란 말 그대로 사용 후 핵연료를 지층 깊은 곳에 묻어 두는 것이다. 먼저 30~50년 이상 습식 및 건식 방식으로 중간 저장을 한 사용 후 핵연료를 부식이 잘 되지 않는 금속 용기에 넣는다. 이후 지하 깊숙이 만든 처분장 내 공간에 넣고, 완충재를 채운 뒤 ⓑ밀봉한다. 용기 사이에는 두꺼운 방벽이 있어 서로 열 등이 전달되지 않도록 만든다. 지하는 산소가 적어 용기가 부식될 가능성도 적다. 단단한 암반층에 있기 때문에 지하수가 침투할 가능성도 적다.

다 그러나 매립 처분 기술이 발달하면서 반론이 나오기 시작했다. 심층 처분 방식은 구리 용기에 사용 후 핵연료를 담아 500m 암반층에 처분하는 방식인데, 당시 가정과는 달리 구리 용기가 부식될 수 있다는 주장이 나온 것이다. 사용 후 핵연료에서 나오는 열이 산소가 없는 상태에서도 구리 통을 부식시킬 수 있으며 단지 몇 백 년 만에도 방사성 물질이 ⓒ누출될 수 있다고 한다. 만일 지하수가 근처로 흐른다면 방사성 물질이 표층으로 올라와 생태계를 해칠 수도 있다.

라 ㉠심층 처분의 대안으로는 심층 시추공 처분이 꼽힌다. 이 개념은 지하 3~5km 구간에 사용 후 핵연료 등 고준위 폐기물을 처분하는 것이다. 먼저 30~50년 이상 보관돼 비교적 안정적인 사용 후 핵연료 다발을 부식이 잘 되지 않는 용기에 넣어 지하 3~5km 구간에

차곡차곡 ⓓ매립하고, `벤토나이트와 같은 점토 물질로 채운다. 처분 구간이 다 채워지면 그 구간을 방벽으로 막고, 그 위부터 지표면까지 콘크리트로 막는다. 심층 시추공 처분은 심층 처분보다 훨씬 깊은 곳에 매립한다. 이 정도 깊이의 지하 암반에는 지하수층이 별로 없고 산소도 적어 저장 용기의 부식 가능성을 더 줄일 수 있다.

마 심층 시추공 처분 기술을 사용하면 고준위 방사성 폐기물과 생태계의 물리적인 거리가 심층 처분보다 훨씬 멀어지게 된다. 또 지층 아래 암반은 물이 잘 빠지지 않으므로 방사성 물질이 누출되더라도 멀리 퍼지지 않으며, 밀도 높은 지하수는 무거워서 지상까지 올라오기도 힘들다. 심층 시추공 처분 기술은 1970년대에도 이미 개발되었지만, 기술과 비용 등의 문제로 심층 처분의 대안으로 꼽히지 못하다가 시추 기술이 석유 개발과 함께 발전하면서 사정이 달라지기 시작했다. 비용 역시 앞으로 크게 차이 나지 않을 것으로 전망된다. 하지만 아직은 대안 기술로 제시된 지 얼마 되지 않아 심층 처분보다 체계적인 연구가 부족하며 실증 자료 역시 거의 없는 ⓔ실정이다.

🔖 **고준위 폐기물**: 핵 발전에 사용하고 남은 핵연료에서 발생하거나 핵연료를 재처리하는 중에 발생하는 대량의 방사성 물질
🔖 **벤토나이트**: 응회암 따위가 풍화하여 생긴 찰흙

---

13 윗글의 설명 방식으로 가장 적절한 것은?

① 특정 원리를 적용한 모의실험을 제시하여 가설을 검증하고 있다.
② 구체적 사례를 들어 일반적으로 통용되는 기존 이론을 비판하고 있다.
③ 상반된 이론을 제시하고 평가한 후 이를 절충한 해결책을 도출하고 있다.
④ 문제 상황의 인식이 확장되어 해결 요구가 강해지는 현실을 설명하고 있다.
⑤ 문제를 해결하는 방식을 제시하고 이 방식의 단점을 극복하는 대안을 소개하고 있다.

14 윗글을 바탕으로 〈보기〉를 이해한 내용 중, 적절하지 않은 것은?

› 보기 ›

　스웨덴의 한 과학 잡지 편집장은 인터뷰에서 심층 시추공 처분은 대안 기술로 제시된 지 얼마 되지 않아 이 방법의 장단점에 대한 연구가 활발하지 않다고 했다. 그는 심층 처분이나 심층 시추공 처분의 안전성이 모두 확실하지 않아 당분간 지상에서 핵폐기물을 보관하면서 100년은 기다렸다가 더욱 안전한 최종 폐기물 처리 방식을 결정해야 한다고 밝혔다. 그때쯤이면 기술이 문제를 해결해 줄 수도 있다는 말이다.

① 윗글과 마찬가지로 심층 시추공 처분의 연구가 부족함을 지적하고 있군.
② 윗글과 같이, 최종 폐기물 처리의 연구가 빠르게 진행될 것이라 예상하는군.
③ 윗글에서 심층 시추공 처분의 장점을 설명한 것과 달리, 이 기술의 안전성에 대해 확실히 신뢰하기 어렵다고 하는군.
④ 윗글에서 제시한 방법대로 지상에서 핵폐기물을 능동적으로 관리한 후 최종 처분 방식을 결정해도 늦지 않다고 하는군.
⑤ 윗글에서 심층 시추공 처분이 대안으로 제시되듯, 기술이 발전하면 앞으로 더 안전한 최종 폐기물 처리 방식이 나타날 수 있다고 하는군.

15 윗글의 내용을 고려할 때, ㉠의 이유로 적절하지 않은 것은?

① 시추 기술이 발전하여 이전보다 깊은 곳에 매립할 수 있기 때문이다.
② 심층 처분보다 저장 용기의 부식 가능성을 줄일 수 있기 때문이다.
③ 기술의 발전으로 방사성 물질의 누출을 사전에 막을 수 있기 때문이다.
④ 이전 기술과 차이가 없을 만큼 비용 면에서 경쟁력을 갖추었기 때문이다.
⑤ 생태계와 고준위 폐기물과의 물리적 거리가 이전보다 더 멀어지기 때문이다.

16 ⓐ~ⓔ의 사전적 의미로 적절하지 <u>않은</u> 것은?

① ⓐ: 처리하여 치움

② ⓑ: 단단히 붙여 꼭 봉함

③ ⓒ: 액체나 기체 따위가 밖으로 새어 나옴

④ ⓓ: 우묵한 땅이나 하천, 바다 등을 돌이나 흙 따위로 채움

⑤ ⓔ: 있는 그대로의 상태. 또는 실제의 모양

[17~20] 다음 글을 읽고, 물음에 답하시오.

가 예술성을 강조하는 순수 미술과 달리 민화에서는 실용성이 강조되는데 이는 민화에 상징성이 ⓐ부여되어 있기 때문이다. 각 시대마다 그때에 그려진 그림에는 공통적으로 드러나는 상징성이 있게 마련인데, 이러한 상징성은 그 시대의 문화적 특성을 파악하는 데 도움을 준다. 우리의 민화도 예외가 아니어서 민화는 그것이 그려진 시대의 시대상을 읽어 내는 데 중요한 척도가 된다. 민화에는 장식적 필요에 의한 것이든 주술적 필요에 의한 것이든 많은 상징적인 도상들이 ⓑ내포되어 있다. 더욱이 우리의 조상들은 이러한 상징적 의미를 더욱 뚜렷이 부각시키기 위해 표현 방법이나 소재 해석을 늘 새로이 했으며, 이를 통해 우리의 민화는 더욱 독특하게 발전되어 갔다. 이러한 과정에서 민화의 상징성은 그 지방의 문화적인 환경이나 개인적 의사에 의해 자유롭게 변형되거나 ⓒ첨삭되어 이제까지 볼 수 없었던 새롭고 흥미로운 그림들로 나타났다.

나 예를 들어 물고기의 생물학적 특징, 즉 한꺼번에 많은 알을 낳는다는 점과 떼 지어 다닌다는 점은 '어해도 (魚蟹圖)'에 '다산'이라는 상징성을 부여하였다. 연못 속에 유유히 떠다니는 잉어는 '출세와 부귀'를, 물을 거슬러 폭포를 뛰어넘는 잉어를 그린 '약리도(躍鯉圖)'는 과거에 급제하여 벼슬길에 오르는 '입신출세'를 상징하게 되었다. 메기의 그림에는 두 가지의 상징이 있을 수 있는데, 머리를 투구처럼 그린 것은 '장수'를 상징하지만 남근처럼 그린 것은 '다산의 욕구'를 표현한 것이다.

다 민화의 상징적 표현은 서민들이 일상생활에서 느끼는 희로애락의 의사소통을 가능하게 할 뿐만 아니라 그러한 의사소통의 바탕이 되는 공통의 세계관을 매개해 주는 역할도 한다. 이를테면 부귀다남(富貴多男), 부귀공명(富貴功名), 무병장수(無病長壽) 등 인간으로서의 소망이 민화에 표현되어 있는데 이는 민화가 서민들의 삶에 대한 애착과 동경의 대상을 그대로 반영하고 있다는 증거이다.

라 옛사람들에게 자손의 번영과 출세는 음양과 풍수의 조화에 의해 ⓓ좌우된다는 생각이 뿌리 깊게 자리 잡혀 있었으므로 풍수지리에 따라 명당을 찾아다니고는 했는데, 이러한 사상은 '청룡백호도'나 '지도화'에서 독특한 시점과 묘사법으로 나타난다. 지도화는 집들을 화면의 한 중심에 두고 사방을 둘러본 것처럼 그린다. 이는 음양오행(陰陽五行) 사상에 바탕을 둔 좌청룡(左青龍) 우백호(右白虎)나 배산임수(背山臨水)와 관련이 있는 것인데 물을 앞으로, 산은 뒤로 한 지점이 인간과 산신이 한가지로 어우러져 사는 공간이라는 점을 ⓔ암시하고 있다. 지도화는 단지 등축도법에 의한 실경을 그린 것이 아니라 개념화된 풍수 사상을 그대로 반영한 그림으로 볼 수 있으며 자연과 인간이 일체가 되는 세계관이 자연스럽게 지도화와 같은 독특한 그림을 낳게 한 것이다.

🔎 **등축도법(等縮圖法)**: 3차원 물체를 평면상에 표현하기 위한 방법의 일종으로, 원근법을 사용하지 않고 대상을 중심으로 그림

17 윗글의 내용과 일치하는 사실을 〈보기〉에서 골라 바르게 묶은 것은?

• 보기 •

ㄱ. 민화는 예술성을 강조하는 그림이다.

ㄴ. 민화는 상징적 도상들을 내포하고 있는 그림이다.

ㄷ. 민화는 서민들의 삶의 소망이 반영되어 있는 그림이다.

ㄹ. 민화는 일정한 틀에 의해서 반복적으로 그려지는 그림이다.

① ㄱ, ㄴ   ② ㄱ, ㄷ   ③ ㄴ, ㄷ

④ ㄴ, ㄹ   ⑤ ㄷ, ㄹ

18 윗글로 보아 〈보기〉의 ㉮에 드러난 세계관이 반영된 민화로 가장 적절한 것은?

• 보기 •

어느 가을 9월 보름께가 되자, 달빛이 밝게 비치고 맑은 바람이 쓸쓸하게 불어 와 사람의 마음을 울적하게 하였다. 길동은 서당에서 글을 읽다가 문득 책상을 밀치고 탄식하기를,

"㉮대장부가 세상에 나서 공맹을 본받지 못할 바에야, 차라리 병법(兵法)이라도 익혀, 대장인(大將印)을 허리춤에 비스듬히 차고 동정서벌하여 나라에 큰 공을 세우고 이름을 오래도록 빛내는 것이 장부의 통쾌한 일이 아니겠는가! 나는 어찌하여 이 한 몸 적막하여, 아버지와 형이 있는데도 아버지를 '아버지'라 부르지 못하고 형을 '형'이라고 부르지 못하니, 심장이 터질지라. 이 어찌 통탄할 일이 아니겠는가!"

하고, 뜰에 내려와 검술을 익히고 있었다.

– 허균, 「홍길동전」
---

①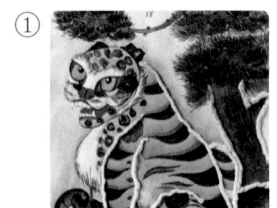

②

③

④

⑤

19 윗글을 읽은 학생들의 반응으로 적절하지 <u>않은</u> 것은?

① 민화에는 서민들이 일상생활에서 느끼는 즐거움을 담은 그림도 있겠군.

② 조선 시대의 민화들은 당시의 시대상을 파악하는 사료로 사용할 수 있겠어.

③ 옛날 사람들은 자손이 귀한 집안에 메기를 소재로 한 민화를 선물했을 거야.

④ 민화에 표현되어 있는 상징성은 각 지방에 따라 다르게 인식되기도 하는 것 같아.

⑤ 자연이 집들을 둘러싼 것처럼 그린 것은 인간 중심적 세계관이 반영된 것이라 할 수 있겠군.

20 ⓐ~ⓔ의 문맥적 의미를 활용하여 만든 문장으로 적절하지 <u>않은</u> 것은?

① ⓐ: 우리 모둠에 중요한 과제가 <u>부여되었다</u>.

② ⓑ: 이 가능성은 현실 속에 이미 <u>내포되어</u> 있다.

③ ⓒ: 작가는 자신의 글이 누군가에게 <u>첨삭되었다</u>고 주장했다.

④ ⓓ: 거센 파도 때문에 대형 여객선도 <u>좌우로</u> 흔들렸다.

⑤ ⓔ: 이 소설에서 흰옷은 주인공의 죽음을 <u>암시한다</u>.

[01~04] 다음 글을 읽고, 물음에 답하시오.

㉮ 인간은 혼자서는 살 수 없다. 기나긴 진화의 과정에서 인간은 작든 크든 어떤 공동체에 속하지 않고서는 존재할 수 없는 사회적 동물로 변했다. 자신이 속한 공동체 안에서 한 개인은 다른 개인과 상대적으로 얽혀 있다. 따라서 그 공동체 안에서 '나'의 의도와 행동이 함께 존재하는 타자에게 인과적 결과를 가져올 수밖에 없다. '나'의 행동이 타자의 행복에 긍정적이든 부정적이든 영향을 미치는 것이다. 이런 점에서 윤리를 초월한 인간은 존재할 수 없고, 윤리적 테두리에서 완전히 자유로울 수 있는 인간의 삶은 상상할 수 없다. 따라서 인간은 ⓐ필연적으로 윤리적인 동물이다.

㉯ '나'와 타자를 각각 윤리적 주체와 객체라고 한다면, 윤리적 주체와 객체의 이해관계는 흔히 ⓑ상충한다. 인간은 삶 속에서 항상 어떤 행동을 선택해야 하며, 윤리적 문제는 인간들 사이에서 피할 수 없는 이해관계의 갈등에서 생긴다. 이 갈등 관계에서 윤리적 주체인 '나'는 어떤 '선한' 마음을 먹고 어떤 '옳은' 행동을 할 것인지 어떤 잣대를 ⓒ전제로 판단하고 결정해야 한다. 윤리학의 가장 중요한 문제는 그러한 잣대로서의 보편적 규범을 제시하고 그 타당성을 뒷받침하는 데에 있다. 물론 보편적 윤리 규범이 객관적으로 존재하는지, 존재하지 않는지에 대해서 확실하게 대답하기는 쉽지 않다. 그러나 한 가지 분명한 것은 그 규범은 윤리 공동체의 범위를 어디까지 할 것인가에 따라 달라질 수 있다는 것이다. 또 윤리 규범의 타당성은 윤리 공동체의 구성원으로 어떤 생물체를 포함하고 어떤 생물체를 타자로 ⓓ배제할 것이냐에 따라 인정될 수도 있고 부정될 수도 있다. 윤리적 주체는 언제나 각자 '나'이다. 그러나 윤리적 객체인 타자의 범위를 결정하는 것은 언뜻 보기와는 달리 복잡하다.

㉰ 인류 계급사의 긴 역사를 보면, 한 사회를 지배하고 있는 계층의 윤리 공동체로부터 차별받거나 아예 윤리적 배려의 대상이 되지 않는 계층이 있었다. 아리스토텔레스는 당시 그리스에 존재하였던 노예 계급을 윤리 공동체 안에 포함하지 않았다. 그에게 노예 계급은 윤리적 객체로서의 타자, 즉 행복과 불행의 배려 대상이 되지 않았다. 따라서 그의 윤리 규범은 그리스 시민들에게만 적용될 수 있을 뿐 노예 계급에는 전혀 해당하지 않는다. 그의 윤리적 범주에 따르면 남에게 악의적 의도를 가지거나 불필요한 고통을 주는 행동이라도, 그 의도와 행위의 대상자가 그리스 시민이 아니라 노예 계급이라면 악한 것도 옳지 않은 것도 아니다.

㉱ 인류 평등사상은 모든 인간을 차별 없이 윤리 공동체에 포함하는 것이다. 만약 평등사상이 진보적 사상이라면, 평등사상에 근거한 윤리는 전통적 윤리에 비추어 보면 진보적 윤리이다. 이렇게 볼 때 윤리적 진보의 적어도 하나의 결정적 기준은 윤리 공동체의 확대, 즉 윤리적 객체인 타자의 범위를 확대하는 것이다. 이른바 근대적이고 합리적이며 ⓔ개화된 윤리의 특징은 가족, 부족, 민족, 인종 등의 벽을 무너뜨리고 모든 인류를 윤리 공동체에 가입시켜 윤리적 객체인 타자에 포함하는 데 있다. 개방적인 점만 보면 근대적 윤리가 ㉠전근대적 윤리에 비해서 진보적이다. 벤담이나 칸트에서 그 예를 볼 수 있듯이, ㉡근대적 윤리는 인간의 평등을 근간으로 한다. 이들은 분명히 계급, 인종을 초월하여 모든 인간을 다 같이 윤리적 배려의 대상으로 한다는 점에서 폐쇄적이 아니라 개방적이다. 그렇지만 인간 이외의 모든 동물을 윤리 공동체 밖으로 배제하고 있다는 점에서는 여전히 배타적이며 인간 중심적이다. 이러한 근대적 윤리는 인간 이외의 어떠한 생명체도 윤리 공동체에 포함시키지 않는 '인간의 유일성'이라는 ˚형이상학적 신념에 근거하고 있다.

㉲ 인간 중심주의적 윤리관이 전제하는 이러한 유일성에 의심이 생길 때, ㉢'환경 윤리'의 문제 제기가 의미를 지니게 된다. 여기서 말하는 '환경 윤리'는 인간 중심주의적 윤리관의 기본 전제 자체에 대한 의문·검토·비판에 기초한다. 인간 이외의 모든 생명체들도 윤리 공동체에 포함해 유일한 윤리적 주체인 인간의 윤리적 배려의 대상으로 삼아야 한다고 보고 있는 것이다.

❥ **형이상학적**: 사물의 본질, 존재의 근본 원리를 사유나 직관에 의하여 탐구하는 학문과 관련되거나 바탕을 둔. 또는 그런 것

01 윗글의 내용과 일치하지 <u>않는</u> 것은?

① 인간은 집단을 형성하고, 그 집단 안에서 서로에게 영향을 끼치며 존재한다.

② 환경 윤리의 윤리적 객체 범위는 인간 이외의 모든 생명체들까지 포함한다.

③ 아리스토텔레스는 윤리 공동체 안에 당시 그리스에 거주하던 사람들만을 포함하였다.

④ 근대적 윤리관은 가족, 부족, 민족, 인종 등을 떠나 모든 인간을 차별 없이 윤리 공동체에 포함한다.

⑤ 윤리 규범의 객관성은 윤리 공동체의 범위에 따라 달라지지만, 윤리 규범의 타당성은 윤리 공동체 구성원의 한계가 어디까지냐에 따라 달라진다.

02 ㉠~㉢에 대한 설명으로 적절하지 <u>않은</u> 것은?

① 시대적으로 봤을 때, 현재 시점에서 ㉠이 가장 멀고 ㉢이 가장 가까운 시대에 나타난 철학 사상이다.

② ㉡은 ㉠에 비해서 윤리 규범의 적용 범위가 확장된 것이다.

③ ㉢은 ㉡이 지니고 있는 한계에 대한 문제 제기를 통해 나타난 것이다.

④ ㉠에서 ㉡의 단계로, ㉡에서 ㉢의 단계로 윤리적 진보가 이루어진 것으로 볼 수 있다.

⑤ ㉠, ㉡, ㉢은 윤리적 주체인 '나'가 윤리적 객체인 타자에게 배려를 하고 있느냐, 아니냐의 차이를 보이고 있다.

03 윗글의 글쓴이가 〈보기〉를 읽고 보일 수 있는 반응으로 가장 적절한 것은?

> • 보기 •
> 성북동 산에 번지(番地)가 새로 생기면서
> 본래 살던 성북동 비둘기만이 번지가 없어졌다.
> 새벽부터 돌 깨는 산울림에 떨다가,
> 가슴에 금이 갔다.
> 그래도 성북동 비둘기는
> 하느님의 광장(廣場) 같은 새파란 아침 하늘에
> 성북동 주민에게 축복(祝福)의 메시지나 전하듯
> 성북동 하늘을 한 바퀴 휘돈다.
>
> – 김광섭, 「성북동 비둘기」

① 윤리 공동체 구성의 한계를 보다 명확히 하여 인간과 비둘기의 관계를 재설정해야 합니다.

② 인간은 비둘기가 살아갈 수 있는 환경을 조성하여 인간과 비둘기가 공존할 수 있도록 해야 합니다.

③ 인간의 행동은 비둘기의 삶에 어떤 식으로든 영향을 끼치게 되므로 비둘기와 인간의 삶을 분리해야 합니다.

④ 산은 원래 비둘기가 살던 자연의 공간이므로 인간은 산을 비둘기에게 되돌려 주고 다른 장소로 옮겨야 합니다.

⑤ 비둘기의 생존 장소가 사라진 것은 불행한 일일 수도 있지만, 윤리적 범주에 비추어 보면 그것은 악한 것도 옳지 않은 것도 아닙니다.

04 ⓐ~ⓔ의 문맥적 의미를 고려하여 만든 문장으로 적절하지 <u>않은</u> 것은?

① ⓐ: 인구의 도시 집중화는 근대화의 필연적 결과이다.

② ⓑ: 우리 이익에 상충되는 제안은 받아들일 수 없다.

③ ⓒ: 결혼이란 당사자끼리 정할 문제이지 거기에 제삼자가 전제할 문제는 아니다.

④ ⓓ: 그 사람은 자기 기준에 맞지 않는 사람들을 철저히 배제하고 있다.

⑤ ⓔ: 사회가 개화되면서 봉건 제도가 차차 없어지게 되었다.

[05~08] 다음 글을 읽고, 물음에 답하시오.

㉮ 지금껏 인류의 역사는 끊임없는 군비 경쟁과 자원 약탈 ⓐ같은 행위로 얼룩져 왔다. 강대국의 핵무기 개발 경쟁은 지구 전체를 수십 번 멸망시키고도 남을 만큼 가공할 위협을 주고 있다. 만약 모든 국가가 군비 경쟁을 포기하기로 선언하고 이 약속을 실제로 지킨다면 적어도 인류 공멸의 암울한 시나리오는 막을 수 있을 것이다. 그런데 왜 이러한 일이 벌어지지 않는 것일까? 우리는 ㉠'죄수의 딜레마'라 불리는 이론을 통해 그 이유를 알아볼 수 있다.

㉯ 범죄를 같이 저지른 두 사람이 경찰에 붙잡혔다고 가정해 보자. 경찰은 아직 두 사람의 죄를 입증할 만한 증거를 찾지 못한 상태였다. 그때 경찰이 각각 독방에 갇힌 두 사람에게 다음과 같이 말을 한다. "만약 당신만 동료의 죄를 증언하면 당신은 석방되고 동료는 3년 형을 받을 것이다. 반대의 경우도 마찬가지이다. 만약 당신과 동료 모두 상대방의 죄를 증언하면 둘 다 2년 형을 받고, 두 사람 모두 죄를 인정하지 않으면 증거 불충분으로 둘 다 석방될 것이다." 이 경우 두 사람은 어떤 선택을 하는 것이 가장 합리적이겠는가? 가장 좋은 선택은 두 사람 다 죄를 자백하지 않고 석방되는 것이다. 그러나 이를 위해서는 동료가 자백을 하지 않을 것이라는 믿음이 있어야 한다. 문제는 두 사람 모두 그런 믿음이 없기 때문에 상대방의 선택과 상관없이 자백을 하는 것이 자신에게 유리하다는 생각을 하게 된다는 것이다. 만약 한 사람이 침묵을 지켰더라도 그의 동료가 자백을 한다면 가장 무거운 형벌인 3년 형을 받게 되므로 결국은 상대방에 대한 불신 때문에 두 사람 모두 죄를 자백하게 되고 2년 형을 받게 된다.

㉰ 이 이야기는 죄수의 딜레마라 불리는 이론의 유명한 사례로, 협력을 통해 서로에게 최선이 되는 상황을 선택하는 것보다 자신의 이익을 먼저 챙기느라 모두에게 불리한 상황을 선택하는 과정을 보여 주고 있다. 즉, 두 죄수는 자기 혼자서 최고의 중벌을 받게 될지도 모른다는 두려움 때문에 가장 좋은 방법을 포기하고 스스로 비합리적 선택을 하게 되는 것이다.

㉱ 죄수의 딜레마 이론은 이처럼 비합리적으로 보이는 사회 현상들을 설명하는 데에 유용한 틀이다. 예를 들어 개별 국가들이 왜 생태계를 파괴하고 자원을 남획하며 군비를 필요 이상으로 늘리는지를 설명할 수 있다. 전 세계의 질서를 바로잡는 국제적 기구가 없는 상황에서, 경쟁 관계에 있는 상대 국가가 항상 협동적으로 나오리라 기대할 수 없기 때문에 개별 국가들은 각국의 이익을 추구하게 된다. 또한 과도한 사교육이 우리 교육의 고질적인 병폐라는 것을 알면서도 자기 자녀만 뒤처질 것이 두려워 자녀를 사교육 시장에 내모는 현상도 마찬가지이다.

㉲ 죄수의 딜레마와 같은 상황으로 인해 발생하는 현대 사회의 문제점을 극복하기 위해서는 국제적인 분쟁이나 일상생활에서의 소모적인 경쟁을 제어할 만한 강력한 권력이 필요하다. 예를 들어 UN 같은 기구가 군비 경쟁이나 자원 남획을 억제하는 강력한 리더십을 발휘해야 하고, 정부에서 사교육 열풍을 잠재울 합리적 방안을 마련해야 한다. 또한 일단 합의한 규칙을 지키려는 성숙한 시민 의식이 필요하다. 상대방에 대한 불신과 자신만 피해를 입을지도 모른다는 두려움을 버리면, 모두에게 이익이 돌아가는 합리적인 선택을 할 수 있다. 그래야만 모두가 패배자가 되는 상황을 모두가 승리자가 되는 '윈(win)-윈(win) 상황'으로 바꿀 수 있다.

---

05 윗글을 통해 알 수 있는 사실이 <u>아닌</u> 것은?

① '죄수의 딜레마' 이론에서 두 죄수가 모두 죄를 자백하지 않으면 최선의 결과를 맞이할 수 있다.
② '죄수의 딜레마' 이론의 상황은 개인 간의 관계뿐만 아니라 집단 간의 관계에도 적용될 수 있다.
③ '죄수의 딜레마' 이론은 사람들이 합리적인 선택을 하지 못하게 되는 심리적 과정을 설명하고 있다.
④ '죄수의 딜레마'와 같은 상황을 해결하려면 사회적 차원보다는 의식적 차원에서의 해결 방안이 필요하다.
⑤ '죄수의 딜레마' 이론은 우리 주변의 비합리적으로 보이는 사회 현상을 설명하는 데 유용하게 쓰이고 있다.

06 윗글의 관점에서 〈보기〉의 '애덤 스미스'의 경제 이론을 평가한 것으로 가장 적절한 것은?

• 보기 •

경제학자 애덤 스미스는 『국부론』에서 자본주의 시장 경제를 "개인이 각자 자신의 이익을 추구할수록 모두의 이익이 보장되며, 결과적으로 사회적 생산력의 발전에 이바지한다."라는 원리로 설명한다. 경제 주체가 사적인 이익을 추구하고 이를 통제하는 국가 기구가 존재하지 않더라도 '보이지 않는 손', 즉 경제 주체 사이의 경쟁을 통한 상호 감시 체제가 사적 이기심과 사회적 번영을 매개하여 사회 전체의 이익이 증진된다는 것이다.

① 경쟁은 이익 활동에 도움을 주므로 사회적 생산력을 향상시키는 데 도움을 줄 것이다.

② 타인을 따라 하는 심리가 팽배해 경제 주체가 자발적인 이익 활동을 하려 하지 않을 것이다.

③ 상대에 대한 불신으로 분쟁이 발생할 경우 '보이지 않는 손'이 원만하게 중재하는 기능을 할 것이다.

④ 모두에게 이익이 되는 합리적 상황을 위해 '보이지 않는 손'이 사회 전체를 위한 기준 역할을 할 것이다.

⑤ 상대가 항상 협동적일 것이라고 기대할 수 없어 사적 이익을 제재 없이 추구하다 보면 전체 이익은 감소하게 될 것이다.

07 ㉠에 해당하는 사례로 가장 적절한 것은?

① 성적이 비슷했던 두 학생이 상대보다 좋은 성적을 얻기 위해 더 열심히 공부해 둘 다 성적이 올랐다.

② 소프트웨어를 전문적으로 만드는 회사와 하드웨어를 만드는 회사가 합병하여 세계적인 전자 회사가 되었다.

③ 신혼부부가 텔레비전을 구입하기 위해 상점에 들려 점원에게 열심히 설명을 들었으나 점원의 말을 신뢰할 수 없어 다른 상점에 가기로 했다.

④ 어느 유명 가수가 대중이 잘 알지 못하는 노래를 마치 자신이 작곡한 노래인 것처럼 발표하였다가 이 사실을 안 원작자와 저작권 분쟁에 휘말렸다.

⑤ 공유지에서 가축을 키우던 두 농부가 자신들의 가축 수를 늘리는 일에만 골몰하다가 결국 공유지가 황량하게 변해 더 이상 목축을 할 수 없게 되었다.

08 ⓐ의 문맥적 의미와 가장 유사한 것은?

① 하늘이 흐린 게 비가 올 것 같은 날씨이다.

② 사람 같은 사람을 찾기가 좀처럼 쉽지 않다.

③ 그는 나와 같은 학교를 나온 친구 사이이다.

④ 배가 아플 때 우유 같은 것을 마시면 좋지 않다.

⑤ 그는 비단결 같은 마음씨 때문에 사랑을 받고 있다.

[09~12] 다음 글을 읽고, 물음에 답하시오.

㉮ 카오스는 영어로 'chaos'라고 쓰고, 우리말로는 '혼돈'이라고 번역한다. 혼돈은 흔히 완전히 무질서하고 혼란된 상태를 말한다. 그러나 '혼돈 이론', '혼돈 과학'이라 할 때의 혼돈은 앞서 말한 원래의 뜻과 구별되어, 어떤 일정한 법칙에 의하여 일어나는 현상들을 염두에 두고 있다. 그래서 그 점을 강조하기 위하여 혼돈 대신 그냥 카오스라고 부르는 게 더 낫다는 주장도 있다.

㉯ 예전에는 혼돈스러운 현상은 복잡한 현상에서 생기고, 그러한 혼돈은 그저 혼돈일 뿐이지 더 이상의 그 무엇은 없을 것이라고 여겨 왔다. 그런데 1970년대에 들어서 간단한 법칙에서도 복잡하고 혼돈스러운 현상이 생기고, 반면 그러한 혼돈 현상 속에도 어떠한 질서가 숨어 있다는 사실이 밝혀졌다. 주식 가격의 등락을 그래프로 그리면 오르락내리락 제멋대로이다. 간단한 기계적 장치도 소위 ㉠'비선형 효과'가 크면 주가 변동 못지않은 불규칙한 현상을 보인다. 간단한 전기 회로에도 비선형 소자가 있어, 회로가 일정한 법칙이 없는 것처럼 무질서한 모양으로 나타난다. 이렇게 간단한 법칙을 따르더라도 비선형 효과가 크면 제멋대로 행동하는 것처럼 보이는 것이 혼돈 현상의 첫 번째 특성이다.

㉰ 혼돈 현상의 두 번째 특성은 먼 미래에 대한 예측성의 결여이다. 일반적으로, 과학 법칙을 알고 있다 하더라도 실제적인 앞으로의 일을 예측하려면 지금의 상태를 알아야만 한다. 그런데 지금의 상태를 엄밀하게 안

다는 것은 인간이 지닌 한계로 말미암아 불가능한 작업이다. 그래서 항상 오차가 있게 마련이다. 시계추의 단순 반복 운동과 같이 혼돈스럽지 않은 현상에서는 그 오차가 예측 능력에 아무런 해를 끼치지 않는다. 그러나 혼돈스러운 현상에서는 처음의 작은 오차가 시간이 지날수록 점점 증폭된다. 그래서 처음에는 어느 정도 예측을 할 수 있으나, 종국에는 오차가 걷잡을 수 없이 커져서 예측이 무의미해지는 시점에 도달한다. 이러한 이유로 기상 예보는 강력한 연산 능력이 있는 슈퍼컴퓨터로 계산을 해도 두 주일 앞의 날씨에는 아직도 속수무책이다.

라 한편 그 반대의 측면도 있다. 일견 아주 복잡하여 혼돈스러운 현상도 경우에 따라서는 실제로 간단하고 보편적 성향을 보인다는 것이다. 이것이 혼돈 현상의 세 번째 특성이다. 진자를 움직이게 하면 마찰 때문에 결국에는 진자가 정지한다. 이때 '정지해 있는 상태'는 처음에 세게 흔들었는지 약하게 흔들었는지 하는 것과 무관하다. 이렇게 처음 상태와 무관하게 모든 진자는 정지된 상태로 끌려온다 하여 정지 상태를 전문 용어로 '끌개(attractor)'라고 부른다. 이 이상한 끌개에는 그 나름대로의 구조와 특성이 있다는 것이 최근 연구에 의하여 밝혀지고 있다. 이것은 혼돈 속에도 질서가 있다는 것을 의미한다. 그런 뜻에서 "카오스로서의 혼돈은 완전한 혼돈이 아니다."라고 할 수 있다.

마 이처럼 혼돈 이론은 자연 현상의 해석에 새로운 시각을 제공하며, 전에는 통계적으로만 다루었던 예측할 수 없는 현상들을 더 잘 이해할 수 있는 길을 열어 준다. 행성의 운동과 같은 것도 과학의 영역이 될 수 있게 하는 것이다. 그러나 다른 한편으로 법칙적 현상도 오랜 후의 일을 예측하는 것은 원천적으로 불가능하다는 사실 역시 알려 주고 있다. 즉, 혼돈 이론은 과학에 대한 그릇된 시각에서 오는 과학 만능주의에 또 하나의 경종을 울리는 역할을 하고 있는 것이다.

➲ 비선형: 일정하지 않고 예측이 불가능하게 변화하는 현상
➲ 소자: 장치, 전자 회로 따위의 구성 요소가 되는 낱낱의 부품

09 윗글의 내용과 일치하지 않는 것은?
① 간단한 전기 회로 하나에서도 혼돈 현상을 발견할 수 있다.
② 어떤 현상도 먼 훗날의 일을 정확히 예측하는 것은 어렵다.
③ 혼돈 이론의 발전으로 행성의 운동과 같은 것도 설명할 수 있게 되었다.
④ 혼돈스러운 것처럼 보이는 현상 속에서도 일정한 법칙을 발견할 수 있다.
⑤ 과학 영역에서의 카오스 이론은 혼돈 이론이라고 바꾸어 부르는 것이 바람직하다.

10 다음은 윗글을 쓰기 전에 떠올린 생각들을 메모한 것이다. 글을 쓰는 과정에서 반영된 내용끼리 바르게 묶인 것은?

어떤 내용을 쓸까?	ⓐ 카오스의 어원은 무엇인가?
	ⓑ 혼돈 현상의 특성은 무엇인가?
	ⓒ 혼돈 이론의 의의는 무엇인가?
내용을 어떻게 전개할까?	ⓓ 구체적인 사례를 제시하여 독자의 이해를 높이는 것은 어떨까?
	ⓔ 권위 있는 사람의 견해를 언급하여 내용의 신뢰도를 높이는 것은 어떨까?
	ⓕ 예상되는 반론을 비판함으로써 이론의 타당성을 입증하는 것은 어떨까?

① ⓐ, ⓑ, ⓒ
② ⓑ, ⓒ, ⓓ
③ ⓒ, ⓓ, ⓔ
④ ⓐ, ⓑ, ⓒ, ⓓ
⑤ ⓑ, ⓒ, ⓓ, ⓕ

11 윗글로 미루어 보아 글쓴이가 지닌 '과학에 대한 견해'로 적절하지 <u>않은</u> 것은?

① 과학은 자연 현상을 해석하는 학문이다.
② 과학은 통계적 방법으로만 현상을 이해하는 학문이다.
③ 과학은 일정한 법칙성을 규명해 내고자 하는 학문이다.
④ 과학은 우리들이 사는 세계를 더 잘 알 수 있게 하는 학문이다.
⑤ 과학은 새로운 이론을 통해 점차 영역을 넓혀 가고 있는 학문이다.

12 ㉠을 설명하는 사례로 적절하지 <u>않은</u> 것은?

①
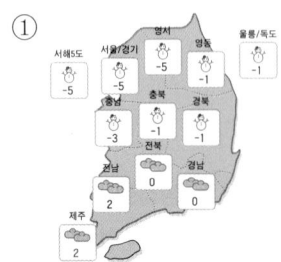
내년 12월의 지역별 날씨 변화 예측

②

나뭇잎의 낙화 운동의 궤적 예측

③
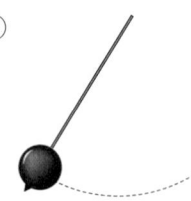
시계추에 주어진 충격에 따른 최종적 결과 예측

④

컵에 담긴 물에 떨어뜨린 잉크의 확산의 양상 예측

⑤
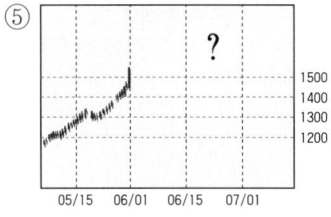
주식 시장에서 한 달 간 변화할 주식 가격의 변동 양상 예측

[13~16] 다음 글을 읽고, 물음에 답하시오.

가 활공(滑空)이란 어떠한 동력원 없이 상승 기류를 이용하여 고도를 높이거나 유지하는 비행을 뜻한다. 이러한 비행 원리를 이용한 항공기를 글라이더(glider)라 하는데, 크게 행글라이더와 세일플레인 글라이더로 나눌 수 있다. 행글라이더는 높은 곳에서 뛰어내려 ⓐ하강하다가 바로 착륙하지만, 세일플레인 글라이더의 경우에는 높은 고도에서 상승 기류를 탄다면 여러 시간의 활공이 가능하다.

나 글라이더는 기기 내부에 동력을 제공하는 엔진이 없기 때문에 추진력을 얻기 위해서는 외부의 힘을 빌려 높은 고도를 얻어야 한다. 활공을 위한 고도를 얻는 일반적인 방법은 동력 비행기로 글라이더를 약 610m의 높이에 도달할 때까지 약 시속 100km의 속도로 ⓑ견인하는 것이다. 그러면 글라이더는 하강 비행을 통해 활공에 필요한 추진력을 얻게 된다. 하강 비행을 시작할 때 글라이더는 공기에 대해 특정한 속도를 가지고 ⓒ전진하므로 그 속도와 같은 크기의 바람이 부딪쳐 와서 글라이더에 양력과 항력을 형성하게 되는데, 이때 양력은 글라이더를 공중에 떠오르게 하는 힘이 되는 반면 항력은 운행을 방해하는 요소로 작용한다. 따라서 활공을 위해서는, 양력과 항력을 ⓓ조율하여 비행에 무리가 없을 정도의 충분한 양력을 제공하는 것이 필요하다.

다 충분한 양력을 제공하기 위해서는 비행에 적합한 지형 및 기후 조건을 ⓔ물색해 두는 것이 필요하다. 여러 시간의 활공을 위해서는 열의 상승 기류가 활발히 일어나는 곳을 택하면 된다. 열의 상승 기류는 태양열이 지표면을 가열할 때 발생하는 뜨거운 공기 기둥을 뜻하는데, 지표면 가까이에 있는 공기는 뜨거워지면 상승하므로 글라이더를 공중에 체류하게 하는 힘을 제공하게 되는 것이다. 아스팔트 주차장 같은 곳이 쉽게 열의 상승 기류를 발견할 수 있는 장소이다.

라 또한 글라이더를 하강시킬 때 높은 속도를 내도록 하는 것도 양력과 관련이 있다. 활강을 시작할 때 속도를 높이는 것이 글라이더에 양력을 제공하기 때문이다.

그런데 앞서 말했듯이 글라이더는 내부에 동력이 없으므로, 속도를 높이는 방법은 글라이더를 아래쪽으로, 큰 각도로 하강시키는 방법밖에 없다. 결국 높은 고도에서, 빠른 속도로 활강을 시작해야 먼 거리를 비행할 수 있다는 얘기가 된다. 글라이더의 성능을 측정하는 데 활공 비율을 사용하는 것도 이와 관련이 있다. 활공 비율은 활공을 시작할 때의 고도와 비교해서 글라이더가 어느 정도의 수평 거리를 비행할 수 있게 되는지를 보여 주는 것이다. 따라서 활공 비율이 크다는 것은 동력 없이 멀리 날아갈 수 있다는 것으로 글라이더의 성능을 가늠해 볼 수 있는 것이다. 예를 들면, 활공 비율이 60:1인 글라이더는, 고도 1km에서 출발했을 때 60km를 활공할 수 있다.

마 글라이더의 성능을 높이기 위해서는 당연히 항력을 줄이는 일이 관건이 된다. 글라이더가 일반 항공기보다 적은 항력을 갖기 위해 여러 가지 특수한 설계를 이용하는 것도 이러한 이유 때문이다. 글라이더는 가능한 한 작은 몸체를 가지며, 외형을 유선형으로 하거나 가볍고 매끄러운 재질로 만들어진다. 동체의 단면적을 작게 하는 것도 항력을 줄이기 위한 것이며, 날개는 폭에 비해 아주 긴 길이로 만들어지는데 이 또한 날개가 만들어 내는 양력에 비해 항력을 최소화하기 위한 목적에서 설계된 것이라 할 수 있다.

13 윗글의 표제와 부제로 가장 적절한 것은?

① 글라이더의 원리와 역사 – 설계 방법과 개발자를 중심으로

② 글라이더와 타 항공기와의 차이점 – 비행 원리의 차이를 중심으로

③ 글라이더의 속도를 높이기 위한 방법 – 운행 시 유의 사항을 중심으로

④ 글라이더의 성능을 높이기 위한 방법 – 기기에 미치는 힘의 조율 방법을 중심으로

⑤ 글라이더의 운행에 영향을 미치는 요인들 – 운행자가 갖추어야 할 요건을 중심으로

14 윗글을 읽은 독자의 반응으로 적절하지 <u>않은</u> 것은?

① 글라이더가 열의 상승 기류를 만나면 오랫동안 날 수 있겠군.

② 글라이더의 형체 및 외형의 재질 또한 항력을 줄이는 요인이 될 수 있겠군.

③ 활공 비율이 '40:1'인 글라이더보다 '50:1'인 글라이더의 성능이 더 우수하겠군.

④ 글라이더의 양력과 항력의 비율이 균일해야 하강 비행에서 추진력을 얻을 수 있겠군.

⑤ 글라이더가 활공을 시작할 때의 속도를 높이기 위해서는 보다 높은 곳에서 하강해야겠군.

15 윗글을 참고하여 〈보기〉의 '밸러스트 탱크'의 설치 목적을 추리한 내용으로 가장 적절한 것은?

> **보기**
>
> 어떤 글라이더는 최대 225kg의 물을 실을 수 있는 '밸러스트 탱크'를 가지고 있다. 밸러스트 탱크가 있는 글라이더의 조종사는 빠른 하강 속도를 내기 위해 물을 가득 채운 채로 활강을 시작한다. 그러다가 운행 중 조절이 필요한 시점이 되면 방출 밸브를 이용해서 밸러스트 탱크를 비워 버린다. 밸러스트 탱크는 빠른 속도를 요구하는 곡예 비행이나 장거리의 대륙 횡단 비행을 할 때에 매우 유용하다.

① 중량을 조절하여 양력을 높이기 위해서

② 구조에 안정감을 주어 항력을 줄이기 위해서

③ 성능을 보완·개선하여 착륙 시 안정성을 높이기 위해서

④ 기기 내부에 동력을 제공하여 추진력을 높이기 위해서

⑤ 자연 조건의 한계를 극복하여 비행 지역의 제약을 줄이기 위해서

16 ⓐ~ⓔ의 사전적 의미로 적절하지 <u>않은</u> 것은?

① ⓐ: 높은 곳에서 아래로 향하여 내려옴

② ⓑ: 굳게 참고 견딤

③ ⓒ: 앞으로 나아감

④ ⓓ: 문제를 어떤 대상에 알맞거나 마땅하도록 조절함

⑤ ⓔ: 어떤 기준으로 거기에 알맞은 사람이나 물건, 장소를 고르는 일

[17~20] 다음 글을 읽고, 물음에 답하시오.

가 농현은 유려한 곡선의 선율을 가능하게 하는 전통적인 연주 수법을 나타내는 말로, 원래는 현악기의 왼손 주법을 의미하는 말이었다. 하지만 지금은 여타의 기악은 물론 성악을 포함한 전 장르의 음악에 나타나는 음악적 현상으로 받아들여진다. 농현은 '현(絃)을 희롱한다'는 뜻에서 붙여진 이름으로, 농현 중 하나인 퇴성은 고음에서 저음으로 가락이 진행될 때 고음을 슬쩍 흘려 떨어뜨리면서 저음에 ⓐ이르게 하는 방법을 일컫는다. 눈 쌓인 고음의 음악적 언덕에서 저음의 평지로 풀쩍 뛰어내리는 것이 서양 음악 가락의 진행이라면, 퇴성은 썰매를 타고 스르륵 ⓑ흘러 내려오는 방법이다. 그러므로 중간의 수많은 음들이 살아 있는 음이 되어, 다른 음악에서 맛볼 수 없는 역동적인 힘과 아름다움을 만들어 낸다.

나 이러한 퇴성은 특히 호남 지역에서 특별한 음악성을 보여 주면서 나타난다. 이 지역의˚산조, 판소리, 민요, 무악(巫樂) 등에서는 퇴성이 다른 음악에서보다 다소 과장되게 나타나는데, 고음의 본음보다 순간적으로 음을 조금 높여 낸 후 급격히 퇴성을 하여 흡사 음을 꺾는 듯한 느낌을 준다. 이를 '꺾는음', 혹은 '꺾는목'이라고 한다. 이 꺾는목은 음악의 흐름에서 극히 순간적으

로 힘의 균형을 어그러지게 하고 음악적˚평지풍파로 우리의 귀를 즐겁게 해 준다. 그리고 음악과 듣는 이의 감성에 따라 눈물 보따리를 풀어헤치는 슬픔의 소리가 되기도 하고, 어깨춤을 절로 추게 하는 신명을 던져 주기도 하는 이율배반적인 미를 지니고 있다. 이러한 남도 소리의 모습은 '진도 아리랑', '강강수월래', '육자배기'의 첫 부분만 ⓒ들어도 감지된다.

다 퇴성의 방법에는 일정한 규칙이 있는 것이 아니라 연주자의 음악성과 개성, 음악적 분위기, 그리고 음악적 성격에 따라 다양하게 나타난다. 그래서 단순히 약간 흘러내리기도 하고, 가는 파형(波形)의 곡선을 ⓓ만들기도 하며, 굵고 격한 선을 만들면서 흘러내리고 꺾기도 하면서 음악적 조화를 이루어 간다.

라 특히 성악에 나타나는 이러한 퇴성의 모습은 실로 무궁무진하다. 가곡과 시조, 가사의 퇴성법은 같은 듯하면서도 ⓔ다르다. 그리고 '종묘 제례악'의 악장, 판소리, 민요, 범패 등 모두가 특성 있는 창법과 발성법에 의해 각기 다른 퇴성의 모양을 엮어 나간다. 퇴성의 이러한 모습은 일정한 규격대로 이루어지지는 않으나 대개 아악과 민속악에 있어 차이가 있다. 전자의 경우는 점잖고 품위 있는 격식을, 후자의 경우는 꾸밈없고 자유분방한 모습을 지닌다.

마 퇴성에서 보듯이 농현은 우리 음악을 더욱 곡선다운 유연한 세계로 향하게 한다. 농현은 가락의 차이를 들려주고, 하나의 선율이면서도 하나인 것 같지 않은 선율을 만들기도 하며, 우리 음악 특유의 감칠맛을 맛보게 한다. 따라서 농현은 음식에서의 양념과 같은 역할을 담당한다고 말할 수 있다. 양념이 없으면 김치가 아무런 맛도 없는 것처럼, 농현 또한 비본질적인 요소인 듯하면서도 사실은 본질적 요소가 되는 기막힌 역할을 담당하고 있는 것이다. 따라서 농현은 우리 음악의 본질적 모습을 보여 주는 음악적 요소이자 우리 음악을 맛나게 하는 필수불가결의 요소라고 할 수 있다.

◐ **산조(散調)**: 민속 음악에 속하는 기악 독주곡 형태의 하나. 삼남 지방에서 발달하였으며 반드시 장구 반주가 따른다.
◐ **평지풍파**: 평온한 자리에서 일어나는 풍파

17 (가)~(마)의 중심 화제로 적절하지 <u>않은</u> 것은?

① (가): 농현과 퇴성의 개념 및 특징
② (나): 호남 지역의 퇴성에서 나타나는 음악성
③ (다): 퇴성의 다양한 방법
④ (라): 아악과 민속악의 차이
⑤ (마): 음악의 요소로서 농현이 지닌 가치

19 다음 악보는 호남 지역의 민요인 '진도 아리랑'의 악보이다. 윗글을 참고하여 다음 악보에 대해 이해한 내용으로 적절하지 <u>않은</u> 것은?

① ㉠의 가사 마지막 음절이 미끄러져 내려오고 있는 것을 보니 퇴성이 사용된 것 같아.
② ㉡에서는 음이 조금 높아졌다 떨어지고 있으므로 꺾는음이 사용되었다고 볼 수 있어.
③ ㉢에서는 굵고 격한 파형의 선을 만들어 역동적인 힘과 아름다움을 만들고 있어.
④ 위 악보에서 퇴성은 다른 지역의 음악에서보다 다소 과장되게 나타날 거야.
⑤ 위 악보에서 퇴성을 통해 슬픔과 신명을 함축한 아름다움이 동시에 드러날 거야.

18 윗글의 '퇴성'에 대한 설명으로 적절하지 <u>않은</u> 것은?

① 아악과 민속악에서 그 느낌이 다르게 나타난다.
② 서양 음악에서와는 달리 중간에 수많은 음들을 거치게 된다.
③ 호남 지역의 음악에서 음들이 균형을 이룰 수 있도록 기여한다.
④ 농현의 하나로 고음을 흘려 떨어뜨리면서 저음에 이르게 하는 방법이다.
⑤ 정해진 규칙이 있는 것이 아니라 연주자와 음악에 따라 연주 방법이 달라진다.

20 ⓐ~ⓔ 중, 〈보기〉의 설명에 해당하는 것을 모두 고른 것은?

> **보기**
>
> 용언의 활용 과정에서 어간이 '르'로 끝나는 용언이 뒤에 자음으로 시작하는 어미와 결합할 때는 변하지 않다가, 모음으로 시작하는 어미가 결합할 때 어간의 '르'에서 '으'가 탈락되고 'ㄹ'이 덧붙는 것을 '르' 불규칙 용언이라고 한다.

① ⓐ, ⓒ   ② ⓐ, ⓓ   ③ ⓑ, ⓔ
④ ⓒ, ⓓ   ⑤ ⓓ, ⓔ

독해 성취도 평가 체크리스트 **활용법**

❶ 제한 시간 안에 한 회 분량의 독해 성취도 평가를 다 풀고, 풀었던 답을 체크리스트에 표시합니다.

❷ 정답과 해설을 보고 채점 기준에 맞추어 채점을 합니다.
  − 채점 기준: 틀린 문제는 ✕, 찍어서 맞힌 문제는 △, 맞힌 문제는 ○를 합니다.

지문 영역	문제 영역			문제별 체크리스트					1차 채점	2차 채점
인문	사실적 사고	01	①	②	③	④	⑤			
인문	비판적 사고	02	①	②	③	④	⑤			
인문	추론적 사고	03	①	②	③	④	⑤			
인문	어휘·어법	04	①	②	③	④	⑤			
사회	사실적 사고	05	①	②	③	④	⑤			
사회	추론적 사고	06	①	②	③	④	⑤			
사회	비판적 사고	07	①	②	③	④	⑤			
사회	어휘·어법	08	①	②	③	④	⑤			
과학	추론적 사고	09	①	②	③	④	⑤			
과학	추론적 사고	10	①	②	③	④	⑤			
과학	추론적 사고	11	①	②	③	④	⑤			
과학	비판적 사고	12	①	②	③	④	⑤			
기술	사실적 사고	13	①	②	③	④	⑤			
기술	비판적 사고	14	①	②	③	④	⑤			
기술	추론적 사고	15	①	②	③	④	⑤			
기술	어휘·어법	16	①	②	③	④	⑤			
예술	사실적 사고	17	①	②	③	④	⑤			
예술	추론적 사고	18	①	②	③	④	⑤			
예술	비판적 사고	19	①	②	③	④	⑤			
예술	어휘·어법	20	①	②	③	④	⑤			

❸ 1차 채점 후, 틀렸거나 찍어서 맞힌 문제는 다시 풀어 본 후 채점 기준에 따라 채점을 합니다.

❹ 2차 채점 후, ✕ 문제와 △ 문제는 틀린 이유를 파악해 보고, 해설을 통해 반드시 공부합니다.

지문 영역	문제 영역			문제별 체크리스트					1차 채점	2차 채점
인문	사실적 사고	01	①	②	③	④	⑤			
인문	추론적 사고	02	①	②	③	④	⑤			
인문	비판적 사고	03	①	②	③	④	⑤			
인문	어휘·어법	04	①	②	③	④	⑤			
사회	사실적 사고	05	①	②	③	④	⑤			
사회	비판적 사고	06	①	②	③	④	⑤			
사회	추론적 사고	07	①	②	③	④	⑤			
사회	어휘·어법	08	①	②	③	④	⑤			
과학	사실적 사고	09	①	②	③	④	⑤			
과학	사실적 사고	10	①	②	③	④	⑤			
과학	추론적 사고	11	①	②	③	④	⑤			
과학	추론적 사고	12	①	②	③	④	⑤			
기술	사실적 사고	13	①	②	③	④	⑤			
기술	비판적 사고	14	①	②	③	④	⑤			
기술	추론적 사고	15	①	②	③	④	⑤			
기술	어휘·어법	16	①	②	③	④	⑤			
예술	사실적 사고	17	①	②	③	④	⑤			
예술	사실적 사고	18	①	②	③	④	⑤			
예술	비판적 사고	19	①	②	③	④	⑤			
예술	어휘·어법	20	①	②	③	④	⑤			

정오표			1차 채점		2차 채점	
			맞은 개수	틀린 개수	맞은 개수	틀린 개수
1회	지문 영역	인문				
		사회				
		과학				
		기술				
		예술				
	문제 영역	사실적 사고				
		추론적 사고				
		비판적 사고				
		어휘·어법				
2회	지문 영역	인문				
		사회				
		과학				
		기술				
		예술				
	문제 영역	사실적 사고				
		추론적 사고				
		비판적 사고				
		어휘·어법				

※ 정오표를 통해 지문이나 문제에서 자신이 잘하는 영역이나 취약한 영역을 한눈에 파악할 수 있습니다. 앞으로 자주 틀리는 지문 영역이나 문제 영역을 집중적으로 학습해 보세요.

memo

me
mo

중등

수능
독해

국어 비문학 독해

3
심화

정답과 해설

visang

ABOVE IMAGINATION

우리는 남다른 상상과 혁신으로
교육 문화의 새로운 전형을 만들어
모든 이의 행복한 경험과 성장에 기여한다

1. 짧은 지문 실전

인문 01 직접 민주제에 기반한 아테네 민주정

1 ①   2 ③   3 ③

가 기원전 5~4세기는 그리스 정신을 주축으로 문화가 ⓐ번영한 시대였다. 이 시대에 그리스는 약 1,500여 개의 폴리스로 이루어졌지만, 발전은 동등하게 이루어지지 않았다. 아테네는 문화적으로 융성한 대표적인 폴리스로 이 시기에 민주정이 발전하게 되었다. <u>아테네 민주정</u>은 폴리스라는 소규모 국가에서 가능한 ㉠직접 민주제였다. <u>관리는 모든 시민에게 기회가 돌아가도록 추첨을 통해 선발했으며, 임기를 짧게 하였다. 그리고 시민</u>
『 』: 아테네 직접 민주제의 특징
으로부터 ⓑ선출된 배심원들이 시민 법정을 구성했으며, 모든 시민이 함께 모인 민회에서 중요한 정치 문제를 결정했다. 즉, 아테네에서는 폴리스 운영과 관련된 여러 분야에 시민들이 직접 교대로 참여했던 것이다.

나 아테네인은 시민들이 평등하게 직접 민주제에 참여
제도 시행의 목적과 제도의 종류
할 수 있도록 여러 가지 제도를 ⓒ시행했는데, <u>추첨제,</u>
<u>㉡수당제, 중임 제한</u> 등이 그것들이다. 아테네인은 아르콘을 포함한 대부분의 관직을 추첨을 통해 선발했다. 추첨제는 가문, 재산, 능력에 관계없이 모든 시민이 국
추첨제의 의의
정에 참여할 수 있다는 원칙을 보여 주었다. 수당제는 국정에 참여하는 시민들에게 일정한 수당을 ⓓ지급하는 제도였다. 『1년 동안 자신의 가계를 돌보지 않고 국가
『 』: 수당제의 의의
에 봉사하는 시민들에게 어느 정도의 경제력을 보장해 줌으로써 가난한 시민들의 국정 참여를 가능하게 하였다.』 아테네인의 모든 관직은 거의 단임으로 제한했는데, 이는 <u>가능한 한 많은 시민들에게 국정에 참여할 수 있는</u>
중임 제한의 의의
<u>기회를 부여하게 해 주었다.</u>

다 하지만 『아테네의 모든 시민이 국정에 직접 참여할
『 』: 아테네 민주정이 직접 민주제를 이끌어 갈 수 있었던 실제적인 이유
수 있었던 것은 실제적으로 노예와 아테네 제국이 존재했기 때문이라고 볼 수 있다.』 시민들이 시민적 생활에 ⓔ충실하기 위해서는 그들이 직접 생계를 돌보지 않더라도 <u>그들을 대신해서 생업을 꾸려 가고 가내 노동을 담당할 대체 인력이 필요했는데, 이들의 대체 인력이 바로</u>
<u>전체 인구의 약 35~40%에 달했던 노예들이다.</u> 또한 아
아테네 민주정을 발전할 수 있게 만든 물질적 토대 ①
테네 제국에서 얻는 경제적 혜택도 급진적 민주정을 발
아테네 민주정을 발전할 수 있게 만든 물질적 토대 ②

전시킬 수 있는 요인이었다. 아테네인이 동맹국으로부터 많은 재정 수입을 확보하지 못했다면 시민들에게 공무 수당으로 제공할 자금도 충분치 못했을 것이며, 하층민의 정치 참여는 불가능했을 것이다. 결국 노예와 아테네 제국은 고전기 아테네 민주정이 발전하기 위한 물질적 토대였던 것이다.

＋ 독해 체크

■ 이 글의 핵심 화제
아테네 민주정의 (직접 민주제)

■ 문단별 중심 내용

1문단   직접 민주제의 형태로 발전한 아테네 (민주정)

⬇

2문단   아테네의 직접 민주제를 가능하게 한 여러 (제도들)

⬇

3문단   아테네 민주정의 물질적 토대가 된 (노예)와 아테네 제국

■ 핵심 내용의 구조화

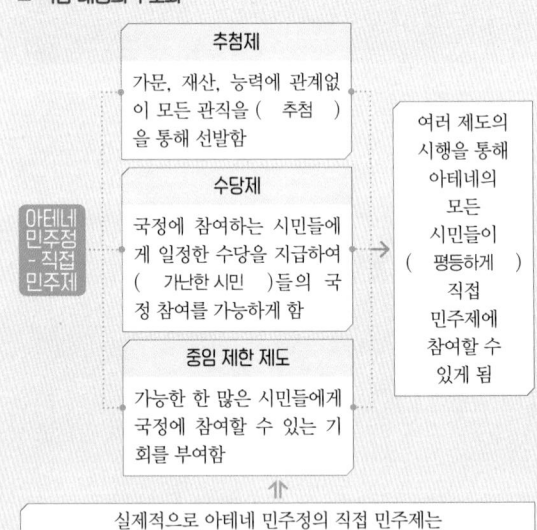

추첨제
가문, 재산, 능력에 관계없이 모든 관직을 (추첨)을 통해 선발함

수당제
국정에 참여하는 시민들에게 일정한 수당을 지급하여 (가난한 시민)들의 국정 참여를 가능하게 함

중임 제한 제도
가능한 한 많은 시민들에게 국정에 참여할 수 있는 기회를 부여함

아테네 민주정 – 직접 민주제 → 여러 제도의 시행을 통해 아테네의 모든 시민들이 (평등하게) 직접 민주제에 참여할 수 있게 됨

⬆

실제적으로 아테네 민주정의 직접 민주제는 노예, 아테네 제국에서 얻는 (경제적) 혜택을 물질적 토대로 해서 발전한 것임

1 (다)에서 아테네에서는 시민들을 대신해서 가내 노동을 담당할 노예들이 있었기 때문에 모든 시민이 국정에 참여할 수 있었다고 언급하고 있다. 더불어 아테네 제국은 동맹국으로부터 많은 재정 수입을 거둬들였기 때문에 시민들에게 공무 수당을 지급할 수 있었고, 이로 인해 하층민들도 정치에 참여할 수 있었다고 언급하고 있다. 따라서 직접 민주제를 이끌어 가는 아테네 시민 중 가내 노동을 담당하는 하층민이 국정에 참여하지 못했다는 진술은 적절하지 않다.

오답 풀이 ❷ (나)에서 '직접 민주제'는 추첨제 방식이 시행됨으로써 가문, 재산, 능력에 관계없이 모든 시민이 국정에 참여할 수 있게 되었음을 제시하고 있다.

❸ (가)에서 '직접 민주제'가 폴리스라는 소규모 국가에서 가능한 것임을 제시하고 있다.

❹ (나)에서 모든 관직을 단임으로 제한한 이유는 가능한 많은 시민들에게 국정에 참여할 기회를 부여하기 위한 것임을 제시하고 있다.

❺ (가)에서 모든 시민이 함께 모인 민회에서 중요한 정치 문제를 결정했음을 제시하고 있다.

2 (나)의 '1년 동안 자신의 가계를 돌보지 않고 국가에 봉사하는 시민들에게 어느 정도의 경제력을 보장해 줌으로써 가난한 시민들의 국정 참여를 가능하게 하였다.'에 수당제의 의의가 제시되어 있다. 이를 통해 아테네에서 국정에 참여하는 시민들에게 수당을 지급한 것은 가난한 시민이 생계에 구애받지 않고 정치에 참여하도록 하기 위함임을 알 수 있다.

오답 풀이 ❶ 아테네가 시민들에게 관직을 하나의 직업으로 인식시키기 위해 수당제를 실시했다는 내용은 이 글을 통해 확인할 수 없다.

❷ 아테네 제국이 동맹국으로부터 막대한 재정적 수입을 얻은 것은 사실이지만 이를 소모하기 위해 수당제를 실시했다는 내용은 찾아볼 수 없다.

❹ (나)에서 가능하면 많은 시민들에게 국정에 참여할 수 있는 기회를 부여하기 위해 실시한 것은 수당제가 아니라 단임, 곧 '중임 제한'임을 알 수 있다.

❺ (다)에서 아테네에서 직접 민주제가 가능했던 이유는 노예들이 시민들의 생업을 대신할 수 있는 대체 인력으로 투입되었기 때문임을 제시하고 있다. 따라서 수당제가 관직을 맡은 시민이 대체 인력을 쓰지 않고 생업을 꾸려 나갈 수 있도록 하기 위해 실시되었다는 진술은 적절하지 않다.

3 ⓒ '시행(施行)'의 사전적 의미는 '실지로 행함'이다. ③에 제시된 '시험적으로 행함'은 '시행(試行)'의 사전적 의미이다.

오답 풀이 ❶ '번영(繁榮)'의 사전적 의미는 '번성하고 영화롭게 됨'이므로 적절하다.

❷ '선출(選出)'의 사전적 의미는 '여럿 가운데서 골라냄'이므로 적절하다.

❹ '지급(支給)'의 사전적 의미는 '돈이나 물품 따위를 정하여진 몫만큼 내줌'이므로 적절하다.

❺ '충실(忠實)'의 사전적 의미는 '충직하고 성실함'이므로 적절하다.

➕ 어휘 체크

1 (1) 주축 (2) 부여
2 ❶ 동맹국 ❷ 국정 ❸ 단임 ❹ 임기

원효와 의상의 불교 사상

1 ③ 2 ③ 3 ④

가 원효와 의상은 통일 신라의 불교를 ⓐ대표하는 인물로, 이들은 불교계의 도반이자 서로 다른 길을 걸었던 경쟁자였다. 원효와 의상은 보덕 화상의 문하에서 불경을 공부하다 선진 불교를 배우기 위해 함께 당나라로 떠났다. 어느 날 날이 저물어 동굴 속에서 잠을 자던 원효는 목이 말라 잠결에 뒤척이다가 머리맡 바가지에 있는 물을 시원하게 마시고 다시 잠이 들었다. 다음 날 아침 원효는 자신이 마신 물이 해골 물이라는 것을 알고 구역질을 하다가 그 물은 어제와 오늘 아무것도 달라지지 않았고, 달라진 것은 자신의 마음이라는 것을 떠올리게 되었다. 그리고 '마음이 생겨나므로 모든 것이 생긴다.'는 '일체유심조(一切唯心造)'를 깨닫고 의상과 헤어져 신라로 되돌아오게 되었다.

나 신라로 돌아온 원효는 경전을 홀로 읽으며 '일심(一心)' 사상을 깨달았다. 원효는 물과 얼음이 근본적으로 같은 것처럼, 서로 다르게 보이는 주장도 모두 부처의 가르침에서 비롯된 것이므로 근본적으로 차이가 없다고 생각하였다. 그리고 일체의 이론은 결국 그 깨달음의 바탕인 일심일 뿐이며, 하나인 마음의 진리를 각기 다른 시각에서 보기 때문에 다양한 이론이 생긴다고 하였다. 원효는 당시 불교가 여러 분파로 나뉘어져 다투는 상황을 일심 사상을 통해 극복하려 했으며, 어떤 것에도 구속받지 않고 자비를 ⓑ실천하는 무애행(無碍行)을 통하여 참다운 불교를 대중화하고 보편화하였다.

다 한편, 의상은 당나라의 지엄으로부터 화엄 사상을 ⓒ전수받고 돌아와 제자들을 가르치고 백성들을 ⓓ교화하는 데 힘썼다. 의상의 핵심 사상은 '하나는 곧 모두이며 모든 것이 하나다.'는 것으로, 부처는 모든 중생을 헤아리며, 모든 중생은 수행을 통해 자신이 본디부터 부처라는 것을 깨닫게 된다는 뜻을 담고 있었다. 또한 의상은 우주의 본질 속에 눈에 보이는 현상이 있고, 현상 가운데 본질이 있다는 것을 강조하였다. 이 말은 지배층의 정치 이념으로 해석되어 왕의 마음속에 백성들이 있으며, 모든 백성은 왕을 우러르며 산다는 지배층의 논리로도 쓰였다.

라 원효와 의상은 사상의 기반이 되는 사유 체계가 달랐고, 교리를 연구하는 방식과 내세우는 이론도 달랐지만 서로를 ⓔ배척하지 않았다. 오히려 원효는 의상과 토론을 하며 의심스러운 부분을 해소했고, 의상은 원효의 학설을 수용하기도 했다. 덕분에 통일 신라의 불교는 백성들에게는 정신적 위안을 주고 지배층에게는 왕권을 강화하기 위한 사상적 토대의 역할을 할 수 있었다.

원효와 의상의 불교 사상의 의의

➕ 독해 체크

■ **이 글의 핵심 화제**

(원효)와 의상의 불교 사상과 그 의의

■ **문단별 중심 내용**

1문단 (일체유심조)를 깨달으면서 의상과 다른 길을 걷게 된 원효

↓

2문단 원효의 핵심 사상인 (일심 사상)의 특징

↓

3문단 의상의 핵심 사상인 (화엄 사상)의 특징

↓

4문단 원효와 의상의 불교 사상의 (의의)

■ **핵심 내용의 구조화**

원효의 불교 사상	의상의 불교 사상
• 일심 사상을 내세움 • 서로 다르게 보이는 주장도 모두 (부처)의 가르침에서 비롯된 것이므로 근본적으로 차이가 없음을 전함 • 하나인 마음의 (진리)를 다른 시각에서 보아 다양한 이론이 생겼음을 지적하며, 당시 불교가 여러 분파로 나뉘어져 다투는 상황을 일심 사상을 통해 극복하려고 함 • (무애행)을 통해 참다운 불교를 대중화하고 보편화함	• 화엄 사상을 내세움 • 부처는 모든 중생을 헤아리며, 모든 중생은 (수행)을 통해 자신이 본디부터 (부처)라는 것을 깨닫게 된다는 뜻을 전함 • 우주의 (본질) 속에 현상이 있고, 현상 가운데 본질이 있음을 강조함 • 지배층의 정치 이념으로 해석되어 왕권 강화를 위한 지배층의 논리로 쓰임

서로 배척하지 않고 공존의 태도를 보임

⇓

통일 신라의 불교가 백성들에게 정신적 (위안)을 주고, 지배층에게는 왕권을 강화하기 위한 사상적 토대의 역할을 할 수 있게 함

1 이 글의 (나)에서는 원효의 불교 사상인 '일심(一心)' 사상에 대해 설명하고 있고, (다)에서는 의상의 불교 사상인 '화엄(華嚴)' 사상에 대해 설명하고 있다. 그리고 (라)에서 두 사람이 추구한 불교 사상이 통일 신라의 사람들에게 갖는 의의를 밝히고 있다.

오답 풀이 ❶ 원효와 의상의 불교 사상에 대해 설명하고 있을 뿐, 통일 신라 불교의 변천 과정을 설명하고 있지는 않다.

❷ 원효와 의상의 불교 사상을 설명하고 있으나, 이를 통일 신라의 시대적 배경을 중심으로 분석하고 있는 것은 아니다.

❹ 원효와 의상의 생애가 구체적으로 드러나 있지 않으며, 이를 통해 두 사람이 추구했던 불교 사상의 공통점을 제시하고 있지도 않다.

❺ 원효와 의상의 불교 사상의 특징을 비교하고 있을 뿐, 불교의 일반적인 원리를 바탕으로 두 사람의 불교 사상에 담긴 특이점을 비교하고 있는 것은 아니다.

2 ③에 제시된 '수행을 통해 자신이 본디부터 부처임을 깨달아야 한다.'는 의상의 화엄 사상과 관련된 내용이고, 〈보기〉에 제시된 내용은 원효의 '일심' 사상에 대한 설명이다. 따라서 ③은 이 글을 바탕으로 〈보기〉를 이해할 것을 요구한 발문의 조건에 부합하지 않는 내용으로 볼 수 있다.

오답 풀이 ❶ (나)의 '원효는 물과 얼음이 근본적으로 같은 것처럼, 서로 다르게 보이는 주장도 모두 부처의 가르침에서 비롯된 것이므로 근본적으로 차이가 없다고 생각하였다.'를 통해 원효가 말하는 '일심' 사상의 관점에서는 깨끗함과 더러움도 대립적인 것으로 보이나 근본적으로는 차이가 없는 것임을 알 수 있다.

❷ (나)에서 '일체의 이론은 결국 그 깨달음의 바탕인 일심일 뿐'이라고 하였고, 〈보기〉에서 하나인 마음, 즉 일심은 '가장 진실되어 허공과는 다르므로 스스로 신령스럽게 아는 성품이 있'다고 하였다. 이에 따르면 일심 사상은 진실되고 신령스러운 것이므로 모든 깨달음의 바탕이 되는 것임을 알 수 있다.

❹ (나)의 '서로 다르게 보이는 주장도 모두 부처의 가르침에서 비롯된 것이므로'를 통해 참과 거짓이 서로 다르지 않은 것은 모두 부처의 가르침에서 비롯된 것임을 알 수 있다.

❺ 〈보기〉에서 원효가 말하는 일심 사상의 '도리는 언어와 생각을 초월'한 것이라고 하였다. 이에 따르면 종파 간의 논쟁은 무의미한 것임을 알 수 있다.

3 ⓓ의 '교화'는 '부처의 진리로 사람을 가르쳐 착한 마음을 가지게 함'의 의미로 쓰였으나, ④의 '교화'는 '서로 병력을 가지고 전쟁을 함'의 의미로 쓰였으므로 적절하지 않다.

오답 풀이 ❶ ⓐ의 '대표'는 문장에서 '전체의 상태나 성질을 어느 하나로 잘 나타냄'의 의미로 쓰였고, ①의 '대표' 역시 이와 동일한 의미로 쓰였다.

❷ ⓑ의 '실천'은 문장에서 '생각한 바를 실제로 행함'의 의미로 쓰였고, ②의 '실천' 역시 이와 동일한 의미로 쓰였다.

❸ ⓒ의 '전수'는 문장에서 '기술이나 지식 따위를 전하여 받음'의 의미로 쓰였고, ③의 '전수' 역시 이와 동일한 의미로 쓰였다.

❺ ⓔ의 '배척'은 문장에서 '따돌리거나 거부하여 밀어 내침'의 의미로 쓰였고, ⑤의 '배척' 역시 이와 동일한 의미로 쓰였다.

➕ 어휘 체크

1 강화 - 화상 - 상경 - 경전 - 전수 - 수행
2 ❶ ㉠ ❷ ㉡

사회 01 기본권, 보장이 먼저일까? 제한이 먼저일까?

1 ④   2 ⑤   3 ③

⑦ 기본권은 인간이 살아가는 데 필요한 기본적인 권
 └핵심어
리를 헌법에 의해 보장받을 수 있도록 법률로 규정한 것
            └기본권의 개념
을 말한다. 우리나라 헌법에서는 인간의 존엄과 가치 및
행복 추구권을 포괄적 기본권으로 규정하고 있으며, 국
가 권력은 국민의 기본권을 보장함으로써 법률에 의한
제한의 정당성을 확보하고 있다. 간혹 기본권을 인권과
㉠헷갈려 하는 경우가 있는데, 「인권은 인간이면 당연히
                    └기본권과 인권의 차이
누리는 자연법상의 권리로써 기본권을 법적으로 규정하
는 토대가 되는 반면, 기본권은 헌법에 성문화되어 규정
된 인권 즉, 실정법상의 권리이다.」

⑭ 「인간은 다른 사람과 더불어 사는 사회적 존재이므
   └기본권 제한의 필요성
로 개인의 기본권 행사가 타인의 기본권을 침해할 경우
국가가 국민의 기본권을 제한할 필요가 있다.」 다만 국가
가 아무런 조건 없이 기본권을 제한할 수 있는 것은 아
니다. 「헌법에는 국민의 모든 자유와 권리는 국가 안전
        └기본권 제한의 요건을 규정한 헌법 내용
보장, 질서 유지 또는 공공복리라는 공익을 위하여 필요
        └기본권 제한의 목적 및 범위
한 경우에 한하여 법률로써 제한할 수 있다고 명시되어
        └기본권 제한의 방법
있다.」 즉 기본권을 제한할 때에는 국민의 대표 기관인
국회에서 제정한 법률에 근거해야 하며, 법률의 근거가
없거나 위임 없이 명령, 조례, 규칙 등을 통해서는 제한
할 수 없다.

⒟ 더불어 국가가 기본권을 제한할 때 지켜야 할 원칙
                           └기본권 제한의 원칙이 존재함
이 있다. 먼저 기본권을 제한하려는 목적이 헌법 및 법
          └기본권 제한의 원칙 ① - 목적의 정당성
률에 의해 그 정당성이 인정되어야 하고, 그 목적을 달
성하기 위해 선택한 방법이 효과적이고 적절해야 한다.
         └기본권 제한의 원칙 ② - 방법의 적절성
또한 입법자가 선택한 기본권 제한의 조치가 입법 목적
달성을 위하여 설령 적절하다 할지라도 가능한 한 보다
완화된 형태나 방법을 모색함으로써 국민의 기본권은
      └기본권 제한의 원칙 ③ - 피해의 최소성
필요한 최소한의 범위에서 제한되어야 하며, 그 제한을
통해서 보호하려는 공익과 침해되는 사익을 비교할 때
              └기본권 제한의 원칙 ④ - 법익의 균형성
보호되는 공익이 더 크거나 균형이 유지되어야 한다.

⒭ 하지만 기본권 제한의 요건을 충족하였다고 해서
기본권의 제한이 항상 정당화되는 것은 아니다. 「헌법에
                               └기본권 제한의 한계를 규정한 헌법 내용
는 기본권을 제한하는 경우에도 자유와 권리의 본질적
인 내용을 침해할 수 없다는 내용을 명시하고 있다.」 헌
법 재판소는 헌법에서 부여된 기본권은 제한할 수 있되,

제한하여야 할 현실적인 필요성이 아무리 큰 것이라고
하더라도 기본권의 본질적인 내용을 침해하는 경우에는
기본권 제한이 허용될 수 없음을 밝히고 있다.

✚ 독해 체크

■ 이 글의 핵심 화제

인간의 (기본권)을 제한할 때의 요건과 원칙

■ 문단별 중심 내용

> 1문단 기본권의 개념 및 기본권과 (인권)과의 차이점
>
> 2문단 기본권 (제한)의 요건
>
> 3문단 기본권을 제한할 때 지켜야 할 (원칙)
>
> 4문단 기본권의 (본질)은 침해할 수 없는 기본권의 제한

■ 핵심 내용의 구조화

기본권
인간이 살아가는 데 필요한 기본적인 권리를 (헌법)에 의해 보장받을 수 있도록 법률로 규정한 것. 자연법상의 권리인 인권과 달리 실정법상의 권리에 해당함

⬇ 개인의 기본권 행사가
타인의 기본권을 침해

기본권 제한

기본권 제한의 요건	기본권 제한의 원칙	기본권 제한의 한계
국가 안전 보장, 질서 유지 또는 (공공복리)라는 공익을 위하여 필요한 경우에 한하여 법률로써 제한할 수 있음	• 목적의 (정당성) • 방법의 적절성 • 피해의 (최소성) • 법익의 균형성	기본권을 제한하는 경우에도 (자유)와 권리라는 기본권의 본질적인 내용은 침해할 수 없음

1 (나)에서 기본권을 제한할 때에는 국민의 대표 기관인 국회에서 제정한 법률에 근거해야 하며, 법률의 근거가 없거나 위임 없이 명령, 조례, 규칙 등을 통해서는 제한할 수 없다고 하였다. 따라서 대통령의 명령에 의해 기본권을 제한할 수 있다는 내용은 적절하지 않다.

오답 풀이 **❶** (가)의 '국가 권력은 국민의 기본권을 보장함으로써 법률에 의한 제한의 정당성을 확보하고 있다.'와 '기본권은 헌법에 성문화되어 규정된 인권 즉, 실정법상의 권리이다.'를 통해 확인할 수 있다.
❷ (라)의 '헌법에는 기본권을 제한하는 경우에도 자유와 권리의 본질적인 내용을 침해할 수 없다는 내용을 명시하고 있다.'를 통해 확인할 수 있다.
❸ (나)의 '인간은 다른 사람과 더불어 사는 사회적 존재이므로 개인의 기본권 행사가 타인의 기본권을 침해할 경우 국가가 국민의 기본권을 제한할 필요가 있다.'를 통해 확인할 수 있다.

⑤ (다)의 '입법자가 선택한 기본권 제한의 조치가 입법 목적 달성을 위하여 설령 적절하다 할지라도 가능한 한 보다 완화된 형태나 방법을 모색함으로써 국민의 기본권은 최소한의 범위에서 제한되어야 하며'를 통해 확인할 수 있다.

2 (라)에서 기본권을 '제한하여야 할 현실적인 필요성이 아무리 큰 것이라 하더라도 기본권의 본질적인 내용을 침해하는 경우에는 기본권 제한이 허용될 수 없'다고 하였으므로 적절하지 않다.

오답 풀이 ❶ (나)에서 기본권 제한의 요건을 설명하며 필요한 경우에 한하여 '법률로써 제한할 수 있다'고 하였다. 따라서 법원에서 ○○시가 집회를 불허함으로써 A씨의 기본권을 제한한 것이 법률에 근거한 것인지를 판단한다는 내용은 적절하다.
❷ (다)에서 '입법자가 선택한 기본권 제한의 조치가 입법 목적 달성을 위하여 설령 적절하다 할지라도 가능한 한 보다 완화된 형태나 방법을 모색'해야 한다(피해의 최소성)고 하였다. 따라서 법원에서 ○○시의 집회 불허 방침이 적절하다고 판단하더라도 완화된 형태나 방법을 모색해야 한다고 볼 수도 있다는 내용은 적절하다.
❸ (다)에서 기본권을 제한하려는 '목적을 달성하기 위해 선택한 방법이 효과적이고 적절해야 한다'(방법의 적절성)고 하였다. 따라서 ○○시는 기본권을 제한하려는 목적 달성을 위해 A씨가 신고한 집회를 불허하는 것이 가장 효과적인 방법이라고 생각했을 것이라는 내용은 적절하다.
❹ (다)에서 기본권의 '제한을 통해서 보호하려는 공익과 침해되는 사익을 비교할 때 보호되는 공익이 더' 커야 한다(법익의 균형성)고 하였다. 따라서 법원에서 ○○시의 집회 불허 방침이 적절하다고 판단할 때는 집회 불허로 침해되는 사익보다 보호할 수 있는 공익이 더 크다고 판단했기 때문이라는 내용은 적절하다.

3 ㉠에서 '헷갈려 하는'은 '여러 가지가 뒤섞여 갈피를 잡지 못하는'이라는 의미로 쓰였다. 따라서 문맥상 ㉠은 '구별하지 못하고 뒤섞어서 생각하는'이라는 의미의 한자어인 '혼동(混同)하는'과 바꾸어 쓰는 것이 가장 적절하다.

오답 풀이 ❶ '혼기(混記)하는'은 '잘못 혼동하여 기록하는'의 의미를 지닌 단어이다.
❷ '혼노(惛憹)하는'은 '마음이 어수선한'의 의미를 지닌 단어이다.
❹ '동일화(同一化)하는'은 '둘 이상의 것을 똑같은 것으로 보는'의 의미를 지닌 단어이다.
❺ '표리일체(表裏一體)하는'은 '두 가지 사물의 관계가 밀접하게 되는'의 의미를 지닌 단어이다.

사회 02 사회 복지와 자유

1 ②   2 ①   3 ④

가 사회 복지 정책을 비판하는 사람들의 논리 중 하나
　　　　핵심어
는, 『사회 복지 정책 추진에 필요한 세금을 많이 낸 사람
『 』: 사회 복지 정책을 비판하는 사람들의 입장 소개
들이 혜택을 그만큼 돌려받지 못할 때가 많은데 이것이
야말로 개인의 자유를 침해한 것이 아니냐는 것이다.』 일
반적으로 사회 복지 정책이 제공하는 재화와 서비스는
　　　　　　　　　　사회 복지 정책이 제공하는 재화와 서비스가 지닌 보편성을 언급함
공공재적 성격이 있어 이를 이용하는 데 차별을 두지 않
는다. 따라서 강제적으로 낸 세금의 액수와 그 재화의
이용을 통한 이득 사이에는 차이가 존재할 수 있다. 이
처럼 『세금을 많이 낸 사람들이 적은 이득을 보게 될 경
　　『 』: 글쓴이는 사회 복지 정책이 개인의 자유를 침해한다는 주장이 내세우는 논리를 인정하고 있음
우에는 낸 액수와 얻은 이익의 차이만큼 불필요하게 그
사람의 자유를 제한하였다고 볼 수 있다.』

나 그러나 이러한 자유의 제한은 다음과 같은 측면에
　　　　　글쓴이가 사회 복지 정책을 비판하는 관점에 대해 반박하는 입장임
서 합리화될 수 있다. 『사회 복지 정책을 통해 제공하는
『 』: 개인의 자유를 제한함으로써 사회 구성원들이 누릴 수 있는 적극적 자유의 수준은 높아짐
재화와 서비스는 보편성을 지니므로 사회 전체를 위해
강제적으로 제공하는 것이 개인의 자유에 맡겨 둘 때보
다 더 양과 질을 높일 수 있다. 『예를 들어, 각 개인에게
　　　　　　　　　　　『 』: 공공재의 성격을 지닌 의료 서비스를 예로 들어 사회 복지 정책의 효용을 제시함
민간 부문의 의료 서비스를 사용할 수 있는 자유가 주어
질 때보다 모든 사람이 공공 의료 서비스를 받을 수 있
을 때 의료 서비스의 양과 질은 전체적으로 높아진다.
이는 모든 사람을 대상으로 하는 의료 서비스의 양과 질
이 높아져야만 개인에게 돌아올 서비스의 양과 질도 높
아질 수 있기 때문이다.』 이런 경우 세금을 많이 낸 사람
이 누릴 수 있는 소극적 자유는 줄어들지만, 사회 구성
원들이 누릴 수 있는 적극적 자유의 수준은 전반적으로
　　　　　전 사회적 차원에서 의료 서비스의 양과 질이 향상됨
높아지는 것이다.』

다 자유 민주주의 사회에서는 개인의 자유를 보장해야
　　　　　　　　　　당위적 명제
하지만 무제한의 자유를 모든 사람에게 보장하기는 불
　　　　　　　　　　현실적 한계
가능하므로 우리가 추구해야 할 자유는 제한적일 수밖
에 없다. 『사회 복지 정책이 시장에서의 거래에 의한 자
　　　　　　『 』: 사회 복지 정책을 비판하는 사람들이 주장하는 바
원 배분에 개입하여 개인의 자유로운 선택의 기회를 제
한할 때는 소극적 자유를 침해하는 것이지만 그로 인해
빈자(貧者)들의 적극적인 자유가 더 ㉠신장될 수도 있
다. 이처럼 사회 복지 정책은 한쪽의 소극적 자유를 줄
　　　　　　　　　　　사회 복지 정책이 지닌 양면성
이는 반면 다른 한쪽의 적극적 자유를 증진시키는 방향
으로 결정되는 경우가 많다.』

+ 어휘 체크

1 (1) 인권 (2) 명시 (3) 정당성
2 ❶ 확보 ❷ 보장 ❸ 제정 ❹ 규정

라 소극적 자유의 제한으로 인한 사회적 효용의 감소보다 적극적 자유의 증진으로 인한 사회적 효용의 증가가 더 크기 때문에 적극적 자유를 높이는 것이 소극적 자유를 줄이는 것보다 사회적으로 더 바람직할 수 있다. (글쓴이가 궁극적으로 말하고자 하는 바) 소극적 자유의 제한이 적극적 자유를 확대하여 인간이 인간답게 살 수 있는 사회적 가치를 실현하는 데 용이하 (사회 복지 정책의 목적) 다면 이를 사회적으로 합의하고 인정할 수밖에 없다.

✛ 독해 체크

■ **이 글의 핵심 화제**

사회 (복지) 정책으로 인한 (적극적 자유)의 확대

■ **문단별 중심 내용**

 사회 복지 정책을 (비판)하는 입장에 대한 소개

 보편적 차원에서 (적극적) 자유의 수준을 높이는 사회 복지 정책

 가난한 사람들의 적극적 자유를 (증진)시키는 사회 복지 정책

4문단 사회 복지 정책을 사회적으로 (합의)하고 인정해야 하는 이유

■ **핵심 내용의 구조화**

사회 복지 정책을 비판하는 관점
• 납부한 세금의 액수만큼 혜택을 보지 못하는 개인의 경우 자유가 침해된 것일 수 있음 • 사회 복지 정책에 의한 자원의 배분은 개인의 소극적 (자유)를 제한할 수 있음

⇕

사회 복지 정책에 대한 글쓴이의 관점

(소극)적 자유의 (제한)으로 감소하는 사회적 효용	<	(적극)적 자유의 (증진)으로 증가하는 사회적 효용

⇓

적극적 자유를 높이는 것이 소극적 자유를 줄이는 것보다 사회적으로 더 바람직한 이유
소극적 자유의 제한이 적극적 자유를 확대하여 인간이 인간답게 살 수 있는 (사회적 가치)를 실현하는 데 용이하기 때문

1 (나)에서 공공재의 성격을 지닌 공공 의료 서비스를 예로 들어 사회 복지 정책의 효용에 대해 제시하고 있다.

오답 풀이 ❶ 이 글에서는 어떤 학자의 주장을 인용한 부분을 찾을 수 없고, 사회 복지 정책 확대의 타당성을 강조하고 있지도 않다.
❸ 이 글에서는 개인의 자유가 침해된 구체적인 사례를 제시하고 있지 않다. 그리고 사회 복지 정책의 강제성을 비판하는 것은 이 글의 논지와 반대되는 것이다.

❹ 이 글에서는 최근 몇 년간 우리나라 사회 복지 정책의 집행 실적에 대해 언급한 부분을 찾을 수 없다.
❺ 이 글에서는 사회 복지 정책의 유래와 발전 과정에 대해 설명한 부분을 찾을 수 없다.

2 (가)에서 사회 복지 정책이 제공하는 재화와 서비스는 이용에 차별을 두지 않는 것이 일반적이라고 언급하고 있을 뿐이다. 이 글의 글쓴이가 이와 같은 상황에 반대하여 사회 복지 정책이 제공하는 재화의 이용에 제한을 두어야 한다고 주장한 것은 아니다.

오답 풀이 ❷ (라)에 사회 복지 정책에 대한 글쓴이의 입장이 드러나 있다. 글쓴이는 소극적 자유의 제한이 적극적 자유를 확대하여 인간이 인간답게 살 수 있는 사회적 가치를 실현하는 데 용이하다면 이를 사회적으로 합의하고 인정할 수밖에 없다고 보았다.
❸ (가)에서 글쓴이는 강제적으로 낸 세금의 액수와 그 재화의 이용을 통한 이득 사이에 차이가 존재할 수 있다고 하였다. 그리고 세금을 많이 낸 사람이 적게 이득을 본 경우에는 낸 액수와 얻은 이익의 차이만큼 불필요하게 그 사람의 자유가 제한된 것이라고 하였다.
❹ (다)에서 글쓴이는 자유 민주주의 사회에서는 개인의 자유를 보장해야 하지만 무제한의 자유를 모든 사람에게 보장하는 것은 불가능하므로 우리가 추구해야 할 자유는 제한적일 수밖에 없다고 하였다.
❺ (라)에서 글쓴이는 소극적 자유의 제한으로 감소되는 사회적 효용보다 적극적 자유의 증진으로 증가되는 사회적 효용이 크기 때문에 적극적 자유를 높이는 것이 소극적 자유를 줄이는 것보다 사회적으로 더 바람직하다고 보았다.

3 ⓐ의 문장은 기존에 정해진 '어업 조건'은 양국의 협의를 통해 매년 바뀌게 되어 있다는 의미를 담고 있다. 이에 적합한 단어는 '세력이나 권리 따위가 늘어남. 또는 늘어나게 함'을 의미하는 '신장'이 아니라 '이미 있던 것을 고쳐 새롭게 함'을 의미하는 '경신'이다.

오답 풀이 ❶, ❷, ❸, ❺에 쓰인 '신장'은 〈보기〉에 제시된 사전적 의미와 같이 문장에서 '세력이나 권리 따위가 늘어남. 또는 늘어나게 함'이라는 의미로 쓰인 단어들이다.

✛ 어휘 체크

1 공공재 – 재배 – 배분 – 분침 – 침해 – 해석
2 ❶ ⓒ ❷ ㉠ ❸ ⓛ

01 귀의 청각 기능

1 ③　　　2 ②　　　3 ①

가 귀가 소리를 ⓐ감각하기 위해서는 공기를 통해 전
달되는 음파를 액체 형태의 파동으로 변화시켜야 한다.
귓구멍으로 들어온 음파가 고막을 진동하면 그 진동은
　　　　　　　　　　음파의 이동 과정 ①
중이(中耳)에 있는 세 개의 뼈인 망치뼈, 모루뼈, 등자뼈
　　　　　　　　　　　　음파의 이동 과정 ②
로 전달되고, 그중 하나인 등자뼈와 연결된 난원창을 통
　　　　　　　　　　　　　　음파의 이동 과정 ③
해 내이(內耳)로 들어가게 된다. 이 진동은 내이의 달팽
이관 안에 있는 림프액에 압력을 가해 파동을 일으키고,
　　　　　　　　　　음파의 이동 과정 ④
이때 생성된 압력파는 다시 달팽이관과 그 안의 기저막
　　　　　　　　　　　음파의 이동 과정 ⑤
을 누르게 된다. 이에 대한 반응으로 기저막은 위아래로
진동하게 되고, 기저막에 붙어 있는, 림프액의 진동을
감지하는 장치인 코르티 기관의 털 세포들 역시 위아래
　　　　　　　　　　음파의 이동 과정 ⑥
로 진동하게 된다. 그리고 움직이는 털 세포들은 털 세
포 바로 위를 덮고 있는 덮개막에 의해 구부러지는 현상
　　　　　　　　　　　　음파의 이동 과정 ⑦
을 반복하게 되는데, 이에 따라 청신경 세포의 감각에
　　　　　　　　　　　음파의 이동 과정 ⑧
변화가 ⓑ초래되고, 이 변화는 뇌에서 소리로 ⓒ인지된
　　　　　　　　　　　　음파의 이동 과정 ⑨
다.

나 귀에서 뇌로 전달되는 소리를 변하게 만드는 두 가
지 중요한 요인은 바로 소리의 크기와 높낮이이다. 소리
의 크기, 즉 세기는 음파의 진폭에 따라 결정된다. 「큰 진
　　　　　　소리의 크기를 결정하는 요인
폭을 가지고 있는 소리는 기저막을 더 강렬하게 흔들기
「 」: 진폭이 큰 음파가 큰 소리로 인식되는 이유
때문에 털 세포의 털이 더 심하게 구부러지고 이에 따라
서 청신경에서도 높은 빈도의 활동 전위가 발생하게 된
다.

다 소리의 높낮이는 음파의 진동수에 따라 결정된다.
　　　　　　소리의 높낮이를 결정하는 요인
높은 진동수의 음파는 높은 소리를 만들고, 낮은 진동수
의 음파는 낮은 소리를 만든다. 달팽이관을 통해서 이러
한 소리의 높낮이를 구별할 수 있는데, 그 이유는 기저
　　　　　　　달팽이관에서 소리의 높낮이를 구별할 수 있는 이유
막의 구조와 성질이 일정하지 않기 때문이다. 「난원창과
　　　　　　　　　　　　　　　　「 」: 기저막의 구조와 성질
ⓓ이웃한 기저 부위의 기저막은 상대적으로 좁고 딱딱
하며 끝으로 갈수록, 즉 정점 부위로 갈수록 넓어지고
유연해진다. 따라서 기저막의 각 부위는 특정 진동의 영
향을 가장 많이 받는다. 청신경의 축삭은 각 청신경이
발원한 기저막의 위치를 기준으로 대뇌 피질의 청각 영
역에 질서 있게 ⓔ분포한다. 따라서 대뇌 피질의 특정
부위가 흥분하면 특정 높이의 소리를 인지하게 되는 것
이다.

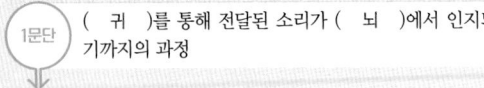
독해 체크

■ 이 글의 핵심 화제
뇌가 (소리)를 인지하는 과정 및 소리의 크기와 높낮
이를 결정하는 요인

■ 문단별 중심 내용

1문단 (귀)를 통해 전달된 소리가 (뇌)에서 인지되
기까지의 과정

2문단 소리의 (크기)를 결정하는 요인

3문단 소리의 (높낮이)를 결정하는 요인

■ 핵심 내용의 구조화

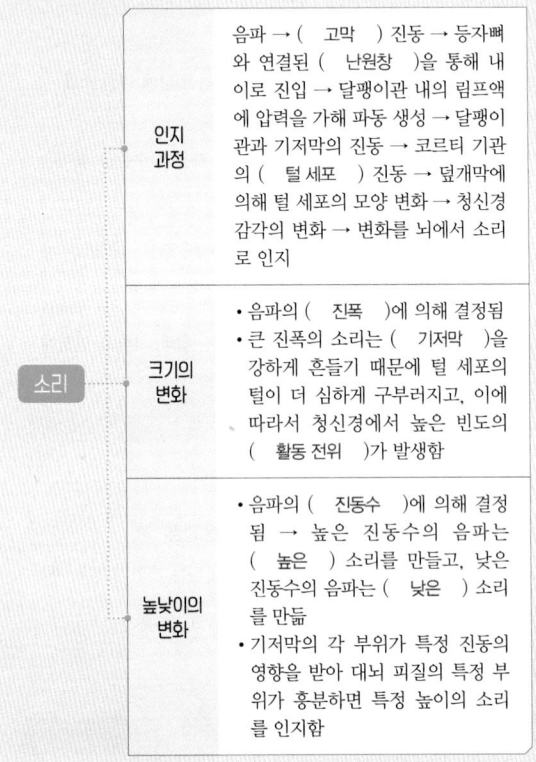

소리	인지 과정	음파 → (고막) 진동 → 등자뼈와 연결된 (난원창)을 통해 내이로 진입 → 달팽이관 내의 림프액에 압력을 가해 파동 생성 → 달팽이관과 기저막의 진동 → 코르티 기관의 (털 세포) 진동 → 덮개막에 의해 털 세포의 모양 변화 → 청신경 감각의 변화 → 변화를 뇌에서 소리로 인지
	크기의 변화	• 음파의 (진폭)에 의해 결정됨 • 큰 진폭의 소리는 (기저막)을 강하게 흔들기 때문에 털 세포의 털이 더 심하게 구부러지고, 이에 따라서 청신경에서 높은 빈도의 (활동 전위)가 발생함
	높낮이의 변화	• 음파의 (진동수)에 의해 결정됨 → 높은 진동수의 음파는 (높은) 소리를 만들고, 낮은 진동수의 음파는 (낮은) 소리를 만듦 • 기저막의 각 부위가 특정 진동의 영향을 받아 대뇌 피질의 특정 부위가 흥분하면 특정 높이의 소리를 인지함

1 (가)에서 귓구멍으로 들어온 음파가 고막을 진동하면, 그 진동
은 중이에 있는 세 개의 뼈로 전달된다고 하였다. 즉, 고막은
음파의 진동을 중이에 있는 뼈로 전달하는 역할을 한다고 볼 수
있다. ③에서는 고막이 공기를 통해 전달되는 음파를 액체 형
태의 파동으로 변화시킨다고 하였는데, 이는 고막이 아니라 달
팽이관 안에 있는 림프액의 역할에 해당하는 설명이다.

오답 풀이 ❶ (가)의 '그 진동은 중이(中耳)에 있는 세 개의 뼈인 망치뼈,
모루뼈, 등자뼈로 전달되고, 그중 하나인 등자뼈와 연결된 난원창을 통
해 내이(內耳)로 들어가게 된다.'를 통해 확인할 수 있다.
❷ (가)의 '이 진동은 내이의 달팽이관 안에 있는 림프액에~털 세포들
역시 위아래로 진동하게 된다.'를 통해 확인할 수 있다.
❹ (나)의 '소리의 크기, 즉 세기는 음파의 진폭에 따라 결정된다.'와 (다)
의 '소리의 높낮이는 음파의 진동수에 따라 결정된다.'를 통해 확인할 수
있다.

❺ (다)의 '난원창과 이웃한 기저 부위의 기저막은 상대적으로 좁고 딱딱하며 끝으로 갈수록, 즉 정점 부위로 갈수록 넓어지고 유연해진다. 따라서 기저막의 각 부위는 특정 진동의 영향을 가장 많이 받는다.'를 통해 확인할 수 있다.

2 〈보기〉에서 모든 컵은 동일한 세기로 때린다고 했으므로 ⓐ와 ⓑ, ⓒ는 모두 동일한 진폭을 가질 것이다. (나)에서 큰 진폭을 가진 소리는 기저막을 더 강렬하게 흔들기 때문에 털 세포의 털이 더 심하게 구부러진다고 하였다. 하지만 ⓐ와 ⓑ는 동일한 진폭을 가지므로 ⓐ를 때릴 때보다 ⓑ를 때릴 때 털 세포의 털이 더 심하게 구부러진다는 내용은 적절하지 않다.

오답 풀이 ❶ (다)에서 '높은 진동수의 음파는 높은 소리를 만들고, 낮은 진동수의 음파는 낮은 소리를 만든다.'라고 했다. 〈보기〉를 통해 컵 속에 담긴 물의 양이 많을수록 낮은 소리를 만드는 것을 알 수 있으므로, 컵 속에 담긴 물의 양이 많을수록 낮은 진동수의 소리를 만들어 냄을 알 수 있다.

❸ (다)에서 '대뇌 피질의 특정 부위가 흥분하면 특정 높이의 소리를 인지하게 되는 것이다.'라고 했다. ⓐ와 ⓑ는 서로 다른 소리이므로 각 컵을 때릴 때 흥분하는 대뇌 피질의 위치가 다를 것임을 알 수 있다.

❹ (나)에서 '소리의 크기, 즉 세기는 음파의 진폭에 따라 결정'되며, '큰 진폭을 가지고 있는 소리'는 '청신경에서도 높은 빈도의 활동 전위가 발생하게 된다.'고 했다. 〈보기〉에서 '모든 컵은 동일한 세기로 때린다.'고 했으므로, ⓐ와 ⓒ의 소리의 크기는 동일함을 알 수 있다. 따라서 ⓐ와 ⓒ를 때릴 때 청신경에서는 동일한 빈도의 활동 전위가 발생함을 알 수 있다.

❺ (다)에서 '소리의 높낮이를 구별할 수 있는데, 그 이유는 기저막의 구조와 성질이 일정하지 않기 때문'이라고 했다. 따라서 ⓑ를 때릴 때와 ⓒ를 때릴 때 소리를 다르게 인식하는 것은 기저막의 구조와 성질이 일정하지 않기 때문임을 알 수 있다.

➕ 더 알아두기 소리의 크기와 높낮이에 따른 파형

• 소리의 크기(세기): 큰 소리는 진폭이 크고, 작은 소리는 진폭이 작다.

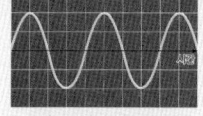 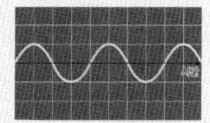

• 소리의 높낮이: 높은 소리는 진동수가 크고, 낮은 소리는 진동수가 작다.

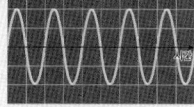 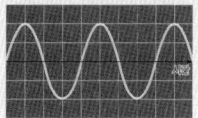

3 ⊙ '감지'는 '느끼어 앎'이라는 사전적 의미를 가진 단어이다. ①에 제시된 '단속하기 위하여 주의 깊게 살핌'은 '감시(監視)'의 사전적 의미에 해당한다.

오답 풀이 ❷, ❸, ❹, ❺ 모두 제시된 단어의 사전적 의미에 해당한다.

➕ 어휘 체크

1 ❶ ㉡ ❷ ㉠ ❸ ㉢
2 ❶ 음파 ❷ 파동 ❸ 기저막 ❹ 기준

지구 자전의 증거

1 ④　　2 ⑤　　3 ③

가 ㉠지구가 자전하고 있다는 사실은 누구나 알고 있다. 지구의 자전에 의해 태양과 달, 별을 포함한 모든 천체는 매일 동쪽에서 뜨고 서쪽으로 진다. 아침에 태양이 뜨고 저녁에 태양이 지고 나면 하나둘 별이 나타나는데, 동쪽에서는 계속 새로운 별이 떠오르고, 서쪽으로는 별이 진다. 이러한 운동을 ㉡천체의 일주 운동이라고 한다.
> 핵심어

나 그렇다면 지구가 자전하고 있다는 사실은 어떻게 ⓐ증명할 수 있을까? 앞서 언급한 천체의 일주 운동이 지구 자전의 증거가 될 수 있을 것이라고 생각하기 쉽지만 실은 그렇지 않다. 천체가 동쪽에서 서쪽으로 일주 운동을 하는 것은 천구가 동쪽에서 서쪽으로 움직이는 것에 ⓑ기인한다고 설명해도 되기 때문이다.
> 이 글에서 지구의 자전을 증명하기 위한 방법에 대해 언급할 것임을 알 수 있음
> 천체의 일주 운동이 지구 자전의 증거로 인정받기 어려운 이유

다 과학자들은 지구 자전을 증명하기 위해 여러 가지 방법을 모색했다. 과학자들이 제시한 지구 자전의 증거로는 코리올리의 효과와 푸코 진자가 있다. 먼저 ㉢코리올리의 효과를 이해하기 위해 회전하는 원판을 상상해 보자. 만약 회전 원판의 중심에서 바깥쪽으로 구슬을 굴리면 구슬은 원판의 회전 방향과 반대 방향으로 휘며 ⓒ진행할 것이다. 자전하는 지구상에서의 운동도 이와 마찬가지라서, 북반구의 어떤 지점에서 물체를 던지면 지구의 자전 때문에 물체는 진행 방향의 오른쪽으로 휘어질 것이고, 남반구의 어떤 지점에서 물체를 던지면 물체는 진행 방향의 왼쪽으로 휘어질 것이다. 이러한 현상을 코리올리의 효과라고 한다. 코리올리의 효과는 대기의 운동에서도 나타나는데, 북반구에서는 고기압 중심에서 바람이 오른쪽으로 휘어서 바깥쪽으로 불어 나간다. 또 대기 대순환에 의해 발생하는 북반구의 극동풍, 편서풍, 북동 무역풍도 코리올리의 효과 때문에 진행 방향의 오른쪽으로 휜다.
> ㉢: 지구 자전을 증명하기 위한 증거들
> 「 」: 운동하는 물체에서 확인할 수 있는 코리올리의 효과
> 「 」: 대기의 운동에서 확인할 수 있는 코리올리의 효과

라 다음으로 ㉣푸코 진자에 대해 이해해 보자. 1851년 푸코는 파리의 판테온 사원 천장에 진자를 매달고 진자의 진동면이 회전한다는 것을 지구 자전의 증거로 ⓓ제시했다. 지구가 자전하지 않는다면 진자의 진동면은 항상 같은 방향을 ⓔ유지할 것이고, 지구가 자전한다면 진자의 진동면은 회전할 것이다. 푸코는 실험을 통해 진
> 북반구에 위치함
> 「 」: 푸코가 세운 가설

자의 진동면이 시계 방향으로 회전하는 것을 확인하고,
<u>지구가 반시계 방향으로 회전하기 때문에 나온 결과</u>
이를 근거로 지구가 반시계 방향으로 회전하고 있음을
증명했다.

✚ 독해 체크

■ 이 글의 핵심 화제
지구 자전의 증거인 '(　코리올리의 효과　)'와 '(　푸코 진자　)'

■ 문단별 중심 내용

(1문단) 지구의 자전에 의한 천체의 (　일주 운동　)

⬇

(2문단) 천체의 일주 운동이 지구 (　자전　)의 증거로 인정받기 어려운 이유

⬇

(3문단) 지구 자전의 첫 번째 증거인 (　코리올리의 효과　)

⬇

(4문단) 지구 자전의 두 번째 증거인 (　푸코 진자　)

■ 핵심 내용의 구조화

지구의 (　자전　)을 증명하기 위한 방법

천체의 일주 운동	코리올리의 효과	푸코 진자
모 든 천 체 는 (　동쪽　)에서 떠서 (　서쪽　)으로 짐	물체의 이동 방향이 북반구에서는 (　오른쪽　)으로 휘지만, 남반구에서는 (　왼쪽　)으로 휨	푸코가 세운 가설대로 진자의 진동면이 시계 방향으로 (　회전　)함

⬇

천구가 동쪽에서 서쪽으로 움직이는 것에 기인한다고 설명해도 되기 때문에 지구 자전의 증거가 될 수 없음	지구 자전의 증거가 됨

1 (다)의 '북반구의 어떤 지점에서~왼쪽으로 휘어질 것이다.'를 통해 코리올리의 효과가 작용하는 방향은 북반구와 남반구가 서로 반대임을 알 수 있다. 또한 (다)에서 북반구의 고기압 중심에서는 바람이 오른쪽으로 휘어서 바깥쪽으로 불어 나간다고 하였으므로, 반대로 남반구의 고기압 중심에서는 바람이 왼쪽으로 휘어서 불어 나갈 것임을 알 수 있다.

오답 풀이 ❶ (다)에서 북반구에서의 대기 대순환은 극동풍. 편서풍. 북동무역풍을 발생시킨다고 하였다. 그리고 이것들은 지구의 자전으로 인한 코리올리의 효과 때문에 진행 방향의 오른쪽으로 휜다고 하였다. 이를 통해 지구의 자전이나 이로 인한 코리올리 효과는 대기 대순환으로 발생한 바람들의 방향에만 영향을 줄 뿐, 대기 대순환 자체를 유발하는 것은 아님을 알 수 있다. 따라서 지구의 자전이 멈추면 북반구의 대기 대순환이 멈출 것이라는 내용은 이 글을 통해 추론할 수 없다.

❷ (다)에서 설명하고 있는 것은 지구 자전의 결과 남반구와 북반구의 힘의 작용 방향이 반대라는 것뿐이다. 지구의 남반구와 북반구의 자전 방향이 다르다는 것은 이 글에 언급되어 있지 않다.

❸ (가)를 통해 지구가 자전하지 않는다면 매일 낮과 밤이 교차되지 않을 것임을 알 수 있다. 태양을 바라보는 쪽은 계속 낮이고 그 반대쪽은 계속 밤일 것이기 때문이다.

❺ (다), (라)를 통해 푸코가 남반구에서 진자 실험을 했다면 진자의 진동면은 북반구와는 반대로 시계 반대 방향으로 회전했을 것임을 알 수 있다.

✚ 더 알아두기 ┃ 푸코 진자의 왕복 운동

진자의 추는 관성 때문에 지구의 자전 방향과 반대로 회전하게 된다. 따라서 진자를 진동시키면 북반구에서는 시계 방향으로, 남반구에서는 시계 반대 방향으로 천천히 회전하게 되는데, 회전 주기는 위도에 따라 변한다. 즉 북극과 남극에서 진자를 진동시킬 경우 진동면이 지구의 자전과 같은 주기로 회전하겠지만, 적도상에서 동서 방향으로 진동시킬 경우 진자의 진동면은 회전하지 않을 것이다.

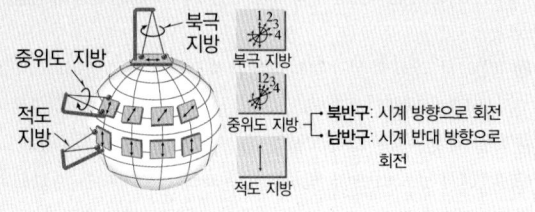

2 ⓒ도 ⓒ도 모두 ㉠ 때문에 발생하는 현상이므로 c는 적절하다. 한편 (나)를 참고할 때 ⓒ은 ㉠의 증거라고 쉽게 인정받을 수 없다. ⓒ은 천구가 움직이기 때문에 일어나는 현상이라고 설명하는 것도 가능하기 때문이다. 그러나 ⓒ은 지구가 자전하지 않는다면 발생하지 않을 것이기 때문에 ⓒ과 달리 ㉠의 증거로 쉽게 인정받을 수 있다. 따라서 d도 적절한 진술이다.

오답 풀이 a: ⓔ의 진동면이 회전하는 원인이 ㉠인 것은 맞지만. ⓒ은 ⓔ의 진동면이 회전하는 원인이 될 수 없다. 따라서 a는 적절하지 않다. b: ㉠을 증명하기 위해 과학자들이 ⓒ과 ⓔ을 제시한 것이다. 따라서 b는 적절하지 않다.

3 ⓒ의 '진행'은 '앞으로 향하여 나아감'을 의미한다. 그러나 ③의 '진행'은 '일 따위를 처리하여 나감'을 의미한다. 따라서 ⓒ의 문맥적 의미를 활용하여 만든 문장으로 볼 수 없다.

오답 풀이 ❶ 모두 '어떤 사항이나 판단 따위에 대하여 그것이 진실인지 아닌지 증거를 들어서 밝힘'의 의미로 쓰였다.
❷ 모두 '어떠한 것에 원인을 둠'의 의미로 쓰였다.
❹ 모두 '어떠한 의사를 말이나 글로 나타내어 보임'의 의미로 쓰였다.
❺ 모두 '어떤 상태나 상황을 그대로 보존하거나 변함없이 계속하여 지탱함'의 의미로 쓰였다.

✚ 어휘 체크

1 (1) 천체 (2) 대기 (3) 증거
2 ❶ ⓒ ❷ ㉠ ❸ ⓒ

기술 01 음성 피드백

1 ③   2 ①   3 ④

가 「날씨가 추워지면 우리 몸은 간뇌의 시상 하부가 뇌하
『』: 인체에서 일어나는 음성 피드백의 예 - 체온의 균형 유지 과정
수체에 명령을 내려 갑상선을 ㉠자극하는 물질을 ㉡분
비하고, 갑상선은 티록신이라는 호르몬을 분비하여 체
온을 높인다. 그런데 티록신 농도가 지나치게 높아지면
티록신은 자신을 만들도록 명령을 내린 시상 하부를 제
어함으로써 그 농도를 낮추게 된다.』이처럼「어떤 원인에
               시상 하부의 명령
의해 결과가 나타나고, 그 결과가 역으로 원인을 제어함
  티록신의 분비   티록신이 시상 하부를 제어함
으로써 일정한 상태를 유지하는 자동 조절 방식을 음성
                      『』: 음성 피드백의 개념
피드백이라고 한다. 우리 몸은 이런 방식으로 체온, 체
핵심어   인체 시스템의 항상성을 유지하게 하는 음성 피드백 방식
내 수분량, 혈당량 등의 균형을 유지한다.

나 일상생활 속 기기에 활용되는 기술 중에는 인체 시
스템의 음성 피드백과 유사한 것들이 있다. 이 기술은
어떤 필요에 의해 일정한 상태를 유지해야 하는 기계,
음성 피드백 기술에 의해 일정한 상태를 유지해야 하는 기계, 도구, 장치
도구, 장치에 주로 사용되는 것으로, 기술이 사용된 대
표적인 기계로는 전기다리미를 들 수 있다. 전기다리미
          필요에 따라 적정 온도를 유지해야 하는 가전제품
의 경우 온도가 너무 높아지면 옷이 타 버리게 되고, 온
도가 지나치게 낮아지면 옷이 제대로 다려지지 않는다.
따라서「전기다리미가 제대로 작동되기 위해서는 미리
        『』: 온도가 지나치게 높거나 낮지 않도록 유지하는 기능이 필요함
설정해 둔 온도를 유지하는 자동 온도 조절 장치의 ㉢장
착이 필요하다.』

다 전기다리미는 전기 저항에 의하여 발생하는 열을
이용한 가전 기기이다. 전기다리미의 자동 온도 조절 장
치에는 바이메탈(bi-metal)이 사용된다. 바이메탈은「온
                       『』: 바이메탈의 개념
도 변화를 길이 변화로 변환해 주는 장치로, 철과 구리,
철과 황동처럼 열팽창률이 크게 다른 두 금속을 편평하
게 이어 붙인 막대 형태의 부품이다. 바이메탈에 열을
가하면 서로 다른 열팽창률 때문에 두 금속이 늘어나는
길이가 달라진다. 두 금속은 단단히 결합되어 있기 때문
에 일어날 수 있는 변화는 열팽창률이 큰 쪽이 더 많이
팽창하면서 그 반대쪽, 즉 열팽창률이 더 작은 금속 쪽
으로 구부러지는 것뿐이다.

라 「전기다리미의 온도가 올라가면 바이메탈은 한쪽으
      『』: 바이메탈에 의한 음성 피드백의 원리
로 굽게 된다. 이로 인해 전원 회로 끊어지면서 다리
미의 온도가 낮아진다. 그러나 온도가 지나치게 낮아지
면 열팽창률이 더 큰 금속이 많이 ㉣수축하여 그쪽으로
                  열팽창률이 더 큰 금속 쪽
휘어지며 바이메탈의 원래 형태로 ㉤회복된다. 그러면
전원 회로가 연결되므로 온도가 다시 높아지게 된다.』결
국 다리미의 온도는 높아졌다 낮아졌다를 반복하면서
전기다리미에 음성 피드백 기술이 적용되어 일정 온도를 유지함

일정한 범위에 머물러 있게 되는 것이다.

➕ 독해 체크

■ 이 글의 핵심 화제

(전기다리미)에 사용되는 (음성 피드백) 기술

■ 문단별 중심 내용

1문단 음성 피드백의 개념 및 (인체)에서 일어나는 음성
피드백의 예

⬇

2문단 음성 피드백 기술을 활용하는 (전기다리미)

⬇

3문단 전기다리미의 (자동 온도 조절 장치)에 사용되는 바
이메탈의 개념

⬇

4문단 (바이메탈)에 의한 음성 피드백으로 일정 온도를
유지하는 전기다리미

■ 핵심 내용의 구조화

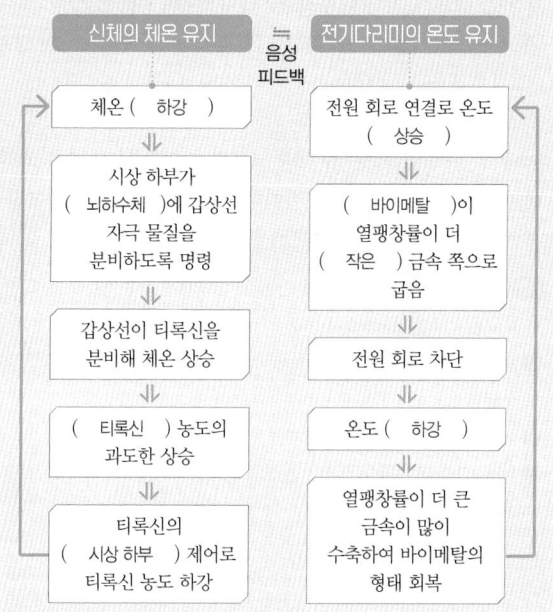

1 (라)에서 전기다리미의 온도가 지나치게 낮아지면 열팽창률이
더 큰 금속이 수축하며 휘어지게 됨으로써 바이메탈이 원래 형
태로 회복된다고 하였다. 그리고 이 과정에서 전원 회로가 연
결되면서 전기다리미의 온도가 다시 높아지게 된다고 하였다.
따라서 전기다리미에서 전원 회로의 일부를 이루는 금속, 즉
바이메탈에 전류가 흐르면 열이 발생한다는 내용은 적절하다.

오답 풀이 ❶ (다)에서 바이메탈은 온도 변화를 길이 변화로 변환해 주는
장치라고 하였다.

❷ (가)에서 티록신이 분비되면 체온이 높아진다고 하였다. 따라서 티록
신의 분비가 억제되지 않을 경우 체온이 과도하게 높아지게 될 것이다.

❹ (가)에서 티록신의 농도가 지나치게 높아지면 티록신은 시상 하부를 제어한다고 하였다. 그렇게 되면 시상 하부가 뇌하수체에 명령을 내려 갑상선을 자극하는 물질의 분비를 억제함으로써 갑상선이 티록신 분비를 줄이게 될 것이다.

❺ (라)에서 전기다리미의 바이메탈은 온도가 지나치게 내려갈 경우 열팽창률이 더 큰 쪽으로 휘어진다고 하였다.

2 ㉮의 상태에서 전류가 계속 흘러 바이메탈의 온도가 올라가면 열팽창률이 더 작은 ⓑ의 방향으로 바이메탈이 휘어 ㉯와 같은 상태가 되는 것이다. 따라서 ⓐ와 ⓑ를 이어 붙인 바이메탈에서는 ⓐ에 비해 ⓑ의 열팽창률이 더 작음을 알 수 있다.

<u>오답 풀이</u> ❷ ⓐ와 ⓑ는 바이메탈로 전기다리미의 자동 온도 조절 장치의 일부, 즉 전기 회로를 구성하는 한 부분이기 때문에 전기가 통하는 금속이어야 한다.

❸ (다)에서 바이메탈의 두 금속은 단단히 결합되어 있다고 하였다. 또한 ⓐ와 ⓑ를 강하게 접착시켜 단단히 결합되어 있도록 해야만 ㉯와 같이 휘어지는 변화가 생기더라도 분리되지 않고 결합 상태를 유지할 수 있을 것이다.

❹ ㉯는 바이메탈의 온도가 올라가 ⓑ 쪽으로 휘게 되면서 ㉮와 달리 접점이 서로 떨어지고 전기 회로가 끊어진 것이다.

❺ ㉮는 전류가 통하지 않는 상태이거나 온도가 과도하게 높지 않은 상태이다. 이 상태에서 온도가 올라가면 ㉯ 상태가 되고, 전원 회로가 끊어져 온도가 다시 낮아지면 ㉮ 상태로 다시 바뀌어 전원 회로가 이어진다. (라)에서 이러한 상태를 반복하면서 전기다리미의 온도가 일정한 범위에 머물러 있게 된다고 하였다.

3 ㉣에서 '수축(收縮)'은 '부피나 규모가 줄어듦'의 의미로 쓰였는데, ④에서 '수축(修築)'은 '집이나 다리, 방죽 따위의 헐어진 곳을 고쳐 짓거나 보수함'의 의미로 쓰였다.

<u>오답 풀이</u> ❶ '생체에 작용하여 반응을 일으키게 하는 일. 또는 그런 작용의 요인'의 의미로 쓰였다.

❷ '샘세포의 작용에 의하여 만든 액즙을 배출관으로 보내는 일'의 의미로 쓰였다.

❸ '의복, 기구, 장비 따위에 장치를 부착함'의 의미로 쓰였다.

❺ '원래의 상태로 돌이키거나 원래의 상태를 되찾음'의 의미로 쓰였다.

➕ **어휘 체크**

1 간뇌 – 뇌하수체 – 체온 – 온도 – 도장 – 장착
2 (1) 농도 (2) 제어

02 해수의 담수화 기술

1 ⑤ 　　2 ⑤ 　　3 ③

㉮ 물 부족 문제를 해결하기 위한 방법 중 하나가 <u>해수(海水)</u>를 담수화하는 <u>기술</u>이다. 이 기술은 해수에 포함된 염분, 미네랄 등과 같은 용존 물질을 제거하여 식수나 공업용수 등으로 이용할 수 있도록 만드는 것이다.
（핵심어）
（해수 담수화 기술의 개념）

㉯ 해수로부터 담수를 얻는 방법으로 기존에 많이 사용되어 온 것은 <u>다단 플래시 증발법</u>이다. 이 방법은 순간적으로 증기를 방출하는 플래싱 현상을 이용해 해수를 증발시켜 용존 물질과 수증기를 분리하였다가 수증기를 다시 응결시키는 방법을 말한다. 『해수는 여러 단계를 거친 후 증발이 이루어지는데, 각 단계를 지나며 순차적으로 가열된 해수는 염수 가열기에서 추가 열원을 공급받아 최고 온도까지 가열된 이후 순간적으로 증기를 방출하는 플래시 증발이 일어나게 된다.』이렇게 발생된 증기가 열 교환기에서 응축되어 담수로 생산된다. 그러나 다단 플래시 증발법은 해수 가열에 필요한 열원을 공급하는 발전소를 함께 건설해야 하므로 비용 대비 효율이 떨어지는 단점이 있다.
（해수 담수화 기술 ① - 다단 플래시 증발법）
（다단 플래시 증발법의 개념）
（ 『 』: 해수의 플래시 증발 과정）
（다단 플래시 증발법의 단점）

㉰ 한편 삼투 현상을 이용하여 해수로부터 담수를 얻는 방법도 있다. 『반투막을 사이에 두고 저농도 용액과 고농도 용액을 따로따로 넣어 두면 저농도 용액의 용매가 고농도 용액 쪽으로 이동하여 고농도 용액의 양이 증가하게 되는데, 이런 현상을 삼투 현상이라고 한다. 그리고 이때 용액이 이동하는 힘, 즉 반투막이 받는 압력을 삼투압이라고 한다. 이를 활용한 <u>삼투압 방식</u>에서는 해수를 담수화할 때 고농도 유도 용액을 이용한다. 반투막으로 칸막이를 한 탱크에 고농도 유도 용액과 해수를 따로 넣어 두면 반투막을 통해 해수에서 유도 용액 쪽으로 물이 이동한다. 물론 이 용액에서 <u>물을 따로 ㉠뽑아 내야 하는 불편함</u>은 있지만 <u>증발법에 비해 에너지 효율성이 높고 경제적이다.</u>
（해수 담수화 기술 ② - 삼투압 방식）
（ 『 』: 삼투 현상의 개념）
（삼투압의 개념）
（삼투 현상에 의해 고농도 용액 쪽으로 이동함）
（삼투압 방식의 단점）
（삼투압 방식의 장점）

㉱ 반면 삼투 현상과 달리 고농도 용액에 삼투압보다 높은 압력을 가하면 반대로 저농도 용액 쪽으로 용매가 이동하게 되는데, 이 현상을 역삼투 현상이라고 한다. 또한 이때 쓰이는 반투막을 역삼투막, 가해진 압력을 역삼투압이라고 한다. <u>역삼투 현상의 원리를 이용하면 효율적으로 해수를 담수화할 수 있다.</u> 『염분의 농도가 높은 해수 탱크와 염분의 농도가 낮은 민물 탱크 사이에 물만 통과할 수 있는 역삼투막을 설치한 후, 펌프를 이용해
（역삼투 현상의 개념）
（해수 담수화 기술 ③ - 역삼투압 방식）
（ 『 』: 역삼투압 방식을 통해 담수를 얻는 과정）

해수 쪽에 압력을 가하면 역삼투 현상이 일어난다. 이를 통해 용존 물질이 제거된 담수를 생산한다. 이러한 역삼투압 방식은 현재 전 세계적으로 각광받고 있는 해수의 담수화 기술이다.

➕ 독해 체크

■ 이 글의 핵심 화제

해수로부터 (담수)를 생산하는 방법

■ 문단별 중심 내용

 1문단 (물 부족) 문제를 해결하기 위한 해수 담수화 기술

 2문단 해수 담수화에 많이 사용되어 온 (다단 플래시 증발법)

 3문단 (삼투 현상)의 원리와 이를 이용한 해수 담수화 기술

4문단 전 세계적으로 각광받고 있는 (역삼투압) 방식의 원리

■ 핵심 내용의 구조화

해수의 담수화 기술

다단 플래시 증발법	삼투압 방식	역삼투압 방식
가열된 해수를 추가 열원의 공급을 통해 최고 온도까지 가열 → 순간적으로 증기를 방출하는 (플래싱 현상)을 이용하여 해수 증발 → 수증기를 열 교환기에서 응축하여 담수 생산	(고농도 유도) 용액과 해수 탱크 사이에 반투막 설치 → 삼투 현상 발생 → 해수에서 유도 용액 쪽으로 물 이동 → 유도 용액과 물을 분리하여 담수 생산	민물 탱크와 해수 탱크 사이에 역삼투막 설치 → 해수 탱크에 (펌프)를 이용하여 압력을 가함 → 역삼투 현상 발생 → 해수에서 민물 쪽으로 물 이동 → 용존 물질이 제거된 담수 생산

1 (나)에서 다단 플래시 증발법은 여러 단계를 거쳐 순차적으로 가열된 해수가 염수 가열기에서 추가 열원을 공급받아 최고 온도까지 가열이 된 이후 순간적으로 증발이 일어난다고 설명하고 있다.

오답 풀이 ❶ (나)에서 플래싱 현상에 의해 발생된 증기는 열 교환기에서 응축된다고 하였다.

❷ (나)에서 증발은 여러 단계를 거친 후에 이루어지는데, 각 단계를 지나는 과정에서 가열된 해수는 염수 가열기에서 추가 열원을 공급받아 최고 온도까지 가열된다고 하였다.

❸ (나)에서 다단 플래시 증발법은 순간적으로 증기를 방출하는 플래싱 현상을 이용해 해수를 증발시켜 용존 물질과 수증기를 분리하였다가 수증기를 다시 응결시킨다고 하였다.

❹ (나)에서 다단 플래시 증발법은 해수 가열에 필요한 열원을 공급하는 발전소를 건설해야 하므로 비용 대비 효율이 떨어지는 단점이 있다고 하였다. 또한 (다)에서 삼투 방식은 증발법에 비해 에너지 효율성이 높다고 하였다.

2 (라)에서 역삼투 현상이 일어나기 위해서는 고농도 용액에 삼투압보다 높은 압력을 가해야 한다고 하였다. ㉯는 역삼투압 방식에 해당하므로 염분의 농도가 높은 해수인 ⓕ에 펌프를 이용해 '삼투압보다 높은 압력'을 가하면 용존 물질이 제거된 물만 ⓔ를 통과하여 염분의 농도가 낮은 민물이 있는 ⓓ로 이동한다.

오답 풀이 ❶ ⓐ는 ⓒ에 비해 용액의 양이 작으므로 해수 탱크임을 알 수 있다. ㉮에서 반투막으로 칸막이를 한 탱크에 해수와 고농도 유도 용액을 따로 넣어 두면 해수(ⓐ)에서 고농도 유도 용액(ⓒ) 쪽으로 물이 이동하여 고농도 유도 용액의 양이 증가하게 된다. 한편 역삼투압 방식인 ㉯에서는 해수 탱크(ⓕ)에 펌프를 이용하여 압력을 가하면 물이 민물 탱크(ⓓ) 쪽으로 이동하게 된다.

❷ ㉮는 삼투압 방식이므로 반투막(ⓑ)이 사용되며, ㉯는 역삼투압 방식이므로 역삼투막(ⓔ)이 사용된다.

❸ ㉮에서 ⓒ는 원래 고농도 유도 용액이 담긴 탱크였을 것이다. 하지만 삼투 현상에 의해 해수에 있는 물이 고농도 유도 용액 쪽으로 이동하게 되면 고농도 유도 용액과 물이 섞여 있게 된다.

❹ 역삼투압 방식인 ㉯에서는 해수 탱크(ⓕ)에서 민물 탱크(ⓓ)로 물이 이동한다. 따라서 ⓓ는 ⓕ에 비해 염분의 농도가 낮은 민물이 들어 있음을 알 수 있다.

3 ㉠의 '뽑아내다'는 혼합물 속에 들어 있는 물을 밖으로 빼낸다는 의미로 쓰였다. 따라서 '전체 속에서 어떤 요소 따위를 뽑아내다.' 또는 '혼합물 속의 어떤 물질을 뽑아내다.'라는 의미를 지닌 '추출하다'라는 단어와 바꾸어 쓸 수 있다.

오답 풀이 ❶ '각출하다'는 '각각 나오다.'라는 의미를 지닌 단어이다.

❷ '검출하다'는 '시료 속에 있는 화학종이나 미생물 따위의 존재 유무를 알아내다.'라는 의미를 지닌 단어이다.

❹ '도출하다'는 '판단이나 결론 따위를 이끌어 내다.'라는 의미를 지닌 단어이다.

❺ '산출하다'는 '물건을 생산하여 내거나 인물·사상 따위를 내다.'라는 의미를 지닌 단어이다.

➕ 어휘 체크

1 ❶ 삼삼오오 ❷ 삼투압 ❸ 압력 ❹ 담수화 ❺ 수증기 ❻ 기술
2 ❶ ⓛ ❷ ㉠ ❸ ㉢

예술 01 동양 최초의 유량악보, 정간보

1 ④   2 ④   3 ⑤

가 오선보와 같이 음의 길이와 높이를 함께 나타낼 수 있는 악보를 유량악보라고 일컫는다. 15세기 조선의 세종이 향악과 아악을 모두 기록하기 위해 창안한 **정간보**는 동양 최초의 유량악보로 다양하게 변형되어 현재까지 사용되고 있다. 정간보는 「한자의 우물 정(井) 자 형태가 원고지처럼 상하좌우로 연결되어 있다 해서 붙인 이름」으로, 정간보의 각 칸을 정간(井間)이라 ㉠부른다.

나 그렇다면 정간보는 어떻게 읽어야 할까? 정간보는 기본적으로 오른쪽에서 시작하여 왼쪽으로, 위쪽에서 아래쪽으로 악보를 읽어야 하며, 한 정간 안에서는 왼쪽에서 오른쪽, 위쪽에서 아래쪽의 순서로 율명을 읽어야 한다. 정간보에서 율명은 음의 높이를 나타내는 것으로 모두 12개로 이루어져 있다. 「가장 낮은음인 황종(黃鐘)에서부터 시작하여 대려(大呂), 태주(太簇), 협종(夾鐘), 고선(姑洗), 중려(仲呂), 유빈(蕤賓), 임종(林鐘), 이칙(夷則), 남려(南呂), 무역(無射), 응종(應鐘) 순으로 음이 높아진다.」 이 율명을 정간보에 기보할 때에는 율명의 첫 글자를 떼어 '黃(황), 大(대), 太(태)' 등으로 쓴다.

다 또한 정간보에서 옥타브의 표시는 문자의 변(邊)에 따라 구별된다. 「즉 기본 옥타브의 음에서 1옥타브가 높은음에는 율명에 삼수변(氵)을 하나 붙이고, 2옥타브가 높은음에는 삼수변을 두 개 붙인다. 반대로 1옥타브가 낮은음에는 인변(亻)을 붙이고, 2옥타브가 낮은음에는 두 인변(彳)을 붙인다.」 예를 들어 '黃(황)'에서 1옥타브가 높은음은 '淸[청황]', 2옥타브가 높은음은 '㶂[중청황]', 1옥타브가 낮은음은 '僙[배황]', 2옥타브가 낮은음은 '㣴[하배황]'으로 표시하는 것이다.

라 정간보에서 한 정간은 한 박을 나타낸다. 한 박보다 긴 음은 정간의 수를 활용하여 표기한다. 예를 들어 한 정간에 율명이 하나 있고 그다음 정간이 빈칸으로 남아 있으면 그 음은 두 박이 된다. 한 박보다 짧은 음은 한 정간 속에 쓰인 율명의 개수와 위치에 따라 결정된다. 예를 들어 「하나의 정간이 '▭'와 같이 2등분되어 있으면 각각 1/2박, '▭'와 같이 3등분되어 있으면 각각 1/3박, '▦'와 같이 4등분되어 있으면 각각 1/4박으로 연주한다. 만약 정간이 '▭'와 같이 나뉘어 있다면 위의 음은 4등분의 절반이므로 1/2박, 아래의 음은 각각 1/4박으로 연주한다.」

✚ 독해 체크

■ 이 글의 핵심 화제

(정간보)를 읽는 방법

■ 문단별 중심 내용

 1문단 정간보의 목적과 명칭의 (의미)

 2문단 정간보를 읽는 순서와 정간보에 (율명)을 기보하는 방법

 3문단 정간보에서 (옥타브)를 표시하는 방법

 4문단 정간보에서 (음의 길이)를 나타내는 방법

■ 핵심 내용의 구조화

정간보	읽는 순서	악보	오른쪽에서 왼쪽으로, 위쪽에서 아래쪽으로 읽음
		율명	(왼쪽)에서 (오른쪽)으로, 위쪽에서 아래쪽으로 읽음
	표기 방식	음의 높이	• '황종(黃鐘)'에서부터 '응종(應鐘)'까지 음의 높이에 따라 12개의 율명으로 표시함 → 정간보에는 율명의 (첫 글자)만 떼어서 기보함 • 옥타브는 문자의 (변)을 활용해 구별하여 표시함
		음의 길이	• 한 정간은 한 박을 나타냄 • 한 정간에 적는 율명의 (개수)는 음의 길이에 따라 다르게 함

---

1 (가)에서 오선보와 같이 음의 길이와 높이를 함께 나타낼 수 있는 악보를 유량악보라고 일컫는다고 하였다. 그리고 정간보는 동양 최초의 유량악보라고 하였다. 이를 통해 오선보와 정간보는 모두 음의 길이와 높이를 함께 나타낼 수 있는 악보임을 알 수 있다.

오답 풀이 ❶ (나)에서 정간보는 오른쪽에서 시작하여 왼쪽으로, 위쪽에서 아래쪽으로 읽지만, 한 정간 안에서는 왼쪽에서 오른쪽, 위쪽에서 아래쪽의 순서로 율명을 읽어야 한다고 하였다. 따라서 율명을 읽는 순서와 정간보를 읽는 순서가 다르다는 진술은 적절하다.

❷ (나)에서 율명은 황종(黃鐘)에서부터 시작하여 대려(大呂), 태주(太簇), 협종(夾鐘), 고선(姑洗), 중려(仲呂), 유빈(蕤賓), 임종(林鐘), 이칙(夷則), 남려(南呂), 무역(無射), 응종(應鐘) 순으로 음이 높아진다고 하였다. 따라서 십이율의 열한째 음인 '무역'이 십이율의 둘째 음인 '대려'보다 높은음에 해당한다는 진술은 적절하다.

❸ (나)에서 두 글자로 된 율명을 정간보에 기보할 때에는 율명의 첫 글자를 떼어 쓴다고 하였다. 따라서 정간보에 율명을 적을 때 율명의 글자를 그대로 적지 않았다는 진술은 적절하다.

❺ (가)에서 15세기 조선의 세종이 창안한 정간보는 다양하게 변형되어 현재까지 사용되고 있다고 하였다. 따라서 현재 사용되고 있는 정간보가 15세기 정간보의 변형된 형태라는 진술은 적절하다.

2 (라)에서 한 정간에 율명이 하나 있고 그다음 정간이 빈칸으로 남아 있으면 그 음은 두 박이 된다고 하였으므로 ⓓ의 '南'은 두 박으로 연주해야 한다.

오답 풀이 ❶ (라)에서 하나의 정간이 '⊟'와 같이 2등분되어 있으면 각각 1/2박으로 연주한다고 하였으므로, '仲'과 '太'는 각각 1/2박으로 연주해야 한다.

❷ (다)에서 율명에 삼수변을 하나 붙이면 기본 옥타브의 음에서 1옥타브 높은음을 의미한다고 하였다. 또한 (라)에서 하나의 정간이 '⊟'와 같이 3등분되어 있으면 각각 1/3박으로 연주한다고 하였으므로, '㳞'은 '仲'보다 1옥타브 높은음을 1/3박으로 연주해야 한다.

❸ (라)에서 하나의 정간이 '⊟'와 같이 나뉘어 있다면 위의 음은 1/2박, 아래의 음은 각각 1/4박으로 연주한다고 하였으므로, '南'은 '太'보다 더 길게 연주해야 한다.

❺ (다)에서 율명에 인변(亻)을 하나 붙이면 기본 옥타브의 음에서 1옥타브 낮은음을 가리킨다고 하였다. 따라서 '僙'은 '黃'보다 1옥타브 낮은음으로 연주해야 한다.

3 ㉠은 '무엇이라고 가리켜 말하거나 이름을 붙이다.'라는 의미로 사용되었다. ⑤는 사람들이 그를 가리켜 불운한 천재라고 말했다는 의미이므로 ㉠의 의미와 가장 유사하다.

오답 풀이 ❶ '어떤 행동이나 말이 관련된 다른 일이나 상황을 초래하다.'라는 의미로 사용되었다.

❷ '구호나 만세 따위를 소리 내어 외치다.'라는 의미로 사용되었다.

❸ '청하여 오게 하다.'라는 의미로 사용되었다.

❹ '값이나 액수 따위를 얼마라고 말하다.'라는 의미로 사용되었다.

+ 어휘 체크

1 정간 – 간악 – 악보 – 보호 – 호연 – 연주
2 ❶ ㉡ ❷ ㉠

예술 02 채색의 다양한 방법

본문 050~053쪽

1 ④   2 ⑤   3 ③

가 현대의 화가들이 화학 물감을 활용하여 그림에 채색을 하는 것과 달리, 19세기 후반 화학 물감이 등장하기 이전의 화가들은 「자연물에서 추출한 피그먼트(pigment)」라 불리는 분말을 용매와 섞어 그림을 채색했
└: 화학 물감이 등장하기 전 화가들이 그림을 채색한 방법
다. 피그먼트는 물과 같은 매재(媒材)에 용해되지 않고
피그먼트의 개념
혼합되어 물감이 되는 분말로, 「쇠의 녹을 벗겨 내 짙은
└: 피그먼트를 얻어 낸 방식 - 무기물과 유기물을 통해 추출함
갈색을 얻어 내거나, 동물의 피 속에서 헤모글로빈을 정제하여 빨간색을 얻어 내는 방식으로 추출했다.」 이 피그

먼트를 활용하여 채색하는 방법은 시대에 따라 다양한 방법으로 변해 왔다.

나 그리스-로마인들은 벌꿀, 송진을 녹여서 피그먼트
피그먼트를 활용하여 채색하는 방법 ① - 납화 기법
와 섞은 후 불에 달군 인두로 화판에 칠하는 방법을 사용했다. 이렇게 제작된 그림을 납화라고 한다. 「납화 기
└: 납화 기법의 장점 및 용도
법은 습기에 내구성이 강해 건물의 내외 벽을 장식할 때, 배를 도색할 때 사용하였다.」

다 중세의 화가들은 아교나 달걀노른자로 피그먼트를
피그먼트를 활용하여 채색하는 방법 ② - 템페라 기법
녹인 물감을 활용하여 그림을 그리는 템페라 기법을 사용했다. 「템페라 기법은 빨리 마르고, 단단하며, 보존성
└: 템페라 기법의 장점과 단점
이 좋고, 균열이 잘 생기지 않는 장점을 가지고 있었지만, 다루기 까다롭고, 굳기 전후의 색 변화가 심하다는 단점도 가지고 있었다.」 그렇지만 신속하게 마르는 속성
유화 기법이 주로 쓰이던 시기에도 템페라 기법이 사용된 이유
때문에 유화 기법이 주로 쓰이던 시기에도 유화의 밑그림에 템페라를 사용하는 화가들이 존재했다.

라 15세기 말, 피그먼트를 기름과 섞어 바르는 유화 기
피그먼트를 활용하여 채색하는 방법 ③ - 유화 기법
법이 이탈리아에 전해지면서 이전까지 대세였던 템페라 기법을 ㉠대체하게 되었다. 「중세의 회화는 주로 현실에
└: 템페라 기법의 한계를 보완하는 유화의 장점
존재하지 않는 성인(聖人)들을 그렸기 때문에 템페라의 색채감만으로도 충분히 표현했다. 그러나 르네상스 이후 회화는 세속적인 인물을 주로 그렸기 때문에 색채의 현실감을 잘 드러내는 유화가 더 적합했다. 또한 템페라는 얇은 선을 나란히 그어 가듯이 칠해야 하기 때문에 하나의 색에서 다른 색으로 부드럽게 넘어가는 효과를 내기가 힘들었지만, 유화는 하나의 색이 다른 색으로 점진적으로 바뀌는 효과를 부드럽게 연출할 수 있었다.」

마 하지만 유화에도 단점은 있었다. 「템페라의 색깔이
└: 유화 기법의 단점
바래거나 어두워지지 않고 반영구적인데 비해 유화의 색깔은 시간이 지날수록 어둡게 변했다. 또한 유화는 균열이라는 고질적 문제도 가지고 있었다. 유화를 그릴 때 물감을 두껍게 칠한 곳에 나중에 얇게 덧칠을 할 경우, 두 층 위에서 기름의 건조 시간에 차이가 생겨 표면이 거미줄처럼 갈라졌던 것이다.」 물론 경험이 많은 화가들은 채색할 때 아래는 되도록 얇게, 위는 두껍게 칠하는
화가들이 유화의 균열 문제를 해결하기 위해 활용한 방법
방식으로 이 문제점을 해결할 수 있었다.

+ 독해 체크

■ 이 글의 핵심 화제

시대의 변화에 따른 (채색)의 다양한 방법

1문단 (피그먼트)의 개념과 추출 방식

↓

2문단 피그먼트를 활용한 (납화) 기법의 특징

↓

3문단 피그먼트를 활용한 (템페라) 기법의 특징

↓

4문단 피그먼트를 활용한 (유화) 기법의 특징

↓

5문단 유화 기법이 지닌 (단점) 및 해결 방법

■ 핵심 내용의 구조화

(피그먼트)를 활용하여 그림을 채색하는 방법

납화 기법	템페라 기법	유화 기법
• (벌꿀), 송진을 녹여서 피그먼트와 섞은 후 불에 달군 인두로 화판에 칠하는 방법 • (습기)에 대한 내구성이 강해 건물의 내외 벽 장식, 배도색 등에 사용함	• 아교나 달걀노른자로 피그먼트를 녹인 물감을 활용하여 그리는 방법 • 빨리 마르고, 단단하며, (보존성)이 좋고 균열이 잘 생기지 않음 • 다루기 까다롭고, 굳기 전후의 색 변화가 심함 • (유화)의 밑그림으로 사용되기도 함	• (기름)과 피그먼트를 섞어 바르는 방법 • 색채의 (현실감)을 잘 드러냄 • 하나의 색이 다른 색으로 점진적으로 바뀌는 효과를 부드럽게 연출함 • 시간이 지날수록 색이 어둡게 변함 • (균열)의 문제가 발생하기도 함

1 (마)에서 유화에 균열이 생기는 이유는 기름의 건조 시간에 차이가 생겼기 때문이라고 하였다. 따라서 기름이 마르는 시간의 차이 때문에 시간이 지날수록 색깔이 어둡게 변하는 것은 아니다.

오답 풀이 ❶ (가)에서 피그먼트는 물과 같은 매재에는 용해되지 않는다고 하였다. 한편 (다)에서 중세의 화가들은 아교나 달걀노른자로 피그먼트를 녹인 물감을 활용했다고 하였다. 따라서 피그먼트는 물에는 용해되지 않고 아교에는 용해된다고 볼 수 있다.

❷ (가)에서 피그먼트는 쇠의 녹을 벗겨 내 짙은 갈색을 얻어 내거나 동물의 피를 정제하여 빨간색을 얻어 낸다고 하였다.

❸ (다)에서 템페라의 신속하게 마르는 속성 때문에 유화 기법이 주로 쓰이던 시기에도 유화의 밑그림에 템페라를 사용하는 화가들이 존재했다고 하였다.

❺ (라)에서 르네상스 이후 회화는 세속적인 인물을 주로 그렸기 때문에 색채의 현실감을 잘 드러내는 유화가 템페라보다 더 적합했다고 언급하였다.

✚ 더 알아두기 | 피그먼트의 종류

무기적 피그먼트	• 생명을 지니지 않은 물질인 흙이나 돌, 광물과 같은 무기물에서 색을 추출하는 방법 • 터키석을 갈아 옥빛의 색소를 추출하거나, 쇠에 슨 녹을 벗겨 내 짙은 갈색을 얻음
유기적 피그먼트	• 동물이나 식물과 같은 유기물에서 색을 추출하는 방법 • 소의 오줌에서 인디아 노랑의 색을 추출하거나, 제비꽃을 따다 끓여 연한 자줏빛의 색소를 정제해 얻음

2 (마)를 통해 채색할 때 아래는 되도록 얇게, 위는 두껍게 칠하는 것은 템페라가 아니라 유화의 균열 문제를 해결하기 위한 방법임을 알 수 있다.

오답 풀이 ❶ (라)를 통해 템페라 기법보다 유화 기법을 사용하는 것이 색채의 현실감을 잘 드러낼 수 있음을 알 수 있다. 따라서 템페라 기법을 사용한 〈보기〉는 유화에 비해 색채의 현실감이 잘 드러나지 않을 것이다.

❷ (다)를 통해 템페라 기법이 빨리 마르고, 단단하며, 보존성이 좋은 채색 방식임을 알 수 있다.

❸ (다)를 통해 템페라 기법이 균열이 잘 생기지 않는다는 것을, (마)를 통해 템페라의 색깔이 반영구적이라는 것을 알 수 있다. 그리고 (마)를 통해 유화는 균열이라는 고질적 문제와 시간이 지날수록 색이 어둡게 변한다는 단점이 있음을 알 수 있다.

❹ (라)에서 템페라 기법은 얇은 선을 나란히 그어 가듯이 칠해야 하기 때문에 하나의 색에서 다른 색으로 부드럽게 넘어가는 효과를 내기가 힘들다는 것을 알 수 있다.

3 ㉠은 문맥상 '다른 것으로 대신하게'의 의미로 쓰였다. 따라서 '어떤 대상의 자리나 구실을 바꾸어서 새로 맡게'의 의미를 가진 '대신하게'와 바꾸어 쓰기에 적절하다.

오답 풀이 ❶ '완성하게'는 '완전히 다 이루게'의 의미이므로, ㉠과 바꾸어 쓰기에 적절하지 않다.

❷ '보완하게'는 '모자라거나 부족한 것을 보충하여 완전하도록 하게'의 의미이므로, ㉠과 바꾸어 쓰기에 적절하지 않다.

❹ '삭제하게'는 '깎아 없애거나 지워 버리게'의 의미이므로, ㉠과 바꾸어 쓰기에 적절하지 않다.

❺ '존중하게'는 '높이어 귀중하게 대하게'의 의미이므로, ㉠과 바꾸어 쓰기에 적 절하지 않다.

✚ 어휘 체크

1 (1) 정제 (2) 내구성 (3) 세속적
2 ❶ 용매 ❷ 매재 ❸ 추출 ❹ 연출

01 지도가 보여 주는 것

| 1 ⑤ | 2 ③ | 3 ① |

가 영국의 지리학자 존 브라이언 할리는 근대의 지도가 세계를 실증적이고 객관적으로 담고 있는 것이 아니라 권력 관계를 ⓐ반영하고 있다고 생각했다. [지도에 대한 지리학자 존 브라이언 할리의 생각 ①] 기본적으로 할리는 지도를 언어의 한 모습이라고 생각했으며, [지도에 대한 지리학자 존 브라이언 할리의 생각 ②] '읽고 해체해야 하는 문서'로 보았다. 그는 지도에서 표현하고 있는 내용이 얼마나 정확한가의 문제를 넘어, 지도가 권력의 도구로 사용되며 상징적 역할을 하는 것에 관심을 두었다. [지도에 대한 지리학자 존 브라이언 할리의 생각 ③] 그래서 지도에 사용된 기호나 표현 방식 역시 권력의 의도가 반영된 것으로 보았고, 반영된 의도에 따라 보여 주고 싶지 않은 것은 감추고 보여 주고 싶은 것만을 표현한다고 생각했다.

나 이러한 생각을 잘 보여 주는 사례가 메르카토르 지도[핵심어]이다. 이 지도는 네덜란드의 지리학자 메르카토르가 세계를 원통에 비추는 방식으로 그린 지도로, 수평의 위선과 수직으로 경선이 교차하며 방위가 정확해 항해용 지도로 많이 활용된다. 「이 방식으로 지도를 그리면 적도로부터 양 극점으로 갈수록 대륙의 크기가 ⓑ과장되면서 땅의 크기가 실제와는 달리 ⓒ왜곡된다.」[: 메르카토르 지도의 특징] 이 지도에서는 유럽 제국이 지도의 중앙 위쪽에 있고, 북반구는 위쪽에 남반구는 아래에 자리 잡고 있다. 즉 남반구에 비해 북반구가 우위에 있도록 나타낸 것이다. 그리고 적도 근처의 식민지 국가들에 비해 고위도에 위치한 유럽 대륙 및 북아메리카 대륙의 면적이 크게 그려져 있다. 이는 ㉠서구 중심주의적 세계관이 반영된 것으로 서양이 동양의 [서양이 세계의 중심이라는 사고를 지도에 반영하며 지도를 권력의 도구로 사용함] 식민지 국가들을 지배하는 것이 ⓓ정당한 것처럼 만드는 데 이용되기도 하였다.

다 이에 대해 「어떤 사람들은 지도를 권력과 관련지어 이해하려는 생각 자체가 일부의 생각에 불과하며, 그 일 [「: 지도에 권력의 의도가 반영되어 있다는 견해를 비판하는 시각도 있음을 알림] 부의 학자들이 자신들만의 주장을 드러내기 위해 한쪽으로 치우친 말을 사용하고 있다고 비판하기도 한다.」하지만 지도를 권력과 관련지어 이해하는 시도는 지도를 단순히 정확성의 차원에서 접근할 때 ⓔ간과하기 쉬운 사회적 맥락을 재고해 보게 하고 우리의 생각을 넓혀 줄 수 있다는 데서 의의를 찾을 수 있다.

✚ 독해 체크

■ 이 글의 핵심 화제

(권력)의 도구로 사용되는 (지도)의 상징적 역할

■ 문단별 중심 내용

1문단 지도에 (권력)의 의도가 반영되어 있다는 존 브라이언 할리의 관점

2문단 (메르카토르 지도)에 반영된 서구 중심주의적 세계관

3문단 (지도)를 권력과 관련지어 이해하는 시도가 갖는 의의

■ 핵심 내용의 구조화

메르카토르 지도에 반영된 권력의 의도

• 북반구를 위쪽, 남반구를 아래쪽에 그려 북반구가 남반구보다 (우위)에 있는 것처럼 나타냄 • 유럽 제국을 지도의 (중앙 위쪽)에 위치시킴	적도 근처의 (식민지 국가)들에 비해 고위도에 위치한 유럽 대륙 및 북아메리카 대륙의 면적을 크게 그림

⬇

(서구 중심주의적) 세계관이 반영된 결과임

⬇

서양이 동양의 식민지 국가들을 지배하는 것이 (정당)한 것처럼 보이도록 함

---

1 이 글은 메르카토르 지도의 사례를 통해 지도에는 권력의 의도가 반영되어 있다는 지리학자 존 브라이언 할리의 견해를 소개하고 있다. 이 글에 서로 반대되는 상황을 나란히 제시하고 있는 내용은 드러나 있지 않으며, 어떤 문제점을 해결할 수 있는 방법을 보여 주는 내용도 나타나 있지 않다.

오답 풀이 ❶ (가)에서 지도와 관련하여 지리학자 존 브라이언 할리의 견해를 제시하고 있다.
❷ (다)에서 지도를 권력과 관련지어 이해하는 시도가 갖는 의의를 제시하고 있다.
❸ (다)에서 지도에 권력의 의도가 반영되어 있다는 견해에 대한 비판적 관점을 제시하고 있다.
❹ (나)에서 지도가 권력의 의도를 담고 있는 것을 보여 주는 사례로 메르카토르 지도를 소개하고 있다.

2 (나)를 통해 메르카토르 지도는 세계를 원통에 비추는 방식으로 그리기 때문에 실제와는 달리 적도에서 양 극점으로 갈수록 대륙의 크기가 과장된다는 것을 알 수 있다. 그래서 적도 근처의 식민지 국가들에 비해 고위도에 있는 유럽 대륙 및 북아메리카 대륙의 면적이 크게 그려져 있는 것이다. 뿐만 아니라 유럽 제국이 지도의 중앙 위쪽에 자리 잡고 있는데, 이는 서구 중심적인 세계관이 반영된 것이다.

오답 풀이 ❶ 메르카토르 지도에 표시된 식민지 국가와 북아메리카 대륙의 위치만으로 서구 중심적인 세계관을 반영한 것이라고 보기는 어렵다.

❷ 메르카토르 지도가 네덜란드의 지리학자 메르카토르가 그린 지도라는 언급은 있으나 유럽 대륙에 대한 애정을 반영하여 그린 것이라는 언급은 제시되어 있지 않다.

❹ (나)에서 글쓴이는 메르카토르 지도에 반영된 서구 중심적인 세계관을 말하고자 한 것이지 지도의 사용 상황과 사용 주체에 따라 지도에 담긴 내용과 사용법이 다름을 말하고자 한 것이 아니다.

❺ (나)에 고위도에 있는 유럽 대륙의 면적이 적도 근처의 식민지 국가들에 비해 크게 그려져 있다고 제시되어 있다.

➕ 더 알아두기 | 페터스 도법

메르카토르의 지도에 사람들이 익숙해지면서 미국과 캐나다, 유럽과 러시아 등은 실제보다 넓은 영토를 가진 국가로 인식되었고 사람들은 이를 국가의 힘과 연관시켜 생각하게 되었다. 이러한 문제를 지적한 사람이 바로 독일의 역사학자 페터스이다. 페터스는 메르카토르 도법이 서구 우월주의를 담고 있고 식민주의를 정당화한다고 주장하였다. 이에 페터스는 각 나라 면적의 상대적 비율을 비교적 정확하게 나타낸 페터스 도법의 지도를 만들었다.

페터스 도법은 사람들에게 세상의 중심이 더 이상 서구 열강이 아닐 수도 있음을 보여 준다. 이를 통해 사람들이 넓은 나라라고 생각했던 유럽도 실제로는 남아메리카보다 작고, 미국령인 알래스카도 인도보다 커 보이지만 실제로 그렇지 않음을 알렸다. 이 도법의 지도는 이전에는 관심을 받지 못하던 제3세계 나라들을 상대적으로 강조하고 있는 것이다.

페터스 도법으로 그려진 지도는 면적의 상대적 비율을 중심으로 나타낸 것이어서 각 지역 간의 방향이나 모양이 실제 모습과 차이가 난다는 단점을 가지고 있다. 그러나 지도가 사실 그대로를 보여 주는 것이 아니라 만든 사람의 의도와 관점을 담고 있다는 것을 널리 알렸다는 점에서 그 의의를 찾을 수 있다.

3 ⓐ에서 '반영'은 '다른 것에 영향을 받아 어떤 현상이 나타남'의 의미로 쓰였는데, ①의 문장에서는 '빛이 반사하여 비침'의 의미로 쓰였다.

오답 풀이 ❷ ⓑ와 ②에서 '과장'은 '사실보다 지나치게 불려서 나타냄'의 의미로 쓰였다.

❸ ⓒ와 ③에서 '왜곡'은 '사실과 다르게 해석하거나 그릇되게 함'의 의미로 쓰였다.

❹ ⓓ와 ④에서 '정당'은 '이치에 맞아 올바르고 마땅함'의 의미로 쓰였다.

❺ ⓔ와 ⑤에서 '간과'는 '큰 관심 없이 대강 보아 넘김'의 의미로 쓰였다.

➕ 어휘 체크

1 (1) 우위 (2) 식민지 (3) 맥락
2 ❶ 실증적 ❷ 적도 ❸ 간과 ❹ 과장

02 징크스는 학습된 것일까?

1 ④   2 ①   3 ②

가 학습(learning)은 '직접·간접의 경험이나 훈련에 의한 비교적 영속적인 행동의 변화'라고 일반적으로 정의한다. [학습의 개념] 학습의 원리는 두 가지로 설명할 수 있는데, 고전적 조건화와 조작적 조건화가 그것이다. [영속적인 행동의 변화를 일으키는 학습을 고전적 조건화와 조작적 조건화로 설명하고자 함]

나 음식(무조건 자극)은 개로 하여금 침(무조건 반응)을 흘리게 만든다. 그러나 음식물을 주기 전에 침을 흘리게 하는 음식과 아무 관련이 없는 종소리(조건 자극)를 계속 들려주면, 음식물이 없이 종소리만 들어도 개는 침(조건 반응)을 흘리게 된다. [무조건 자극이 없어도 조건 자극으로 학습돼 조건 반응이 일어남] 이처럼 후천적으로 학습된 반사 행동을 고전적 조건화(classical conditioning)라 한다.

다 조작적 조건화(operant conditioning)는 유기체가 여러 환경에서 능동적으로 반응함으로써 이루어진 조건화이다. 그러므로 「고전적 조건화에서는 자극이 먼저 제시되었지만, [고전적 조건화와 조작적 조건화의 차이 - 자극의 제시 순서가 다름] 조작적 조건화에서는 강화라는 이름으로 자극이 나중에 제시되는 것이 차이점이다.」 [고전적 조건화에 없는 것으로 조작적 조건화의 핵심 개념] 유기체가 어떤 행동을 수행했을 때 그 행동을 반복할 가능성은 그 행동 뒤에 따르는 ㉠강화(强化)가 어떤 것인가에 달려 [강화가 곧 바람직한 행동의 강도와 빈도를 증가시키는 역할을 함] 있다. 우리들의 생활 습관들은 자세히 보게 되면 조작적 조건화로 학습된 것들이 많이 있다. 그중 하나가 징크스 [핵심어] 이다.

라 징크스(jinx)라는 말은 고대 그리스에서 마술에 사용하던 새의 이름(jugx)에서 유래한 것으로 사람의 힘이 [징크스의 유래] 전혀 미치지 못하는, 마치 마술과 같은 힘으로 일어난 불길한 일이나 운명적인 일을 의미한다. [징크스의 개념] 징크스는 사람의 무의식 속에 은밀히 존재하여 언제 닥칠지 모르는 위험으로부터 자신을 보호하려는 의도에서 비롯한다. [징크스의 심리적 기제] 일단 징크스에 걸리면 저항하기 쉽지 않은 것은 이 때문이다. 징크스를 지키지 않을 경우 심리적 불안 상태에 ⓐ휩싸이게 되므로, [징크스를 지키려는 이유 - 불안에서 벗어나기 위해] 웬만하면 징크스를 지키는 편을 선택하게 된다.

마 이런 징크스들은 모두가 조작적 조건화의 결과이 [징크스는 조작적 조건화로 학습돼 생활 습관에서 나타남] 다. 「손톱을 깎지 않는 징크스의 경우를 예로 들어 보자. [징크스를 구체적인 사례를 통해 설명함] 그 사람은 아마도 징크스가 생기기 전에는 손톱 깎는 것과 시험 성적 사이에 연관이 있을 것이라고는 생각하지 못했을 것이다. 실제로도 아무 연관이 없다. 그런데 한 번은 공부한 것에 비해 성적이 월등하게 나왔다고 하자. '무엇 때문일까?'라고 생각할 것이다. 그러다가 이전에 하지 않았던 행동, 즉 이번에는 손톱을 깎지 않았다는 것에 생각이 미치게 된다. 결국 '손톱을 깎지 않았다는 것'과 '시험 성적이 좋았다'는 관계없는 두 행동이 연결되어 다음부터는 시험 보기 전에 손톱을 깎지 않게 된다.

_{실제로는 아무런 연관이 없는 두 행동}
_{시험 보기 전에 지켜야 하는 징크스가 생김}

➕ 독해 체크

■ 이 글의 핵심 화제
조작적 조건화의 결과, (징크스)

■ 문단별 중심 내용

1문단 학습의 (개념)과 학습의 원리 소개

⬇

2~3문단 학습의 원리 – (고전적) 조건화와 (조작적) 조건화

⬇

4문단 징크스의 (유래)와 의미 및 징크스를 지키려는 이유

⬇

5문단 조작적 조건화의 (결과)로 생긴 징크스의 예

■ 핵심 내용의 구조화

학습의 원리

고전적 조건화	조작적 조건화
• (후천)적으로 학습된 반사 행동 • (무조건 자극) 없이 조건 자극으로 조건 반응을 형성하는 학습 📌 음식 없이 종소리만 듣고 침을 흘리는 개	• 유기체가 여러 환경에 (능동)적으로 반응하면서 이루어진 조건화 • 어떤 행동을 수행했을 때 (강화)에 따라 그 행동의 강도와 빈도가 달라짐

⬇

징크스
• 불길한 일이나 운명적인 일을 의미함 • 무의식적으로 (관계)없는 두 행동이 연결되어 징크스가 됨

1 (다)에 조작적 조건화는 고전적 조건화보다 환경에 능동적으로 반응한다고 제시되어 있다.

오답 풀이 ❶ (다)에서 우리의 생활 습관은 조작적 조건화로 학습된 것들이 많이 있다고 하며, 그중 하나가 징크스라고 하였다. 따라서 징크스는 고전적 조건화가 아니라 조작적 조건화의 사례에 해당한다.

❷ (가)에서 학습은 직접·간접의 경험이나 훈련에 의한 비교적 영속적인 행동의 변화라고 하였다. 따라서 학습은 단기적 행동의 변화가 아니라 비교적 영속적인 행동의 변화라고 할 수 있다.

❸ (라)에서 징크스는 사람이 무의식 중에 자신을 보호하려는 의도에서 비롯되었다고 하며, 징크스를 지키지 않을 경우 심리적 불안 상태에 휩싸이게 된다고 하였다. 따라서 징크스를 지키는 것은 사람의 심리적 상태와 관련이 깊다고 할 수 있다.

❺ (마)에서 손톱을 깎지 않는 행위를 예로 들며 징크스를 설명하고 있다. 손톱을 깎지 않는 행위와 시험 성적이 좋게 나온 것은 전혀 관계가 없는데도 두 행동이 연결이 되어 징크스가 된다는 것이다. 따라서 징크스는 필연성이 없는 행동들이 연결되어 나타난 결과라고 할 수 있다.

2 ①에는 그림을 잘 그려서 사 준 '물감'과 관련해 바람직한 행동의 강도와 빈도가 증가하는 부분이 나타나지 않는다. 또한 '피아노'를 사 달라는 것은 이와 관련이 없는 행동이다. 따라서 ①은 강화의 예로 적절하지 않다.

오답 풀이 ❷ 말을 처음 시작한 아기에게 엄마가 칭찬을 하여 아기가 말을 더 빨리 배우게 되었으므로, 엄마의 칭찬이 곧 강화가 된다.

❸ 축구 경기에서 최선을 다하는 선수에게 응원의 박수를 쳐 주어 선수가 더 열심히 경기에 임하게 되었으므로, 응원의 박수가 곧 강화가 된다.

❹ 사육사의 명령을 잘 따른 돌고래에게 먹이를 주어 돌고래가 더 멋지게 묘기를 보였으므로, 먹이가 곧 강화가 된다.

❺ 수업을 열심히 들은 학생에게 사탕을 주어 학생이 수업을 더 열심히 듣게 되었으므로, 사탕이 곧 강화가 된다.

3 ⓐ의 '휩싸이다'는 '어떠한 감정에 마음이 뒤덮이다.'라는 의미로 쓰였고, 선지 중에서는 ②의 '휩싸이다'가 이와 가장 유사한 의미로 쓰였다.

오답 풀이 ❶ '분위기, 침묵 따위에 주위가 뒤덮이다.'의 의미로 쓰였다.

❸, ❺ '무엇에 온통 뒤덮이다.'의 의미로 쓰였다.

❹ '휘휘 둘러 감겨서 싸이다.'의 의미로 쓰였다.

➕ 어휘 체크

1 무의식 – 식후 – 후천적 – 적강 – 강화 – 화수분
2 ❶ ⓒ ❷ ㉠ ❸ ⓛ

2. 긴 지문 실전

문제 01 거짓말을 가려내는 징표가 있을까?

1 ⑤   2 ⑤   3 ②

가 왜 사람들은 거짓말을 제대로 가려내지 못하는 것 일까? _{의문문의 형식으로 글을 시작해 흥미를 유발함} 텍사스 크리스천 대학교의 찰스 본드 교수는 60 개 국 이상에서 온 수천 명의 사람들을 대상으로 거짓말 _{핵심어} 을 어떻게 가려내는지 설명해 달라고 했다. 사람들의 대 답은 놀라울 정도로 일치했다. '거짓말쟁이들은 시선을 마주치지 못하고 초조하게 손을 흔들어 대며 자세를 이 리저리 바꾼다.' _{일반인이 생각하는 거짓말을 할 때의 행동 양식} 라는 것이 대다수 사람들의 공통된 답변 이었다.

나 하지만 사실은 그렇지 않았다. _{사람들이 일반적으로 생각하는 것과는 다른 결과가 나옴} 본드 교수는 거짓을 말하는 사람과 진실을 말하는 사람을 찍은 비디오 자료 를 오랜 시간 연구했다. 이 연구에는 디지털 영상을 반 복해 기록하는, 훈련된 관찰자가 필요하다. 관찰자는 관 찰 대상의 웃음, 눈의 깜빡임, 손동작 같은 특별한 행동 을 체크하고, 그런 특별한 행동이 나올 때마다 컴퓨터로 기록했다.

다 이 연구의 결과는 우리가 예상했던 내용에서 크게 ⊙벗어났다. 「거짓을 말하는 사람도 진실을 말하는 사람 _{「」: 일반적인 생각과는 전혀 다른 연구 결과} 만큼이나 거리낌 없이 상대의 눈을 응시하였고, 초조하 게 손을 흔들지 않았으며, 자세를 이리저리 바꾸지 않았 던 것이다.」 오히려 거짓말쟁이들은 말을 할 때 자세를 바꾸지 않는 편이었다. 사람들은 거짓말과는 아무런 관 련이 없는 행동을 주관적으로 해석하기 때문에 진실과 거짓을 쉽게 구별하지 못하였던 것이다. _{사람들이 진실과 거짓을 쉽게 구분하지 못한 이유}

라 그렇다면 거짓말을 드러내는 징표는 없을까? 「그 해 답을 찾기 위해 연구자들은 거짓과 진실을 말하는 사람 _{「」: 거짓말을 드러내는 징표를 찾기 위한 연구의 주요 내용} 들의 행위에 어떠한 차이가 있는지 추적했다.」 열쇠는 바 로 거짓말을 할 때 우리가 사용하는 어휘와 말을 전달하 _{연구를 통해 찾아낸 거짓말을 판별할 수 있는 기준} 는 방식에 있었다. 거짓말의 경우 정보를 드러내면 드러 낼수록 허점이 나타날 가능성이 크다. 그래서 거짓을 말 하는 사람들이 진심을 말하는 사람보다 적게 말하고 세 부를 드러내지 않는 편이다. _{거짓말을 드러내는 징표 ①}

마 게다가 거짓말쟁이들은 심리적으로 자신을 거짓으 로부터 떼어 놓으려 하기 때문에 자기 자신이나 자기의

감정에 대한 언급을 최대한 자제한다. 그래서 거짓말을 할 때는 '나'라는 말을 거의 쓰지 않는 반면에 진실을 말 _{거짓말을 드러내는 징표 ②} 할 때는 '나'라는 단어를 자주 언급한다.

바 또 다른 중요한 차이는 망각의 정도이다. '지난주에 무얼 했느냐?'는 질문을 받는다고 상상해 보라. 보통 사 람이라면 사소한 일들은 기억이 나지 않을 터이고 따라 서 정직한 사람은 솔직하게 기억이 안 난다고 인정할 것 이다. 그러나 거짓말쟁이들은 그렇지 않다. 별로 중요하 지 않은 정보의 경우라도 그들은 대단한 기억력을 발휘 하여 아주 사소한 것까지도 기억을 해 내는 일이 많다. _{거짓말을 드러내는 징표 ③} 반면 진실을 말하는 사람들은 사소한 것을 잊었음을 유 쾌하게 받아들인다.

사 거짓과 진실을 판별할 때 종종 몸짓으로 판단하면 _{글쓴이가 말하고자 하는 바} 잘못된 결론에 도달하기 쉽지만, 언어의 전달 방식을 기 준으로 판단하면 올바른 결론을 내릴 수 있다. 아직 정 확한 이유가 밝혀지진 않았지만, 한 가설에 따르면 이는 시선이나 손동작은 통제가 비교적 쉬운 반면에, 어휘와 말하기 방식을 통제하는 것은 훨씬 어렵기 때문이라고 한다.

➕ 독해 체크

■ **이 글의 핵심 화제**

(거짓말)에 대한 오해와 구별 방법

■ **문단별 중심 내용**

1문단 거짓말을 하는 사람들에 관한 (일반적인) 생각

2문단 (거짓말)을 하는 사람들의 행동 양식에 관한 연구

3문단 본드 교수의 연구 결과 및 사람들이 (진실)과 거짓 을 구별하지 못한 이유

4~6문단 거짓말의 (징표) ①~③

7문단 (언어)의 전달 방식을 기준으로 거짓말을 판별할 수 있는 이유

■ 핵심 내용의 구조화

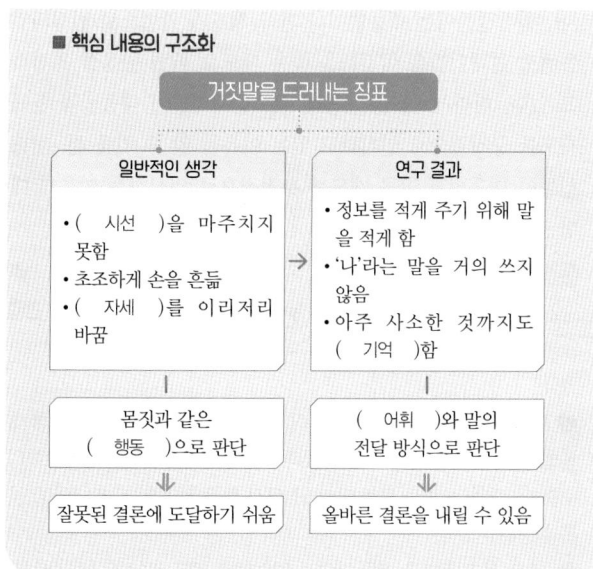

거짓말을 드러내는 징표

일반적인 생각	연구 결과

일반적인 생각
- (시선)을 마주치지 못함
- 초조하게 손을 흔듦
- (자세)를 이리저리 바꿈

→

연구 결과
- 정보를 적게 주기 위해 말을 적게 함
- '나'라는 말을 거의 쓰지 않음
- 아주 사소한 것까지도 (기억)함

몸짓과 같은 (행동)으로 판단

(어휘)와 말의 전달 방식으로 판단

⇓

잘못된 결론에 도달하기 쉬움

올바른 결론을 내릴 수 있음

1 이 글은 거짓말을 하는 사람들의 행동에 대한 일반적인 생각이 잘못되었음을 연구 결과를 통해 밝혀 주고, 거짓과 진실을 구별하는 법을 제시하고 있다.

오답 풀이 ❶, ❷ 이 글에서는 거짓말을 통제하는 방법이나 거짓말에 영향을 주는 요인들에 대해 언급하고 있지 않다.
❸ (다)에서 사람들의 일반적인 생각과 달리, 거짓말을 하는 사람들의 행동이나 자세는 변하지 않았다는 연구 결과를 제시하고 있을 뿐, 거짓말을 할 때의 심리 상태 변화에 대해서는 제시하고 있지 않다.
❹ 거짓말을 드러내는 세 가지 징표를 제시하고 있긴 하지만, 이를 과학적 조사법으로 보기는 어렵다.

2 강 씨는 '나'라는 말을 자주 사용하고, 자신이 모르는 세부 사항에 대해서는 쉽게 모른다고 말한다. 이는 이 글에서 설명한 거짓말을 할 때 나타나는 언어 양상과는 정반대이므로, 강 씨가 거짓말을 하고 있다고 단정할 수는 없다.

오답 풀이 ❶, ❷ 이 글에서는 행동으로 거짓말을 판별할 수 없다고 하였다. 그러므로 현장 사진을 보고 자세를 바꾼다든지, 진술할 때 눈동자가 심하게 떨렸다든지 하는 것으로는 강 씨의 거짓말을 판별할 수 없다.
❸ (마)에서 거짓말을 할 때에는 '나'라는 말을 거의 쓰지 않는다고 하였으므로 강 씨가 '나'를 자주 언급하며 범죄를 부인한 것을 자신의 행동을 감추기 위한 것으로 볼 수 없다.
❹ 〈보기〉를 통해서는 강 씨가 실제로 객관적인 사실만을 이야기하는지 알 수 없다.

3 ㉠의 '벗어났다'는 평소 갖고 있는 기대나 생각과는 다른 결과가 나왔음을 의미하므로, '이야기의 흐름(생각)이 빗나가다.'의 의미와 가장 유사하다.

오답 풀이 ❶ '선생님의 눈을 벗어난 행동을 해서는 안 된다.'와 같은 문장에서 쓰이는 의미이다.
❸ '새장에서 벗어나 자유를 얻은 새'와 같은 문장에서 쓰이는 의미이다.
❹ '예의에 벗어난 행동은 사람들의 눈살을 찌푸리게 한다.'와 같은 문장에서 쓰이는 의미이다.
❺ '터널에서 벗어나자, 파란 바다가 보였다.'와 같은 문장에서 쓰이는 의미이다.

➕ 어휘 체크

1 (1) 반복 (2) 유쾌 (3) 추적
2 ❶ ㉡ ❷ ㉢ ❸ ㉠

02 환곡의 폐해

1 ⑤   2 ④   3 ④

가 『임진왜란과 병자호란을 겪으면서 조선의 토지 제도가 급격히 ⓐ문란해졌다. 농지도 황폐하여 민생의 삶이 곤궁해지고, 화폐 제도도 무너져 국가 재정이 고갈되기 시작했다.』(『 』: 양란 이후의 경제적 어려움) 이런 상황에서 조세 제도를 ⓑ일원화한다는 의미로 세금을 쌀로 받기 시작했다. 그런데 수리가 발달되지 않았던 전통적인 천수답의 농경 사회에는 소위 보릿고개라고 하는 계절적 빈곤이 불가피하게 발생했고, (환곡 제도의 출현 이유 ①) 쌀로 세금을 받는 대동법(大同法)은 조세의 편의를 위한 제도가 아니라 백성들의 짐이 되기 시작했다. (환곡 제도의 출현 이유 ②) 이러한 상황에서 백성들을 굶주림으로부터 구출하기 위한 방법을 ⓒ모색하다가 (백성들의 어려움을 구제하기 위해 마련된 환곡 제도) 환곡(還穀)이라는 제도가 마련된 것이다. (핵심어)

나 환곡이란 보릿고개에 양곡을 빌려주고 추수기에 되받는 일종의 구휼(救恤) 제도였다. (환곡의 본래 의미 (일반적으로 생각하는 좋은 제도로서의 환곡)) 당초 환곡의 이자는 봄부터 가을까지 6개월 동안 20%(연리로 치면 40%)였고, 조선 후기에는 6개월에 10%(연리 20%)였으므로, 오늘날에 비하면 다소 고리(高利)였다고는 하지만 가혹한 정도는 아니었다. 『그러던 것이 대동법과 시기적으로 맞물리고 ⓓ혼재되어 훗날에는 그 양자를 구별하지 않은 채 모두가 고리채라는 뜻으로 받아들여지게 되었다.』(『 』: 환곡의 본래 의미가 변질된 이유 (대동법과 환곡)) 또한 관리들의 부패가 심해지면서 농민들로서는 춘궁에 환곡을 얻는 것이 어려워지기 시작했다. 농민들이 요구하는 환곡의 절대량이 부족했기 때문이다.

다 이러한 현상이 나타나자, 지방의 토호 지주들은 남 (지방 세력가) 이야 굶주리든 말든 이런 틈을 타서 재산을 불리거나 권세를 얻을 수 있다는 데에 ⓔ주목하였다. 쌀이 식량의 의미를 넘어 그 자체가 상업 자본으로서 화폐의 성격을 띠게 되면서, (지방 토호들이 쌀을 매개로 한 축재를 일삼으면서 환곡의 이자가 상승함) 이들은 쌀을 매개로 한 축재를 시작했고 이자는 날이 갈수록 높아졌다. 이러한 고리채에 대해 저항할 수 없었던 농민들은 달리 선택의 여지도 없었다. (어쩔 수 없이 빌려야 함 → 울며 겨자 먹기)

라 봄에 1섬을 빌려 6개월 후에 1섬 반으로 갚았으니 6개월 이자가 50%인 셈이며 연리로 치면 100%인 고리채

2. 긴 지문 실전 **21**

인 것이다. 현대의 은행 대출 이자가 연리 5% 정도이며 은행 이자를 0.1%만 낮춰 주어도 기업의 형편이 좋아진다는 점을 염두에 둔다면 생산성이 낮던 당시의 소작농에게 연리 100%라는 것이 얼마나 가혹한 굴레였던가를 짐작할 수 있다. 농민들은 당장 굶어 죽지 않기 위해 쌀을 꾸었지만 가을이 되면 빚을 갚기는커녕 빚을 갚기 위해 다시 장리쌀을 꿔야 하는 악순환이 계속되었다. 본래의 의미와 달리 대동법과 환곡은 결국 소작농을 영원히 소작농으로 묶어 놓는 굴레가 되었다.
<small>환곡을 갚을 방안을 마련할 수 없는 상황</small>
<small>대동법과 환곡의 폐해</small>

마 대동법이나 환곡이 이토록 악법으로 변질되었음에도 우리는 그것이 좋은 제도라고 배워 왔다. 그 이유는 이 시대의 역사가 가진 자들의 기록이었기 때문이다. 대
<small>역사가 왜곡되어 전해 내려오는 이유 - 글쓴이의 문제 의식이 드러남</small>
동법과 환곡으로 인해 가난을 겪고, 가난 때문에 배우지 못한 민초들이 가혹한 삶을 살았던 것도 억울한데 역사마저도 가진 자의 편에 서서 사실을 호도하고 왜곡하여 이중의 억울함을 준 것이다. 앞으로는 이와 같은 문제점이 더 이상 발생하지 않도록 역사 기록자는 진실을 기록
<small>글을 쓴 목적 – 역사를 진실하게 기록하고, 비판적으로 역사를 수용하는 자세를 갖출 것을 당부함</small>
하고, 우리는 비판적 시각에서 역사를 바라보아야 할 것이다.

➕ 독해 체크

■ 이 글의 핵심 화제

(환곡)의 악폐와 그것이 좋은 제도로 잘못 인식되어 온 이유

■ 문단별 중심 내용

1문단 (대동법)과 환곡 제도의 출현 배경

⬇

2문단 사회적 상황으로 인해 변질된 환곡의 (의미)

⬇

3문단 쌀을 매개로 축재를 일삼은 지방 (토호)들

⬇

4문단 고리채로 인한 대동법과 환곡의 (폐해)

⬇

5문단 가진 자의 기록이었던 (역사)의 문제점 및 글쓴이의 당부

■ 핵심 내용의 구조화

대동법과 환곡에 대한 우리의 인식		대동법과 환곡의 실체
기록된 역사를 통해서만 접했기에 조세 제도와 (구휼) 제도로서 좋은 제도라고 생각함	←역사 왜곡→	(고리채)로 인해 당대의 농민들에게는 견디기 어려운 가혹한 굴레이자 악법이었음

역사가 가진 자들의 기록이기 때문

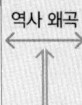

1 (마)에서 글쓴이는 대동법이나 환곡 제도가 악법으로 변질되었음에도 현대인들은 이것들을 좋은 제도로 배워 왔음을 지적하고 있다. 따라서 이 글을 통해서는 현대인들이 대동법과 환곡 제도를 긍정적으로 인식하고 있는 이유를 알 수 있을 뿐, 현대인들이 대동법과 환곡 제도를 부정적으로 인식하는 이유에 대한 답은 찾을 수 없다.

오답 풀이 ❶ (나)에서 환곡 제도는 본래 '보릿고개에 양곡을 빌려주고 추수기에 되받는 일종의 구휼(救恤) 제도'였으나 대동법과 혼재되고, 관리들의 부패가 심해지면서 점차 고리채의 성격을 띠게 되었음을 설명하고 있다.

❷ (가)에서 임진왜란과 병자호란 이후 조세 제도를 일원화하기 위해 대동법이 시행되었음을 설명하고 있다. 그리고 백성들을 굶주림으로부터 구출하기 위한 방법을 모색하는 과정에서 환곡 제도가 나타나게 되었음을 설명하고 있다.

❸ (라)에서 대동법과 환곡 제도가 악순환을 몰고 와 소작농을 영원히 소작농으로 묶어 놓는 굴레가 되었음을 설명하고 있다.

❹ (마)에서 대동법과 환곡 제도에 대한 역사 기록이 가진 자들에 의한 것임을 밝히고, 이 때문에 역사적 사실이 왜곡되는 문제점이 발생하였음을 설명하고 있다.

2 이 글은 대동법과 환곡 제도의 폐해를 지적하면서 역사가 가진 자의 편에 서서 사실을 왜곡하고 있음을 비판하고 있다. 〈보기〉 역시 광해군에 대한 평가가 반정 세력에 의해 주관적으로 기술된 경우임을 예로 들고 있으므로 이 글을 읽은 학생의 반응으로는 ④가 가장 적절하다.

오답 풀이 ❶ 이 글과 〈보기〉 모두 본래 긍정적인 의미로 기록되었던 역사가 시간이 지나면서 변질되고 왜곡된 기록들로 남았다는 내용을 다루고 있지 않으므로 적절하지 않은 반응이다.

❷ 〈보기〉는 민중에 대한 기록이라고 할 수 없다.

❸ 이 글과 〈보기〉 모두 민중이 역사의 주인이어야 한다는 내용이 제시되어 있지 않다.

❺ 이 글과 〈보기〉 모두 역사에 누락된 기록이 있을 수 있다는 내용이 제시되어 있지 않다.

3 ⓓ의 '혼재되어'는 '뒤섞이어 있어'라는 의미로, '합쳐져'라는 의미와는 관련이 없다.

오답 풀이 ❶ ⓐ는 '도덕, 질서, 규범 따위가 어지러워졌다.'의 의미로 쓰였으므로 '어지러워졌다'로 바꿔 쓰기 적절하다.

❷ ⓑ는 '하나로 되는, 또는 하나로 만든다는'의 의미로 쓰였으므로 '하나로 만든다는'으로 바꿔 쓰기 적절하다.

❸ ⓒ는 '일이나 사건 따위를 해결할 수 있는 방법이나 실마리를 더듬어 찾다가'의 의미로 쓰였으므로 '찾다가'로 바꿔 쓰기 적절하다.

❺ ⓔ는 '관심을 가지고 주의 깊게 살폈다.'의 의미로 쓰였으므로 '관심 있게 살폈다'로 바꿔 쓰기 적절하다.

➕ 어휘 체크

1 소작 – 작고 – 고리채 – 채무 – 무지 – 지주
2 (1) 축재 (2) 민초 (3) 호도

 03 현대 사회에서의 연민의 의미와 가치

1 ①　　2 ②　　3 ①

가 현대인은 타인의 고통을 주로 뉴스나 영화 등의 매
<u>체를 통해 경험한다.</u> 타인의 고통을 직접 대면하는 경우
_{타인의 고통을 대부분 간접적으로 경험하는 현대인}
와 비교할 때, 뉴스나 영화, 매체를 통한 간접 경험으로
부터 타인에게 (연민)을 갖기는 쉽지 않다. 더구나 현대
_{핵심어}
사회는 사회의 구성원들에게 서로의 사적 영역을 침범
하지 않도록 주문한다. 현대 사회가 요구하는 이런 존중
의 문화는 타인의 고통에 대한 지나친 무관심으로 변질
될 수 있다. 그래서인지 <u>현대 사회는 소박한 연민조차
느끼지 못하는 불감증 환자들의 안락하지만 황량한 요</u>
<u>양소가 되어 가고 있는 듯하다.</u>
_{타인의 고통에 지나치게 무관심한 사람들이 많아진 현대 사회}

나 연민에 대한 정의는 시대와 문화, 지역에 따라 가지
각색이다. 그러나 다수의 학자들이 공통적으로 언급한
내용에 따르면 연민은 다음 두 가지 조건을 충족할 때
생긴다. 먼저 <u>타인의 고통이 그 자신의 잘못에서 비롯된
것이 아니라 우연히 닥친 비극이어야 한다.</u> 다음으로 <u>그
비극이 언제든 나를 엄습할 수도 있다고 생각해야 한다.</u>
_{연민의 조건 ①}　　　　　　　　　　　　　　　　_{연민의 조건 ②}
이런 조건에 비추어 볼 때 현대 사회에서 연민의 감정은
무뎌질 가능성이 높다. 왜냐하면 「현대인은 타인의 고통
_{연민의 조건이 충족되기 힘든 현대 사회의 상황 때문임}　_{「」: 현대인들이 연민의 감정을 느끼는 것에 무뎌질 수밖에 없는 이유}
을 대부분 그 사람의 잘못된 행위에서 비롯된 필연적 결
과로 보기 때문이다. 또한 자신은 그러한 불행을 얼마든
지 스스로 예방할 수 있다고 생각하기 때문이다.」

다 그러나 <u>현대 사회에서도 연민은 생길 수 있으며 연
민의 가치 또한 커질 수 있다.</u> 그 이유는 다음 세 가지로
_{현대 사회에서도 연민의 가치가 커지는 것이 가능함}
나누어 제시할 수 있다. 첫째, <u>현대 사회는 과거보다 안</u>
_{□: 현대 사회에서도 연민의 가치가 커질 수 있다고 판단한 이유}
<u>전한 것처럼 보이지만 실제로는 도처에 위험이 도사리</u>
_{사회의 도처에 위험 요소가 많아짐}
<u>고 있다.</u> 둘째, <u>행복과 불행이 과거보다 사람들의 관계</u>
<u>에 더욱 의존하고 있다.</u> ⓐ친밀성은 줄었지만 사회적·
_{사람들의 관계가 복잡해짐}
경제적 관계가 훨씬 촘촘해졌기 때문이다. 셋째, <u>교통과</u>
<u>통신이 발달하면서 현대인은 이전에 몰랐던 사람들의</u>
_{타인의 불행을 인식할 수 있는 환경이 조성됨}
<u>불행까지도 의식할 수 있게 되었다.</u> 물론 간접 경험에서
연민을 갖기가 어렵다고 치더라도 타인의 고통을 대면
하는 경우가 많아진 만큼 연민의 필요성이 커져 가고 있
다. 이런 정황에서 볼 때 ㉠연민은 그 어느 때보다 절실
히 요구되며 그만큼 가치도 높다.

라 진정한 연민은 대부분 연대로 나아간다. 연대는 고
<u>통의 원인을 없애기 위해 함께 행동하는 것이다.</u> 연대는
_{감성적 연민이 아닌 진정한 연민의 모습}
멀리하면서 감성적 연민만 외치는 사람들은 은연중에
자신과 고통받는 사람들이 뒤섞이지 않도록 두 집단을

분할하는 벽을 쌓는다. <u>이 벽은 자신의 불행을 막으려는</u>
_{함께 행동하는 연대가 이루어질 수 없음}
방화벽이면서, 고통받는 타인들의 진입을 차단하는 성
벽이다. '입구 없는 성'에 출구도 없듯이, 이들은 타인의
진입을 차단한 성 바깥의 위험 지대로 나가지 않는다.
이처럼 안전지대인 성 안에서 자신이 가진 것의 일부를
성벽 너머로 던져 주며 자족하는 동정도 가치 있는 연민
이다. 그러나 <u>진정한 연민은 벽을 무너뜨리며 연대하는
것이다.</u>
_{진정한 연민의 의미}

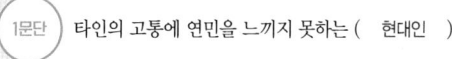
✚ 독해 체크

■ 이 글의 핵심 화제

현대 사회에서의 진정한 (연민)과 (연대)의 필요성

■ 문단별 중심 내용

```
1문단  →  타인의 고통에 연민을 느끼지 못하는 ( 현대인 )
2문단  →  타인에게 연민을 느끼기 위해 충족되어야 할 두 가지
          ( 조건 )
3문단  →  현대인에게 연민의 ( 필요성 )이 커지는 이유
4문단  →  진정한 ( 연민 )의 의미
```

■ 핵심 내용의 구조화

(현대인)에게 연민의 필요성이 커지는 이유

현대 사회는 과거보다 안전한 것처럼 보이지만 실제로는 도처에 (위험)이 도사리고 있음	행복과 불행이 과거보다 사람들의 (관계)에 더욱 의존하게 됨	(교통)과 통신의 발달로 몰랐던 사람들의 불행까지 의식할 수 있게 됨

⬇

진정한 연민의 의미

• 연대는 (고통)의 원인을 없애기 위해 함께 (행동)하는 것임
• 진정한 연민은 (감성적) 연민만을 외치며 벽을 쌓는 것이 아니라 벽을 무너뜨리며 연대하는 것임

---

1 (다)에서 글쓴이는 현대 사회에서도 연민은 생길 수 있으며 연민의 가치 또한 커질 수 있다는 가능성을 제시하고, 그 이유로 도처에 위험이 도사리고 있다는 사실을 언급하고 있다. 이는 사회가 위험해지면 연민의 가치가 커질 수 있기 때문에 연민의 필요성이 늘어날 수 있다는 의미일 뿐, 사회가 위험해지면 연민이 많아진다는 것을 단정 지어 언급한 것은 아니다.

<u>오답 풀이</u> ❷ (라)에서 안전지대인 성 안에서 자신이 가진 것의 일부를 성벽 너머로 던져 주며 자족하는 동정도 가치 있는 연민임을 언급하고 있다.

❸ (가)에서 현대 사회는 구성원들에게 서로의 사적 영역을 침범하지 않도록 요구하는데, 이런 존중의 문화는 타인의 고통에 대한 지나친 무관심으로 변질될 수 있다고 언급하고 있다.

❹ (다)에서 교통과 통신이 발달하면서 현대인은 이전에 몰랐던 사람들의 불행까지도 인식할 수 있게 되었다고 언급하고 있다.

❺ (나)에서 연민에 대한 정의는 시대와 문화, 지역에 따라 가지각색이라고 언급하고 있다.

2 글쓴이는 '현대 사회는 도처에 위험이 도사리고 있음', '사회적·경제적 관계가 복잡해지면서 행복과 불행이 사람들의 관계에 의존하고 있음', '교통과 통신의 발달로 이전에 몰랐던 사람들의 불행까지 의식할 수 있게 되었음' 등을 근거로 연민이 그 어느 때보다 현대에 필요하다고 생각한다. 즉, ㉠은 타인의 고통을 대면하는 경우가 많아진 정황을 근거로 도출된 글쓴이의 생각이다. 그러나 ②는 이런 정황과는 관련이 없다.

오답 풀이 ❶ 글쓴이가 제시한 세 가지 이유 중, 현대 사회는 도처에 위험이 도사리고 있다는 것과 관련이 있다.

❸ 글쓴이가 제시한 세 가지 이유 중, 교통과 통신이 발달하면서 이전에 몰랐던 사람들의 불행까지도 의식하게 되었다는 것과 관련이 있다.

❹, ❺ 글쓴이가 제시한 세 가지 이유 중, 사회적·경제적 관계가 복잡해지면서 행복과 불행이 사람들의 관계에 의존하고 있다는 것과 관련이 있다.

3 '너나들이하는'은 '서로 너니 나니 하고 부르며 허물없이 말을 건네는'을 의미하는 말이다. 따라서 '친밀성은 줄었지만'이라는 내용을 나타내기에는 적절하지 않다.

오답 풀이 ❷ '데면데면하게'는 '사람을 대하는 태도가 친밀감이 없이 예사롭게'를 의미하는 말이므로 @의 상황을 표현하기에 적절하다.

❸ '겉돈다'는 '다른 사람과 잘 어울리지 못하고 따로 지낸다'를 의미하는 말이므로 @의 상황을 표현하기에 적절하다.

❹ '설면할'은 '자주 만나지 못하여 낯이 좀 설'을 의미하는 말이므로 @의 상황을 표현하기에 적절하다.

❺ '서먹서먹하게'는 '낯이 설거나 친하지 아니하여 자꾸 어색하게'를 의미하는 말이므로 @의 상황을 표현하기에 적절하다.

✚ 어휘 체크

1 ❶ ㉠ ❷ ㉢ ❸ ㉡
2 ❶ 필연 ❷ 연대 ❸ 대면 ❹ 은연중 ❺ 존중 ❻ 연민

문항 **04** 인재를 등용하는 방법에 대하여

1 ⑤   2 ④   3 ②

가 당파(黨派)를 없애지 않고서는 전하의 뜻이 이루어
_{당파를 없애야 하는 당위성을 알리며 임금을 설득하려 함}
지지 못할 것입니다. 신은 일찍이 당파 싸움이 음식 싸
_{문제 상황과 유사한 상황에 빗대어 표현함}
움이나 다름없다고 하였습니다. 『가령 십여 명이 모여 앉
_{음식 싸움의 구체적인 상황을 예로 제시함}
아 연회(宴會)를 차리는 경우에 그들이 서로 예(禮)로써
@사양하지 않고 각자가 남보다 많이 먹기 위하여 욕심
을 낸다면 반드시 싸움이 ⓑ벌어질 것입니다. 그러나
그들을 보고 물으면 "저 사람이 나보다 밥을 많이 먹고
_{싸움의 원인을 솔직하게 드러내지 않고, 그럴듯한 이유를 대며 변명함}
술을 많이 마시기 때문이다."라고 말하지 않고, 분명히
"어른과 아이는 차례가 다른 법이거늘, 저 사람이 너무
나 무례하게 굴며, 밥을 흐트러뜨리고 국을 흘려, 저 사
람이 너무나 ⓒ공순(恭順)하지 못한 까닭이다."라고 할
것입니다. 이와 같은 변명은 그 어떤 구실이 있더라도
그 원인을 헤아리면 결국 서로 많이 먹기 위한 싸움에
_{음식 싸움의 근본적인 원인}
지나지 않습니다.

나 당파 싸움이 이와 같습니다. 그들이 말로는 "저 사
람의 직위가 나보다 높고 저 사람의 관록이 나보다 많기
_{당파 싸움의 실제적인 원인}
때문이다."라고 하지 않고, 반드시 『"저 사람이 임금을 저
_{『』: 당파 싸움의 실제적인 원인을 숨기며 변명의 말을 내세움}
버리고 국사(國事)를 ⓓ그르쳐서 불충(不忠)하기 그지
없고, 역모를 꾸미며, 개인의 이익에만 ⓔ몰두하여 불
순(不順)하기가 비할 데 없다."라고 말할 것입니다. 이와
같은 변명의 말들이 더러 근거가 있는 듯하더라도 그 근
간을 헤아려 보면 직위와 관록의 싸움에 지나지 않습니
_{당파 싸움의 원인 역시 음식 싸움의 원인과 별반 다르지 않음}
다.

다 싸움을 결판내는 것은 힘입니다. 힘이 모자라면 응
_{붕당의 형성 과정}
원할 이를 청하고, 응원하는 이들이 모이면 당파가 됩니
다. 그러므로 당파를 보호하려는 심정은 응원을 구하기
위함이고, 응원을 구하려는 것은 힘을 모으기 위함이며,
힘을 모으려는 심리는 서로 많이 먹기 위함입니다. 이로
_{붕당이 생기는 원인}
써 본다면 붕당(朋黨)은 그 출발부터가 너무나 비열한
_{붕당 형성의 의도 자체가 불순한 것임을 비판적으로 지적함}
일이라고 하지 않을 수 없습니다.

라 이제 전하께서 크게 깨달으시어 탕평(蕩平) 정책을
실시함으로써 편당적(偏黨的)인 악습을 일소(一掃)하려
_{한 당파에 치우친 것}
하시는 것은 신의 천견(淺見)으로도 넉넉히 짐작할 수
있습니다. 그러나 일월(日月)같이 밝은 빛으로써 아직도
_{임금의 탕평 정책 실시에도 혜택을 받지 못하는 곳}
다 비추지 못하는 곳이 있다고 여길 따름입니다. 그것은
『붕당의 권외에 서 있는 서북 지방의 백성들이며, 신분상
_{『』: 탕평 정책의 혜택을 받지 못하는 대상들}
하층에 속해 있는 빈천한 백성들입니다.』 이들은 본래부
터 붕당의 싸움과는 아무런 관련이 없었음에도 불구하

고 오히려 탕평 정책의 혜택을 받을 수 있는 대상에 포함되지 못하고 있습니다.

마 앞으로 더욱 공평한 정책을 키우시어 편협하고 지엽적인 <u>인재 선발 방법을 개혁</u>해야만 한 나라의 인재들이 빠짐없이 등용될 것입니다. 이보다 큰 국가의 행복이 어디에 또 있겠습니까?

(글쓴이가 글을 쓴 궁극적인 의도 / 핵심어)

➕ 독해 체크

■ 이 글의 핵심 화제

공평한 (인재) 등용을 위한 정책 개혁의 필요성

■ 문단별 중심 내용

(1문단) (음식) 싸움과 다르지 않은 당파 싸움

↓

(2문단) 관료들이 (당파) 싸움을 하는 원인

↓

(3문단) (붕당)의 근간에 대한 비판적인 시각

↓

(4문단) 공평한 인재 등용을 목적으로 하는 (탕평) 정책의 한계

↓

(5문단) 공평한 인재 선발을 위한 정책 (개혁)의 필요성 강조

■ 핵심 내용의 구조화

음식 싸움		당파 싸움
• 연회에서 싸움이 일어남 • 싸움의 원인을 상대의 무례함과 공순하지 못함 때문이라고 말함 • 싸움의 근본적인 원인은 결국 서로 많이 먹기 위해 (욕심)을 냈기 때문임	≒ 유사한 상황에 빗대어 문제를 제시함	• 당파 간에 싸움이 일어남 • 싸움의 원인을 상대의 불충과 역모 가담, 개인의 이익 몰두 때문이라고 말함 • 싸움의 근본적인 원인은 결국 당파의 힘을 모아 (직위)와 (관록)을 더 많이 얻으려 했기 때문임

↓

글쓴이가 지적한 문제 상황	임금이 탕평 정책을 통해 (편당)적인 악습을 없애려 하였으나, 여전히 정책의 혜택을 받을 수 없는 대상들이 존재함
글쓴이의 당부	나라의 인재들을 (공평)하게 등용할 수 있도록 인재 선발 정책과 관련된 개혁을 계속해서 이루어 나가야 함

1 이 글에서는 당파 싸움에 빠져 있는 당대 현실의 문제를 효과적으로 제시하기 위해 당파 싸움을 음식 싸움의 상황에 빗대어 표현하고, 두 상황의 유사점을 바탕으로 임금에게 당파 싸움을 없애야 하는 궁극적인 이유를 전하고 있다.

오답 풀이 ❶ 당파 싸움과 음식 싸움의 유사점을 바탕으로 임금에게 전하고자 하는 바를 표현하고 있을 뿐, 상반된 두 현상의 특징을 대비하고 있지 않다.

❷ 이 글에서는 문답의 형식을 사용하지 않았다. 또한 통념을 부정한 내용도 나타나 있지 않다.

❸ 이 글에 현상의 변화 과정을 순서대로 서술한 내용은 나타나 있지 않다.

❹ 이 글에 타인의 견해는 언급되어 있지 않다.

2 〈보기〉를 보면, 공자는 '예(禮)'를 중시하고 있다. 예는 개인과 개인, 개인과 사회의 조화이다. 이러한 관점에서 이 글에 제시된 현실을 보면, 가장 큰 문제점은 당파 때문에 조화를 이루지 못하고 있는 것이다. 이는 곧 예의 근본 취지를 지키지 못하는 것이므로 이에 대해 공자가 비판적으로 말할 수 있다.

오답 풀이 ❶ 이 글에 관리들의 과거 악습이 드러나 있긴 하지만, 백성의 과거 악습은 드러나 있지 않다. 따라서 〈보기〉의 '공자'가 관리와 백성 모두가 과거의 악습에 대한 미련을 버려야 한다고 말을 하는 것은 적절하지 않다.

❷ '공자'는 '예'의 근본 취지를 지키며 살아가는 것을 중요하게 여긴다. 따라서 '예를 바탕으로' 할 수 있는 것을 말할 수는 있다. 그러나 이 글에서 잘못된 것을 거리낌 없이 말할 수 없는 현실에 대해 언급하고 있지 않으므로 적절하지 않은 내용이다.

❸ 이 글의 글쓴이는 국가의 행복을 위해서는 당을 만들어 당파 싸움을 하는 것을 없애고, 공평한 인재 선발 정책을 수립해야 한다는 입장을 보이고 있다. 그리고 〈보기〉의 '공자'는 개인과 개인, 개인과 사회가 조화롭게 살아가는 세상을 이상으로 여기고 있다. 따라서 '공자'가 여럿이 힘을 모아 당을 만들 수 있다고 말을 하는 것은 적절하지 않다.

❺ 이 글에는 백성들의 원망을 귀담아듣는 자세와 관련된 내용이 나타나 있지 않다. 따라서 〈보기〉의 '공자'가 백성들의 원망을 귀담아듣는 자세에 대해 말을 하는 것은 적절하지 않다.

3 ⓑ의 '벌어질'은 '어떤 일이 일어나거나 진행될'의 의미를 가진 단어이지만, ②의 '벌어졌다'는 '차이가 커졌다'는 의미를 가진 ⓑ의 동음이의어이다. 따라서 ②는 ⓑ를 사용하여 만든 문장에 해당하지 않는다.

오답 풀이 ❶ ⓐ의 '사양하지'와 ①의 '사양했다' 모두 '겸손하여 받지 아니하거나 응하지 아니하다. 또는 남에게 양보하다.'의 의미로 쓰인 단어이므로 적절하다.

❸ ⓒ의 '공순하지'와 ③의 '공순하며' 모두 '공손하고 온순하다.'의 의미로 쓰인 단어이므로 적절하다.

❹ ⓓ의 '그르쳐서'와 ④의 '그르치지' 모두 '잘못하여 일을 그릇되게 하다.'의 의미로 쓰인 단어이므로 적절하다.

❺ ⓔ의 '몰두하여'와 ⑤의 '몰두하느라' 모두 '어떤 일에 온 정신을 다 기울여 열중하다.'의 의미로 쓰인 단어이므로 적절하다.

➕ 어휘 체크

1 (1) 당파 (2) 비열 (3) 무례
2 ❶ 인연 ❷ 연회 ❸ 관록 ❹ 목록

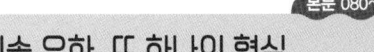 사회 01 이솝 우화_또 하나의 현실

| 1 ② | 2 ⑤ | 3 ④ |

가 이솝 우화에 대한 가장 흔한 편견은 '어린이들을 위
<u>핵심어</u>   <u>이솝 우화에 대한 사람들의 일반적인 생각</u>
한 재미있는 교훈집'이라는 것이다. 물론 이솝 우화에는
유익하고 교훈적인 내용이 많이 담겨 있다. 하지만 그것
은 어린이들에게 거짓말을 하지 말라든가, 언제나 올바
른 일을 하라는 식의 윤리적인 가르침에 그치는 것이 아
니다. 오히려 <u>강자가 득세하고 약하고 어리석은 자는 생</u>
                    <u>이솝 우화에 담긴 현실적인 교훈</u>
<u>존할 수 없는 이 험한 세상에서 어떻게 살아남을 수 있</u>
<u>는가를 얘기하는, 지극히 현실적인 삶의 지혜이다.</u> 그러
므로 이솝 우화는 어린이들보다는 어른들을 위한 우화
        <u>글쓴이가 생각하는 이솝 우화의 가치</u>
라 할 수 있다.

나 <u>「기독교적인 경건주의와 엄숙주의가 팽배해 있던 빅</u>
  <u>「」: 이솝 우화가 교훈적인 이야기로 재탄생하게 된 배경</u>
<u>토리아 시대나 에드워드 시대의 사람들은 이솝 우화를</u>
<u>영어로 번역하면서 역자(譯者)의 가치관에 따라 수많은</u>
<u>우화들을 일부러 누락하거나 첨삭했으며, 기독교적인</u>
<u>교훈을 갖다 붙이기도 했다. 서양 문화가 청교도의 엄격</u>
<u>한 도덕주의에 물들기 시작하면서부터, 모든 이야기 속</u>
<u>에는 반드시 윤리적인 교훈이나 훈계가 들어가야만 한</u>
<u>다고 생각하게 된 것이다.</u> 그래서 당대에는 타락한 삶의
이면을 솔직하게 드러낸 이솝 우화가 별로 환영을 받을
수가 없었다. 일부 유명한 번역본의 경우에는 번역자 자
신이 이솝 우화에 직접 손을 대거나 집필한 작품이 절반
이상이나 된다고 한다. 바로 이러한 과정을 거치면서 <u>이</u>
                              <u>번역자에 의한 첨삭과 수정</u>
<u>솝 우화는 점차 어린이들을 위한 달콤한 교훈집으로 인</u>
<u>식되었던 것이다.</u>

다 하지만 이솝 우화를 꼼꼼히 읽어 본 사람이라면, 이
우화가 삶에 대한 <u>통렬한 질타를 재치와 유머로 포장하</u>
              <u>글쓴이가 이솝 우화를 바라보는 관점</u>
<u>고 있다는 것을 금방 알 수 있다.</u> 이솝은 아마도 삶에 대
해서 낙관적이고 긍정적인 시각을 갖고 있기보다 오히
려 인생의 고통과 불공평함을 철저하게 삶의 일부로 인
정하고 있었던 것 같다. <u>끝없는 고난으로 가득 차 있는</u>
<u>인생에 대한 절망, 과욕이 부른 극단적인 이기심, 굶주림</u>
          <u>: 이솝 우화는 삶의 어두운 면을 포착하고 있음</u>
<u>을 채우기 위한 어리석은 탐욕, 온통 거짓이 지배하는 삶</u>
<u>은 이솝 우화 속에서 생생한 현실로 투영된다.</u> 이솝은
삶의 어두운 이면을 통찰하는 예리한 시각을 가지고 있
었던 것이다. 그리고 ㉠<u>이솝이 포착한 삶의 어두운 그</u>
<u>림자는 우화의 그물망을 통해 또 하나의 현실이 된다.</u>

이솝 우화의 세계에서 자비나 연민 따위는 찾아볼 수 없
다. 이솝 우화를 구성하고 있는 대부분의 주인공들은 잔
혹하고 인정 없는 사람들, 교활하고 악한 배신자, 탐욕으
로 가득 찬 사기꾼들이다.

라 이솝의 시각에서 보면 인간도 역시 동물과 마찬가
지로 냉혹한 정글의 법칙에 의해 지배당하는 존재이다.
이솝 우화 속에 유난히 동물들이 많이 등장하는 것도 실
<u>제로 인간의 삶이 동물적인 본능으로부터 그다지 멀지</u>
<u>   이솝 우화 속에 동물들이 많이 등장하는 이유</u>
<u>않다는 생각의 표현일지도 모른다.</u> 인격화된 동물은 더
이상 동물이 아니다. 가령 「약삭빠른 여우는 ⓐ ,
              「」: 인간의 속성을 비유하고 있는 이솝 우화 속 동물들
다른 동물들을 힘으로 억누르는 사자는 ⓑ , 외양
만 꾸미기를 좋아하는 공작새는 ⓒ , 겁이 많은
토끼는 ⓓ , 일하기 싫어하는 당나귀는 ⓔ
의 반영이라 할 수 있다.」 결국 이솝 우화에 등장하는 동
물들은 우리 자신의 또 다른 얼굴이었던 것이다.

✚ 독해 체크

■ 이 글의 핵심 화제

(이솝 우화)에 담겨 있는 현실적인 삶의 지혜

■ 문단별 중심 내용

1문단 (어른)들을 위한 우화인 이솝 우화

↓

2문단 이솝 우화가 (어린이)들을 위한 교훈집으로 인식된 까닭

↓

3문단 현실의 (어두운) 면을 우화의 형식으로 포장하여 표현한 이솝

↓

4문단 이솝 우화의 동물들이 비유하는 (인간)의 속성

■ 핵심 내용의 구조화

이솝 우화	
기존 인식	**글쓴이의 인식**
• 어린이들을 위한 재미있는 (교훈집) • 이솝 우화가 윤리적인 교훈이나 훈계를 담고 있는 이야기로 인식된 이유: (청교도)의 엄격한 도덕주의에 영향을 받으면서 이솝 우화 역시 번역의 과정에서 원본에 없던 당대의 윤리적인 가치관을 반영하게 됨	• 지극히 (현실적)인 삶의 지혜를 담은 어른들을 위한 우화 • 삶에 대한 통렬한 질타, 삶의 어두운 이면을 (재치)와 유머로 포장하고 있음 • 우화 속에서 (인격화)된 동물들은 인간의 이면적 속성을 반영하고 있음

1 이 글에서는 '이솝 우화'가 현실 속에서 살아남을 수 있는 방법과 지혜를 제공하고 있다는 점에서 어린이들보다는 어른을 위한 동화라고 하였다. 따라서 이러한 글쓴이의 관점을 부각하여 '다시 읽어야 할 우화 – 이솝 우화는 과연 어린이들을 위한 책일까?'라는 문구를 내세워 책을 홍보하는 것이 독자의 이목을 끌기에 적절할 것이다.

오답 풀이 ❶, ❹, ❺ 이솝 우화가 어린이들을 위한 재미있는 교훈집이라는 기존의 관점을 담은 문구들이다.

❸ 이 글에서 글쓴이는 이솝이 삶의 어두운 이면을 통찰하는 예리한 시각으로 세상을 바라보고, 이를 우화의 형식을 통해 표현하였다고 하였다. '세상을 바라보는 따스한 눈길'은 글쓴이가 바라본 이솝에 대한 관점에서 벗어난 것이므로 '이솝 우화'를 홍보하는 광고 문안으로 적절하지 않다.

2 (다)에서 이솝은 우화를 통해 삶의 어두운 이면을 보여 준 반면, 자비나 연민은 보여 주지 않았다고 하였다. 따라서 개미의 몰인정함과 탐욕스러움에 초점을 맞추어 이야기하고 있는 ⑤가 ㉠의 관점과 유사하다.

오답 풀이 ❶, ❹ 이솝 우화에 윤리적 가르침이 담겨 있다고 보는 내용으로, 이는 이솝 우화에 대한 기존의 인식에 가깝다.

❷, ❸ 이솝 우화를 기존의 인식이 아닌 새로운 시각으로 해석한 내용이기는 하지만, 이솝 우화에 삶의 어두운 이면이 담겨 있다고 본 글쓴이의 관점과는 거리가 멀다.

3 ⓓ에는 겁이 많은 토끼가 나타내는 인물 유형이 들어가야 한다. 그러나 ④의 개구쟁이에서 겁이 많은 성질을 유추하기에는 무리가 있다. ⓓ에 들어갈 인물 유형으로는 '비겁자' 정도가 적절하다.

오답 풀이 ❶ 약삭빠르다는 데서 자기 잇속에 따라 행동하는 '사기꾼'을 연상할 수 있다.

❷ 다른 동물들을 힘으로 억누른다는 데서 권력을 가지고 다른 사람을 억압하는 '권력자'를 연상할 수 있다.

❸ 외양만 꾸미기를 좋아한다는 데서 겉모습에 치중하는 '허영꾼'을 연상할 수 있다.

❺ 일하기 싫어한다는 데서 '게으름뱅이'를 연상할 수 있다.

소비자의 선택을 돕는 가격 차별화

1 ②   2 ④   3 ③

가 시장에서는 온갖 상품과 서비스가 '가격'을 매개로 거래된다. 애덤 스미스 이래로 초기 고전파 경제학자들은 가격의 형성 과정과 그 역할에 대해 주목했다. 이들 (*경제학자들의 연구 대상*) 은 시장의 구성원, 즉 특정 물품을 생산하고 판매하는 (*가격이 형성되는 과정*) 사람과 그 물품을 구매하려는 사람들이 서로 물품을 교환하기 위해 상호 작용하는 결과로써 가격이 형성된다는 것을 알게 되었다. 또한 시장에 참여자들이 많아지게 (*시장의 규모가 커지면*) 되면 개인이 가격에 영향을 미칠 수 없기 때문에, 사람들은 시장 가격을 그대로 받아들이는 경향이 생긴다는 것을 발견하였다. 그로 인해 시장 참여자들은 시장 가격에 ⓐ순응하고, 그 가격에 따라 공급과 수요를 늘리거나 줄인다.

나 그런데 시장의 가격 형성 과정을 살펴보면, 상품의 가격이 오를 때 소비가 현저히 줄어드는 경우가 있고, 상품의 가격이 올라도 일정한 수요를 유지하는 경우가 있음을 알 수 있다. 이러한 현상을 '수요의 가격 탄력성' (*핵심어*) 이라고 부르며, 이는 가격에 따른 수요의 변화 정도를 나타낸다. 이 개념은 경제 행위에 있어 대단히 중요한 (*'수요의 가격 탄력성'의 개념*) 것으로 경제적 선택이나 협상, 교환, 상점이나 기업의 가격 결정 등 많은 경우에 응용될 수 있다. (*경제 행위가 이루어지는 다양한 상황에서 가격을 결정할 때 가격 탄력성의 개념이 응용됨*)

다 시장에서는 가격 탄력성을 이용해 다양한 가격 차별화가 이루어지기도 한다. 가령 영화관이나 학교 앞 식 (*가격 차별화는 가격 탄력성과 관련 있음 / 핵심어*) 당에서 ㉠학생들을 대상으로 가격을 할인해 주는데, 이와 같은 행위가 언뜻 생각하면 학생을 위한 것 같아 보인다. 하지만 학생들은 경제적으로 여유롭지 못해서 가격이 높으면 소비가 현격하게 줄어든다. 이러한 점을 생 (*학생들의 수요 가격 탄력성*) 각하면, 기업이나 가게가 할인을 해 주는 까닭은 가격을 낮춰 소비를 유도하는 방법이며 이것은 자신들의 이윤 (*기업이나 가게가 가격 차별화를 하는 이유*) 을 최대한 높이기 위한 것임을 알 수 있다.

라 일반적으로 시장은 일물일가(一物一價), 즉 하나의 상품이 하나의 가격 체계로 ⓑ운용되고 있지만, 단일 가격제는 사회적인 효용의 손실이 많다는 문제가 있다. 가 (*단일 가격제의 단점*) 격을 조금 낮췄을 때 더 많은 사람들이 구매할 수 있는 상품이나 서비스가 있다고 하자. 이 경우에 만약 기업이 (*가격 차별화*) 나 가게가 각종 할인 혜택을 준다면 가격 탄력성이 높은 (*가격의 변화에 따라 수요 변화가 큰*) 저소득 계층까지 구매 가능한 계층으로 끌어들일 수 있 (*가격 차별화를 통해 구매 계층을 확대할 수 있음*) 을 것이다. 따라서 시장에서 다양한 가격을 제시하는 것 (*가격 차별화 전략의 장점*) 은 사회적 효용을 높일 수 있는 방법이라고 할 수 있다.

마 가격 차별화에 대해 우리가 오해하기 쉬운 한 가지는 성수기와 비수기의 요금을 차별화하는 것을 '바가지 요금'이라고 ⓒ매도하는 것이다. 여름철 해변에서 불법적으로 ⓓ자행되는 '바가지요금'은 잘못이겠지만 성수기와 비수기의 요금을 차별화하는 것은 탄력성의 측면에서 볼 때 너무나 당연한 일이다. 「따라서 지방 자치 단체들은 바가지요금의 현장 단속에만 치중할 것이 아니라 정상적인 가격 차별화 시스템을 정착시키기 위해 노력해야 한다. 가격 차별화의 핵심은 기업의 이익을 극대화하고 소비자에게 선택의 폭을 넓혀 사회적 효용을 높이는 데에 있다. 무조건 가격을 ⓔ규제하고 바가지요금을 단속하는 것은 결코 소비자를 돕는 일이 아니다.」

글쓴이는 성수기와 비수기의 가격 차별은 바가지요금이 아니라고 봄
가격을 터무니없이 올리는
「 」: 글쓴이의 견해 - 가격 차별화를 부정적으로만 볼 것이 아니라, 가격 차별화를 통해 사회적 효용을 높이는 데 힘써야 함
가격 차별화는 기업과 소비자 모두에게 이익이 됨

➕ 독해 체크

■ 이 글의 핵심 화제
사회적 효용을 높이는 (가격 차별화)

■ 문단별 중심 내용

1문단 (시장)에서 가격이 형성되는 과정

⬇

2문단 가격 (탄력성)의 개념과 응용 범위

⬇

3문단 가격 탄력성을 이용한 가격 (차별화)의 사례

⬇

4문단 단일 가격제와 달리 사회적 (효용)을 높이는 가격 차별화

⬇

5문단 탄력성의 측면에서 기업과 소비자 모두에게 (이익)이 되는 가격 차별화

■ 핵심 내용의 구조화

시장의 가격 형성
판매자와 구매자가 물품을 (교환)하기 위해 상호 작용한 결과, 가격이 형성됨

가격 탄력성을 이용한 가격 차별화	단일 가격제
• (수요)의 가격 탄력성: 가격에 따른 수요의 변화 정도를 나타냄 • 가격 차별화는 판매자의 이익을 극대화하고 소비자에게 (선택)의 폭을 넓혀 사회적 효용을 높일 수 있음	• 일반적으로 시장은 (일물일가) 즉, 하나의 상품이 하나의 가격 체계로 운용되는 방법을 선택함 • 사회적 효용의 측면에서는 (손실)이 많다는 문제가 있음

⬇

글쓴이는 가격 차별화 시스템을 정착시키기 위한 노력이 필요하다는 입장임

---

1 (라)에서 단일 가격제는 사회적인 효용의 손실이 많다는 문제가 있다고 하였고, (다)에서 기업이나 가게가 가격을 차별화하여 할인을 해 주는 까닭은 자신들의 이윤을 최대한 높이기 위한 것이라고 하였다. 따라서 공급자의 이윤을 최대한 높이기 위한 방법은 단일 가격제가 아니라 가격 차별화임을 알 수 있다.

오답 풀이 ❶ (다)에서 시장에서는 가격 탄력성을 이용해 다양한 가격 차별화가 이루어지기도 한다고 하였다.

❸ (가)에서 시장에 참여자들이 많아지게 되면 개인이 가격에 영향을 미칠 수 없기 때문에 사람들이 시장 가격에 순응하게 된다고 하였다.

❹ (마)에서 성수기와 비수기의 요금을 달리하는 것은 바가지요금이 아니라 가격 차별화에 해당한다고 하였다.

❺ (나)에서 가격 탄력성의 개념은 상점이나 기업의 가격 결정에 응용될 수 있다고 하였다.

2 학생들은 가격이 높으면 소비가 현저하게 줄어들기 때문에 할인을 통해 가격을 낮추어야 소비를 유도할 수 있다고 하였다. ④의 그래프는 가격이 낮아질수록 수량이 증가하고 있으므로 학생들의 소비 성향을 나타내는 그래프로 적절하다.

오답 풀이 ❶ 이 그래프는 가격이 오르면 수량이 증가함을 나타내고 있다.

❷ 이 그래프는 가격이 올라도 수량에는 변동이 없음을 나타내고 있다.

❸ 이 그래프는 가격이 동일할 때에는 수량이 증가하는 반면, 가격이 오를 때에는 수량의 변동이 없음을 나타내고 있다.

❺ 이 그래프는 가격이 동일해도 수량이 증가함을 나타내고 있다.

3 ⓒ에서 '매도'는 '심하게 욕하며 나무람'의 의미로 쓰였는데, ③의 문장에서는 '값을 받고 물건의 소유권을 다른 사람에게 넘김'의 의미로 쓰였다.

오답 풀이 ❶ '순응'은 '환경이나 변화에 적응하여 익숙하여지거나 체계, 명령 따위에 적응하여 따름'의 의미로 쓰였다.

❷ '운용'은 '무엇을 움직이게 하거나 부리어 씀'의 의미로 쓰였다.

❹ '자행'은 '제멋대로 해 나감. 또는 삼가는 태도가 없이 건방지게 행동함'의 의미로 쓰였다.

❺ '규제'는 '규칙이나 규정에 의하여 일정한 한도를 정하거나 정한 한도를 넘지 못하게 막음'의 의미로 쓰였다.

➕ 어휘 체크

1 가격 – 격차 – 차이점 – 점성 – 성수기 – 기업
2 (1) 수요 (2) 극대화

사회 03 법 규정의 적용 원칙은 무엇일까?

1 ⑤　　2 ①　　3 ⑤

가 여러 사람들이 모여 사는 곳에서는 크고 작은 ⓐ분쟁이 끊임없이 발생할 수밖에 없다. 그래서 사회 구성원들의 합의에 의해 강제성을 갖도록 만들어진 것이 바로 '법'이다. 하지만 복잡한 현실의 구체적인 상황을 모두 반영하여 법률을 만들려면 법은 무한정 길어질 수밖에 없다. 따라서 법은 추상적인 규정으로 만들어지며, 법을 현실의 구체적인 사건에 ⓑ적용하는 과정은 이른바 '법률적 삼단 논법'에 의해 이루어진다. '법률적 삼단 논법'이란 추상적인 법 규정은 대전제로, 구체적인 사건은 소전제로 놓고, 법 규정이 그 사건에 적용될 수 있는지 판단하여 결론을 이끌어 내는 것을 말한다.

나 예컨대 A의 노트북 컴퓨터를 B가 몰래 가져가서 사용하다 발각되어 A가 B를 검찰에 고소했다고 하자. 검사는 이 사건이 어떤 법 규정에 ⓒ해당되는지 검토한 후, 법정에서 B의 행위가 절도죄를 규정한 형법 규정에 해당되므로 형벌을 받아야 한다고 주장한다. 이에 대해 B의 변호사는 B가 노트북 컴퓨터를 잠시 빌려 쓰려고 했던 것이므로 검사가 내세운 형법 규정에 해당되지 않는다고 주장한다. 그러면 법관은 양쪽의 주장을 참고하여 B의 행위가 검사가 내세운 형법 규정에 해당되는지를 최종 판단한다. 만약 해당된다고 판단되면 법관은 그에 맞는 결론, 즉 유죄 판결을 내린다. 이처럼 검사, 변호사, 법관은 모두 '어떤 사건이 어느 법 규정에 해당되는지'를 계속 염두에 두어야 한다.

다 그런데, 많은 훈련을 거친 법률가들이라 하더라도 어떤 사건에 적용할 수 있는 적당한 법 규정을 찾아내는 일은 결코 쉬운 일이 아니다. 그 이유는 '현재 시행되고 있는 법 규정의 수가 엄청나게 많을 뿐 아니라, 기존의 법 규정도 수시로 개정되고, 새로운 법 규정도 계속 만들어지고 있기 때문이다. 또한 어떤 사건에 적용될 가능성이 있는 법 규정이 여러 개 발견되는 경우도 있다.」 이로 인해 그 사건에 적용할 수 있는 적당한 법 규정을 찾지 못하게 되는 경우도 생긴다.

라 만일 이와 같이 어떤 사건에 적용할 수 있는 적당한 법 규정을 찾지 못하게 되면 어떻게 될까? 이 경우에 형사 재판과 민사 재판은 서로 다른 결론을 내리게 된다. 국가와 국민이라는 관계를 기반으로 하는 형법에서는, 법률에 미리 범죄와 형벌이 규정되지 않은 경우에는 벌할 수 없다는 죄형법정주의 원리가 엄격하게 적용된다. 따라서 형사 재판에서는 어떠한 사건에 적용할 수 있는 적당한 법 규정이 발견되지 않으면 법관은 법 규정의 적용을 포기하고 피고인에게 무죄를 선고해야 한다. 물론 피고인의 행위가 도덕적으로는 비난의 대상이 될 수도 있지만, 함부로 다른 형법 규정을 가져다 적용할 수 없다는 것이 형법의 대원칙이다.

마 반면, 기본적으로 ⓓ대등한 두 당사자를 대상으로 하는 민사 재판에서는 법 규정이 없다고 해서 그 판결을 포기하는 것이 아니라, 최대한 그 사건과 관련된 일반 원칙을 찾아내서 손해와 이익을 공평하게 ⓔ조정하려고 노력한다. 즉, 법 규정 찾기에 실패해도 관습법이나 건전한 상식을 기준으로 판결을 내리는 것이다.

➕ 독해 체크

■ 이 글의 핵심 화제

법률적 (삼단 논법)의 적용 방법과 형사·민사 재판의 법 적용 원칙

■ 문단별 중심 내용

1문단	법 제정의 (필요성) 및 법률적 삼단 논법의 개념
2문단	법률적 삼단 논법의 구체적 (사례)에의 적용
3문단	사건에 적용할 수 있는 적당한 법 (규정)을 찾는 것이 어려운 이유
4문단	(형사) 재판의 법 적용 원칙
5문단	(민사) 재판의 법 적용 원칙

■ 핵심 내용의 구조화

법률적 삼단 논법의 개념	대전제	(추상적)인 법 규정
	(소전제)	구체적인 사건
	결론	사건에 법 규정을 적용할 수 있는지를 판단하여 결론 도출 → 많은 훈련을 거친 법률가들도 사건에 적용할 수 있는 적당한 법 규정을 찾아내기가 어려움

⇩ 사건에 적용할 적당한 법규를 찾지 못한 경우

형사 재판		(민사) 재판
(죄형법정주의) 원리에 따라 법 규정의 적용을 포기하고 (무죄)를 선고함	서로 다른 결론을 내림	최대한 사건과 관련된 (일반 원칙)을 찾아내거나 (관습법) 및 건전한 상식을 기준으로 판결을 내림

1 (라)에 의하면 형사 재판에서는 어떠한 사건에 적용할 수 있는 적당한 법 규정이 발견되지 않을 경우 법관은 법 규정의 적용을 포기하고 피고인에게 무죄를 선고해야 한다고 하였다. 따라서 법 규정이 만들어질 때까지 판결을 미룬다고 한 것은 적절하지 않다.

오답 풀이 ❶ (라)에서 형법은 국가와 국민의 관계를 기반으로 한다고 하였다.

❷ (다)에서 어떤 사건에 적용될 가능성이 있는 법 규정이 여러 개 발견되는 경우도 있다고 하였다.

❸ (다)에서 많은 훈련을 거친 법률가들이라 하더라도 어떤 사건에 적용할 수 있는 적당한 법 규정을 찾아내는 것은 쉽지 않다고 하였다.

❹ (마)에서 민사 재판에서는 법 규정을 찾는 것에 실패해도 관습법이나 건전한 상식을 기준으로 판결을 내린다고 하였다.

2 (라)에서 피고인의 행위가 법 규정의 적용을 받지 않더라도 도덕적으로는 비난의 대상이 될 수 있다고 하였다.

오답 풀이 ❷ '을'은 공공 기관 직원이므로 법에 따라 처벌받을 것이다.

❸ 민사 재판은 형사 재판에서 법 규정 찾기에 실패한 사건인 경우에도 판결을 포기하는 것이 아니라, 관습법이나 건전한 상식을 기준으로 판결을 내림으로써 사건과 관련한 당사자들의 손해와 이익을 공평하게 조정해 준다고 하였다. 따라서 '병'은 자신이 입은 피해를 배상받기 위해 민사 소송을 제기할 수 있다.

❹ '갑'은 공공 기관의 직원이 아니므로 '갑'의 행위(소전제)는 검사가 내세운 법 규정(대전제)의 적용을 받지 않는다. 대법원 역시 이에 중점을 두고 '갑'의 행위가 검찰이 내세운 대전제의 적용을 받지 않는다고 판결한 것이다.

❺ '죄형법정주의'의 원리에서 어긋나지 않게 '갑'을 처벌하기 위해서는 '갑'의 행위에 해당하는 새로운 법 규정을 만들어야 한다.

3 '다른 사람을 자기 마음대로 다루어 부림'이라는 의미를 지닌 단어는 '조종(操縱)'이다. ⓔ에 쓰인 '조정'은 '분쟁을 중간에서 화해하게 하거나 서로 타협점을 찾아 합의하도록 함'을 의미한다.

＋ 어휘 체크

1 분쟁 – 쟁점 – 점검 – 검토 – 토의 – 의견
2 ❶ ⓒ ❷ ⓛ ❸ ㉠

04 정치 문화의 유형화

1 ① 2 ① 3 ⑤

가 어떤 사회 현상이 나타나는 경우 그러한 현상은 '제도'의 탓일까, 아니면 '문화'의 탓일까? 〔질문 형식으로 글의 핵심 화제 제시〕 이 논쟁은 정치학을 비롯한 모든 사회 과학에서 두루 다루는 주제이다. 정치학에서 제도주의자들은 보다 ⓐ선진화된 사회를 만들기 위해서 제도의 정비가 중요하다고 주장한다. 〔제도 정비의 중요성을 주장〕 하지만 문화주의자들은 실제적인 '운용의 묘'를 살리는 문화가 제도의 정비보다 중요하다고 주장한다. 〔문화의 중요성을 주장〕

나 문화주의자들은 문화를 가치, 신념, 인식 등의 총체〔문화주의자들이 규정한 문화의 정의〕로서 정치적 행동과 행위를 특정한 방향으로 움직여 일정한 행동 양식을 만들어 내는 것으로 정의한다. 이러한 문화에 대한 정의를 바탕으로 이들은 투입과 산출의 개념을 기준으로 삼아 정치 문화를 구분하였다. 〔핵심어〕 즉 국민이 정부에게 하는 정치적 요구를 투입이라고 하고, 정부가 생산하는 정책을 산출이라고 하였으며, 이를 기반으로 정치 문화를 편협형, 신민형, 참여형의 세 가지로 유형화하였다. 〔문화주의자들에 의해 정치 문화가 유형화됨〕

다 먼저 편협형 정치 문화는 투입과 산출에 대한 개념〔투입과 산출 모두 없음〕이 모두 존재하지 않는 정치 문화를 말한다. 「국민이 정부에게 요구하는 바인 투입이 없으며, 정부도 산출에 대한 개념이 없어서 적극적 참여자로서의 자아가 있을 수 없다. 사실상 정치 체계에 대한 인식조차 국민들에게 존재할 수 없는 사회이다.」 〔「」: 편협형 정치 문화의 특성〕 샤머니즘에 의한 신정 정치, 부족 또는 지역 사회 등 전통적인 원시 사회가 이에 ⓑ해당한다. 〔편협형 정치 문화를 가진 사회의 예〕

라 다음으로 신민형 정치 문화는 투입에 대한 개념은〔투입은 없고 산출만 있음〕없는 반면 산출에 대한 개념은 있는 정치 문화를 말한다. 「투입이 존재하지 않기 때문에 적극적 참여자로서의 자아가 형성되지 못한 사회이다.」 〔「」: 신민형 정치 문화의 특성〕 이런 상황에서 산출이 존재한다는 의미는 국민이 정부가 해 주는 대로 ⓒ수용한다는 것을 의미한다. 이들 국민은 정부에 복종하는 성향이 강하다. 하지만 편협형 정치 문화와 달리 이들 국민은 정치 체계에 대한 최소한의 인식은 있는 상태이다.」 〔편협형 정치 문화에 속한 국민들과의 차이점〕 일반적으로 독재 국가의 정치 체계가 이에 해당한다. 〔신민형 정치 문화를 가진 사회의 예〕

마 마지막으로 참여형 정치 문화는 투입과 산출에 대〔투입과 산출 모두 있음〕한 개념이 모두 존재하는 정치 문화를 말한다. 「국민들이 자신들의 요구 사항을 ⓓ표출할 줄도 알고, 정부는 그러한 국민들의 요구에 응답하는 사회이다. 따라서 국민들은 적극적인 참여자로서의 자아가 형성되어 있으며,

그러한 적극적 참여자들의 의사가 반영된 정치 체계가 존재하는 사회이다.」 이는 선진 민주주의 사회로서 현대의 바람직한 민주주의 사회상이다.
> 문화주의자들이 궁극적으로 지향하는 사회의 모습

바 정치 문화 유형 연구는 어떤 사회가 정치적으로 발전한 사회인가, 민주주의를 제대로 ⓔ구현하기 위해서
> 정치 문화 유형 연구의 궁극적 목적

우선적으로 필요한 것이 무엇인가 하는 질문에 대한 답을 제시하고 있다는 데서 의의를 찾을 수 있다. 문화주의자들은 국가를 평가할 때 특정 제도의 장단점에 의해서가 아니라 국가의 구성 요소들이 민주주의라는 보편적인 목적을 위해 얼마나 잘 기능하고 있는가를 기준으로 평가하고 있는 것이다.
> 문화주의자들이 국가를 평가하는 핵심 기준

✚ 독해 체크

■ 이 글의 핵심 화제
정치 문화의 (유형) 및 그 연구의 의의

■ 문단별 중심 내용

 1문단
사회 현상의 원인을 바라보는 제도주의자와 (문화주의자)의 관점 차이

⬇

2문단
문화주의자들이 제시한 (정치 문화)의 구분 기준과 유형

⬇

3~5 문단
(편협형), 신민형, 참여형 정치 문화의 개념과 특성

⬇

6문단
정치 문화 유형 (연구)의 의의

■ 핵심 내용의 구조화

(정치 문화)의 유형화	투입과 산출의 개념을 기준으로 한 분류 • 투입: 정부에 대한 국민의 정치적 요구 • 산출: 정부가 생산하는 정책

편협형 정치 문화	신민형 정치 문화	참여형 정치 문화
• 투입과 산출에 대한 개념이 모두 존재하지 않음 • 국민들에게 (정치 체계)에 대한 인식조차 없음 • 샤머니즘에 의한 신정 정치, 전통적인 (원시 사회)가 이에 해당함	• (투입)이 존재하지 않고 산출만 있음 • 국민은 정부의 산출을 수용하며, 정부에 (복종)하는 성향이 강함 • 독재 국가의 정치 체계가 이에 해당함	• 투입과 (산출)이 모두 존재함 • 국민들이 요구 사항을 표출하고 정부는 그에 응답하는 사회임 • 선진(민주주의) 사회가 이에 해당함

1 이 글의 글쓴이는 문화주의자들이 제시한 정치 문화 유형에 대해 기술한 후, 이와 같은 정치 문화 유형 연구가 가지는 의의에 대해 언급하고 있다. 이 과정에서 글쓴이는 국민들이 적극적인 참여자로서의 역할을 하는 참여형 정치 문화를 가진 사회가 현

대의 바람직한 민주주의 사회상에 해당한다고 밝히고 있다. 따라서 글쓴이는 정치 발전을 위해 국민이 적극적으로 정치에 참여해야 한다는 점을 말하고자 이 글을 쓴 것임을 알 수 있다.

오답 풀이 **❷** (가)에서 문화주의자들은 정치 제도의 정비보다 정치 문화가 중요하다고 하였을 뿐이다. 이 글에서 정치 제도보다 정치 제도를 운영하는 사람의 가치관이 중요하다고 언급한 부분은 찾아볼 수 없다.

❸ (나)에서 정치 문화를 유형화하는 기준으로 투입과 산출의 개념을 언급했을 뿐, 투입에서 산출로 그 기준을 바꾸어야 한다고 언급한 부분은 찾아볼 수 없다.

❹ 이 글의 글쓴이는 제도의 정비보다 실제적인 '운용의 묘'를 살리는 문화가 중요하다고 주장하는 문화주의자들의 입장에 동의하고 있다. 사회적 문제를 해결하는 데에는 정치 제도의 개선이 효과적이라고 보는 것은 제도주의자들이 취하는 입장이므로 이 글을 통해 글쓴이가 말하고자 하는 바와 관련이 없다.

❺ 이 글은 정치 문화를 유형화하여 설명한 후에 정치적으로 발전된 사회 즉, 국민들이 적극적인 참여자로서 의사를 표출하고 국가가 이에 응답하여 정책에 반영하는 선진 민주주의 사회가 현대의 바람직한 민주주의 사회상이라고 기술하고 있을 뿐이다. 이 글에서는 정부의 과도한 정치 개입에 대한 문제를 언급하고 있지 않다.

2 갑국의 시민 단체의 활동은 국민이 정부에게 하는 정치적 요구인 투입이다. 그러나 정부는 아직 이 요구를 검토하지 않고 있다고 하였으므로 산출은 투입보다 활성화되지 않았다고 할 수 있다.

오답 풀이 **❷** 갑국은 종교별 투표 성향이 강한 나라로 선거에서 한 표라도 많으면 당선되는 단순 다수 대표제를 실시한 결과, ○○교의 지지를 받은 A가 유효 투표수의 1/3을 득표하여 대통령에 당선되었다고 하였다. 따라서 A는 투표 성향과 투표 제도 때문에 당선된 것이라고 할 수 있다.

❸ 갑국은 '독재 국가'에서 선거 혁명을 통해 '민주주의'를 이루어 가고 있다고 하였으므로 '신민형'에서 '참여형'으로 정치 문화가 변하고 있다고 할 수 있다.

❹ 갑국은 단순 다수 대표제의 실시로 대통령 선거를 치른 결과, 정책의 결정과 시행 과정에서 국민적 합의가 잘 이루어지지 않는 문제가 발생하였고 이에 시민 단체들은 절대 다수 대표제를 채택하자고 요구하였다. 이를 통해 시민 단체들은 정치적 현상을 선거 제도의 개선으로 해결하고자 하였음을 알 수 있다.

❺ (가)에서 문화주의자들은 제도주의자들이 중시하는 제도의 정비보다 실제적인 '운용의 묘'를 살리는 문화가 더 중요하다고 주장하였음을 언급하고 있다. 이를 통해 문화주의자들은 제도주의자들과는 다르게 정치 문화적 측면에서 문제 해결 방법을 제시할 것임을 알 수 있다.

3 ⓔ의 '구현하기'는 '어떤 내용을 구체적인 사실로 나타나게 하기'를 의미하므로 '나타내기'로 바꾸어 쓰는 것이 적절하다.

✚ 어휘 체크

1 (1) 총체 (2) 편협 (3) 샤머니즘
2 **❶** 우선적 **❷** 선진화 **❸** 유형화 **❹** 형성

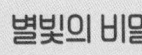

01 별빛의 비밀

1 ①	2 ④	3 ④

가 별들이 하얀빛의 점으로만 느껴지는 도심의 밤하늘과는 달리 시골의 밤하늘에서는 색깔을 구분할 수 있는 여러 색의 별들을 쉽게 ⓐ발견할 수 있다. 이처럼 별의 색이 다른 이유는 무엇일까? 이는 별의 표면 온도와 관계가 있다. 일상적 색감으로는 푸른색이 추워 보이고, 붉은색은 따스하게 느껴지는데, 별의 경우는 반대다. 별의 표면 온도가 높을수록 나오는 빛의 파장은 짧아지기 때문에 파란색을 띠게 된다. 따라서 파란 별일수록 별의 표면 온도가 높고 붉은 별일수록 표면 온도가 낮다.

핵심어
자문자답의 형식으로 중심 화제 제시
별의 표면 온도가 높을수록 파란색을 띰

나 천문학자들은 별의 색깔을 좀 더 정량적으로 결정할 방법을 연구했다. 별의 색깔을 결정하는 ⓑ요인은 가시광선 부분에서 최고 강도의 에너지를 내는 파장이다. 빛의 파장에 따른 강약을 알기 위해서는 프리즘 등을 통해 빛을 무지갯빛으로 분해해 보면 된다. 1666년 뉴턴은 창문에 지름이 약 8mm인 작은 구멍을 내고 프리즘을 놓아 반대쪽의 흰 벽에 비친 무지개색의 띠를 관측했고 그 빛의 띠를 '스펙트럼'이라 했다. 그렇지만 별빛은 너무 어두워서 오랫동안 프리즘으로 스펙트럼을 관측할 수가 없었다. 2백 년이 지난 뒤인 1870년대에야 별빛의 색을 분해할 수 있는 항성 분광기가 만들어졌다. 영국의 천문학자 윌리엄 허긴스는 1876년 망원경의 대물렌즈 앞에 얇은 프리즘이 포함된 대물 프리즘 분광기를 장치하고 직녀성의 별빛 스펙트럼을 사진으로 찍는 데 성공했다. 이 같은 분광 관측을 통해서 별의 온도와 색깔의 관계를 알아낼 수 있었다.

처음으로 빛을 분석함
별빛을 분해할 수 없었던 이유
항성의 스펙트럼을 분석하는 장치
최초로 별빛을 분해함

다 현재는 여러 별들을 특징적인 스펙트럼별로 분류한 ⓒ체계를 사용하는데, 보통 ⊙헨리 드레이퍼의 분류법에 따라 고온의 별부터 순서대로 O, B, A, F, G, K, M형으로 분류하고 있다. 이것은 다시 별의 색과도 연관되어 O, B, A형은 청색에서 청백색을, F형은 흰색, G형은 노란색, K형은 주황색, M형은 붉은색과 ⓓ대응된다. 그리고 각 스펙트럼형은 고온에서 저온까지 0~9의 숫자를 붙여서 다시 10단계로 세분한다. 이 방식으로 별들을 분류하면 태양은 G2형, 시리우스는 A0형, 베텔게우스는 M2형으로 표기된다.

별을 분류하는 기준
청색 ← 흰색 → 붉은색
한 스펙트럼에서 다시 온도가 구분됨
노랑, 고온
청백, 고온
붉은색, 고온

라 별의 스펙트럼형을 가로축, 그 별의 절대 광도를 세로축으로 잡고 별들의 ⓔ분포를 나타내면 재미있는 결과를 얻게 된다. 이런 그림을 'HR도'라고 부르는데, 대

밝기

부분의 별들은 왼쪽 위(밝고 고온, 청색)에서 오른쪽 아래(어둡고 저온, 적색)로 뻗은 띠 모양의 직선으로 나타난다. 이 직선을 '주계열'이라고 부르고 이 위에 늘어선 별들을 '주계열성'이라고 한다. 'HR도'의 오른쪽 윗부분은 저온의 큰 별인 적색 거성을 나타내고, 왼쪽 영역의 훨씬 아래에는 고온의 작은 별인 백색 왜성을 나타낸다.

대부분의 별의 상태
종말의 시작

마 'HR도'를 통해서 각 별들의 현재 상태와 일생을 추측해 볼 수도 있다. 태양은 현재 주계열성이다. 태양은 일생의 대부분을 주계열성으로 보내다가 말기에 주계열을 벗어나서 오른쪽으로 올라가 적색 거성이 된다. 그후 왼쪽으로 옮겨 가 불완전한 변광성의 시기를 지나면서 주계열을 가로지르게 될 것이다. 시간이 더 지나면 폭발해 크기가 작아져 왼쪽 아래로 내려가면서 마지막에 백색 왜성으로 일생을 마치게 된다.

'HR도'에 담긴 별들에 관한 정보
저온, 붉은색, 높은 광도

✚ 독해 체크

■ 이 글의 핵심 화제

(별빛)의 색깔을 통해 알 수 있는 별의 상태

■ 문단별 중심 내용

1문단 → 별의 색깔과 표면 (온도)의 관계

2문단 → (분광 관측)을 통한 별의 색깔 분석의 역사

3문단 → 온도와 색깔에 따른 별의 (스펙트럼형) 분류

4문단 → 별들의 (분포)를 나타내는 'HR도'

5문단 → 'HR도'에서 알 수 있는 별들의 상태와 (일생)

■ 핵심 내용의 구조화

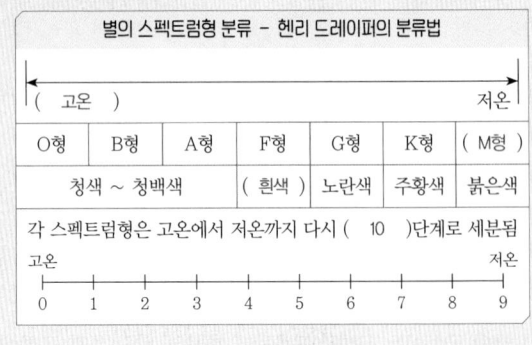

별의 스펙트럼형 분류 – 헨리 드레이퍼의 분류법

(고온) ←————————————→ 저온

O형	B형	A형	F형	G형	K형	(M형)
청색 ~ 청백색			(흰색)	노란색	주황색	붉은색

각 스펙트럼형은 고온에서 저온까지 다시 (10)단계로 세분됨

고온 ←————————————→ 저온

0 1 2 3 4 5 6 7 8 9

---

1 (가)에서 빛의 파장이 짧으면 파란색을 띠게 된다고 하였으므로 빛의 파장 길이에 따라 별빛의 색깔이 다름을 알 수 있다.

❷ (다)에서 보통 별의 스펙트럼형은 헨리 드레이퍼의 분류법에 따라 고온의 별부터 순서대로 분류되는 것이라고 하였다. 따라서 별의 스펙트럼형에 대해 별의 밝기 순서에 따라 분류한 것이라고 한 내용은 적절하지 않다.

❸ (라)와 (마)를 통해 생명력이 다한 별은 주계열성이 아니라 주계열을 벗어난 백색 왜성임을 알 수 있다.

❹ (나)에서 처음으로 별빛을 관측하려고 한 사람은 뉴턴이었지만, 뉴턴은 기술상의 문제로 별빛을 분해하지는 못했음을 언급하고 있다. 그리고 별빛의 색을 처음으로 분해한 사람은 윌리엄 허긴스라고 언급하고 있다.

❺ (마)에서 태양은 일생의 대부분을 주계열성으로 보내다가 폭발 후에 크기가 작아지면서 백색 왜성으로 일생을 마치게 된다고 하였다.

2 ㉠은 별들을 온도에 따라 'O, B, A, F, G, K, M'형으로 분류한 것으로써 이는 별의 색과도 관련이 있다. 또한 ㉠에서 숫자 0~9는 각 스펙트럼 내에서 고온에서 저온까지를 다시 분류한 것이다. ㉰와 ㉺는 둘 다 K형이므로 주황색이지만, 숫자가 적은 ㉰가 ㉺보다 온도가 높다.

❶ ㉯는 A형, ㉱는 O형으로 둘 모두 ㉮의 F형보다 온도가 높다. 그리고 ㉰와 ㉺는 K형, ㉲는 M형이므로 ㉮보다 온도가 낮다.

❷ ㉯와 ㉱는 각각 A형과 O형으로 둘 다 청색 계통의 별이지만, O형인 ㉱가 A형인 ㉯보다 고온의 별에 해당한다. 따라서 둘은 온도의 차이가 있다.

❸ ㉰와 ㉲는 숫자가 '3'으로 같지만, K형인 ㉰가 M형인 ㉲보다 온도가 더 높다고 할 수 있다.

❺ ㉺는 K형으로 A형인 ㉯보다 온도가 낮다. 그리고 이 글에서는 온도나 별빛의 차이로 별들 간의 나이를 비교할 수 있다는 내용은 제시되지 않았다. 따라서 온도 차에 따라 더 젊은 별인지의 여부는 확인할 수가 없다.

3 ⓓ에 사용된 '대응'은 '어떤 두 대상이 주어진 어떤 관계에 의하여 서로 짝이 되는 일'을 뜻한다. 반면 ④에 제시된 문장 속 '대응'은 '어떤 일이나 사태에 맞추어 태도나 행동을 취함'을 뜻한다.

❶ ⓐ와 제시된 선지 안의 '발견'은 모두 '미처 찾아내지 못하였거나 아직 알려지지 아니한 사물이나 현상, 사실 따위를 찾아냄'을 뜻한다.

❷ ⓑ와 제시된 선지 안의 '요인'은 모두 '사물이나 사건이 성립되는 까닭. 또는 조건이 되는 요소'를 뜻한다.

❸ ⓒ와 제시된 선지 안의 '체계'는 모두 '일정한 원리에 따라서 낱낱의 부분이 짜임새 있게 조직되어 통일된 전체'를 뜻한다.

❺ ⓔ와 제시된 선지 안의 '분포'는 모두 '일정한 범위에 흩어져 퍼져 있음'을 뜻한다.

+ 어휘 체크

1 (1) 표면 (2) 분류 (3) 스펙트럼
2 ❶ 온도 ❷ 도심 ❸ 관측 ❹ 추측

기생충이 있어 건강한 지구

1 ④   2 ②   3 ③

㉮ 기생충에 대한 통념
우리는 ⑦기생충을 쓸모없는 존재로 생각한다. 물론 기생충 중에는 목숨을 빼앗아 가거나 설사나 소화 불량을 일으키고 영양 결핍을 초래하는 등 사람에게 악영향을 끼치는 종류도 있다. 그러나 『그런 해악만으로 기생충을 인간의 적으로 규정하는 것은 섣부른 판단이다. 왜냐하면 기생충의 대부분은 특별한 증상을 일으키지 않기 때문이다.』
핵심어
기생충이 인체에 미치는 악영향
『 」: 기생충에 대한 통념이 잘못된 것임을 지적함
기생충에 대한 통념이 잘못된 것인 이유

㉯ 인간은 대부분의 기생충을 적으로 규정하고 기생충을 박멸할 목적으로 구충제를 먹는다. 그러나 기생충 환자가 급격하게 감소하면서 천식이나 아토피성 피부염, 알레르기성 비염 등의 알레르기성 질환이 급격히 증가하고 있다. 이런 가운데 과학자들은 기생충의 감소가 알레르기성 질환의 증가와 밀접한 관련이 있음을 밝혀냈다. 일반적으로 알레르기는 부적절한 면역 반응 때문에 ⓐ일어난다. 『인체에 외부의 물질이 유입되면 면역계는 이를 인지하고 필요에 따라 염증 반응을 일으켜 이를 제거한다. 이때 면역 반응이 적절히 조절되지 못하고 과도하게 일어나 자신의 조직을 손상시키는 것이 이른바 '알레르기 반응'이다.』
기생충 감소(원인) → 알레르기성 질환 증가(결과)
알레르기 반응의 일반적인 원인
『 」: 알레르기 반응이 일어나게 되는 과정

㉰ 최근 면역계를 구성하는 다양한 세포들 중에 조절 T세포라고 불리는 세포들이 알레르기를 억제한다는 사실이 알려졌다. 조절 T세포는 면역 반응을 억제하고 조절하여 자가 면역 반응이 일어나지 않도록 하는 역할을 한다. 장 속에서 우리가 먹은 음식물들이 염증 반응을 일으키지 않도록 억제하는 것도 이 세포의 기능이다. 그런데 우리 몸이 기생충에 감염되면 이 조절 T세포가 늘어난다. 『영국의 한 대학의 연구 팀은 기생충이 조절 T세포를 통해서 알레르기를 억제한다는 가설을 세웠다. 이 가설을 검증하기 위해 연구 팀은 장에서 기생하는 선충을 실험용 생쥐에게 감염시키고 그 생쥐의 몸에서 조절 T세포가 활동하는 것을 확인했다. 그리고 동일한 실험을 통해 천식을 앓고 있던 생쥐 역시 이 조절 T세포에 의해 증상이 호전되었음을 확인했다. 이로써 (㉠)이 증명된 것이다.』
핵심어
조절 T세포의 기능 ①
조절 T세포의 기능 ②
기생충이 인체에 미치는 긍정적인 영향
『 」: 기생충이 조절 T세포를 통해 알레르기를 억제하는 것을 증명한 실험의 내용

㉱ 그렇다면 기생충은 왜 면역력을 억제하는 걸까? 『과학자들은 기생충이 단지 숙주의 면역계로부터 자신을 보호하기 위해 숙주의 면역력을 억제하도록 진화했기 때문이라고 설명한다. 반대로 숙주는 기생충이 면역력
『 」: 기생충과 숙주가 서로 상호 작용을 하며 진화함
기생충이 숙주의 면역력을 억제하도록 진화한 이유
숙주가 과도한 면역 반응을 일으키도록 진화한 이유

을 억제할 것에 대비해 적정 수준보다 과도한 면역 반응을 일으키도록 진화했다는 것이다. 따라서 과학자들은 면역을 억제하던 기생충이 없어지면 면역 반응이 지나치게 일어나기 때문에 알레르기성 질환이 발생한다고 <u>기생충과 알레르기성 질환의 상관성</u> 추론했다. 곧 인간의 몸은 기생충의 저항을 감안하여 면역 반응의 수준을 정해 놓았는데, 기생충이 모두 사라져 기생충의 저항이 없어지자 인간의 면역 반응이 지나치게 일어남으로써 알레르기를 유발했다는 것이다.

마 그러나 이것은 우리의 몸으로서도 어쩔 수 없는 일이다. 「인간의 몸은 수천만 년 동안 기생충이 득시글거리 「」: 인간의 몸이 기생충의 저항을 감안하여 면역 반응의 수준을 정해 놓게 된 원인 는 환경에서 진화된 것이지, 오늘날처럼 청결한 상태에서 진화되지 않았다. 자연은 결코 무균 지대, 청정 지대가 아니다. 우리의 몸은 자연과 같이 온갖 기생충과 바이러스가 있는 환경에 맞추어 진화되었다.

➕ 독해 체크

■ 이 글의 핵심 화제
(기생충)이 인체에 미치는 긍정적인 작용

■ 문단별 중심 내용

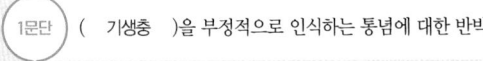
1문단 (기생충)을 부정적으로 인식하는 통념에 대한 반박

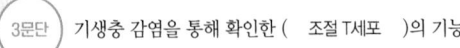
2문단 기생충 감소와 알레르기성 질환 (증가)의 관련성

3문단 기생충 감염을 통해 확인한 (조절 T세포)의 기능

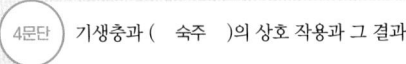
4문단 기생충과 (숙주)의 상호 작용과 그 결과

5문단 기생충이 생존하는 환경에서 (진화)해 온 인간

■ 핵심 내용의 구조화

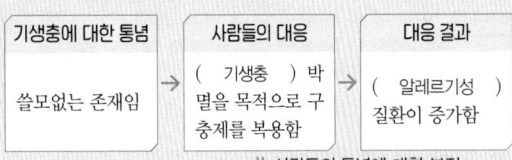

기생충에 대한 통념	사람들의 대응	대응 결과
쓸모없는 존재임	(기생충) 박멸을 목적으로 구충제를 복용함	(알레르기성) 질환이 증가함

⇩ 사람들의 통념에 대한 부정

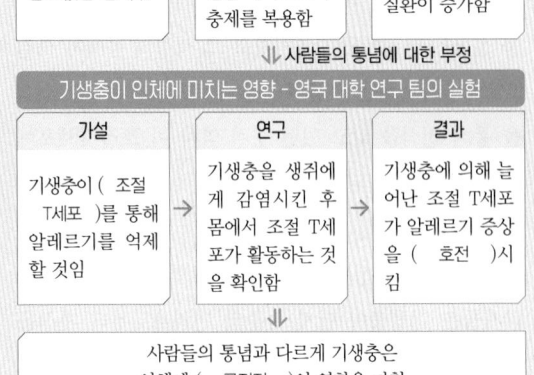

기생충이 인체에 미치는 영향 - 영국 대학 연구 팀의 실험

가설	연구	결과
기생충이 (조절 T세포)를 통해 알레르기를 억제할 것임	기생충을 생쥐에게 감염시킨 후 몸에서 조절 T세포가 활동하는 것을 확인함	기생충에 의해 늘어난 조절 T세포가 알레르기 증상을 (호전)시킴

⇩

사람들의 통념과 다르게 기생충은 인체에 (긍정적)인 영향을 미침

1 이 글의 (나)에서는 인간의 구충제 복용과 함께 기생충 환자가 줄어들면서 알레르기성 질환이 증가하고 있음을 언급하고 있다. 그리고 (다)에서는 인체의 기생충 감염에 따라 조절 T세포의 개체 수가 늘어나게 되면서 알레르기가 억제되었다는 사실이 증명되었음을 언급하고 있다. 이처럼 이 글에서는 알레르기를 유발하고 억제하는 요인을 기생충 하나에만 초점을 맞추어 서술하고 있으므로, 이에 대해 알레르기를 유발하는 요인을 한 가지로만 단정할 수 있는지 의문을 제기할 수 있을 것이다.

오답 풀이 ❶ (마)에서 자연은 결코 무균 지대, 청정 지대가 아니며, 우리의 몸은 자연과 같이 온갖 기생충과 바이러스가 있는 환경에 맞추어 진화되었다고 언급하고 있다. 이를 통해 인간이 살아온 환경과 자연의 환경을 유사하다고 볼 수 있으므로 ①과 같은 의문을 갖는 것은 적절하지 않다.

❷ (가)에서 인간에게 악영향을 미치는 기생충에 대해, (다)에서 인간에게 긍정적인 영향을 미치는 기생충에 대해 각각 구분하여 서술하고 있으므로 적절하지 않은 의문이다.

❸ (다)에서 조절 T세포가 인체에서 수행하는 기능을 설명하고 있으므로 적절하지 않은 질문이다.

❺ (가)에서 기생충이 인체에 끼치는 부정적인 측면에 대해 언급하고 있으므로 적절하지 않은 질문이다.

2 (다)에는 기생충이 조절 T세포를 통해 알레르기를 억제한다는 가설을 세우고, 생쥐 실험을 통해 이를 증명하는 내용이 제시되어 있다. 따라서 ㉠에는 실험을 통해 증명된 내용이 들어가야 하는데 앞에 제시된 가설이 실험을 통해 증명되었으므로 ②가 들어가야 한다.

오답 풀이 ❶ 기생충이 조절 T세포와 알레르기를 제거하는 것이 아니라 기생충이 조절 T세포를 통하여 알레르기를 억제하는 것이다.

❸ 기생충은 면역 반응을 통해 조절 T세포를 억제하는 것이 아니라 조절 T세포를 늘어나게 함으로써 면역 반응을 억제하고 조절한다.

❹ 기생충은 알레르기와 반응한 것이 아니라 조절 T세포를 늘린 것이고, 이를 통해 면역 반응을 강화한 것이 아니라 면역 반응을 억제하고 조절한 것이다.

❺ 기생충이 알레르기를 활성화시켜 조절 T세포를 증가시킨다는 내용은 글에 제시되지 않았다.

3 ⓐ의 '일어나다'는 '자연이나 인간 따위에게 어떤 현상이 발생하다.'라는 뜻으로 쓰였다. 그러나 나머지와 달리 ③의 '일어나다'는 '약하거나 희미하던 것이 성하여지다.'라는 뜻으로 쓰였으므로 ⓐ와는 그 의미가 다르다.

➕ 어휘 체크

1 억제 – 제조 – 조절 – 절기 – 기생충 – 충실
2 ❶ ㉠ ❷ ㉢ ❸ ㉡

과학 03

가장 오랫동안 의학을 지배한 사람, 갈레노스

1 ③   2 ⑤   3 ②

가 고대 서양 의학을 대표하는 인물 중 가장 유명한 사람은 히포크라테스다. 그에 비해 <u>갈레노스</u>를 아는 사람 ─핵심어─ 은 많지 않다. <u>현대 의학사에서 중요한 인물임에도 인지도가 낮음</u> 하지만 히포크라테스가 의학의 상징이라면, 갈레노스는 해부학과 생리학, 진단법, 치료법에 이르기까지 의학의 모든 분야에 걸쳐 약 1400년 동안이나 서양 의학을 실제로 지배한 인물로 ㉠<u>현대 의학사에서</u> <u>매우 중요한 위치를 차지한다.</u> 「그는 2세기경 그리스에서 태어났으며, 16살에 아버지의 영향으로 의학에 입문했다. 20살이 되던 해 아버지가 세상을 떠나자 갈레노스는 코린트, 스미르나, 알렉산드리아 등 여러 지역을 돌아다니며 다양한 분야의 의학 공부를 하였고, 집필 활동도 시작하였다. 또한 그는 다양한 학파의 스승들로부터 철학적 가르침을 받으면서 유연한 사고방식을 가질 수 있었다. 유학을 마치고 로마에 ⓐ<u>정착</u>한 그는 해부학과 의학 강연을 시작했다.」 「」: 갈레노스가 의사가 되기까지의 과정

나 갈레노스는 동물 해부와 실험을 통해 의학적 지식을 얻는 방법론을 세웠다. 「그는 해부학이라는 합리적 방법을 의학 이론에 적용함 「그는 주로 원숭이, 돼지 등의 동물 해부와 실험을 통해 여러 ⓑ<u>장기</u>의 기능을 밝혔고, 근육과 뼈를 구분했으며, 7쌍의 뇌신경을 구분했다. 그리고 심장을 해부해 심장 판막을 묘사하고, 정맥과 동맥의 차이점도 관찰했다. 또한 뇌가 목소리를 조절한다는 사실을 증명하기 위해 되돌이 후두 신경을 묶는 실험을 했다. 이외에도 갈레노스는 근육의 조절 기능을 설명하기 위해 척수를 자르기도 하였고, 소변이 방광에서 만들어지는 것이 아니라는 사실을 증명해 보이기 위해 수뇨관을 묶기도 했다.」 이처럼 그는 자신의 <u>의학 이론을</u> ─과학적 방법으로 자신의 의학 이론을 구축하려 함─ <u>대부분 해부와 실험을 통해 증명</u>하려 했다. 특히 갈레노스는 혈액이 혈관을 통해 신체 말단까지 퍼져 나가며 신진대사를 조절하는 물질을 ⓒ<u>운반</u>한다는 사실을 알아냈다. 물론 혈액이 순환한다는 사실까지는 밝혀내지 못했지만 갈레노스가 증명해 낸 의학적 지식들은 동물 해부만을 허용했던 당대의 시대적 상황을 감안한다면 실로 놀라운 발견이 아닐 수 없었다.

다 그러나 갈레노스의 의학에는 문제점 또한 분명히 있었다. 「일례로 그는 살모사의 머리, 염소 똥 등을 넣고 ─「」: 갈레노스 의학의 문제점─ 끓인 만병통치약을 만들었는데, 어이없게도 그 약은 18세기까지도 매우 중요한 약으로 통용됐다. 또한 그는 혈액에 영혼적인 요소가 있다고 생각하였고, 병든 사람의

피를 뽑아내면 병이 치료된다고 믿었다. 이 때문에 그는 아픈 환자가 찾아올 때마다 피를 뽑아 치료하는 사혈법 (瀉血法)을 사용하기도 했다.」 그의 의학 이론은 인체를 직접 해부할 수 없었던 로마 시대의 ⓓ<u>제약</u>으로 인해 많은 오류를 범했다. 그럼에도 불구하고 중세 시대 종교와 결합해 의학계를 ⓔ<u>지배</u>하는 절대적인 '교리'처럼 여 ─갈레노스의 절대적인 영향력─ 겨지게 되었다. 갈레노스에 의해 만들어진 '교리'는 16세기까지 악영향을 끼치기도 했다. 하지만 갈레노스는 그 때까지 비합리적인 방법에 의존하던 의학계를 동물 해 ─갈레노스의 의학 연구 방법이 의학계에 갖는 의의─ 부와 실험이라는 합리적인 방법으로 연구하도록 이끌었다는 점에서 그 의의를 찾을 수 있다.

✚ 독해 체크

■ 이 글의 핵심 화제
(합리적) 방법론을 적용한 갈레노스 의학 이론의 (의의) 및 한계

■ 문단별 중심 내용

1문단 (갈레노스)의 의학사적 위치 및 의사가 되기까지의 과정

⬇

2문단 갈레노스가 동물 해부와 실험의 방법을 (의학) 연구에 적용함으로써 이루어 낸 업적

⬇

3문단 갈레노스의 의학에서 나타난 (오류) 및 갈레노스의 연구 방법이 의학계에 갖는 의의

■ 핵심 내용의 구조화

갈레노스의 의학

의학계에 미친 긍정적 영향
- 동물 (해부)와 실험을 통해 의학적 지식을 얻는 방법론을 세움 → 비합리적인 방법에 의지하던 당시의 의학계에 새로운 방향을 제시함
- 여러 장기의 기능, 근육의 조절 기능, 혈액의 기능 등 여러 가지 분야의 의학적 지식들을 밝혀냄

⬍

의학계에 미친 부정적 영향
- 비합리적인 방법을 적용한 만병통치약 및 (사혈법)을 사람들의 치료에 사용함
- 인체를 직접 해부할 수 없었던 로마 시대의 제약으로 인해 많은 오류를 범함
- (종교)와 결합해 의학계를 지배하는 '교리'를 만들어 오랫동안 악영향을 끼침

1 이 글에서는 (가) 부분에 갈레노스가 다양한 학파의 스승들로부터 철학적 가르침을 받으면서 유연한 사고방식을 가질 수 있었다고 언급하고 있을 뿐이다. 갈레노스가 의학에 철학을 접목시키려 했다는 내용은 드러나지 않는다.

오답 풀이 ① (나)의 '주로 원숭이~묶기도 했다.'와 '특히 갈레노스는~사실을 알아냈다.' 부분을 통해 갈레노스가 일궈 낸 의학적 성과를 알 수 있다.

② (나)의 '주로 원숭이~묶기도 했다.' 부분을 통해 갈레노스가 의학을 연구한 방법을 알 수 있다.

④ (다)의 '일례로 그는~사용하기도 했다.' 부분을 통해 갈레노스의 의학적 오류를 드러내는 사례를 알 수 있다.

⑤ (가)의 '또한 그는 다양한 학파의~유연한 사고방식을 가질 수 있었다.' 부분을 통해 갈레노스가 유연한 사고방식을 지니게 된 이유를 알 수 있다.

2 이 글의 (다)에서는 갈레노스가 이전까지 비합리적인 방법에 의존하던 의학계를 동물 해부와 실험이라는 합리적인 방법으로 연구하도록 이끌었다는 점을 의의로 제시하고 있다. 이를 고려할 때 ㉠에서 갈레노스가 현대 의학사에서 매우 중요한 위치를 차지한다고 한 이유는 기존의 비합리적인 의학 연구 방법을 합리적인 방법으로 바꾸도록 이끌었기 때문임을 알 수 있다.

오답 풀이 ①, ③ 갈레노스가 알려지지 않았던 인체의 다양한 기능을 발견하고 현대 의학에서 필요로 하는 의학적 지식을 마련한 것은 맞지만 이것의 토대가 된 것이 해부학이라는 합리적 방법을 의학 이론에 적용한 것이므로 이 둘은 ㉠의 궁극적 이유로 볼 수는 없다.

② 이 글에는 갈레노스가 동물 해부의 방법을 발전시켰다는 내용이 제시되어 있지 않다. 따라서 ㉠의 이유에 해당되지 않는다.

④ (다)에서 갈레노스의 의학 이론이 종교와 결합함으로써 의학계를 지배하는 절대적인 '교리'처럼 여겨지게 되었고, 이 '교리'는 16세기까지 악영향을 끼치기도 하였다고 언급하고 있다. 즉 의학을 종교적 절대성을 갖는 수준으로까지 승화시킨 것은 갈레노스의 의학 이론이 가진 장점이 아니라 단점에 해당하므로, ㉠의 이유에 해당된다고 볼 수 없다.

3 ⓑ의 '장기'는 '내장의 여러 기관'을 의미하는 반면 ②에 제시된 '장기'는 '가장 잘하는 재주'의 의미로 사용되었다.

오답 풀이 ① ⓐ의 '정착'은 '일정한 곳에 자리를 잡아 붙박이로 있거나 머물러 삶'의 의미로 사용되었고, ①에 제시된 '정착' 역시 같은 의미로 사용되었다.

③ ⓒ의 '운반'은 '물건 따위를 옮겨 나름'의 의미로 사용되었고, ③에 제시된 '운반' 역시 같은 의미로 사용되었다.

④ ⓓ의 '제약'은 '조건을 붙여 내용을 제한함. 또는 그 조건'의 의미로 사용되었고, ④에 제시된 '제약' 역시 같은 의미로 사용되었다.

⑤ ⓔ의 '지배'는 '어떤 사람이나 집단, 조직, 사물 등을 자기의 의사대로 복종하게 하여 다스림'의 의미로 사용되었고, ⑤에 제시된 '지배' 역시 같은 의미로 사용되었다.

➕ 어휘 체크

1 ❶ ㉠ ❷ ㉢ ❸ ㉡
2 ❶ 유학 ❷ 학파 ❸ 증명 ❹ 설명

04 우리 몸의 화학 반응

1 ③   2 ③   3 ③

㉮ 우리 몸은 일반적으로 체내의 어떤 물질이 필요 이상으로 많거나 적을 때에는 그 물질의 생산을 억제하거나 촉진함으로써 균형을 유지한다. 그런데 간혹 어떤 특정 상황에 처했을 때에는 체내에 충분히 생산된 물질임에도 그 물질을 더 많이 만들어 내는 경우가 있다. <u>우리의 체내의 이런 현상은 어떤 과정을 거쳐 일어나게 되는 것일까?</u>
〔질문을 통해 앞으로 전개될 내용을 제시함〕

㉯ 우리 몸의 세포 내에서 어떤 물질은 여러 단계의 화학 반응을 거쳐 다른 물질로 바뀌게 된다. 이때 촉매 ㉠<u>구실</u>을 하는 특정 단백질인 효소에 의해 화학 반응이 이루어지는데, 각 단계에서 화학 반응을 촉매하는 효소는 각기 다르다. 이러한 과정을 통해 세포 내에서는 다양한 산물들이 생기는데, 이때 <u>최종 산물은 체내에서 필요로 하는 요구량보다 많을 수도 있고 적을 수도 있다.</u>
〔체내에서 피드백이 일어나는 경우〕
이처럼 최종 산물의 양이 체내의 요구량과 맞지 않을 경우 우리 몸은 피드백(feedback)을 통해 <u>체내의 요구량만큼 최종 산물의 양을 조절하게 된다.</u>
〔피드백의 역할〕
일반적으로 피드백에 의한 조절이란 어떤 원인에 의해 나타난 결과가 그 원인에 다시 영향을 주어 변화를 일으키는 현상을 의미하는 것으로 여기서는 <u>화학 반응의 최종 산물이 ㉡특정 단계로 되돌아가서 해당 효소의 활동을 억제하거나 활성화시켜 최종 산물의 양을 조절하는 과정이라 할 수 있다.</u>
〔체내에서의 피드백의 개념〕

[A] 이러한 피드백은 체내의 일반적인 상황에서 이루어지는 <u>음성 피드백(negative feedback)</u>과 특정한 상황에서 이루어지는 <u>양성 피드백(positive feedback)</u>으로 종류를 나눌 수 있다.
〔핵심어〕 〔핵심어〕

㉰ 음성 피드백이란 호르몬의 양을 조절하는 일반적인 피드백 과정으로『일정한 상태로 몸을 ㉢유지하기 위해 최종 산물의 양이 많아지면 화학 반응 ㉣경로의 초기 단계에 작용하는 효소가 억제되고, 반대로 그 양이 적어지면 화학 반응 경로의 초기 단계에 작용하는 효소가 활성화되는 것을 말한다.』
〔『 』: 음성 피드백의 개념〕
예를 들어,『세포는 화학 반응을 통해 당을 분해하여 에너지원인 ATP를 얻는다. 그런데 ATP가 지나치게 생산되어 축적되면 피드백을 통해 화학 반응의 초기 단계에 작용하는 효소를 억제하여 ATP의 생산 속도를 늦춰 ATP의 양을 줄이게 된다.』
〔『 』: 음성 피드백이 작용하는 과정의 예〕

㉱ 이와 달리, 양성 피드백이란『특정 상황에서 최종 산물을 훨씬 더 많이 생산하기 위해 최종 산물이 화학 반
〔『 』: 양성 피드백의 개념〕

응의 여러 단계 중, 자신의 생산에 ⑩관여하는 어느 한 단계의 효소를 더욱 활성화시키는 것으로 그 예가 많지는 않다. 가령,「우리 몸에 상처가 나서 피가 날 경우, 체내에서는 흐르는 피를 응고시키는 데 필요한 최종 산물인 피브린이 생산된다. 이때 양성 피드백을 통해 특정 단계의 효소가 활성화됨으로써 피브린이 더 빨리 생산되고, 축적되며 출혈을 멈추기에 충분한 정도가 될 때까지 최종 산물인 피브린이 생산된다.」즉 우리 몸은 상처가 나서 피가 나는 경우와 같이 특정 상황에 신속하게 대처할 필요가 있을 때 양성 피드백을 통해 훨씬 더 많은 최종 산물을 생산하는 것이다.

「 」: 양성 피드백이 작용하는 과정의 예

✛ 독해 체크

■ 이 글의 핵심 화제

(피드백)을 통한 체내 물질의 (조절) 과정

■ 문단별 중심 내용

1문단 우리 몸에서 일어나는 화학 (반응)의 특징

2문단 체내에서 일어나는 피드백의 (역할)과 개념 및 종류

3문단 (음성) 피드백의 체내 작용 과정

4문단 (양성) 피드백의 체내 작용 과정

■ 핵심 내용의 구조화

체내에서 일어나는 피드백
체내에서 일어나는 화학 반응을 통해 얻는 최종 산물의 양을 체내의 요구량만큼 (조절)하는 역할을 함 → 화학 반응의 최종 산물이 특정 단계로 되돌아가서 해당 효소의 활동을 (억제)하거나 활성화시키면서 양을 조절함

음성 피드백	양성 피드백
• (일반)적인 상황에서 작용함 • 일정한 상태로 몸을 유지하기 위해 화학 반응 경로의 초기 단계에 작용하는 효소가 억제되거나 활성화되는 것임 📌 에너지원이 되는 (ATP)의 양 조절	• (특정) 상황에서 작용함 • 최종 산물을 훨씬 더 많이 생산하기 위해 생산에 관여하는 어느 한 단계의 효소를 더욱 (활성화)시키는 것임 📌 피 응고에 필요한 피브린 생산

1 이 글은 우리 몸이 피드백 과정을 통해 체내에서 필요한 물질의 양을 조절하고 있음을 설명하고 있다.

오답 풀이 ❶ 피드백의 장단점은 제시되어 있지 않다.
❷ 피드백을 통한 최종 산물의 양 조절에 대한 설명을 하고 있을 뿐 최종 산물의 형태 변화에 대한 내용은 제시되어 있지 않다.

❹ 피드백을 통한 최종 산물의 억제 방법은 음성 피드백에 한정된 내용이다.
❺ 피드백의 원리를 이용한 에너지의 생산 과정이 아닌 피드백을 통한 체내 물질의 조절 과정을 다루고 있다.

2 (나)에서 우리 몸은 세포 내 물질 생산을 위해 여러 단계의 화학 반응을 거치며, 각 단계에서 화학 반응을 촉매하는 효소는 다르다고 했다. 그리고 (다)에서 음성 피드백은 화학 반응을 통해 생성된 최종 산물의 양이 많아지면 화학 반응 경로의 초기 단계에 작용하는 효소를 억제한다고 하였고, 최종 산물의 양이 적어지면 화학 반응 경로의 초기 단계에 작용하는 효소를 활성화시킨다고 하였다. 이 내용을 종합하면 화학 반응 경로의 각 단계에 작용하는 효소는 다르게 표시되어야 한다. 또한 최종 산물의 양이 많아지거나 적어지는 형태가 그려져야 하고, 이를 억제 또는 활성화하는 효소는 초기 단계의 효소로 표시되어야 한다.

오답 풀이 ❶ 각 단계에서 화학 반응을 촉매하는 효소가 달라야 하는데, 모두 '효소 1'로 동일하게 적용되어 있으므로 적절하지 않다.
❷ 각 단계에서 화학 반응을 촉매하는 효소가 달라야 하는데, 모두 '효소 1'로 동일하게 적용되어 있다. 그리고 최종 산물의 수가 많지 않으므로 음성 피드백이 필요하지 않은 상태에 해당한다. 또한 음성 피드백이 이루어질 경우, 화학 반응의 초기 단계에서 이루어져야 하는데, 두 번째 단계에서 피드백이 이루어지고 있으므로 적절하지 않다.
❹ 각 단계에서 화학 반응을 촉매하는 효소가 달라야 하는데, 모두 '효소 1'로 동일하게 적용되어 있다. 또한 음성 피드백이 화학 반응의 초기 단계에서 이루어지지 않았으므로 적절하지 않다.
❺ 최종 산물의 수가 많지 않으므로 음성 피드백이 필요하지 않은 상황이다. 또한 음성 피드백이 화학 반응의 두 번째 단계에서 이루어지고 있으므로 적절하지 않다.

3 ⓒ은 '임금이 신하에게 내리던 글'을 뜻하는 '유지(諭旨)'가 아니라 '어떤 상태나 상황을 그대로 보존하거나 변함없이 계속하여 지탱함'의 뜻을 가진 '유지(維持)'로 사용되었다.

✛ 어휘 체크

1 반응 – 응고 – 고조 – 조절 – 절체 – 체내
2 (1) 촉진 (2) 산물

기술 01 자기 부상 열차

1 ②　　2 ③　　3 ④

가 「일반 전기 열차에서는 바퀴와 레일 간의 마찰력으
└ 일반 전기 열차와 자기 부상 열차를 비교함
로 열차가 전진한다. 그런데 속도가 빨라질 경우, 바퀴
가 레일에 밀착되지 않고 공전하는 경향이 있어 빠르게
주행하기 어렵다. 이와 달리 자기 부상 열차는 바퀴 없
　　　　　　　　　　　　　핵심어
이 자석의 힘을 이용하기 때문에 마찰 저항이 거의 없고
그로 인해 낮은 동력으로 빠른 속도를 낼 수 있다.」 초전
　　　　　　　　자기 부상 열차의 장점 ①
도 자석을 사용할 경우 30톤에 이르는 차량을 10cm까
지도 부상시킬 수 있는데, 부상 높이가 10cm 정도가 되
면 시속 500~600km/h의 속도까지 안전 주행이 가능
하다고 한다. 아울러 진동과 소음이 거의 없는 장점으로
　　　　　　　　　　자기 부상 열차의 장점 ②
인해 자기 부상 열차는 미래형 교통수단으로 각광을 받
고 있다.

나 자기 부상 열차는 말 그대로 자기장을 이용하여 공
　　　　　　　　　　자기 부상 열차의 개념
중에 떠서 가는 열차이다. 자석 사이나 자석의 양극(N
극)과 음극(S극) 사이에는 흡인력이 작용하고, 동일한
극 사이에는 반발력이 작용한다. 자기 부상의 원리는 이
자석의 성질로 열차를 뜨게 하는 것인데, 열차를 움직이
는 힘에 따라 ㉠흡인식 자기 부상과 반발식 자기 부상
으로 나뉜다.

다 「흡인식은 철 등의 자성체 레일과 차체에 고정되어
흡인식의 구성
자기력의 세기를 제어할 수 있는 전자석으로 구성되어
있다. 「전자석과 레일의 틈새를 검지(檢知)하여, 틈새가
└ 흡인식 자기 부상의 원리
적어지면 자기력을 약하게 하여 흡인력을 작게 하고, 틈
새가 커지면 자기력을 세게 하여 흡인력을 증대시킴으
로써 뜨는 높이를 일정하게 유지한다.」 반발식은 보통 차
　　　　　　　　　　　　　　　　반발식의 구성
체에 장착된 초전도 자석과 레일에 연속적으로 배치한
코일로 구성되어 있다. 「초전도 전자석을 실은 열차가 이
└ 반발식 자기 부상의 원리
코일 위를 통과하면 코일에는 전류가 생기고 이 전류에
의해 코일도 전자석이 된다. 이 때문에 열차의 초전도
자석과 레일의 코일 전자석 사이에 반발력이 작용하게
되고, 이 반발력이 열차를 부상시키는 힘의 원천이 되는
것이다.」

라 흡인식은 열차가 부상하는 높이가 1cm 정도 밖에
되지 않아, 운행하면서 수시로 컴퓨터와 감지기를 이용
하여 차량과 레일 사이의 간격을 제어하는 시스템이 필
　　　　　　　　　　　흡인식의 단점
요하다. 이에 비해 반발식은 차량과 레일 사이의 간격이
작아지면 자동적으로 반발력이 증대하여 뜨기 때문에
흡인식에 비해 운행이 안정적이고 자기력 제어가 따로
　반발식의 장점

필요하지 않다. 그러나 흡인식이 속도에 관계없이 부상
력을 얻을 수 있는 ⓐ데 비해, 부상 높이가 10cm 가량
흡인식의 장점
인 반발식은 어느 정도 속도에 도달하기 전까지는 충분
한 부상력을 얻을 수 없다. 즉, 반발식의 경우 시스템의
안정성과 신뢰성은 높으나 저속에서는 뜨기 어렵다는
　　　　　　　　　　　　　　　　반발식의 단점
단점이 있다. 반발식은 최소 시속 60~80km/h 이상의
속도가 되어야 자기력을 이용해 부상할 수 있다.

마 몇몇 선진국에서는 도심지의 단거리 구간을 달리는
중·저속형 흡인식 자기 부상 열차가 이미 상업화 단계
에 들어갔다. 그러나 반발식은 고온 초전기 전도체의 실
용화에 어려움이 있어 시간이 좀 더 걸릴 것으로 예상된다.

✚ 독해 체크

■ **이 글의 핵심 화제**

(　자기 부상 열차　)의 원리와 특징

■ **문단별 중심 내용**

1문단 (　전기 열차　)와 비교되는 자기 부상 열차의 장점

2문단 열차 부상 방식의 (　종류　) – 흡인식 자기 부상,
반발식 자기 부상

3문단 흡인식과 (　반발식　) 자기 부상의 원리

4문단 (　흡인식　)과 반발식 자기 부상의 특징

5문단 자기 부상 열차의 실용화 현황과 (　전망　)

■ **핵심 내용의 구조화**

자기 부상 열차
• (　자기장　)을 이용하여 공중에 떠서 가는 열차
• 낮은 (　동력　)으로 빠른 속도를 낼 수 있음
• (　진동　)과 소음이 거의 없음

흡인식 자기 부상		반발식 자기 부상
• (자성체) 레일과 전자석으로 구성됨		• 초전도 자석과 (코일)로 구성됨
• (속도)에 관계없이 부상력을 얻을 수 있음	↔	• (저속)에서는 뜨기 어려움
• 부상 높이가 1cm 밖에 되지 않아 간격을 제어하는 장치가 필요함		• 부상 높이가 10cm 정도로 높아 안정적이고 (제어) 장치가 필요 없음

---

1 이 글은 자기 부상 열차의 개념을 설명한 후, 흡인식과 반발식
으로 나누어 그 원리와 특징을 구체적 수치를 제시하여 설명하
고, 자기 부상 열차의 이용 현황과 앞으로의 전망을 밝히고 있
다. 그러나 사례를 제시하고 이러한 내용을 요약·정리하는 내
용은 나타나지 않으므로, ②의 설명은 적절하지 않다.

오답 풀이 ❶ (나)에서 자기 부상 열차의 개념을, (다)에서 자기 부상 열차의 원리를 설명하고 있다.

❸ (가)의 '초전도 자석을~가능하다고 한다.', (라)의 '반발식은 최소~부상할 수 있다.' 등을 통해 구체적 수치를 사용하여 내용의 객관성을 확보하고 있음을 알 수 있다.

❹ (나)와 (다)에서 열차를 움직이는 힘에 따라 자기 부상 열차를 흡인식과 반발식으로 나눌 수 있음을 제시하고 그 원리를 각각 설명하고 있다.

❺ (가)에서 일반 전기 열차가 바퀴와 레일 간의 마찰력으로 열차가 전진하는 데 반해 자기 부상 열차는 바퀴 없이 자석의 힘으로 움직임을 밝히면서 화제를 제시하고 있다.

2 이 글과 〈보기〉를 통해 A는 같은 극끼리 밀어내고 있으므로 반발력을 이용한 '반발식' 자기 부상 방식이고, B는 다른 극끼리 만나 서로 잡아당기는 흡인력을 이용한 '흡인식' 자기 부상 방식임을 알 수 있다. 흡인식은 열차의 부상 높이가 1cm 정도 밖에 되지 않아 차량과 레일 사이의 간격을 제어하는 시스템이 필요하고, 반발식은 부상 높이가 10cm 정도여서 비교적 운행이 안정적이고 자기력 제어가 필요하지 않다. 따라서 반발식(A)이 흡인식(B)에 비해 높이 부상하기 때문에 운행의 안정성이 떨어진다는 설명은 적절하지 않다.

오답 풀이 ❶ (다)에서 반발식(A)은 차체에 초전도 자석이 장착되어 있다고 제시하고 있다.

❷ (마)에서 흡인식(B)은 이미 상업화 단계에 들어갔으나 반발식(A)은 고온 초전기 전도체의 실용화가 어려워 상용화되기까지 시간이 걸릴 것이라고 제시하고 있다.

❹ (라)에서 흡인식(B)은 열차의 부상 높이가 1cm 정도 밖에 되지 않아 차량과 레일 사이의 간격을 제어하는 시스템이 필요하다고 제시하고 있다.

❺ (다)에서 흡인식 자기 부상 열차는 전자석과 레일의 틈새를 검지하여 틈새가 적어지면 자기력을 약하게 하여 흡인력을 작게 하고, 틈새가 커지면 자기력을 세게 하여 흡인력을 증대시킴으로써 뜨는 높이를 일정하게 유지한다고 제시하고 있다. 따라서 흡인식(B)은 흡인력을 이용해 차체가 뜨는 높이를 일정하게 유지한다고 볼 수 있다.

3 ⓐ의 '데'는 의존 명사로 '일'이나 '것'의 의미를 지닌다. ④ 역시 의존 명사로 이와 동일한 의미와 용법을 지녔다.

오답 풀이 ❶ 감탄의 의미를 갖는 종결 어미로 사용되었다.

❷, ❸ '곳'이나 '장소'의 뜻을 나타내는 의존 명사로 사용되었다.

❺ 뒤 절에서 어떤 일을 설명하거나 묻거나 시키거나 제안하기 위하여 그 대상과 상관되는 상황을 미리 말하는 것을 나타내는 연결 어미로 사용되었다.

+ 어휘 체크

1 공전 – 전도 – 도입 – 입장 – 장치 – 치부
2 ❶ ⓒ ❷ ⓛ ❸ ㉠

기술 02 기술을 구성하는 삼연체

1 ① 2 ④ 3 ⑤

가 '기술'의 어원은 그리스어인 '테크네(techne)'이다. 아리스토텔레스는 '테크네'를 인간 정신의 외적인 것을 _{아리스토텔레스가 정의한 '테크네'의 의미} 생산하기 위한 실천적 행위라고 정의하였다. 이때의 기술은 인간 정신의 일부로 생각했던 과학과는 구별되게 인간 정신의 밖에 있는 것으로 간주했던 것이다. 그리고 오늘날 우리가 흔히 말하는 기술 외에도 넓게는 예술과 의술까지 포함한 개념으로 널리 쓰였다. 그러다가 19세기를 전후로 산업화를 경험하면서 기술의 의미는 오늘날과 같이 물질적 재화를 생산하는 것으로 구체화되었다. _{기술의 의미 변화}

나 기술이라고 하면 우리는 무엇을 연상하게 되는가? 아마도 전화, 자동차, 컴퓨터, 반도체 등을 떠올릴 것이다. 여기에 기술의 첫 번째 측면인 인공물로서의 기술 _{기술의 첫 번째 측면} 이 있다. 인공물을 풀이하면 '인공적으로 만든 물체'라는 뜻으로, 이를 통해 기술은 인간의 감각으로 느낄 수 있는 물리적 실체이며 인공적으로 만들어진 것임을 알 수 있다. 「천연고무를 기술이라고 ⓐ하지는 않지만 그 고무 _{「 」: 예시의 방법으로 '인공물로서의 기술'을 설명} 를 가지고 만든 타이어를 기술로 간주하는 것도 이러한 까닭이다.」

다 기술의 두 번째 측면으로는 지식으로서의 기술을 _{기술의 두 번째 측면} 들 수 있다. 어떤 사람들은 기술이라는 단어에 논리를 뜻하는 접미사인 '–logy'가 붙어 있다는 점에 주목한다. 인공물을 만들고 사용하는 데에도 특정한 논리와 지식이 요구된다는 것이다. 기술의 이러한 측면은 오랫동안 _{지식으로서의 기술} 간과되어 왔다. 기술자들이 논문을 발표하기는커녕 자신의 활동을 기록조차 하지 않았던 데다, 기술 지식은 말이나 글로 표현하기 어려워 사람들 사이에 암묵적으로 전수되는 면이 강하기 때문이다. 실제로 기술 지식은 문자 이외에 그림이나 설계도와 같은 시각적 형태를 통 _{기술 지식의 보편적 형태} 해 표현되는 경우가 많다.

라 기술 지식의 근대적 형태라 할 수 있는 공학이 출현하는 과정에서도 기존의 지식을 실제 상황에 적합하도록 변형하고 체계화하려는 기술자들의 적극적인 실천이 중요한 역할을 하였다. 여기서 기술의 세 번째 측면인 활동으로서의 기술을 거론할 수 있다. 기술에는 그것을 _{기술의 세 번째 측면} 만든 사람들과 활용하는 사람들의 활동이 함께 녹아 있다. 기술자의 부단한 노력이 없었더라면 오늘날과 같이 풍부한 기술의 세계는 존재하지 않았을 것이다. 또한 ㉠아무리 좋은 인공물이 있어도 널리 사용되지 않는다면 그 의미는 크게 줄어들 수밖에 없다. 활동으로서의 기술에 주목함으로써 우리는 기술이 인간과 무관한 것이 아니라 사람들과의 상호 작용 속에서 변화된다는 점을 포착할 수 있다.

마 이처럼 기술은 인공물, 지식, 활동의 세 가지 측면을 가지고 있다. 물론 이러한 측면 이외에 다른 측면을 강조하는 경우도 있다. 어떤 사람은 기술의 본질을 '의사소통'에서 찾고, 어떤 사람은 '경영'을 강조하며, 또 다른 사람은 기술의 '문화적 차원'에 주목한다. 기술의 개념은 다양한 방식으로 확장될 수 있지만 적어도 앞서 언급한 세 가지 측면은 기술을 구성하는 필수적인 요소라 할 수 있다.
_{인공물, 지식, 활동}

➕ 독해 체크

■ 이 글의 핵심 화제

(기술)을 구성하는 세 가지 측면

■ 문단별 중심 내용

1문단   기술의 어원과 (의미) 변화

2문단   기술의 첫 번째 측면 – (인공물)로서의 기술

3문단   기술의 두 번째 측면 – (지식)으로서의 기술

4문단   기술의 세 번째 측면 – (활동)으로서의 기술

5문단   기술을 구성하는 데 (필수적) 요소인 세 가지 측면

■ 핵심 내용의 구조화

기술의 세 가지 측면		
'인공물'로서의 기술	**'지식'으로서의 기술**	**'활동'으로서의 기술**
• 인간의 (감각)으로 느낄 수 있는 물리적 실체이며 인공적으로 만들어진 것임 • 천연고무는 기술이 아니지만, 그것을 가지고 만든 타이어를 기술로 봄	• 인공물을 만들고 사용하는 데에도 특정한 논리와 (지식)이 요구됨 • (그림)이나 설계도와 같은 시각적 형태를 통해 표현되는 경우가 많음	• 기술에는 그것을 만든 사람들과 활용하는 사람들의 (활동)이 함께 녹아 있음 • 기술은 인간과 무관하지 않고 사람들과의 상호 작용 속에서 변화됨

---

1 (라)에서 아무리 좋은 기술이라도 사용하지 않는다면 의미는 줄어들 수밖에 없으며, 기술은 사람들과의 상호 작용 속에서 변화한다고 하였다.

오답 풀이 ❷ (다)에서 인공물을 만들고 사용하는 데에도 특정한 논리와 지식이 요구된다고 하였다.

❸ (가)에 옛날에는 기술을 인간 정신의 외적인 것을 생산하기 위한 실천적 행위라고 정의하였음이 제시되어 있다.

❹ (마)에 기술의 본질은 인공물, 지식, 활동 이외에도 의사소통, 경영, 문화적 차원에서 주목하기도 한다고 제시되어 있다.

❺ 이 글에서 기술은 인공물로서의 기술 이외에도 지식으로서의 기술, 활동으로서의 기술 등 다양한 측면에서 활용된다고 하였다.

2 ㉠은 기술을 활용하여 만든 인공물을 널리 사용하지 않으면 그 의미는 줄어든다는 내용으로 이에 해당하는 사례로는 ④를 들 수 있다. '초고속 인터넷'이라는 뛰어나고 편리한 인공물이 있음에도 불구하고 이를 제대로 활용하지 않고 있으므로 '초고속 인터넷'의 의미가 크게 줄었다고 할 수 있기 때문이다.

오답 풀이 ❶, ❺ 사회에서의 규칙을 지키기 위해 인공물(휴대 전화, 자동차)을 사용하지 않은 것이므로 ㉠의 사례로 적절하지 않다.

❷ 인공물(에어컨)을 필요한 상황에서만 사용하는 것에 해당하므로 ㉠의 사례로 적절하지 않다.

❸ 인공물(이메일)을 널리 사용하는 사례에 해당하므로 ㉠의 사례로 적절하지 않다.

3 ⓐ에 사용된 '하다'의 경우 '이르거나 말하다.'의 의미로 사용되어 '천연고무를 기술이라고 이르거나 말하지는 않지만'으로 풀이할 수 있다. ⑤의 '하다' 역시 이와 같은 의미로 사용되어 '꿀을 얻기 위해 벌을 치는 것을 양봉이라 이르거나 말하다.'로 풀이할 수 있다.

오답 풀이 ❶ '어떤 일을 그렇게 정하다.'의 의미로 사용되었다.

❷ '특정한 대상을 어떤 특성이나 자격을 가지는 것으로 만들거나 삼다.'의 의미로 사용되었다.

❸ '어떠한 결과를 이루어 내다.'의 의미로 사용되었다.

❹ '어떤 직업이나 분야에 종사하거나 사업체 따위를 경영하다.'의 의미로 사용되었다.

➕ 어휘 체크

1 (1) 암묵 (2) 전수 (3) 인공
2 ❶ 소재 ❷ 재화 ❸ 예술 ❹ 의술

기술 03 제습기의 비밀

1 ⑤   2 ③   3 ④

가 습도에는 절대 습도와 상대 습도가 있는데, 불쾌지수를 따질 때의 습도는 상대 습도를 말한다. 절대 습도는 말 그대로 일정한 부피의 공기 중에 포함되어 있는 수증기의 양을 말하고, <u>상대 습도란 상대적인 습도, 즉</u> _{절대 습도의 의미} <u>현재 온도의 포화 수증기량에 대한 대기 중의 수증기량</u> _{상대 습도의 의미} 을 백분위로 나타낸 것이다. 일기 예보에서 말하는 습도는 상대 습도이다. 쾌적한 실내를 위해서는 상대 습도를 40~60%로 유지하는 것이 좋다. 포화 수증기량이 많아지거나 대기 중 수증기량이 적어질수록 상대 습도는 낮아진다. 포화 수증기량은 온도에 따라 높아지게 마련이므로, 공기를 ⓐ가열하면 포화 수증기량을 늘릴 수 있고, 이에 따라 상대 습도를 줄일 수 있다. 또한 공기 중의 습기를 직접 제거해도 상대 습도를 낮출 수 있다. 제습기는 이러한 방식으로 상대 습도를 조절하여 공기 _{핵심어} 를 쾌적하게 한다.

나 공기 중의 습기를 제거하는 방식에는 냉각식과 건조식이 있다. 건조식은 화학 물질인 흡습제를 이용하는 방식인데, 가정에서 사용하는 제습 제품과 같이 공기 중 _{건조식의 제습 방식} 의 습기를 직접 ⓑ흡수하거나 흡착시킨다. 흡습제가 습기를 더 이상 흡수하지 못하면 흡습제를 다시 가열해서 이때 분리되는 습기를 제습기 바깥으로 내보내면 흡습제를 다시 사용할 수 있다. 이러한 방식은 밀폐된 공간 에서 소량의 수분을 ⓒ제거하는 데 유용하다. 흡습제에 _{건조식이 효과적인 경우} 는 수분을 흡착하는 능력이 뛰어난 다공성 물질인 실리카 겔, 알루미나 겔, 몰레큘러 시브, 염화 칼슘 등이 있다.

다 냉각식 제습기는 공기 중의 수증기를 물로 응축시 _{냉각식의 제습 방식} 켜 습기를 조절한다. 수증기를 응축시키기 위해서는 이슬점 이하로 공기의 온도를 내려야 한다. 때문에 냉각식 제습기는 냉각을 위해 에어컨과 같이 냉매를 이용한다. 프레온 냉매는 여러 종류가 있는데, 제습기에는 R-22가 사용된다. 습한 공기를 팬으로 빨아들인 뒤 냉매를 이용 _{냉각식의 제습 과정 ①} 한 냉각 장치로 통과시킨다. 냉각 장치를 통과하면 공기 _{냉각식의 제습 과정 ②} 의 온도가 낮아지고, 공기가 이슬점에 도달해 수증기가 물로 변해 냉각관에 맺혀 물통에 떨어져 모인다. 찬물을 _{냉각식의 제습 과정 ③ - 냉각} 담은 컵의 표면에 물방울이 맺히는 것과 같은 원리인 셈이다. 습기가 제거된 건조한 공기는 응축기를 거쳐 다시 _{냉각식의 제습 과정 ④ - 발열} 데워진 후에 실내로 ⓓ방출된다. 상대 습도가 높을수록 _{냉각식이 효과적인 경우} 공기 중의 수증기가 물로 변하기 쉬워 제습에 효과적이다.

라 이러한 유형의 제습 외에 전자식으로 제습을 하는 기기들도 찾아볼 수 있다. 전자식 제습은 펠티에 효과(Peltier effect)를 이용한 열전냉각 방식으로 ⓔ작동한 _{전자식의 제습 방식} 다. 펠티에 효과는, 다른 두 금속의 양 단면을 서로 연결하고 전기를 통하게 하면 그 양 단면에서 발열과 냉각이 동시에 일어나는 현상이다. 전자식 제습기는 이 효과를 적용한 열전 반도체 소자를 사용하며, 냉각되는 금속판 쪽에서 공기 중의 수증기가 응축되어 밖으로 배출된다. 이러한 전자식 제습기는 소음이 없고 소형화가 가능해 _{전자식이 효과적인 경우} 카메라나 보청기와 같은 정밀 기기를 보관하는 제습함 에 이용된다.

➕ 독해 체크

■ 이 글의 핵심 화제

(제습기)의 유형에 따른 제습 방식

■ 문단별 중심 내용

1문단	(습도)의 종류와 제습기의 원리
2문단	(건조식) 제습기의 작동 방식
3문단	(냉각식) 제습기의 작동 방식
4문단	(전자식) 제습기의 작동 방식

■ 핵심 내용의 구조화

습도
- 절대 습도: 일정한 부피의 공기 중에 포함되어 있는 수증기의 양
- 상대 습도: 현재 온도의 (포화 수증기량)에 대한 대기 중의 수증기량을 백분위로 나타낸 것

⬇

제습기
(상대 습도)를 조절하는 방식으로 공기 중의 습기를 제거하는 전기 기구

건조식 제습기	냉각식 제습기	전자식 제습기
• 공기 중에 있는 습기를 (흡습제)를 이용해 직접 흡수하거나 흡착시킴 • 밀폐 공간에서 소량의 수분을 제거하는 데 유용함	• 공기 중에 있는 수증기를 냉매를 이용해 물로 (응축)시켜 습기를 조절함 • 상대 습도가 높은 경우에 유용함	• (펠티에) 효과를 이용해 열전냉각 방식으로 작동함 • 정밀 기기를 보관하는 제습함에 이용됨

1 (라)에서 전자식 제습기는 발열과 냉각이 동시에 일어난다고 했지만, (다)에서 냉각식 제습기는 냉각이 일어난 후에 발열이 일어난다고 했으므로 ⑤는 적절하지 않다.

오답 풀이 ❶ (가)를 통해 포화 수증기량이 늘어나면 상대 습도를 줄일 수 있음을 알 수 있다.

❷ (가)를 통해 불쾌지수를 따질 때의 습도는 상대 습도인데 일기 예보에서 말하는 습도 역시 상대 습도라고 설명하고 있으므로 일기 예보에서 말하는 습도는 불쾌지수와 관련이 있음을 알 수 있다.

❸ (라)를 통해 전자식 제습기는 소음이 없고 소형화가 가능해 카메라나 보청기와 같은 정밀 기기를 보관하는 제습함에 사용됨을 알 수 있다.

❹ (나)를 통해 건조식 제습기는 밀폐된 공간에서 소량의 수분을 제거하는 데 유용함을 알 수 있다.

2 ⊙~ⓒ의 과정에 나타난 현상은 팬으로 유입된 수증기(기체)가 냉각 장치를 통과해 이슬(물)로 변하는 과정이다. 추운 겨울에 따뜻한 집 안으로 들어올 때 안경에 김이 서리는 까닭은 습기를 많이 포함한 집 안의 공기가 안경의 차가운 표면과 만나 온도가 낮아지고 그로 인해 포화 수증기량이 줄어들면서 공기 중의 수증기가 물(김)로 응결되기 때문이다. 이는 ⊙~ⓒ에 나타난 현상과 유사하다.

오답 풀이 ❶, ❺ 더운 여름에 아스팔트에 물을 뿌리고, 여름에 물기가 남아 있는 상태에서 선풍기 바람을 쐬면 시원해지는 것은 모두 '물 → 수증기'로 상태 변화를 하는 흡열 반응에 해당한다. 따라서 〈보기〉와 유사한 사례가 아니다.

❷ 겨울에 처마 끝에 매달린 고드름이 녹아서 물이 되는 것은 '고드름 → 물'로 상태 변화가 나타나는 사례이다. 따라서 〈보기〉와 유사한 사례가 아니다.

❹ 응급실에서 고열 환자의 몸을 알코올로 닦으면 몸이 차가워지는 것은 액체 상태의 알코올이 증발하면서 기체로 변해 열을 빼앗는 흡열 반응이 일어나는 사례이다. 따라서 〈보기〉와 유사한 사례가 아니다.

3 '방출되다'는 '입자나 전자기파의 형태로 에너지가 내보내지다.'를 의미한다. '밀어내다'는 '힘이나 압력을 가하여 물러나게 하다.'의 의미이므로 ⓓ와 바꾸어 쓰기에 적절하지 않다. '방출된다'는 '내보내진다'로 바꾸는 것이 적절하다.

오답 풀이 ❶ '가열하다'는 '어떤 물질에 열을 가하다.'를 의미하므로 '가열하면'을 '데우면'으로 바꾸는 것은 적절하다.

❷ '흡수하다'는 '빨아서 거두어들이다.'를 의미하므로 '흡수하거나'를 '빨아들이거나'로 바꾸는 것은 적절하다.

❸ '제거하다'는 '없애 버리다.'를 의미하므로 '제거하는'을 '없애는'으로 바꾸는 것은 적절하다.

❺ '작동하다'는 '기계 따위가 작용을 받아 움직이다. 또는 기계 따위를 움직이게 하다.'를 의미하므로 '작동한다'를 '움직인다'로 바꾸는 것은 적절하다.

✚ 어휘 체크

1 흡습 – 습도 – 도수 – 수분 – 분발 – 발열
2 ❶ ⓒ ❷ ⓛ ❸ ⊙

기술 04 모션 캡처, 움직임을 포착하다

1 ⑤   2 ④   3 ②

가 모션 캡처(motion capture)는 공간상에서 제작된 영상을 보다 현실적으로 보여 주기 위해 사용되는 기술이다. 이를 통해 만든 영상은 미세한 움직임까지 정교하게 나타낼 수 있는데, 데이터를 뽑아내는 방식에 따라 기계식, 자기식, 광학식으로 ⓐ구분된다.

나 기계식은 기계 장치를 몸에 부착하여 각 관절 부위의 움직임을 추출하는 방식으로, 『설치와 운영이 간편하며 공간의 ⓑ제약을 받지 않는다. 또한 비교적 정확한 데이터를 획득할 수 있고 다른 시스템에 비해 장비의 가격도 저렴하다.』 그러나 『무거운 기계 장치를 부착해야 하므로 자연스러운 움직임에 제약을 받는다.』

다 자기식은 송신기로 전자기장을 ⓒ형성시킨 후, 각 관절에 부착된 센서를 통해 몸의 움직임에 따른 자기장의 변화를 측정하여 위치 데이터를 추출하는 방식이다. 하지만 『감지기에 연결된 여러 가닥의 케이블 선이 몸에 붙어 있어 움직임에 제약이 있고, 센서가 반응할 수 있는 자기장의 공간도 제한적이다. 또한 주위의 금속 물체에 의해 데이터의 손실이 발생할 우려가 있다.』

라 광학식은 신체 부위에 센서를 부착하고 적외선 카메라로 촬영한 후, 그 이미지를 다시 3차원 위치 데이터로 계산하여 추출하는 방식이다. ⊙광학식 모션 캡처 방식의 데이터를 추출하는 과정은 아래와 같다.

마 [단계 1]에서는 촬영 공간과 대상의 동작을 ⓓ고려하여 적외선 카메라를 설치한다. 이때 표식이 부착된 구조물을 먼저 중앙에 설치하여 초기 측정을 하는데, 이는 촬영 후에 얻게 될 위치 데이터, 즉 좌푯값을 정확하게 얻기 위해서이다. [단계 2]에서는 대상을 촬영하여 표식에 반사된 좌푯값을 측정하기 위해 표식을 몸에 부착한다. 이 표식은 크기가 작아 위치나 개수에 제한을 받지 않기에 자유로운 동작을 가능하게 한다. [단계 3]에서는 카메라로부터 좌푯값을 뽑아낸다. [단계 4]에서는 이전 단계에서 추출된 2차원적인 좌푯값을 3차원으로 나타낸 후, 좌푯값의 사라진 부분이나 오차가 생긴 부분을 보완 및 수정한다. [단계 5]에서는 좌푯값을 연결해 뼈대 구조를 가지는 모션 데이터로 변환한다.

(바) 촬영 중 동작에 의해 표식이 가려지면 카메라들이 추적할 수 없게 되어 좌푯값이 사라지게 되는 경우가 생긴다. 이런 경우에 3차원의 좌푯값을 얻는 것이 어려워지기 때문에 보완 및 수정 작업을 해야 한다. 때문에 『적게는 6대, 많게는 24대 정도의 카메라를 ⓔ활용하여 표식이 가려지는 부분을 최소로 줄여야 한다.』 광학식 장비는 다른 시스템에 비해 가격이 비싸지만, 『넓은 공간에서 촬영이 가능하고 정밀한 자료를 수집할 수 있기 때문에 현재 활용도가 높다.』

『 』: 동작에 의해 표식이 가려지면 카메라들이 표식을 추적할 수 없기 때문
밑줄: 광학식의 단점
『 』: 광학식의 장점 ②

 독해 체크

■ 이 글의 핵심 화제
(모션 캡처)의 종류와 원리

■ 문단별 중심 내용

> 1문단 │ 모션 캡처의 개념 및 (종류)

> 2문단 │ (기계식) 모션 캡처의 원리와 장단점

> 3문단 │ (자기식) 모션 캡처의 원리와 단점

> 4~6문단 │ (광학식) 모션 캡처의 원리와 데이터 추출 과정 및 장단점

■ 핵심 내용의 구조화

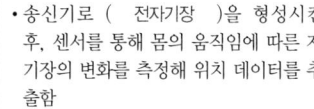

데이터 (추출) 방식에 따른 모션 캡처의 종류

기계식
• 기계 장치를 몸에 부착해 각 (관절) 부위의 움직임을 추출함
• 공간의 제약이 없어 간편한 설치와 운영이 가능함
• (저렴)한 장비로 비교적 정확한 데이터 획득이 가능함
• 무거운 기계 장치의 부착으로 자연스러운 움직임에 제약이 생김

자기식
• 송신기로 (전자기장)을 형성시킨 후, 센서를 통해 몸의 움직임에 따른 자기장의 변화를 측정해 위치 데이터를 추출함
• 케이블 선이 몸에 붙어 있어 움직임에 제약이 있고, 자기장의 공간이 제한적이며, 주위의 (금속) 물체에 의해 데이터 손실이 발생할 우려가 있음

광학식
• 신체 부위에 센서를 부착하고 적외선 카메라로 촬영한 후, 그 이미지를 다시 (3차원) 위치 데이터로 계산해 추출함
• 넓은 공간에서의 촬영 및 정밀한 자료의 (수집)이 가능함
• 장비의 가격이 비쌈

1 이 글은 모션 캡처의 자료 추출 방식을 중심으로 모션 캡처의 종류와 원리를 설명하고 있다.

[오답 풀이] ❶ (가)에 모션 캡처의 개념이 설명되어 있지만 이것이 글의 중심 화제는 아니다.
❷ 이 글에 모션 캡처 기술의 전망은 제시되어 있지 않다.
❸ 이 글은 모션 캡처의 자료 추출 방식을 분리하여 설명하고 있을 뿐, 변천 과정을 설명하고 있지는 않다.
❹ 이 글에 모션 캡처의 활용 분야는 설명되어 있지 않다.

2 (바)에서 촬영 중 동작에 의해 표식이 가려지면 카메라들이 표식을 추적할 수 없게 돼 좌푯값이 사라지는 경우가 있다고 하였는데, 이는 [단계 4]에서 일부 좌푯값을 구할 수 없었던 이유로 볼 수 있다. 따라서 [단계 4]에서 일부 좌푯값을 구할 수 없다면, 부착된 표식의 크기가 작았기 때문이 아니라 동작에 의해 표식이 가려졌기 때문이라고 할 수 있다.

[오답 풀이] ❶ (바)에서 동작에 의해 표식이 가려지면 카메라들이 표식을 추적할 수 없게 되어 좌푯값이 사라질 수 있기 때문에 적게는 6대, 많게는 24대 정도의 카메라를 활용하여 표식이 가려지는 것을 최소한으로 줄여야 한다고 하였다. 따라서 동작에 의해 표식이 가려지는 것을 방지하기 위해서는 적외선 카메라를 설치하는 [단계 1]에서 카메라의 수를 늘려야 함을 유추할 수 있다.
❷ (마)에서 [단계 2]에서는 표식을 몸에 부착하는데 이 표식은 크기가 작아 위치나 개수에 제한을 받지 않기에 자유로운 동작을 가능하게 한다고 하였다. 따라서 [단계 2]에서 몸의 어느 부위에나 표식을 부착할 수 있음을 유추할 수 있다.
❸ (마)에서 [단계 3]에서는 카메라로부터 좌푯값을 뽑아낸다고 하였고, [단계 4]에서는 [단계 3]에서 추출한 2차원의 좌푯값을 3차원으로 나타낸다고 하였다. 따라서 [단계 3]의 2차원적 좌푯값을 [단계 4]에서 입체적 좌푯값으로 변환함을 알 수 있다.
❺ (마)에서 [단계 5]에서는 좌푯값을 연결해 뼈대 구조를 가지는 모션 데이터로 변환한다고 하였다. 따라서 [단계 5]에서는 좌푯값을 모두 연결하면 뼈대 구조를 지니는 새로운 입체적 형상을 얻을 수 있을 것임을 알 수 있다.

3 ⓑ에 사용된 '제약(制約)'은 '조건을 붙여 내용을 제한함. 또는 그 조건'을 뜻한다. 제시된 '위력이나 위엄으로 약한 사람을 누름'은 '제압(制壓)'의 사전적 의미에 해당한다.

[오답 풀이] ❶ ⓐ의 '구분(區分)'은 '일정한 기준에 따라 전체를 몇 개로 갈라 나눔'을 뜻한다.
❸ ⓒ의 '형성(形成)'은 '어떤 형상을 이룸'을 뜻한다.
❹ ⓓ의 '고려(考慮)'는 '생각하고 헤아려 봄'을 뜻한다.
❺ ⓔ의 '활용(活用)'은 '충분히 잘 이용함'을 뜻한다.

 어휘 체크

1 (1) 측정 (2) 추출 (3) 변환
2 ❶ 촬영 ❷ 영상 ❸ 정교 ❹ 비교

예술 01 밤하늘을 나는 낮 새

1 ②	2 ②	3 ⑤

가 "국왕께 전해 주시오. 연미복이 담뱃불에 타서 연회에 불참하게 됐다고 말이오."

르네 마그리트가 연회가 열리기 몇 시간 전에 의전 담당에게 한 말로, 그 연회는 마그리트를 위해 벨기에의 국왕이 마련한 것이었다. 하지만 마그리트는 옷이 망가졌다는 핑계로 국왕이 주최하는 연회에 참석하지 않겠다고 통보하였다. 이는 기존의 권위와 질서에 철저히 맞서 온 마그리트의 개성이 잘 ㉠드러나는 일화라고 할 수 있다.

_{마그리트의 특징 ① - 권위와 질서에 도전함}

핵심어: 르네 마그리트

나 미술사가들은 마그리트를 곧잘 '전복자'라고 부른다. '전복'은 '뒤집는다'는 뜻이다. 이는 관습적인 사고를 거부하고 우리가 일상이라고 여기고 있는 현실에 의문을 던져 고정된 시선을 무너뜨리는 마그리트의 모습을 대변하는 표현이다. 마그리트는 기발한 발상을 통해 현실의 경직된 체계를 뒤집는 그만의 독특한 예술 세계를 보여 주고 있는데, 이러한 전복자로서의 면모는 그의 그림을 통해 확인할 수 있다.

_{마그리트의 특징 ② - 익숙한 것을 생소하게 표현해 고정 관념을 깸}

다 「대가족」이라는 작품을 보면, 세로로 된 화면에 밤하늘이 펼쳐져 있고 화면 아래쪽에는 밤바다가 살짝 걸쳐 있다. 그 밤의 서정을 깨는 것은 화면 중앙에 크게 자리한 커다란 새이다. 새는 대낮의 하늘의 모습으로 그려져 있다. 즉, 밤을 배경으로 한 낮 새인데, 날갯짓을 하는 새의 이미지가 푸른색 창공과 하얀 구름으로 구성되어 실루엣처럼 보이는 것이다. 이는 현실에 구속된 피조물이 아니라, 현실에서는 보이지 않는 부분을 가시적으로 드러내는 일종의 상징이라고 할 수 있다.

_{마그리트의 작품 → 전복적인 성격을 띰 / 현실의 이면을 드러내는 상징 / 「 」: 마그리트의 「대가족」에 대한 해석}

라 여기서 '보이지 않는 것을 보이게 그리는 작가'라는 마그리트의 또 다른 별칭이 지닌 의미를 새롭게 확인할 수 있다. 보이지 않는 것을 보이도록 그린다는 것은, 단순히 눈이라는 감각 기관으로 볼 수 없는 것을 보게 한다는 말이 아니다. 마그리트는 육체의 감각 기관이나 인식 기관의 위계질서, 또는 소통·교육·이데올로기·정치 체계 등의 위계질서가 인간으로 하여금 진실을 보지 못하게 오도(誤導)하고 있다는 것을 드러내고 그것에 대해 비판적으로 공격하려고 하였다.

_{마그리트가 보이지 않는 것을 보이게 그리는 이유}

마 「대가족」에서와 달리 현실에서는 밤과 낮이 동시에 있을 수 없다. 그럼에도 마그리트가 그것들을 함께 그리고, 나아가 사물인 새의 형상에 공간인 대낮의 하늘 이

_{이질적인 두 대상을 하나의 이미지로 중첩함}

미지를 겹쳐서 보여 준 것은, 우리가 살고 있는 현실을 직시하라고 일깨우는 것이다. 이처럼 생소하고 낯설기 짝이 없는 그의 전복 행위는 세계와 삶의 주체가 되어야 할 인간이 구조와 권력에 의해 어느새 객체로 밀려나 버린 현실을 반성하게 하고, 우리 스스로가 주체임을 회복하게 하려는 노력이라고 할 수 있다.

_{그림에 담긴 마그리트의 의도 ① - 현실을 직시하도록 함 / 그림에 담긴 마그리트의 의도 ② - 잃어버린 주체를 회복할 것을 일깨움}

➕ 독해 체크

■ 이 글의 핵심 화제
기존의 (권위)와 질서에 맞선 화가 마그리트의 예술 세계

■ 문단별 중심 내용

- **1문단** 권위와 (질서)에 맞섰던 화가 르네 마그리트
- **2문단** (고정)된 관념을 깨기 위해 노력한 마그리트
- **3문단** 마그리트의 그림 (「대가족」) 소개
- **4문단** 보이지 않는 것을 (보이게) 그리는 마그리트
- **5문단** 「대가족」에 담긴 마그리트의 (의도)

■ 핵심 내용의 구조화

르네 마그리트의 그림 「대가족」

(밤)을 배경으로 한 (낮) 새가 그려져 있음

보이지 않는 것을 보이게 그리는 마그리트	현실을 (직시)하라고 일깨우는 마그리트
육체의 감각 기관이나 인식 기관, 소통·교육·이데올로기·정치 체계 등의 (위계질서)로 인해 인간이 보지 못하는 (진실)을 드러내고자 함	세계와 삶의 주체가 되어야 할 인간이 자신의 자리에서 밀려나 객체가 되어 버린 현실을 반성하게 하고, 잃어버린 주체를 (회복)할 것을 일깨움

1 (나)에서 마그리트는 '전복자'라는 별명으로 불렸으며, 기발한 발상으로 현실의 경직된 체계를 뒤집는 그만의 독특한 예술 세계를 보여 주었다고 하였다. 따라서 마그리트는 감상자와의 만남과 소통을 중시했다기보다는 감상자가 생각하지 못한 부분에서 충격을 주어 고정된 관념을 깨고 새로운 인식을 유도한 화가였다고 할 수 있다.

오답 풀이 ❶ (가)에서 마그리트가 기존의 권위와 질서에 철저히 맞섰음을 알 수 있다.
❸ (나)에서 마그리트가 기발한 발상을 통해 현실의 경직된 체계를 뒤집는 예술 세계를 보여 주었음을 알 수 있다.

❹ (나)에서 마그리트가 현실에 의문을 던져 고정된 시선을 무너뜨리는 화가였음을 알 수 있다.

❺ (라)에서 마그리트가 위계질서가 인간으로 하여금 진실을 보지 못하게 오도하고 있다는 것을 드러내고 그것에 대해 비판적으로 공격하려 했음을 알 수 있다.

2 〈보기〉의 그림에서 가로등 불빛이 어둠을 밝히고 있는 모습은 하늘의 밝음과 대비되어 어둠을 더욱 두드러지게 하는 효과를 나타내는 것일 뿐, 그것을 통해 사회적 혼란을 이겨 내고 새로운 질서를 모색하려 한 것이라고 볼 수 없다. 마그리트는 사회적 현실을 혼란스럽다고 인식한 것이 아니라, 오히려 사회가 관습적이고 고정되어 있다고 여겨 현실의 경직된 체계를 뒤집으려 한 것이다.

오답 풀이 ❶ (나)에서 마그리트는 관습적인 사고를 거부하고 우리가 일상이라고 여기고 있는 현실에 의문을 던져 고정된 시선을 무너뜨린다고 하였다. 〈보기〉의 그림 역시 현실에서는 동시에 있을 수 없는 낮과 밤을 함께 그려 생소하게 표현하고 있으므로 감상자로 하여금 익숙한 풍경을 색다르게 바라보도록 한 것이라고 볼 수 있다.

❸ (다)에서 마그리트가 한 화면에 밤을 배경으로 한 낮 새를 그린 것은 현실에서는 보이지 않는 부분을 가시적으로 드러내는 일종의 상징이라고 하였다. 〈보기〉의 그림에서 '빛'과 '어둠'을 한 화면에 배치하고 있는데, 이는 「대가족」에서 '밤'을 배경으로 '낮' 새를 그린 것과 같이 현실의 이면을 가시적으로 드러내기 위한 것이라고 볼 수 있다.

❹ (나)에서 마그리트는 자신이 그린 그림에서 기발한 발상으로 현실의 경직된 체계를 뒤집고 고정된 시선을 무너뜨린다고 하였다. 또한 (마)에서 그의 이러한 전복 행위는 세계와 삶의 주체가 되어야 할 인간이 객체로 밀려나 버린 현실을 반성하게 한다고 하였다. 따라서 마그리트의 이러한 의도가 낮과 밤이 공존하는 〈보기〉의 그림에서도 나타난다고 볼 수 있다.

❺ (라)와 (마)에서 마그리트가 보이지 않는 것을 보이게 그린 것은 현실에 존재하는 위계질서로 인해 인간이 보지 못하는 진실을 깨우치게 하려는 의도라고 하였다. 〈보기〉의 그림 또한 밝은 대낮에도 밤의 모습과 같은 상황이 나타날 수 있다는 것을 보여 줌으로써 어둠에 가려 진실을 바르게 인식하지 못하는 현실을 깨닫게 하려는 것으로 볼 수 있다.

3 ㉠에서 '드러나는'은 '겉에 나타나 있거나 눈에 띄는'이라는 의미로 쓰였는데, ⑤의 '드러나'가 이와 의미가 가장 가깝다.

오답 풀이 ❶, ❷ 이 문장에서 '드러나다'는 '가려 있거나 보이지 않던 것이 보이게 되다.'의 의미로 사용되었다.

❸ 이 문장에서 '드러나다'는 '다른 것보다 두드러져 보이다.'의 의미로 사용되었다.

❹ 이 문장에서 '드러나다'는 '알려지지 않은 사실이 널리 밝혀지다.'의 의미로 사용되었다.

한국 전통 건축의 비대칭적 대칭

1 ③ 2 ③ 3 ③

가 ⓐ한국 전통 건축은 비대칭 구성을 큰 특징으로 갖는다. ⓑ궁궐, 서원, 사찰, 향교, 한옥 모두 전체 배치를 놓고 보면 좌우 대칭인 경우가 하나도 없을 정도로 철저하게 비대칭 구성으로 이루어져 있다. 궁궐과 같이 전각 수가 많고 규모가 큰 건물의 경우 대칭을 지키기 어려운 것도 사실이지만, 서양의 경우 베르사유 궁전, 루브르 궁전 등은 거대한 건물임에도 불구하고 대칭 구조로 지어져 있다. 이처럼 「세계 각국에서 공통적으로 나타나는 보편적 현상에 가까운 '대칭 구도'를 유독 한국 전통 건축에서 찾아보기 힘든 이유는 무엇일까?」
「」: 질문을 통한 화제 제시, 호기심 유발

나 서양 고전 건축은 엄격한 대칭을 바탕으로 한 정형
한국 전통 건축과 대조됨   서양 고전 건축의 특징 ①
적 질서를 최고의 가치로 추구하였다. 또한 서양 건축에서는 실내 공간이 두꺼운 돌 벽으로 엄격하게 구획되면
서양 고전 건축의 특징 ②
서 모서리가 꽉 맞도록 설계되어 있다. 「사람들이 사용하
「」: 서양 고전 건축의 특징 ③
는 공간 형태는 처음부터 건축가에 의해 확정되어 있고, 사용자는 미리 결정된 절대적 가치를 받아들이면 되는 것이다. 이러한 절대주의적 건축관은 20세기에 들어와서 더욱 심화되었다. 건축가들은 도면 위에 일직선으로 복도를 긋고 좌우로 가지런히 방을 배치한 후 사용자에게 그대로 사용할 것을 강요하였다.」 이는 경제성과 효율성이라는 기계 문명의 가치관을 근거로 한다.
서양 고전 건축의 특징 ④

다 반면 ㉠한국 전통 건축의 자연관은 자연을 직선으로 재단하여 인간만의 질서를 세우려던 서양과는 달랐다. 주변 땅의 생김새를 좇아 물 흐르듯 자연스럽게 건
한국 전통 건축의 특징 ①
물을 배치하는 경향은 한국 전통 건축이 지니는 두드러진 특징이다. 물리적으로 보았을 때 대칭이 허용되는 경우인데도 비대칭이 나타나며, 대칭보다 비대칭을 더 선호하는 경향을 보이고 있다. 비대칭에는 좌우 모습이 거
한국 전통 건축의 특징 ②
울에 비치듯 똑같지는 않지만 전체적으로 보았을 때 큰 균형감이 느껴지는 경우도 있다. 이것은 산만한 혼란으
한국 전통 건축의 특징 ③
로 나타나는 무질서적 비대칭과 달리 나름대로 고도의 질서를 갖는 또 하나의 대칭이다. 이를 '비대칭적 대칭'이라고 한다.

라 비대칭적 대칭 구성이 잘 드러난 예로 소수 서원을 들 수 있다. 소수 서원은 일곱 채의 건물로 구성되어 있

지만 이것들을 하나로 묶는 전체적인 질서는 존재하지 않는다. 대칭은 둘째 치고 건물이 일곱 채나 모여 있는데도 그 흔한 축 하나 형성되지 않는다. 그러나 이러한
〔중심이 된다고 가정할 만한 것이 없음〕
무질서는 결코 산만한 혼란으로 느껴지지 않는다. 주도적인 중심축이나 대칭 구성 등 눈에 띄는 물리적 질서는
〔비대칭적 대칭 구성의 특징〕
없으나 공간 전체를 보면 편안한 조화가 이루어지고 있는 것이다. 건물이 약간 어긋나고 축은 안 맞을지 몰라도 그 사이사이에 적당한 양의 외부 공간이 있고, 그 속에는 다시 크고 작은 나무들이 담겨 어울리면서 무궁무진하게 변화하는 양상을 보여 준다. 소수 서원은 이처럼 공간의 종류가 무한대로 다양하게 짜인 뒤 수용이나 해
〔한국 전통 건축의 특징 ④〕
석을 각자에게 맡긴다. 이러한 구성 방식은 동양의 무위
〔한국 전통 건축의 특징 ⑤〕
사상으로부터 영향을 받은 것으로 이해할 수 있다.

➕ 독해 체크

■ 이 글의 핵심 화제
한국 전통 건축에 나타나는 비대칭적 (대칭) 구성

■ 문단별 중심 내용

1문단 → 한국 전통 건축에 나타나는 (비대칭) 구성

2문단 → 서양 고전 건축에 나타나는 (대칭) 구성

3문단 → 한국 (전통) 건축에 나타나는 비대칭적 대칭 구성

4문단 → (소수 서원)에 나타나는 비대칭적 대칭 구성

■ 핵심 내용의 구조화

한국 전통 건축		서양 고전 건축
• (자연)의 모습을 좇아 물 흐르듯 자연스럽게 건물을 배치함 • 전체적으로 (균형감)이 느껴지는 비대칭적 대칭을 추구함 • 공간의 종류가 무한대로 다양하게 짜인 뒤 수용이나 (해석)을 각자에게 맡김 • 동양의 (무위 사상)으로부터 영향을 받음	↔ 대조	• 엄격한 대칭을 바탕으로 한 (정형)적 질서를 최고의 가치로 추구함 • 자연을 (직선)으로 재단하여 인간만의 질서를 세우려고 함 • 건축가의 일방적인 배치에 따라 사용자에게 그대로 사용할 것을 (강요)함 • (경제성)과 효율성이라는 기계 문명의 가치관을 근거로 함

1 (다)의 '주변 땅의 생김새를 좇아 물 흐르듯 자연스럽게 건물을 배치하는 경향', (라)의 '건물이 약간 어긋나고~나무들이 담겨 어울리면서' 등을 통해 ⊙은 자연에 순응하고 자연과 가까운 모습으로 살아가는 모습, 즉 인간과 자연과의 조화를 중시하는 '자연 친화적 건축관'으로 이해할 수 있다.

오답 풀이 ❶ 한국 전통 건축의 자연관은 있는 그대로의 자연과 인간의 균형을 추구하였다.
❷ 한국 전통 건축의 자연관은 주변 땅의 생김새를 좇아 물 흐르듯 자연스럽게 건물을 배치하는 비정형성을 추구하였다.
❹ 한국 전통 건축의 자연관은 현실 세계에서의 자연과의 조화를 추구하였다.
❺ 한국 전통 건축의 자연관은 혼란을 극복한 질서가 아닌 눈에 띄는 물리적 질서는 없으나 공간 전체를 보면 균형감이 느껴지고 편안한 조화를 이루는 것을 추구하였다.

2 ⓐ '소수 서원'은 주도적인 중심축이나 대칭 구성과 같은 물리적인 질서는 없으나 공간 전체적으로 편안한 조화를 이루고 있으며, ⓑ '베르사유 궁전'은 주도적인 중심축이 형성되어 엄격한 대칭을 이루고 있다.

오답 풀이 ❶ ⓐ는 눈에 띄는 물리적 질서는 없으나 공간 전체를 보면 편안한 조화를 이루며 수용이나 해석을 사용자 각자에게 맡기는 특징이 있다.
❷ ⓑ에 드러난 질서는 세계 각국에서 공통적으로 나타나는 보편적 현상에 가까운 '대칭 구도'이다.
❹ ⓑ는 자연을 직선으로 재단하여 인간만의 질서를 세우려고 한 서양의 건축물로, 건축가의 배치대로 사용자가 따를 것을 강요하고 있다.
❺ ⓐ는 나름대로 고도의 질서를 갖는 비대칭적 대칭을 바탕으로 공간 전체가 편안한 조화를 이루는 균형감을 추구하였음을 알 수 있고, ⓑ는 엄격한 대칭을 바탕으로 한 정형적 질서에서 오는 균형감을 추구하였음을 알 수 있다.

➕ 더 알아두기 | 이 글의 전개 방식의 특징

이 글은 서양 고전 건축에 나타나는 엄격한 대칭을 바탕으로 한 정형적 질서와 비교하여 한국 전통 건축에 나타나는 비대칭적 구성 방식에 대해 설명하고 있다. 한국 전통 건축은 좌우 모습이 똑같지는 않지만 전체적으로 보았을 때 큰 균형감이 느껴지며, 이는 나름대로 고도의 질서를 갖고 있는 또 다른 대칭이라고 볼 수 있다. 이 글에서는 이와 같은 비대칭적 대칭 구성이 잘 드러난 한국 전통 건축의 사례로 소수 서원을 설명하며 독자의 이해를 돕고 있다.

3 Ⓑ는 Ⓐ에 속하는 것들로, Ⓐ와 Ⓑ의 의미 관계는 '상하 관계'이다. ③ 역시 '소설'이 '문학'이라는 더 큰 개념에 속하는 것으로 상하 관계에 해당한다.

오답 풀이 ❶. ❷ '사람 – 인간', '지금 – 현재'는 의미가 거의 같거나 비슷한 단어끼리 묶인 유의 관계에 해당한다.
❹. ❺ '전쟁 – 평화', '열다 – 잠그다'는 단어들의 의미가 서로 반대되거나 대립하는 단어끼리 묶인 반의 관계에 해당한다.

➕ 어휘 체크

1 (1) 대칭 (2) 구획 (3) 선호
2 ❶ 확정 ❷ 정형적 ❸ 주도적 ❹ 도면

영화 속 소리에 귀 기울이면

1 ①   2 ⑤   3 ②

본문 136~139쪽

가 유성 영화가 등장했던 1920년대 후반에 유럽의 표현주의 또는 형식주의 영화감독들은 영화 속의 소리에 대한 부정적인 ㉠견해가 컸다. 그들은 가장 영화다운 장면은 소리 없이 움직이는 그림으로만 이루어진 장면이라고 믿었다. 그래서 그들은 영화 속 소리가 시각 매체인 영화의 예술적 효과와 영화적 상상력을 빼앗을 것이라고 내다보았다. 하지만 영화를 볼 때 소리를 없앤다면 어떤 느낌이 들까? 아마 영화를 통해 전달하고자 하는 내용이나 구현하고자 하는 분위기, 인물의 심리 등을 파악하기 힘들 것이다. 이런 점을 ㉡고려할 때 영화 속 소리는 영상과 분리해서 생각할 수 없는 필수 요소라고 할 수 있다. 소리는 영상 못지않게 다양한 기능이 있기 때문에 현대 영화감독들은 영화 속 소리를 적극적으로 활용하고 있다.

나 영화의 소리는 크게 대사, 음향 효과, 음악으로 나뉘며, 경우에 따라 대사가 중요할 수도 있고 대사가 없는 부분을 음악이 중요하게 채울 수도 있다. 이러한 소리들이 영화라는 매체에서 재생될 때에는 어떤 소리든 그에 맞는 다양한 기능을 ㉢수행한다. 우선, 영화 속 소리는 다른 예술 장르의 표현 수단보다 더 구체적이고 분명하게 내용을 전달하는 데 도움을 줄 수 있다. 그리고 줄거리 전개에 도움을 주거나 작품의 상징적 의미를 전달하는 역할뿐만 아니라 주제 의식을 강조하는 역할을 하기도 한다. 또 영상에 현실감을 줄 수 있으며, 영상의 시·공간적 배경을 확인시켜 주는 역할도 한다. 가령 현대인의 일상적인 삶을 표현하기 위해 영화 속 소리로 일상생활의 소음을 사용한다면 영상의 사실성을 높일 수 있다.

다 또한 영화 속 소리는 영화의 분위기를 ㉣조성하고 인물의 내면 심리도 표현할 수 있다. 예를 들어 소리는 높낮이와 빠르기에 따라 장면의 분위기나 인물의 내면 심리를 표현하는 데 큰 영향을 미친다. 높은 소리는 대개 불안감이나 긴박감을 자아낼 때 사용하며, 낮은 소리는 두려움이나 장엄함 등을 표현할 때 사용한다. 그리고 소리가 빨라질수록 긴장감은 점점 ㉤고조되고, 반대로 소리가 느려지면 여유롭고 부드러운 분위기가 연출된다.

라 마지막으로, 영화는 다른 시간과 장소에서 찍은 장면들을 연결하여 하나의 이야기를 만든다. 이때 영화 속

소리는 나열된 영상들을 한 편의 작품으로 완성시켜 주는 역할을 한다. 예를 들어 다큐멘터리에서 장면에 나타나지 않으면서 그 내용이나 줄거리를 장외(場外)에서 해설해 주는 내레이션은 각기 다른 시간과 장면에서 찍은 장면들을 자연스럽게 이어 붙임으로써 영상의 시·공간적 간격을 메워 줄 수 있다.

마 이와 같이 영화 속 소리는 작품 내에서 다양한 기능을 수행하기 때문에 영화의 예술적 상상력을 빼앗는 것이 아니라 오히려 더 풍부하게 해 준다. 그래서 현대 영화에서 소리를 빼고 작품을 완성한다는 것은 생각하기 어려운 일이 되었다.

✚ 독해 체크

■ **이 글의 핵심 화제**

영화 속 (소리)에 대한 인식의 변화 및 소리의 다양한 (기능)

■ **문단별 중심 내용**

1문단 · 영화 속 소리에 대한 (인식)의 변화

2문단 · 영화 속 소리의 (종류)와 다양한 기능

3문단 · (분위기) 조성과 심리 표현에 활용되는 영화 속 소리

4문단 · 개별 (영상)들을 하나로 연결하는 영화 속 소리

5문단 · 현대 영화에서 영화 속 소리의 (중요성)

■ **핵심 내용의 구조화**

영화 속 소리	
영화 속 소리의 종류	대사, 음향 효과, 음악
영화 속 소리의 다양한 기능	• 구체적이고 분명한 (의미) 전달과 줄거리 전개에 도움을 줌 • 작품의 상징적인 의미 전달 및 (주제) 의식을 강조함 • 영상에 (현실감)을 주고 시·공간적 배경을 확인시켜 줌 • 영화의 (분위기)를 조성하고 인물의 내면 심리를 표현함 • 나열된 (영상)들을 한 편의 작품으로 완성시킴
영화 속 소리의 중요성	유성 영화가 등장했던 초기의 우려와는 달리 영화의 예술적 (상상력)을 빼앗는 것이 아니라 더 풍부하게 해 영화의 중요한 요소가 됨

2. 긴 지문 실전 **47**

1 이 글은 영화 속의 소리가 지닌 다양한 기능에 대해 설명하고 있다.

오답 풀이 ❷ 이 글은 영화 속 소리의 기능과 중요성에 대해 설명하고 있으며, 영화 속 소리의 한계에 대한 설명은 제시되어 있지 않다.

❸ 이 글에 영화 속 소리의 편집 기법에 대한 설명은 제시되어 있지 않다.

❹ 이 글에 대사, 음향 효과, 음악과 같은 영화 속 소리의 종류가 제시되어 있지만, 영화 장르에 따른 소리의 종류에 대한 설명은 제시되어 있지 않다.

❺ 이 글에 영화 속 소리가 나열된 영상들을 한 편의 작품으로 완성시켜 주는 역할을 한다는 내용만 제시되어 있을 뿐, 영화에서 소리와 영상을 연결하는 방법에 대한 설명은 제시되어 있지 않다.

2 (나)에서는 영화 속 소리가 작품의 상징적 의미를 전달하는 역할뿐만 아니라 주제 의식을 강조하는 역할을 한다고 하였고, (다)에서는 소리가 영화의 분위기를 조성하고 인물의 내면 심리를 표현하는 역할을 한다고 하였다. 〈보기〉의 ㉮에는 「오발탄」이라는 영화에 대한 설명이 제시되어 있는데, 영화에서 반복적으로 나타나는 "가자!"라는 소리가 '6·25 전쟁 이후 삶의 방향 감각을 상실한 채 살아가는 가족의 절망과 좌절'이라는 주제 의식을 강조하고 있음을 보여 준다. 또한 ㉯에는 「시민 케인」이라는 영화에 대한 설명이 제시되어 있는데, 음악 소리의 세기(커지는 음악 소리)와 높낮이(무겁게 가라앉는 음악 소리) 및 인물의 대사 유무에 따라 등장인물 즉, 케인과 부인의 내면 심리가 변화하고 있음을 효과적으로 보여 준다.

오답 풀이 ❶ ㉮와 ㉯ 모두 영화 속 소리의 중요성을 확인할 수 있는 장면이다.

❷ ㉮와 ㉯ 모두 영상의 시각적 이미지가 아닌 영화 속 소리가 주는 예술적 효과를 강조하고 있다.

❸ ㉮에서 "가자!"라는 소리의 반복으로 주제 의식을 강조하면서 현실감을 부여한다고 볼 수 있다. 하지만 ㉯에서는 밝고 경쾌한 음악 소리, 커지거나 가라앉는 음악 소리, 인물의 대사 소리 유무만 제시되어 있을 뿐 소리의 빠르기는 나타나지 않는다. 따라서 소리의 빠르기가 영상에 현실감을 부여하고 있지 않다.

❹ ㉮에 '6·25 전쟁 이후'라는 시간적 배경이 제시되어 있지만, 영화에서 반복적으로 나타나는 "가자!"라는 소리는 시간적 배경보다 삶의 방향 감각을 상실한 채 살아가는 가족의 절망과 좌절이라는 주제 의식을 드러내는 데 초점이 있다. 또한 ㉯에서도 영화 음악이나 대사와 같은 소리를 통해 공간적 배경을 보여 주고 있지 않다.

3 ㉠의 의미는 '생각하고 헤아려 봄'이다. 제시된 '옛 자취를 돌이켜 생각함'은 '회고'의 사전적 의미이다.

예술 **04** 감정을 표현하는 아름다운 언어, 음악

1 ② 　　 2 ④ 　　 3 ⑤

㉮ 옛날부터 사람들은 음악을 소리를 이용하여 무언가를 표현하는 언어에 비유하곤 했다. 그래서 '음악은 언어'라는 말에 ⓐ담겨진 다양한 의미는 오랜 역사를 통해 여러 관점에서 연구되었다. 즉 언어가 사람들에게 어떤 내용을 전달하는 것처럼 음악도 무언가를 표현한다고 ⓑ여겼고, 이와 같은 점에서 특히 '음악은 감정을 표현하는 언어'라는 측면이 부각되었다.

㉯ 16세기 르네상스 시대에 들어서면서 고대 그리스 철학자들이 중시했던 음악의 도덕적·윤리적 작용보다는 음악이 지닌 감정적 효과에 관심을 가지기 시작했으며 이는 언어, 즉 가사를 통해 사람의 마음 상태나 사물 혹은 환경 등을 음악적으로 잘 묘사하려는 구체적인 시도들로 나타났다. 시인과 음악가들의 문예 모임인 피렌체의 카메라타는 고대 그리스 비극에서처럼 연극과 음악이 결합된 예술을 ⓒ지향했다. ㉠이를 위해서는 무엇보다 음악이 가사의 내용을 효과적으로 전달할 수 있어야 했다. 그러한 이유로 그들은 이전까지 통용되었던, 여러 성부가 동시에 서로 다른 리듬으로 노래하는 다성 음악 양식이 가사를 낭송하기에 적합하지 않다고 여겨 다성 음악 양식 대신 가사를 잘 전달할 수 있는 단선율 노래인 '모노디 양식'을 고안하게 된 것이다. 이는 르네상스 시대의 음악에서 가사와 그것이 나타내는 감정의 표현에 대한 관심이 증대되었음을 보여 주는 것이었다. 더불어 이러한 시도는 이후 바로크 시대 음악의 가장 중요한 장르인 오페라가 탄생하게 되는 데 영향을 주었다.

㉰ 17세기 바로크 시대에 ⓓ이르러 음악이 감정을 표현한다는 생각은 '감정 이론'으로 체계화되었다. 이것은 우리의 마음 상태를 '기쁨', '분노', '비통함' 등의 단어로 표현하듯이, 특정한 정서가 그것을 연상시키는 음악적 요소인 음정, 화성, 선율, 리듬과 템포 등을 통해 재현될 수 있다고 믿는 것이었다. 여기서 중요한 점은 작곡자는 자기 감정을 드러내는 사람이기보다는 다른 사람의 감정을 그리는 화가에 비유될 수 있다는 것인데, 이때 음악에서 묘사되는 감정은 개인적이고 주관적인 감정이 아니라 공동체를 기반으로 한 유형화된 감정이었다.

㉱ 그렇지만 17세기 '감정 이론'의 영향력은 점차 약화되어 18세기 중반에 이르렀을 때 감정 표현의 원리가 '서술 원리'에서 '표출 원리'로 변하였다. 이때의 감정은

체계화되거나 유형화된 객관적인 감정이 아니라 <u>개개인</u>
<u>의 내면에서 표출되는 주관적인 감정</u>을 의미한다. 철학
_{공동체의 유형화된 감정을 중시한 17세기와는 달리 개인의 감정 표출을 중시함}
자 헤겔은 음악의 본질적 특성을 '주관적 내면성'으로 보
았는데, 이것은 누구나 느낄 수 있는 객관적인 감정과는
달리 자신의 내면에서 나오는 추상적인 감정이기 때문
에 규정할 수 없다고 보는 것이 적절하다는 생각이다.
바로 이러한 점 때문에 그는 가사를 가진 음악이 더 낫
다고 생각했다. 즉 기악이 만들어 내는 추상성은 더 구
체적이고 명료한 표상으로 ⓔ<u>나아가기</u> 위해 언어로 보
_{구체적인 감정 표현을 위한 수단으로 언어, 즉 가사를 사용함}
완될 필요가 있었던 것이다.

➕ 독해 체크

■ 이 글의 핵심 화제
감정 표현의 관점에서 바라본 서양 (음악) 이론의 변
천 과정

■ 문단별 중심 내용

(1문단) (감정)을 표현하는 언어로서의 음악에 대한 관점

⬇

(2문단) 가사를 통해 감정을 표현하는 16세기 음악의
'(모노디) 양식'

⬇

(3문단) 공동체의 유형화된 감정을 표현하는 17세기 음악의
'(감정) 이론'

⬇

(4문단) 개인의 주관적 내면 표현을 중시한 18세기 음악의
'(표출) 원리'

■ 핵심 내용의 구조화

서양 음악 이론의 변천 과정
감정을 표현하는 (언어)로서의 음악

16세기 르네상스 시대 '모노디 양식'	17세기 바로크 시대 '감정 이론'	18세기 중반 '표출 원리'
• 음악의 감정적 효과에 주목함 • (가사)로 사람의 마음, 사물, 환경을 음악적으로 묘사하려 함 • 카메라타는 음악이 가사를 잘 전달할 수 있도록 (단선율)의 모노디 양식을 고안함	• 16세기에 통용되던 생각을 감정 이론으로 체계화함 • 음정, 화성, 리듬 등을 통해 특정 (정서)를 재현할 수 있다고 믿음 • (공동체)를 기반으로 한 유형화된 감정을 다룸	• 감정 표현의 원리가 (서술)에서 표출로 바뀜 • 개인의 내면에서 표출되는 주관적 감정을 다룸 • 헤겔은 음악의 본질을 주관적 (내면성)으로 보았으며, 기악보다 가사를 가진 음악에 더 가치를 둠

1 (나)에 나와 있듯이 '다성 음악 양식'은 가사의 내용을 전달하는
데 적합하지 않다.

<u>오답 풀이</u> ❶ (가)에서 음악은 감정을 표현하는 언어라고 한 것을 통해
음악에는 인간의 감정이나 의사를 전달하는 기능이 있음을 알 수 있다.
❸ (나)를 통해 고대 그리스 철학자들은 음악의 도덕적·윤리적 작용을
중시하였음을 알 수 있다.
❹ (나)를 통해 16세기 르네상스 시대의 음악은 사람의 마음 상태나 사물
혹은 환경 등을 가사를 이용하여 전달하고자 하였음을 알 수 있다.
❺ (다)를 통해 17세기 바로크 시대의 음악에서 묘사되는 감정은 개인의
내면과 관련된 주관적인 감정이 아니라 공동체를 기반으로 한 유형화된
감정임을 알 수 있다.

2 ㉠은 가사 내용의 충실한 전달을 위해 다성 음악 양식 대신 단
선율의 모노디 양식을 고안했다는 내용이다. 따라서 음악이 가
사 내용을 잘 전달해야 한다는 입장을 취하고 있다. 반면 〈보기〉
는 감정을 표현하려는 가사가 오히려 음악을 방해한다는 내용
으로 음악과 언어가 대립적 관계에 있다는 입장을 취하고 있
다. ④는 춤을 예로 들어 몸동작과 표정에만 치중하다가 오히
려 춤의 아름다운 율동성을 잃어버린다는 내용이므로 〈보기〉
의 밑줄 친 부분을 뒷받침하기에 적절하다.

<u>오답 풀이</u> ❶ 음악의 음들은 스스로 변화, 발전하여 아름다운 음악적 형
상과 음색을 만들어 낸다는 내용으로 〈보기〉의 밑줄 친 내용이 보여 주
는 요소들의 관계와 관련이 없다.
❷ 동백꽃, 백합, 장미를 예로 들어 세상에 있는 모든 것들은 저마다의
아름다움이 있음을 전하는 내용으로 〈보기〉의 밑줄 친 내용이 보여 주는
요소들의 관계와 관련이 없다.
❸ 시에서 감각을 위한 언어가 필요함을 설명하고 있는 내용으로 〈보기〉
의 밑줄 친 요소들의 관계와 관련이 없다.
❺ 구도가 조화를 이루는 사진이 우리의 눈과 마음을 즐겁게 하기 때문
에 완벽한 표현을 위한 조화의 법칙을 연구해야 한다는 내용으로 〈보기〉
의 밑줄 친 요소들의 관계와 관련이 없다.

3 ⓔ와 ⑤의 '나아가다'는 모두 '목적하는 방향을 향하여 가다.'의
의미로 사용되었다.

<u>오답 풀이</u> ❶ ⓐ의 '담기다'는 '어떤 내용이나 사상이 그림, 말, 표정 따위
속에 포함되거나 반영되다.'의 의미로 사용된 반면, 제시된 선지에서는
'어떤 물건이 그릇 따위에 넣어지다.'의 의미로 사용되었다.
❷ ⓑ의 '여기다'는 '마음속으로 그러하다고 인정하거나 생각하다.'의 의
미로 사용된 반면, 제시된 선지에서는 '주의 깊게 생각하다.'의 의미로 사
용되었다.
❸ ⓒ의 '지향하다'는 '어떤 목표로 뜻이 쏠리어 향하다.'의 의미로 사용
된 반면, 제시된 선지에서는 '작정하거나 지정한 방향으로 나아가다.'의
의미로 사용되었다.
❹ ⓓ의 '이르다'는 '어떤 장소나 시간에 닿다.'의 의미로 사용된 반면,
제시된 선지에서는 '잘 깨닫도록 일의 이치를 밝혀 말해 주다.'의 의미로
사용되었다.

➕ 어휘 체크

1 고안 – 안목 – 목표 – 표상 – 상태 – 태도
2 (1) 비통 (2) 유형화

[융합] 01 목적론적 세계관과 기계론적 자연관

1 ④   2 ③   3 ③

가 17세기에 서양의 과학과 기술이 동양을 앞설 수 있었던 것은 서양에서 기계론적 자연관에 기초한 고전 역학이 등장했기 때문이다. 『갈릴레이와 뉴턴으로 상징되
〔핵심어〕
는 고전 역학은 서양의 과학 혁명을 달성하는 주춧돌이
『 』: 고전 역학의 등장이 서양의 과학과 기술에 미친 영향
되었고, 아리스토텔레스의 자연관으로 상징되는 '질적인 자연관'에서 '양적인 자연관'ⓐ으로 혁명적인 변화를 야기했다.』

나 아리스토텔레스에게 천상의 질서와 지상의 질서는
〔목적론적 세계관을 주장한 철학자〕
질적으로 다른 것이었다. 그는 『천상의 질서에서만 수학
『 』: 천상의 질서와 지상의 질서가 질적으로 다른 것이기 때문
언어가 통용될 수 있다고 보았으며, 지상의 질서에서는 일상 언어만이 적절하다고 보았다.』 천문학이 수학 언어를 가지고 천상의 질서를 논하는 것이었다면, 물리학은 일상 언어로 지상 사물의 운동을 논하는 것이라고 생각했기 때문이다. 이와 같은 이유로 천문학과 물리학은 중세까지 별개의 학문 영역에서 연구되었다.

다 하지만 갈릴레이는 아리스토텔레스와 생각이 달랐
〔기계론적 자연관을 주장한 철학자〕
다. 갈릴레이는 우주를 질적으로 다른 여러 공간의 집합으로 이해하지 않고 하나의 동질적인 공간으로 이해하였다. 따라서 갈릴레이는 천문학과 물리학이 동일한 수
〔천상과 지상을 동일한 공간으로 이해했기 때문임〕
학적 언어로 기술될 수 있다고 보았다.

라 아리스토텔레스는 지상의 사물들에 대해 논할 때 목적론적 입장에서 접근했다. 목적론적 입장은 지상의 사물들이 상호 교환 불가능한 자신만의 고유한 목적, 혹
〔아리스토텔레스가 주장한 목적론적 세계관의 내용〕
은 고유한 성질을 가지고 있다고 보는 것이다. 만약 아리스토텔레스의 판단이 옳다면 과학자는 지상의 사물들을 질적으로 차이 나는 것들로밖에 다룰 수 없었을 것이다. 그런데 이와 같은 경우 천상이 아닌 지상의, 질적으
〔아리스토텔레스가 주장한 목적론적 세계관의 한계〕
로 서로 다른 사물들을 다루게 될 물리학은 수학적 언어로 사물들의 법칙을 논할 수 없게 된다.

마 그래서 갈릴레이는 수학이란 기본적으로 질이 아니
〔갈릴레이의 양적인 자연관〕
라 양을 다루는 학문이라는 점에 주목하였고, 아리스토텔레스의 목적론적 세계관을 해체하는 수순을 밟게 되
〔핵심어〕
었다. 해체된 목적론적 세계관 대신 출현한 것은 바로 수학에 입각한 '기계론적 자연관'이었다. '기계론적 자연관'은 『모든 사물과 자연 현상이 마치 하나의 기계인 것처
『 』: 갈릴레이의 기계론적 자연관의 개념
럼 분석되고 수학적으로 설명될 수 있다는 신념 체계이다. 그래서 이 자연관은 자연 현상이 지닌 목적을 논하
〔갈릴레이가 주장한 기계론적 자연관의 특징〕
지 않고, 오직 그것이 가진 기계론적 필연성에만 관심을

집중한다.

바 예를 들어 아리스토텔레스가 시계에 대해 논하게 된다면, 그는 시계가 인간에게 시간을 알려 주려는 목적
〔목적론적 세계관의 관점〕
을 가진 사물이라는 것에 관심을 기울일 것이다. 반면 갈릴레이는 시계의 목적보다 시계는 어떤 부품으로 이
〔기계론적 자연관의 관점〕
루어져 있는 것인지, 그것들이 어떻게 연결되어 있기에 시침과 분침이 작동하게 되는 것인지에 관심을 기울일 것이다. 이처럼 사물의 기계론적 필연성에만 관심을 기울이는 갈릴레이의 기계론적 자연관은 아리스토텔레스를 중심으로 오랫동안 지속되어 왔던 과학과 기술에 대
〔목적론적 세계관에서 벗어나 과학과 기술의 연구에 수학 언어를 사용하는 기계론적 자연관이 주류가 됨〕
한 주류를 바꾸어 놓았다. 그리고 기계론적 자연관은 지상 사물의 운동과 자연 현상에 대한 연구에 수학적 언어를 사용할 수 없었던 기존의 제약에서 벗어나게 함으로써 서양의 과학 혁명을 촉발시켰고, 지금까지도 서양의
〔기계론적 자연관의 의의〕
근대 과학과 기술이 지속적으로 발전할 수 있는 원동력이 되고 있다.

✚ 독해 체크

■ 이 글의 핵심 화제

아리스토텔레스의 (목적론적 세계관)과 갈릴레이의 (기계론적 자연관)

■ 문단별 중심 내용

1문단 (고전 역학)의 등장으로 시작된 서양 학문의 혁명적 변화

↓

2~3문단 (아리스토텔레스)의 질적인 자연관과 (갈릴레이)의 양적인 자연관

↓

4~5문단 아리스토텔레스의 (목적론적 세계관)과 갈릴레이의 (기계론적 자연관)

↓

6문단 기계론적 자연관이 서양의 근대 (과학)과 기술 분야에 가지는 의의

■ 핵심 내용의 구조화

아리스토텔레스의 목적론적 세계관		갈릴레이의 기계론적 자연관
• (질적인) 자연관 • 천상의 질서와 지상의 질서를 질적으로 다르다고 이해하고 천상의 질서에서만 (수학) 언어를 사용하고, 지상의 질서에서는 (일상) 언어를 사용하는 것이 적절하다고 주장함 → 천문학과 물리학이 별개의 학문 영역에서 연구됨 • 지상의 사물들은 상호 교환 불가능한 자신만의 고유한 목적, 고유한 성질을 가지고 있다고 봄	↔	• (양적인) 자연관 • 우주를 하나의 동질적인 공간으로 이해하고 천문학과 물리학이 동일한 (수학적) 언어로 기술될 수 있다고 주장함 • 모든 사물과 자연 현상이 마치 하나의 (기계)인 것처럼 분석되고 수학적으로 설명될 수 있다는 신념 체계를 내세움 • 자연 현상이 지닌 (목적)을 논하지 않고, 오직 그것이 가진 기계론적 필연성에만 관심을 집중함

1 (다)에서 갈릴레이는 천문학과 물리학이 모두 수학적 언어로 기술될 수 있다고 보았다고 하였다.

> **오답 풀이** **❶** (나)에서 아리스토텔레스는 천상의 질서와 지상의 질서를 질적으로 다른 것으로 보았고, 천상의 질서에서만 수학 언어가 통용될 수 있으며 지상의 질서에서는 일상 언어만이 적절하다고 보았다고 하였다. 따라서 아리스토텔레스는 수학 언어와 일상 언어를 질적으로 다른 것으로 보았다고 할 수 있다.
> **❷** (가)에서 17세기에 서양의 과학과 기술이 동양을 앞설 수 있었던 것은 고전 역학이 등장했기 때문이라고 하였다. 따라서 17세기에 고전 역학이 등장하기 전까지 동양의 과학 기술이 서양을 앞서 있었다고 볼 수 있다.
> **❸** (나)에서 아리스토텔레스의 '질적인 자연관'에 의해 중세까지 천문학과 물리학이 별개의 학문 영역에서 연구되었음을 알 수 있다.
> **❺** (라)에서 아리스토텔레스의 목적론적 세계관의 관점으로는 수학적 언어를 활용하여 사물들의 법칙을 논할 수 없다고 하였다. 그리고 (마)에서 갈릴레이의 기계론적 자연관은 모든 사물과 자연 현상이 마치 하나의 기계인 것처럼 분석되고 수학적으로 설명될 수 있다는 신념 체계라고 하였다. 따라서 기계론적 자연관으로 인해 과학자들이 수학적 언어로 사물들의 법칙을 논할 수 있게 되었다고 할 수 있다.

2 〈보기〉에 드러난 ⊙ '유부'의 행동을 살펴보면, '유부'는 전통 동양 의학에서 사용하던 방식을 거부하고, 새로운 치료 방식을 과감하게 도입하여 환자를 치료하였음을 알 수 있다. 이와 같은 입장의 인물이 이 글의 아리스토텔레스와 갈릴레이의 견해를 접한다면, 중세까지 주류로 통용되던 목적론적 세계관에서 벗어나 서양의 과학 혁명을 촉발시킨 갈릴레이의 견해에 동의하는 입장을 보일 것이다. ③은 아리스토텔레스의 목적론적 세계관에 동의하는 내용이므로 ⊙이 보일 입장으로 적절하지 않다.

> **오답 풀이** **❶**, **❷**, **❹** (마)에 제시된 갈릴레이의 견해에 동의하는 입장이므로 적절하다.
> **❺** (다)에 제시된 갈릴레이의 견해에 동의하는 입장이므로 적절하다.

3 ⑦의 '으로'는 학생의 성격이 어떠한 방향으로 변하게 되었는지를 나타내고 있으므로, 변화의 방향을 나타내는 격 조사로 볼 수 있다. ⓐ의 '으로' 역시 변화의 방향을 나타내고 있으므로 둘의 쓰임은 유사하다고 볼 수 있다.

> **오답 풀이** **❶** 어떤 물건의 재료나 원료를 나타내는 격 조사이다.
> **❷** 어떤 일의 방법이나 방식을 나타내는 격 조사이다.
> **❹** 어떤 일의 원인이나 이유를 나타내는 격 조사이다.
> **❺** 시간을 나타내는 격 조사이다.

＋ 어휘 체크

1 별개 – 개입 – 입각 – 각주 – 주춧돌 – 돌연
2 (1) 촉발 (2) 원동력

---

02 컴퓨터와 색상

1 ④   2 ③   3 ③

가 색상, 명도, 채도를 색의 3요소라 한다. 색상이란 빨강, 노랑, 파랑 등으로 구분할 수 있는 색 자체의 독특한 성질을 말한다. 색상은 유채색에만 있고 무채색인 흰색과 검정을 ⓐ섞어도 달라지지 않는다. 명도는 색의 밝고 어두운 정도를 말하며 색상과는 관련이 없다. 색의 밝기는 빛을 얼마나 반사하느냐에 따라 달라지는데, 물체의 표면이 빛을 반사하면 명도값이 최대인 흰색으로, 빛을 흡수하면 명도값이 최저인 검정으로 보인다. 명도는 유채색과 무채색에 모두 있으며, 무채색인 흰색과 검정의 혼합 정도에 따라 달라진다. 채도는 색의 선명한 정도로 가시광선 중 특정 색상의 파장을 얼마나 반사하느냐에 따라 달라진다. 이는 유채색에만 있으며 순색에 가까울수록 높아지고 무채색인 회색을 섞을수록 낮아진다.

나 둘 이상의 색을 혼합하여 다른 색을 만드는 것을 색의 혼합이라 한다. 색의 혼합 방식에는 가산 혼합과 감산 혼합이 있다. 가산 혼합은 빨강, 초록, 파랑, 즉 빛의 삼원색에 의한 혼합 방식으로, 색을 섞을수록 명도가 높아진다. 예컨대 빨강과 초록을 섞으면 노랑, 초록과 파랑을 섞으면 밝은 파랑, 파랑과 빨강을 섞으면 밝은 자주가 되며, 삼원색을 100% 비율로 모두 섞으면 흰색이 된다. 반면 감산 혼합은 밝은 자주, 노랑, 밝은 파랑, 즉 물감의 삼원색에 의한 혼합 방식으로, 색을 섞을수록 명도가 낮아진다. 예컨대 밝은 자주와 노랑을 섞으면 빨강, 노랑과 밝은 파랑을 섞으면 초록, 밝은 파랑과 밝은 자주를 섞으면 파랑이 되며, 삼원색을 100% 비율로 모두 섞으면 검정에 가까운 무채색이 된다.

다 그렇다면 컴퓨터에서 색상은 어떻게 나타낼까? 컴퓨터의 정보는 0과 1로 표현되며 비트라는 단위로 처리되므로 색상도 이진법 코드에 의한 비트 정보로 나타낸다. 즉 8비트의 경우 256가지(2^8), 16비트의 경우 65,536가지(2^{16})의 색을 표현할 수 있다. 비트의 수가 늘어나면 표현할 수 있는 색은 더 많아지지만 그만큼 처리 속도가 느려진다. 이 중 컴퓨터의 운영 체제나 웹 브라우저의 종류와는 ⓑ상관없이 공통으로 사용되는 안전한 색상을 웹 안전색이라 한다. 웹 안전색은 유채색 210가지, 무채색 6가지로 모두 216색으로 ⓒ이루어져 있다.

라 ⊙웹 안전색은 빛의 삼원색인 빨강(R), 초록(G), 파랑(B)의 비율을 조합하여 나타낸다. 컴퓨터에서는 R,

G, B를 각각 8비트로 표현하므로 웹에서 ⓓ나타낼 수 있는 색의 수는 $\underset{2^8 \times 2^8 \times 2^8}{256 \times 256 \times 256}$인 1,677만 7,216가지가 된다. 그러나 이 경우 컴퓨터의 최소 사양인 $\underset{256가지 색}{8비트 시스템}$에서 표현 가능한 색의 수보다 많기 때문에 색이 왜곡될 수밖에 없다. 그래서 웹 안전색은 R, G, B 각각의 색을 '0%, 20%, 40%, 60%, 80%, 100%'의 6단계로 나누고 이를 조합하여 6×6×6인 216가지의 색을 만든다. 그러면 8비트 시스템에서도 색의 왜곡이 일어나지 않으므로 이를 안전한 색상이라고 칭한 것이다.

마 R, G, B 각각의 색은 16진수 두 자리로 표시한다. 〔웹 안전색을 표시하는 원칙〕 16진수는 10진수와 ⓔ차이가 나도록 10 대신 'A'를, 11 대신 'B',…15 대신 'F'를 사용한다. 이에 따라 『웹 안전색에서는 각 비율의 수를 16진수로 바꾸어 표기함』 웹 안전색에서 '0%, 20%, 40%, 60%, 80%, 100%'의 6단계 색 비율을 각각 '00, 33, 66, 99, CC, FF'로 표시하고 이를 조합 〔0% 20% 40% 60% 80% 100%〕 하여 색의 값을 나타낸다. 이 경우 기호 '#'을 먼저 쓰고, 〔웹 안전색의 표시 방법〕 R, G, B 각각의 색 비율에 해당하는 값을 이어 적는다.

✚ 독해 체크

■ 이 글의 핵심 화제
색상의 원리와 (컴퓨터)에서 색상을 나타내는 방법

■ 문단별 중심 내용

1문단 색의 (3요소)인 색상, 명도, 채도의 개념 및 특징

↓

2문단 색의 (혼합) 방식 – 가산 혼합과 감산 혼합

↓

3문단 (컴퓨터)에서 색상을 표현하는 방법과 웹 안전색의 개념

↓

4~5문단 (웹 안전색)의 원리와 색의 값을 표시하는 방법

■ 핵심 내용의 구조화

색상의 원리	컴퓨터에서의 색상 표현 방법
• 색의 3요소 – 색상: 색 자체의 독특한 성질 – 명도: 색의 밝고 어두운 정도 – 채도: 색의 (선명)한 정도 • 색의 혼합 방식 – (가산) 혼합: 빛의 삼원색을 이용함. 색을 섞을수록 명도가 높아짐 – 감산 혼합: (물감)의 삼원색을 이용함. 색을 섞을수록 명도가 낮아짐	• 이진법 코드에 의한 비트 정보로 나타냄 • 웹 안전색 – 컴퓨터의 운영 체제나 웹 브라우저의 종류와 상관없이 색이 (왜곡)되지 않는 안전한 색상 – 빛의 삼원색(R, G, B) 각각을 (6)단계로 나누고 이를 조합하여 216가지 색을 만듦 – R, G, B 각각의 색은 16진수 두 자리로 표시하며, 기호 '(#)'을 쓴 이후 R, G, B 각각의 색 비율에 해당하는 값을 이어 적음

1 (다)와 (라)의 설명을 통해 웹 안전색은 컴퓨터의 운영 체제나 웹 브라우저의 종류에 상관없이 색의 왜곡이 일어나지 않도록 R, G, B를 조합하여 만든 색이며, 유채색 210가지, 무채색 6가지 총 216가지의 색으로 구성되어 있음을 알 수 있다. 따라서 비트의 수가 늘어나는 것에 따라 웹 안전색이 표현할 수 있는 색도 계속 늘어난다는 설명은 적절하지 않다.

오답 풀이 ❶ (가)에서 색상, 채도는 유채색에만 있고, 명도는 유채색과 무채색에 모두 있다고 하였다.

❷ (다)에서 8비트의 컴퓨터는 256가지의 색을 표현할 수 있다고 하였다. 이는 최대 256가지의 색을 왜곡 없이 표현할 수 있음을 의미하는 것이다.

❸ (가)에서 색상은 무채색인 흰색과 검정을 섞어도 달라지지 않는다고 하였으며, 명도는 무채색인 흰색과 검정의 혼합 정도에 따라 달라진다고 하였다. 따라서 유채색에 흰색과 검정을 섞으면 색상은 달라지지 않지만 명도는 달라진다는 것을 알 수 있다.

❺ (나)에서 가산 혼합의 경우 빛의 삼원색을 100% 비율로 모두 섞으면 무채색인 흰색이 되고, 감산 혼합의 경우 물감의 삼원색을 100% 비율로 모두 섞으면 검정에 가까운 무채색이 된다고 하였다.

2 ㉠은 가산 혼합에 해당한다. (나)에서 가산 혼합은 색을 혼합할수록 명도가 높아진다고 하였으므로 두 개의 원색이 혼합된 '#FF3300'보다 세 개의 원색이 혼합된 '#FF33FF'의 명도가 더 높음을 알 수 있다. 한편 '#FF3300'는 빨강과 초록이 혼합되었고, '#FF33FF'는 빨강, 초록, 파랑이 모두 혼합되었으므로 둘의 색상은 다를 것임을 알 수 있다.

오답 풀이 ❶ '#FFFFFF'는 빨강, 초록, 파랑을 모두 100% 비율로 섞은 색을 의미한다. (나)에 따르면 빛의 삼원색을 100% 비율로 모두 섞을 경우 흰색이 된다고 설명하고 있다.

❷ '#FFFF00'는 빨강과 초록을 100% 비율로 섞은 색인 노랑을 의미하며, '#FF0000'는 원색인 빨강을 의미한다. 가산 혼합에서는 색을 섞을수록 명도가 높아지므로 '#FFFF00'는 '#FF0000'보다 명도가 더 높다.

❹ '#FF00FF'는 빨강과 파랑을 100% 비율로 섞은 것이며 (나)에 따르면 이 경우 밝은 자주가 된다고 설명하고 있다. '#00FFFF'는 초록과 파랑을 100% 비율로 섞은 것이며, (나)에 따르면 이 경우 밝은 파랑을 나타낸다고 설명하고 있다.

❺ '#FF0000'는 다른 색을 섞지 않은 빨강, '#00FF00'는 다른 색을 섞지 않은 초록, '#0000FF'는 다른 색을 섞지 않은 파랑이므로 이들 색은 빛의 삼원색에 해당한다.

3 '조성되어'는 '무엇이 만들어져서 이루어져'라는 의미를 지니고 있다. 문맥을 고려할 때, ⓒ에서는 '몇 가지 부분이나 요소들이 모여 일정한 전체가 짜여 이루어져'라는 의미를 지닌 '구성되어'라는 단어를 사용하는 것이 적절하다.

오답 풀이 ❶ '배합(配合)해도'는 '이것저것을 일정한 비율로 한데 섞어 합쳐도'라는 의미를 지닌 단어이다.

❷ '무관(無關)하게'는 '관계나 상관이 없게'라는 의미를 지닌 단어이다.

❹ '구현(具顯)할'은 '어떤 내용을 구체적인 사실로 나타나게 할'이라는 의미를 지닌 단어이다.

❺ '구별(區別)되도록'은 '성질이나 종류에 따라 차이가 나도록'이라는 의미를 지닌 단어이다.

본문 152~155쪽

화학의 '중화'와 경제학의 '균형'

1 ⑤   2 ④   3 ⑤

② 산성과 염기성을 표시할 때는 수소 이온 농도 지수,
┗ 서로 반대의 성질을 가짐
즉 pH값을 쓴다. pH값은 0에서 14까지 분포하는데, 숫
자가 낮을수록 강한 산성, 높을수록 강한 염기성에 해당
한다. 「우리가 흔히 양잿물이라고 부르는 수산화 나트륨
┏ 수산화 나트륨의 성질과 쓰임 및 취급상의 유의점
(NaOH)은 pH값이 13으로 강한 염기성을 띤다. 수산화
나트륨은 비누, 세제, 표백제 등 일상생활 속 다양한 물
품들에 함유되어 있는 유용한 물질이지만, 사람이 먹으
면 사망하고 피부에 닿으면 상처가 나는 독극물이다.」 반
면 「염산, 즉 염화 수소(HCl)는 pH값이 1로 강한 산성을
┗ 염화 수소의 성질과 취급상의 유의점
띤다. 염화 수소도 먹으면 위험하고, 인체에 닿으면 끔
찍한 화상을 입을 수 있기 때문에 취급에 주의해야 하는
물질이다.」

④ 만약 수산화 나트륨 수용액에 염화 수소 수용액을
섞으면 어떻게 될까? 「염화 수소와 수산화 나트륨을 1대1
┏ 수산화 나트륨과 염화 수소가 결합했을 때의 결과
의 혼합 비율로 섞으면 pH 7.0, 즉 중성인 물이 된다.
이 혼합물을 끓이면 흰 결정이 생기는데 이는 염화 수소
도 수산화 나트륨도 아닌 소금이다. 염화 수소(HCl)는
H^+와 Cl^- 이온으로, 수산화 나트륨(NaOH)은 Na^+와
OH^- 이온으로 분해되는데, 여기서 Na^+는 Cl^-와 결합해
염화 나트륨(NaCl) 즉 소금이 되고, OH^-는 남은 H^+와
결합해 물(H_2O)로 남는 것이다.」 이처럼 상반된 성질을
가진 두 물질을 섞었을 때 중간 성질을 띠거나 본래 성
┗ 화학에서의 중화의 개념
질을 잃는 화학 현상을 ⓐ중화라고 한다.
━━━━━━━ 핵심어

⑤ 그런데 이런 현상은 자연계만이 아니라 인간 사회
에도 존재한다. 「정치에서 상반된 지향을 지닌 여당과 야
┗ 인간 사회에서도 화학의 중화와 유사한 현상들이 존재함
당이 조화를 시도하는 일, 사회적 쟁점에서 찬반 양측이
┏ 인간 사회에 존재하는 중화 현상의 예
타협점을 찾아내는 일도 염화 수소와 수산화 나트륨의
중화 같은 것일 수 있다는 말이다. [A][그런 관점에서
┗ 화학의 중화와 유사한 개념인 경제학의 균형
보자면 경제학에서 가리키는 균형도 이와 유사한 개념
━━━━ 핵심어
이라고 할 수 있다. 같은 무게의 두 물체를 천칭 양쪽에
놓으면 눈금이 움직이지 않듯이 수요량과 공급량이 맞

아떨어지는 지점이 「균형 거래량」이고, 그때의 가격이
┗ 균형 가격이 된다. 「공급자는 더 비싼 가격에 팔고 싶고,
┗ 수요와 공급의 상반된 성질
수요자는 더 싼 가격에 사고 싶게 마련이다. 하지만 서
로 가격이 맞지 않으면 거래가 성립될 수 없다. 따라서
공급자는 자신이 팔 수 있는 최저 가격 이하로는 팔지
않을 것이고, 수요자는 자신이 지불할 수 있는 최고 가
격 이상으로는 사지 않을 것이다.」 양쪽의 최저 가격과
최고 가격이 맞아떨어져 거래가 이뤄질 때 균형 가격이
성립되며, 갑작스러운 공급량 또는 수요량의 변화가 없
┗ 균형점 이동의 원인
다면 이 균형 가격은 그대로 유지된다.」

④ 그러나 어떤 요인에 의해 수요나 공급에 변화가 오
┗ 수요나 공급의 변화에 따른 거래량과 가격의 변화
면 균형점이 이동하는 과정에서 거래량과 가격이 변화
하게 된다. 예를 들어 어떤 상품이 건강에 좋다는 연구
┗ 상품을 사려는 사람이 늘어나는 이유
결과가 알려져 수요가 폭증한다거나 생산 공장의 파업
┗ 공급할 수 있는 상품의 양이 줄어드는 이유
으로 상품의 공급이 급격히 줄어들면, 이전의 균형 거래
량과 균형 가격도 변화하면서 새로운 균형점을 찾아가
게 되는 것이다.]

+ 독해 체크

■ 이 글의 핵심 화제

'(중화)'라는 화학의 개념과 '(균형)'이라는 경제학
의 개념이 지닌 (유사성)

■ 문단별 중심 내용

1문단 수산화 나트륨과 (염화 수소)의 특성

2문단 수산화 나트륨과 염화 수소의 결합에서 나타나는
(중화) 현상의 과정과 결과

3문단 (화학)의 '중화'와 유사한 (경제학) 개념인 '균
형'의 특성

4문단 수요나 공급의 (변화)로 인한 균형점의 이동 사례

■ 핵심 내용의 구조화

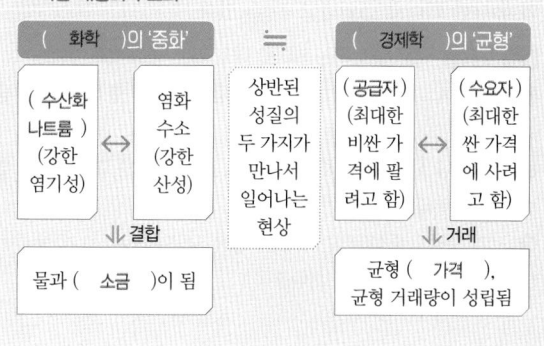

(화학)의 '중화'	상반된 성질의 두 가지가 만나서 일어나는 현상	(경제학)의 '균형'
(수산화 나트륨) (강한 염기성) ↔ 염화 수소 (강한 산성)		(공급자) (최대한 비싼 가격에 팔려고 함) ↔ (수요자) (최대한 싼 가격에 사려고 함)
↓ 결합		↓ 거래
물과 (소금)이 됨		균형 (가격), 균형 거래량이 성립됨

1 이 글은 화학 분야의 '중화'와 경제 분야의 '균형'에 대해 설명하
고 있다. 이들은 상반된 성질의 두 가지가 서로 영향을 미쳐 새
로운 상태가 되는 현상이라는 점에서 유사성을 지닌다.

오답 풀이 ❶ 이 글은 어떤 이론의 장단점을 비교하지 않았으며, 새로운 대안을 제시하고 있는 것도 아니다.

❷ 이 글의 전개는 시대의 흐름에 따른 개념의 변화와 무관하다.

❸ 이 글은 글쓴이의 주장이 중심이 되는 글이 아니며, 예상되는 반론과 그에 대한 재반박이 드러나 있지 않다.

❹ 이 글에는 상반된 견해를 지닌 학자들의 이론이 소개되어 있지 않다.

2 ㉢에서 공급 곡선이 왼쪽으로 이동한 것은 아이스크림의 공급이 감소한 것이다. [A]에 따르면 아이스크림 생산 공장의 파업 등과 같은 원인이 작용한 것이다. 이로 인해 균형점이 F에서 F′로 이동했는데, 그 결과 균형 거래량은 43만 통에서 30만 통으로 하락했지만, 균형 가격은 통당 1만 5천 원에서 2만 원으로 상승했음을 알 수 있다.

오답 풀이 ❶ ㉠은 아이스크림의 수요와 공급이 만나는 균형점에서 균형 거래량은 43만 통, 균형 가격은 1만 5천 원임을 알려 준다. [A]에서 설명한 대로 이 상황에서 아이스크림의 수요량과 공급량에 갑작스러운 변화가 없다면 균형 거래량은 그대로 유지될 것임을 알 수 있다.

❷ [A]에 따르면 공급자는 자신이 팔 수 있는 최저 가격 이하로는 팔지 않으려 하고 수요자는 자신이 지불할 수 있는 최고 가격 이상으로는 사지 않을 것이며, 양쪽의 최저 가격과 최고 가격이 맞아 거래가 이뤄질 때 균형 가격이 성립된다고 했다. ㉠에서 균형 가격이 1만 5천 원으로 결정된 것으로 보아 아이스크림을 파는 쪽은 1통당 1만 5천 원보다 낮은 가격에는 판매하지 않으려 할 것임을 추론할 수 있다.

❸ ㉡은 수요 곡선이 오른쪽으로 이동했는데, 이는 아이스크림에 대한 수요가 증가한 것이다. [A]에서 든 예를 적용하자면 아이스크림이 건강에 좋다는 연구 결과가 알려져 갑자기 아이스크림의 수요가 폭증하는 경우 같은 것이다. 그래프를 보면 균형점이 E에서 E′로 이동하면서 균형 가격은 1만 8천 원으로, 균형 거래량은 52만 통으로 상승했음을 알 수 있다.

❺ ㉠~㉢에서 공급 곡선을 보면 가격이 높아질수록 공급이 늘어남을 알 수 있다. 이는 [A]에서 설명한 대로 공급자는 더 비싼 가격에 팔고 싶어 하기 때문이다. 반면 수요 곡선을 보면 가격이 낮아질수록 수요가 늘어남을 알 수 있다. 이 또한 [A]에서 설명한 대로 수요자는 더 싼 가격에 사고 싶어 하기 때문이다.

3 ⑤의 '중화(中和)'는 '산과 염기가 반응하여 서로의 성질을 잃음. 또는 그 반응'의 의미로 쓰였다. 따라서 산성과 염기성이 서로 만나 중화되는 화학 현상을 가리키고 있는 ⓐ의 '중화(中和)'와 유사한 의미로 쓰였다고 볼 수 있다.

오답 풀이 ❶ '많은 꽃'이라는 의미를 담고 있는 '중화(衆花)'이다.

❷ '길을 가다가 점심을 먹음. 또는 그 점심'의 의미를 담고 있는 '중화(中火)'이다.

❸ '감정이나 성격이 치우치지 아니하고 바른 상태'의 의미를 담고 있는 '중화(中和)'이다.

❹ '세계 문명의 중심이라는 뜻으로, 중국 사람들이 자기 나라를 이르는 말'의 의미를 담고 있는 '중화(中華)'이다.

✛ 어휘 체크

1 ❶ ㉠ ❷ ㉡ ❸ ㉢
2 ❶ 중성 ❷ 중화 ❸ 조화 ❹ 수용액 ❺ 수요

유형 04. 색이 우리에게 미치는 영향

1 ④   2 ⑤   3 ④

㉮ 유치원생들 앞에 빨간색 세모와 초록색 원이 그려
〔형태와 색, 두 가지 요소의 조합으로 구성된 깃발〕
진 큰 깃발을 세우고 선생님이 빨간색 원 그림을 보이며
〔빨간색 깃발의 색과 초록색 깃발의 형태를 조합하여 만든 그림〕
이와 같은 깃발 아래 모이라고 말했다. 어린이들은 과연
어디로 갈까. 놀랍게도 어린이들은 별다른 고민 없이 빨
〔형태보다 색을 먼저 인지함〕
간색 세모로 몰려든다. 이 실험은 어린이들이 형태보다
〔실험 결과가 주는 시사점〕
색을 우선적으로 인지한다는 사실을 알려 준다.
〔핵심어〕

㉯ 그렇다면 어린이들이 가장 선호하는 색은 무엇일
까? 실험 결과에 따르면 가장 좋아하는 색은 빨강이며,
그다음으로 노랑, 핑크, 보라, 주황 순이었다. 주로 차가
운 느낌이 들지 않는 따뜻한 색과 중성색계가 상위에 꼽
〔어린이들의 선호 색상〕
혔다. 따라서 「어린이들이 거부감을 많이 느끼는 소아과
〔「 」: 어린이들이 선호하는 색상을 활용하여 공간에 대한 호감을 느끼게 하는 방법〕
병원이나, 어린이들을 주 고객으로 하는 상업 공간은 빨
〔색을 활용해 심리적 안정감을 느끼게 할 수 있음〕
강, 노랑, 핑크, 주황처럼 어린이가 좋아하면서도 밝은
느낌을 주는 색을 칠하는 것이 좋다.」

㉰ 이 같은 영향에 대해 색채 응용 분야의 이론가인 파
버 비런은 색이 단순히 심리적인 차원을 넘어 인체에 생
〔전문가의 견해를 인용하여 색이 미치는 영향을 제시함으로써 글의 신뢰성을 높임〕
물학적으로 직접 작용한다고 말했다. 「예를 들어 평상시
〔「 」: 색이 인체에 영향을 미치는 사례 ①〕
에는 혈압이 정상인데, 병원에 가서 혈압을 재 보면 고
혈압인 사람들이 있다. 이런 사람들을 '백의(白衣) 고혈
〔병원이라는 특정한 공간에서만 정상 혈압에서 고혈압으로 변함〕
압 환자'라고 하는데, 통계에 따르면 고혈압으로 분류되
는 환자의 약 30%가 이 경우에 해당한다. 정상 혈압인
사람이 병원에만 가면 혈압이 걷잡을 수 없이 오르는 이
유는 의사나 간호사가 자신의 혈압을 재는 행위를 보고
너무 긴장하기 때문이다. 주목할 만한 것은 이 같은 증
상의 주된 이유가 의사나 간호사, 혹은 병에 대한 막연
한 두려움 때문이 아니라 병원 어디서나 흔히 볼 수 있
〔백색이 주는 심리적 영향이 생물학적 반응으로 이어짐〕
는 흰색 가운 때문이라는 사실이다.」

㉱ 또한 시신경에서 흡수된 색이 자율 신경계에도 영
향을 준다는 사실이 밝혀졌다. 자율 신경계는 소화, 호
흡, 땀 분비, 심장 박동처럼 의식적으로 제어할 수 없는
몸의 움직임을 관장한다. 「미국의 한 대학에서 다음의 실
〔「 」: 색이 인체에 영향을 미치는 사례 ②〕
험을 했다. 교도소 안에 통제하기 어려운 수감자들을 위
해 '핑크색 감방'을 설치하고, 수감자가 규율을 어기거나
〔자율 신경계에 영향을 주어 공격성을 약화시킴〕
공격적 행동을 할 때 적어도 30분 동안 이곳에 있게 했
다. 10여 분이 지나자 수감자의 적대감, 공격적 행동, 일
반적 폭력 성향이 약화됐다. 이 실험의 연구팀은 핑크색
이 자율 신경계에 영향을 미쳐 심장 박동의 급격한 상승
을 억제했고, 사람의 에너지를 서서히 약화시키는 작용

을 했다고 설명했다.

마 「2002년 국내 방송사의 다큐멘터리 프로그램에서
『 」: 색이 인체에 영향을 미치는 사례 ③
실시한 실험 결과도 주목할 만하다. 여러 색에 노출된
피실험자들의 뇌를 컴퓨터 단층 촬영(CT)을 했더니, 파
란색 계열에 노출된 사람은 기억력을 활성화하는 두정
엽의 움직임이 활발해졌다고 한다.」 또한 「2009년 영국에
『 」: 색이 인체에 영향을 미치는 사례 ④
서 성인 1,000명을 대상으로 한 실험에서 파란색을 본
사람은 심장 박동수와 땀 분비량이 줄어 몸이 편안해지
는 진정 작용이 ⓐ일어났다고 한다.」

바 이처럼 색이 사람에게 미치는 영향은 다양한 실험
                                  핵심어
과 연구 결과를 통해 입증되고 있으며, 기업의 판매 전
략이나 범죄 예방, 질병 치료 등에 중요한 요소로 활용
되고 있다.

➕ 독해 체크

■ 이 글의 핵심 화제
인간의 (심리)와 (신체) 반응에 영향을 미치는 색

■ 문단별 중심 내용

1문단 › 형태보다 (색)을 우선적으로 인지하는 어린이들

2문단 › 어린이들의 (선호) 색상과 그것의 활용법

3문단 › 인체의 (생물학적) 반응에 영향을 주는 색

4문단 › 사람의 (자율 신경계)에 영향을 주는 색

5문단 › (기억력) 활성화와 진정 작용에 영향을 주는 파란색 계열의 색

6문단 › 다양한 분야에서 중요 요소로 (활용)되는 색

■ 핵심 내용의 구조화

색의 영향력		
• 인간의 심리뿐만 아니라 신체에 직접 작용함 • 기업의 판매 전략, 범죄 예방, (질병) 치료 등과 같은 다양한 분야에서 중요한 요소로 활용됨	심리적 영향	• 어린이들의 선호 색상: 빨강, (노랑), 핑크, 보라, 주황의 순으로 나타남 → 따뜻하고 밝은 느낌을 주는 색을 어린이 이용 공간에 활용하면 좋음
	신체적 영향	• (백의) 고혈압 환자: 병원에서 보는 흰색 가운의 영향으로 혈압이 높아짐 • (핑크색) 감방: 수감자의 자율 신경계에 영향을 미쳐 심장 박동의 급격한 상승을 억제하고 에너지를 약화시킴 • 파란색 계열: 사람의 기억력을 활성화하고, (진정) 작용을 함

---

1 이 글에서는 색이 사람에게 주는 영향을 강조하고 있지만, 그 영향이 어린이보다 어른에게 더 크게 미친다는 내용은 제시하고 있지 않다.

오답 풀이 ❶ (마)에서 파란색 계열에 노출된 사람은 기억력을 활성화하는 두정엽의 움직임이 활발해졌다고 하였다. 이를 통해 색이 사람의 지적 기능에 영향을 미친다는 것을 알 수 있다.

❷ (나)에서 따뜻한 색은 어린이들이 거부감을 많이 느끼는 소아과 병원에서 활용하면 좋다고 하였다. 이는 곧 색이 주는 심리적 안정감 때문이다.

❸ (라)의 '핑크색 감방'이 수감자들의 공격적 행동을 약화시킨 예에서 알 수 있다.

❺ (가)에서 유치원생들을 대상으로 한 실험 결과를 제시하며 어린이들은 형태보다 색을 우선적으로 인지한다고 하였다.

2 이 글에서 어린이들이 가장 선호하는 색이 '빨강'임을 언급하였으나, 붉은색이 인간에게 어떤 영향을 주는지는 언급하고 있지 않다. 따라서 편안한 숙면을 위해서 붉은색 조명을 설치한다는 것은 글의 내용을 바탕으로 한 집 꾸미기 계획으로 적절하지 않다.

오답 풀이 ❶ (마)에서 파란색은 기억력 활성화에 영향을 미친다고 하였으므로, 고등학생인 큰아들의 방에 파란색 계열의 책상을 놓는 것은 적절하다.

❷ (다)에서 혈압 상승의 요인 중에는 백색에 의한 경우도 있다고 하였으므로, 혈압 상승에 주의해야 할 연세이신 할아버지의 방은 되도록이면 백색 계열의 벽지나 가구를 피하는 것이 적절하다.

❸ (나)에서 어린이들은 차가운 느낌이 들지 않는 따뜻한 색을 선호한다고 하였으므로, 유치원생인 막내의 방에 노랑이나 핑크색 침대를 놓는 것은 적절하다.

❹ (마)에서 파란색은 사람을 편안하게 하는 진정 효과가 있다고 하였으므로, 가족의 휴식 공간인 거실에 파란색 계열의 양탄자를 깔아서 편안한 분위기를 연출한다는 것은 적절하다.

3 ⓐ와 ④의 '일어나다'는 '인간에게 어떤 현상이 발생하다.'는 의미로 쓰였다.

오답 풀이 ❶ '잠에서 깨어나다.'는 의미로 쓰였다.

❷ '약하거나 희미하던 것이 성하여지다.'는 의미로 쓰였다.

❸ '누웠다가 앉거나 앉았다가 서다.'는 의미로 쓰였다.

❺ '몸과 마음을 모아 나서다.'는 의미로 쓰였다.

➕ 어휘 체크

1 형태 – 태초 – 초자아 – 아치 – 치료제 – 제어
2 ❶ ㉢ ❷ ㉡ ❸ ㉠

3. 독해 성취도 평가

1회
본문 162~170쪽

01 ②	02 ③	03 ⑤	04 ④	05 ④
06 ③	07 ②	08 ⑤	09 ⑤	10 ③
11 ③	12 ④	13 ⑤	14 ②	15 ③
16 ⑤	17 ③	18 ③	19 ⑤	20 ④

[01~04] 인문
사단 칠정

| 해제 |
이 글은 성리학에서 다룬 인간의 감정인 '사단 칠정'을 설명한 글이다. '사단'은 인의예지의 실마리로 누구나 태어날 때부터 가지고 있는 본성이고, '칠정'은 배우지 않고서도 저절로 그렇게 할 줄 아는 일곱 가지 일반적인 감정임을 설명하고 있다. 또한 '칠정'은 밖으로 드러날 때 지나치거나 모자라면 결과가 악이 될 수 있음을 언급하고, 이러한 '칠정'의 특성 때문에 성리학에서는 개인의 실천적 선택을 매우 중요하게 여김을 설명하고 있다.

| 주제 |
성리학에서 말하는 인간의 감정

01 사실적 사고
이 글은 인용, 예시, 대조 등의 다양한 서술 방식을 사용하여 대상을 설명하고 있으나, 어떤 과정이 단계적으로 드러나지는 않는다. 따라서 ②의 설명은 적절하지 않다.

오답 풀이
❶ (가)에서 맹자의 말을 인용하여 '측은지심'을 설명하고, (다)에서 오경의 하나인 『예기(禮記)』의 내용을 인용하여 '칠정'을 설명하고 있다.
❸ (라)에서 성리학에서 말하는 인간 본성과 감정을 서양 철학에서 말하는 이성과 감성에 대조하여 설명하고 있다.
❹ (마)에서 본성과 감정의 구체적 사례를 제시하여 독자의 이해를 돕고 있다.
❺ (가)에서 '성리학에서는 인간의 감정을 어떻게 다룰까?'라는 질문을 통해 논제를 제시하고, 이에 대한 답변으로 내용을 전개하고 있다.

02 비판적 사고
'화'와 '칠정'은 감정이 드러나는 상태라는 점에서 유사하다. 그러나 '화'가 모두 절도에 들어맞는 상태인 것과 달리, '칠정'은 넘치거나 모자라면 '악'으로 드러날 수도 있다고 하였다. 따라서 ③에서 '화'가 '칠정'의 개념과 일치한다고 한 설명은 적절하지 않다.

오답 풀이
❶ 〈보기〉에서 감정이 아직 밖으로 드러나지 않은 상태를 '중(中)'이라 한다고 언급하고 있고, 이 '중'이란 세상의 큰 근본이라고 언급하고 있으므로 적절한 설명이다.

---

❷ 〈보기〉에서 '중'은 감정이 아직 밖으로 드러나지 않은 상태라고 하였고, 이 글에서 '사단'은 마음속에 있는 감정이라고 하였으므로 적절한 설명이다.
❹ 〈보기〉와 이 글 모두 인간의 감정을 밖으로 드러내지 않은 상태와 밖으로 드러난 상태로 나누어 서술하고 있으므로 적절한 설명이다.
❺ 〈보기〉를 통해 '중화'의 상태를 이루면 모든 것이 절도에 들어맞는 상태가 됨을 알 수 있는데, 이는 이 글의 '사단 칠정'이 모두 선으로 귀결될 때와 연결할 수 있으므로 적절한 설명이다.

03 추론적 사고
(라)에서 성리학에서는 사람의 감정을 본성에 근거한 하나의 것으로 본다고 하였고, 이와 달리 서양 철학에서는 이성과 감성을 완전히 분리된 것으로 본다고 하였다. 따라서 ㉠ '성리학에서 말하는 인간 본성과 감정'은 '일원적'이라고 할 수 있고, ㉡ '서양 철학에서 말하는 이성과 감성'은 '이원적'이라고 할 수 있다.

04 어휘·어법
ⓐ의 '일어난다는'은 '어떤 마음이 생긴다.'의 의미로 쓰였다. ④의 '일어났다'는 '욕망'이라는 마음속 감정이 생겨났음을 의미하고 있으므로 문맥상 의미가 ⓐ와 가깝다고 볼 수 있다.

오답 풀이
❶ '약하거나 희미하던 것이 성하여지다.'의 의미로 쓰였다.
❷ '잠에서 깨어나'의 의미로 쓰였다.
❸ '몸과 마음을 모아 나섰다.'의 의미로 쓰였다.
❺ '병을 앓다가 낫지'의 의미로 쓰였다.

[05~08] 사회
저축의 심리적 효용 가치

| 해제 |
이 글은 저축은 저금리와 물가 상승 때문에 손해라는 인식이 잘못되었음을 비판하며 저축의 올바른 의미를 역설하고 있는 글이다. 글쓴이는 저축은 미래를 위해 현재의 만족을 제한하는 행복한 프로젝트로, 이자율이 낮은 것은 행복한 미래를 완성하기 위해 금융을 이용하는 비용으로 여겨야 한다고 말하고 있다. 특히 금리 효용의 측면으로만 저축을 따지지 말고 저축을 통해 욕구가 실현될 것이라는 심리적 효용 가치를 중시해야 함을 강조하고 있다.

| 주제 |
미래를 위해 현재의 소비를 제한하는 저축의 의미와 가치

05 사실적 사고

(라)는 물가 상승 때문에 저축이 손해라는 잘못된 생각에 대해 글쓴이가 반론하는 내용을 담고 있다. 또한 이 글 전체에서 저축으로 인한 손실을 만회하는 방안에 대해서 언급하고 있지 않다.

오답 풀이
❶ (가)에서는 저축하는 것이 손해라는 사람들의 잘못된 인식을 소개한 후, 글쓴이가 생각하는 저축의 올바른 의미, 즉 저축은 미래를 위해 현재의 만족을 제한하는 것이라는 의미를 밝히고 있다.
❷ (나)에서는 과거의 월급날의 풍경을 상상하며, 예측과 계획에 따라 경제 생활을 했던 과거의 삶의 모습을 보여 주고 있다.
❸ (다)에서는 심리학자인 소냐 루보머스키의 말을 인용하여 저축의 긍정적인 측면을 부각하고 있다.
❺ (마)에서는 신용 카드로 목돈을 지출하는 현재의 소비 태도를 문제로 지적하고, 기존의 인식을 변화시켜 저축이 주는 심리적 효용 가치를 따져 볼 것을 강조하고 있다.

06 추론적 사고

〈보기〉의 사례에서는 '크리스마스 저축 클럽'이 매주 불입해야 하는 불편이 있다는 점, 수익성이 없다는 점, 도중에 인출이 불가능하다는 점을 언급하고 있을 뿐이다. 저축에 불입해야 하는 액수는 언급하고 있지 않으므로 ③은 〈보기〉에 대한 반응으로 적절하지 않다.

오답 풀이
❶ (가)로 보아 요즘 사람들은 저축이 손해라는 인식을 가지고 있으므로 이자율이 '0'인 저축 상품에 대해 더 회의적인 반응을 보일 것임을 알 수 있다.
❷ (다)와 (마)로 보아 〈보기〉의 저축 가입자들은 크리스마스에 목돈을 찾는다는 행복한 프로젝트를 수행한 것으로 볼 수 있다. 따라서 크리스마스를 기다리며 행복해하였을 것으로 추측할 수 있다.
❹ (마)를 통해 알 수 있는 신용 카드로 편리하게 욕구를 충족하며 미래를 희생시키는 요즘 사람들의 소비 태도와 달리 〈보기〉의 저축 가입자들은 미래를 위해 현재의 만족을 제한한 것이므로 적절한 반응이다.
❺ (다)에서 저축을 하는 것은 목표를 정하여 현재의 소비를 미래의 소비로 지연시키는 것이라고 하였다. 이를 통해 볼 때 〈보기〉의 사람들 역시 크리스마스에 쓸 목돈을 마련하겠다는 목표를 세우고 이를 실천한 것이므로 적절한 반응이다.

07 비판적 사고

이 글에서 글쓴이는 사람들이 저축에 회의를 갖는 이유가 저축이 손해라고 생각하기 때문이라고 설명하고 있다. 그런데 〈보기〉는 저축을 하지 못하는 다양한 이유를 나타내고 있으므로 개인의 소득과 지출의 측면에서도 그 이유를 살펴야 한다는 질문을 제기할 수 있다.

오답 풀이
❶ 이 글에서 글쓴이는 계획적인 저축이 아니라 저축 자체의 필요성을 강조하였으며 〈보기〉의 항목도 개인의 소비 상황을 나타내는 것은 아니다.
❸ 〈보기〉의 그래프를 통해 저축이 경제 활동을 위축시킨다는 점을 확인할 수 없다.

❹ 높은 금리의 저축 상품이 있어도 〈보기〉에 제시된 사람들이 저축을 하지 못하는 이유는 변하지 않으므로 여전히 저축은 하기 어려운 상황이라고 할 수 있다.
❺ 이 글은 금융 상품에 의한 이득보다는 심리적 효용 가치를 강조하고 있기 때문에 글쓴이의 관점과 관계없는 내용의 질문이며, 〈보기〉에서 다른 금융 상품을 기대하는 항목도 없으므로 적절하지 않다.

08 어휘·어법

'상환(償還)'은 '갚거나 돌려줌'의 의미이므로 ⓜ은 '갚게 되는, 빠져 나가는' 등으로 바꿔 쓸 수 있다. '서로 맞바꿈'의 의미로 쓰이는 것은 '상환(相換)'이다.

[09~12] 과학
원시 생명체에서 진화한 인간의 기관

| 해제 |
이 글은 인간의 얼굴에 위치한 기관들이 어떠한 형태에서 진화하였는지를 구체적으로 설명하고 있다. 각 기관의 원시 형태였을 생물들을 제시하고, 그것들이 현재 인간의 기관이 되기까지 어떻게 진화하였는지 증명하는 방식을 취하고 있으며 '눈'을 제외한 '입, 귀, 코' 등이 일정한 단계를 거쳐 진화하였음을 보여 주고 있다.

| 주제 |
인체에 나타난 진화의 역사

09 추론적 사고

(나)에서 양서류나 파충류는 음식물을 입에 넣은 채로 호흡을 할 수 없어 음식물을 통째로 삼켜야 한다고 했다. 그러나 이러한 이유 때문에 양서류나 파충류가 이빨이 발달했다고 추론할 수는 없다. 오히려 씹는 능력이 부족할 것이라는 추측이 가능할 것이다.

오답 풀이
❶ (라)에서 척추동물의 눈이 어떤 단계를 거쳐 진화하였는지는 아직도 수수께끼로 남아 있다고 하였다.
❷ (마)에서 귀는 청각과 평형 감각을 담당하는 기관이라고 하였다.
❸ (바)에서 비루관이야말로 우리 조상이 물고기였을 무렵, 코의 관이었던 것이 바뀐 것으로 볼 수 있다고 하였다.
❹ (가)에서 우리의 먼 조상도 입과 항문의 역할을 하나의 구멍이 하고 있었고, 진화의 과정을 거치면서 이 하나의 구멍이 두 구멍으로 나뉘었다고 하였다.

10 추론적 사고

(바)에 따르면 어류의 코는 냄새를 느끼는 후각 기관이기는 하지만 호흡 기관은 아니라고 하였다. 따라서 코가 어류의 공기 출입구라고 한 설명은 적절하지 않다.

❶ (라)에서 무두류로부터 진화하였으리라 생각되는 무악류인 '칠성장어'에는 완전한 눈이 있다고 하였다.

❷ (마)에서 현대 어류에도 보이는 측선을 내이의 기원이 되는 기관으로 보는 경우가 많다고 하였다.

❹ (나)에서 '이차 구개'는 포유류의 진화 결과에 의한 특징이라고 하였다. 따라서 어류에는 '이차 구개'가 존재하지 않음을 알 수 있다.

❺ (가)에서 진화를 하면서 입과 항문이라는 '분업 체제'를 취하였다고 하였다.

11 추론적 사고

이 글에서 포유류는 음식물을 입에 넣고도 호흡을 할 수 있어 음식물을 씹을 수 있다고 하였다. 음식물을 씹지 않고 통째로 삼키는 것은 양서류와 파충류이다.

12 비판적 사고

이 글은 '진화론'을 바탕으로 한 글로, 생물은 진화의 과정을 거친다는 것을 기본 전제로 하고 있다. 그러나 [A]의 내용은 진화만으로 생물의 발달 과정을 온전히 설명하지 못한다는 것을 보여 준다. 따라서 진화론이 타당성을 얻으려면 전 단계와 다음 단계 생물 사이의 알려져 있지 않은 부분을 설명할 수 있어야 한다고 반론할 수 있다.

❶, ❷ 인간과 비슷한 기관을 가진 다른 동물도 예로 들고 있으므로 인간만이 아닌 고등 동물의 관점에서 서술하고 있다고 보아야 한다. 또한 궁극적으로 진화의 마지막은 '인간'이어야 하므로 진화를 인간의 관점에서만 파악하고 있는 것에 대해 반론하는 것은 적절하지 않다.

❸ [A]는 인간과 같은 척추동물의 눈의 진화 과정을 정확히 알 수 없다는 내용이므로 척추동물과 무척추동물의 구분을 논하는 것은 적절하지 않다.

❺ 글쓴이는 진화가 반드시 효율적인 방향으로만 이루어진다고 주장하고 있지 않다.

[13~16] 기술
사용 후 핵연료의 저장고는 어디에

| 해제 |

이 글은 사용 후 핵연료의 관리 방법인 심층 처분과 심층 시추공 처분에 대해 소개하고 있다. 먼저 심층 처분의 과정과 장점, 그리고 예상되는 문제점에 대해 설명하고, 이러한 문제점을 극복하는 대안으로 심층 시추공 처분의 과정과 장점 및 효과를 제시하고 있다. 마지막에는 심층 시추공 처분에 대한 체계적인 연구가 부족한 실정을 덧붙이고 있다.

| 주제 |

사용 후 핵연료의 관리 방법인 심층 처분과 이에 대한 대안으로 제시된 심층 시추공 처분

13 사실적 사고

이 글에서는 사용 후 핵연료를 오래 관리하는 문제를 해결하는 방식으로 심층 처분을 제시하면서 심층 처분 기술에서 제기되는 단점과 이를 극복할 수 있는 대안으로 예상되는 심층 시추공 처분 방식의 장점과 효과를 소개하고 있다.

❶ 특정 원리를 적용한 모의실험을 제시하고 있지 않다.

❷ 구체적 사례를 제시하고 있지 않다. 그리고 심층 처분 방식이나 심층 시추공 처분 방식을 일반적으로 통용되는 이론이라 하기도 어렵다.

❸ 심층 처분 방식이나 심층 시추공 처분 방식은 문제에 대한 비슷한 대안을 제시하고 있다. 따라서 상반된 이론으로 보기 어렵다. 또한 이 둘을 절충한 해결책을 도출하고 있지도 않다.

❹ 이 글에 사용 후 핵연료를 오래 관리하는 방안 중 심층 처분 방식은 안전성이 보장되지 않아 방사성 물질의 누출 가능성이 있다는 문제점이 제시되어 있다. 하지만 이러한 문제에 대한 인식이 확장되어 그 해결 요구가 강해지는 현실은 드러나지 않는다.

14 비판적 사고

이 글에서는 사용 후 핵연료의 처분 방식에 대한 연구가 활발하게 진행될 것이라고 설명하지 않았다. 〈보기〉에서도 당분간은 지상에서 핵폐기물을 보관하면서 기다리다가 기술이 문제를 해결해 줄 수 있을 때 핵연료의 최종 처리 방식을 결정해야 한다고 하였다.

❶ 이 글의 마지막에서 심층 시추공 처분에 대한 체계적인 연구가 부족하다고 하였으며, 〈보기〉에서도 심층 시추공 처분의 장단점에 대한 연구가 활발하지 않다고 했다.

❸ 이 글에서는 심층 시추공 처분의 장점 및 안전성을 설명하고 있으나, 〈보기〉에서는 심층 시추공 처분의 안전성이 확실하지 않다고 하였다.

❹ 이 글에서는 100~200년 동안 능동적으로 핵폐기물을 관리하는 방법을 설명하고 있으며, 〈보기〉에서는 이 방법대로 핵폐기물을 지상에서 보관하면서 최종 폐기물 처리 방식을 결정해야 한다고 언급하고 있다.

❺ 이 글에서는 심층 처분의 대안으로 심층 시추공 처분을 제시하고 있다. 그리고 〈보기〉에서는 기술이 발전하면 더 안전한 최종 폐기물 처리 방식이 나타날 수 있으므로, 그때까지 기다렸다가 더욱 안전한 문제 해결 방식으로 결정해야 한다고 언급하고 있다.

15 추론적 사고

(마)에서 지층 아래 암반은 물이 잘 빠지지 않으므로 방사성 물질이 누출되더라도 멀리 퍼지지 않는다고 하였다. 이로 보아, 심층 시추공 처분 기술을 사용하면 방사성 물질이 누출되더라도 피해를 줄일 수 있음을 알 수 있다. 그러나 이 기술을 사용함으로써 방사성 물질의 누출을 사전에 막을 수 있다고 보기는 어렵다.

❶, ❹ (라)와 (마)에서 심층 시추공 처분은 심층 처분보다 고준위 폐기물을 훨씬 깊은 곳에 매립할 수 있는 기술로, 기술과 비용 등의 문제로 심층 처분의 대안으로 꼽히지 못하다가 시추 기술이 석유 개발과 함께 발전하면서 사정이 달라지기 시작했다고 하였다. 비용 역시 앞으로 크게 차이 나지 않을 것으로 전망된다고 하였다.

❷ (라)에서 심층 시추공 처분은 심층 처분보다 훨씬 깊은 곳에 사용 후 핵연료를 매립하는데, 이 정도 깊이의 지하 암반에는 지하수층이 별로 없고 산소도 적어 저장 용기의 부식 가능성을 더 줄일 수 있다고 하였다.
❺ (마)에서 심층 시추공 처분 기술을 사용하면 고준위 방사성 폐기물과 생태계의 물리적인 거리가 심층 처분보다 훨씬 멀어지게 된다고 하였다.

16 어휘·어법

ⓔ '실정'은 '실제의 사정이나 정세'를 의미하는 단어이다. ⑤에 제시된 '있는 그대로의 상태. 또는 실제의 모양'은 '실태'의 사전적 의미에 해당한다.

❶ 이 글에서는 호랑이와 까치에 담긴 세계관은 설명하고 있지 않다.
❷ 이 글에서 폭포에 대해 언급하고 있으나 물을 거슬러 폭포를 뛰어넘는 잉어가 초점이 된다. 하지만 이 그림은 잉어가 없는 그림이므로 입신출세라는 상징성을 지니고 있다고 볼 수 없다.
❹ 서당의 학생이 훈장 선생님께 매를 맞고 우는 모습으로 입신양명의 세계관은 드러나지 않는다.
❺ 지도화는 자연과 인간이 일체가 되는 세계관이 담겨 있는 그림이다.

[17~20] 예술
민화 이야기

| 해제 |
이 글은 민화가 지니고 있는 상징성과 그 속에 담겨 있는 세계관을 설명하고 있는 글이다. 순수 미술과 달리 민화는 실용성이 강조되는데, 그것은 민화에 상징성이 담겨 있기 때문이라고 설명하고 있다. 또한 이러한 상징성에는 당시 서민들의 소망, 즉 세계관이 반영되어 있음을 설명하고 있다.

| 주제 |
민화의 상징성과 그 속에 반영된 세계관

17 사실적 사고

(가)에서 '민화에는 장식적 필요에 의한 것이든 주술적 필요에 의한 것이든 많은 상징적인 도상들이 내포되어 있다.'라고 하였다 (ㄴ). 그리고 (다)에서 '민화가 서민들의 삶에 대한 애착과 동경의 대상을 그대로 반영하고 있다는 증거이다.'라고 하였다(ㄷ).

ㄱ. 예술성을 강조하는 것은 순수 미술의 특성으로, 민화는 실용성이 강조된다.
ㄹ. 민화는 일정한 틀에 의해서 반복적으로 그려지는 그림이 아니라, 지방의 문화적 환경이나 개인적 의사에 의해 자유롭게 변형되거나 첨삭되며 그려진 그림이다.

18 추론적 사고

〈보기〉에서 홍길동은 학문으로 성공하지 못하면 병법을 익혀 나라에 공을 세우고 이름을 떨쳐야 한다고 하였는데 이는 입신양명을 하고 싶은 유교적 세계관이 드러난 것이라 할 수 있다. 이 글의 (나)에서는 물을 거슬러 폭포를 뛰어넘는 잉어를 그린 '약리도'가 과거에 급제하여 벼슬길에 오르는 입신출세를 상징한다고 하였다. 따라서 이러한 잉어의 모습이 담긴 ③이 적절하다.

19 비판적 사고

자연이 집들을 둘러싼 것처럼 그린 것은 '지도화'이다. (라)에서 '자연과 인간이 일체가 되는 세계관이 자연스럽게 지도화와 같은 독특한 그림을 낳게 한 것이다.'라고 하였다. 따라서 지도화는 인간 중심적 세계관이 아닌 자연과 인간의 조화를 중시하는 세계관이 반영된 것으로 볼 수 있다.

❶ (다)에서 민화의 상징적 표현은 서민들이 일상생활에서 느끼는 희로애락의 의사소통을 가능하게 할 뿐만 아니라 그러한 의사소통의 바탕이 되는 공통의 세계관을 매개해 주는 역할을 한다고 하였다. 따라서 민화 중 희로애락의 하나인 즐거움을 담은 그림도 있음을 알 수 있다.
❷ (가)에서 각 시대마다 그때에 그려진 그림에는 공통적으로 드러나는 상징성이 있게 마련인데, 이러한 상징성은 그 시대의 문화적 특성을 파악하는 데 도움을 준다고 하였다. 따라서 상징성이 있는 민화는 그 시대의 시대상을 파악하는 자료가 된다고 할 수 있다.
❸ (나)에서 물고기의 생물학적 특징으로 말미암아 '어해도'에 '다산'이라는 상징성을 부여하였다고 하였다. 또한 메기의 그림 중 머리를 남근처럼 그린 것은 '다산의 욕구'를 표현한 것이라고 하였다. 따라서 자식이 귀한 집에 메기를 소재로 한 민화를 선물했을 것이라 예상할 수 있다.
❹ (가)에서 민화의 상징성은 그 지방의 문화적인 환경이나 개인적 의사에 의해 자유롭게 변형되거나 첨삭되었다고 하였다. 따라서 각 지방마다 민화에 표현되어 있는 상징성이 다르게 인식되었다고 할 수 있다.

20 어휘·어법

ⓓ '좌우'의 문맥적 의미는 '어떤 일에 영향이 주어져 지배됨'이다. 그러나 ④의 문장에 쓰인 '좌우'의 문맥적 의미는 '왼쪽과 오른쪽을 아울러 이르는 말'에 해당한다.

❶ ⓐ와 ①의 '부여'는 '사람에게 권리·명예·임무 따위를 지니도록 해 주거나, 사물이나 일에 가치·의의 따위를 붙여 줌'의 의미로 쓰였다.
❷ ⓑ와 ②의 '내포'는 '어떤 성질이나 뜻 따위를 속에 품음'의 의미로 쓰였다.
❸ ⓒ와 ③의 '첨삭'은 '시문(詩文)이나 답안 따위의 내용 일부를 보태거나 삭제하여 고침'의 의미로 쓰였다.
❺ ⓔ와 ⑤의 '암시'는 '넌지시 알림'의 의미로 쓰였다.

01 ③	02 ⑤	03 ②	04 ③	05 ④
06 ⑤	07 ⑤	08 ④	09 ⑤	10 ②
11 ②	12 ③	13 ④	14 ④	15 ①
16 ②	17 ④	18 ③	19 ③	20 ③

[01~04] 인문
환경 윤리는 왜 필요할까

| 해제 |
이 글은 환경에 대한 세계관과 의식을 드러낸 글로 인간 사이의 사회적 관계와 윤리적 공동체의 변화 등에 대해 살펴보고 있다. 글쓴이는 인간 중심적 사고에 대한 반성 속에서 인간은 물론 인간 이외의 모든 생명체들도 윤리적 배려의 대상으로 삼아야 한다고 주장하고 있다.

| 주제 |
환경 윤리의 필요성 및 의의

01 사실적 사고

(다)를 통해 아리스토텔레스가 윤리 규범이 적용되는 윤리 공동체 안에 당시 그리스에 존재하였던 노예 계급을 포함하지 않고, 그리스 시민들만 포함하였음을 알 수 있다. 따라서 윤리 공동체 안에 당시 그리스에 거주하던 사람들만을 포함하였다는 것은 적절하지 않다.

오답 풀이

❶ (가)에서 인간은 혼자서는 살 수 없고 공동체에 속할 수밖에 없는 사회적 동물이기 때문에 공동체 안에서 '나'의 의도와 행동은 다른 사람에게 영향을 미칠 수밖에 없다고 하였다.

❷ (마)에서 환경 윤리는 인간 이외의 모든 생명체들도 윤리 공동체에 포함하여 윤리적 주체인 인간의 윤리적 배려의 대상으로 삼아야 한다고 하였다.

❹ (라)에서 근대적 윤리는 가족, 부족, 민족, 인종 등의 벽을 무너뜨리고 모든 인류를 윤리 공동체에 가입시켜 윤리적 객체인 타자에 포함하였다고 하였다.

❺ (나)에서 윤리 규범의 객관성은 윤리 공동체의 범위를 어디까지 할 것인가에 따라 달라질 수 있고, 윤리 규범의 타당성은 윤리 공동체의 구성원으로 어떤 생물체를 포함하고 어떤 생물체를 타자로 배제할 것이냐에 따라, 즉 구성원의 한계에 따라 달라질 수 있다고 하였다.

02 추론적 사고

㉠, ㉡, ㉢은 윤리 공동체의 구성원으로 어떤 생명체를 포함하고 배제할 것인가의 차이를 보이고 있다. ㉠은 그리스에 존재하는 시민 계급만을, ㉡은 인간만을, ㉢은 모든 생명체를 윤리 공동체로 받아들이고 있다.

오답 풀이

❶ ㉠은 그리스 로마 시대의 철학, ㉡은 근대 시기의 철학, ㉢은 현대 시기의 철학 사상이다.

❷ ㉡은 모든 인간을 차별 없이 윤리 공동체에 포함하므로 ㉠에 비해 윤리 규범의 적용 범위가 확장된 것이다.

❸ ㉢은 인간 중심주의적 윤리관의 기본 전제 자체에 대한 의문·검토·비판에 기초하여 나타난 것이다.

❹ 윤리적 진보의 결정적 기준은 윤리 공동체의 확대이므로 ㉠ → ㉡ → ㉢의 단계로 윤리적 진보가 이루어진 것으로 볼 수 있다.

03 비판적 사고

이 글에서 글쓴이는 인간 이외의 모든 생명체들도 윤리 공동체에 포함해 윤리적 주체인 인간의 윤리적 배려의 대상으로 삼아야 한다고 주장하고 있다. 그리고 〈보기〉에는 인간 문명의 발전으로 인해 삶의 터전을 잃어버린 성북동 비둘기의 모습이 드러나 있다. 따라서 윤리적 주체인 인간이 비둘기를 배려하며 함께 살아갈 수 있도록 해야 한다고 한 ②의 반응이 가장 적절하다.

오답 풀이

❶, ❺ 글쓴이는 윤리 공동체의 구성원을 인간으로 한정 짓지 말고 인간 이외의 동물도 포함해야 한다고 하였다. 따라서 윤리 공동체 구성의 한계를 명확히 하여 비둘기를 윤리 공동체 안에 포함하지 않은 반응은 글쓴이의 주장에 부합하지 않는다.

❸ 글쓴이는 주체인 인간의 행동이 타자에게 영향을 미치므로 선한 행동을 할 수 있도록 윤리 규범이 필요하다고 하였을 뿐 주체와 타자의 삶을 분리하자고 한 것이 아니다.

❹ 글쓴이는 윤리적 주체인 인간이 객체를 배려하며 공존해야 한다고 하였다.

04 어휘·어법

㉢의 '전제(前提)'는 '어떠한 사물이나 현상을 이루기 위하여 먼저 내세우는 것'을 의미한다. 하지만 ③에 쓰인 '전제(專制)'는 '다른 사람의 의사는 존중하지 않고 제 생각대로만 일을 결정함'을 의미한다.

오답 풀이

❶ '필연적(必然的)'은 '사물의 관련이나 일의 결과가 반드시 그렇게 될 수밖에 없는. 또는 그런 것'을 의미한다.

❷ '상충(相衝)'은 '맞지 아니하고 서로 어긋남'을 의미한다.

❹ '배제(排除)'는 '받아들이지 아니하고 물리쳐 제외함'을 의미한다.

❺ '개화(開化)'는 '사람의 지혜가 열려 새로운 사상, 문물, 제도 따위를 가지게 됨'을 의미한다.

05 사실적 사고

(마)에서 죄수의 딜레마를 해결하기 위해서는 소모적 경쟁을 제어
할 강력한 권력(사회적 차원)과 합의한 규칙을 지키려는 성숙한 시
민 의식(의식적 차원)이 모두 필요하다고 하였다.

오답 풀이
❶ (나)에서 경찰에 붙잡힌 두 죄수가 모두 상대방 죄수를 믿어서 죄를 자백
하지 않으면 두 사람 모두 석방되는 최선의 결과를 맞이할 수 있다고 하였
다.
❷, ❺ (라)에서 비합리적으로 보이는 사회 현상을 죄수의 딜레마 이론으로
설명할 수 있다고 하였고, 그와 관련된 예로 개인 간, 국가 간의 과도한 경쟁
을 들었다.
❸ (다)에서 사람들이 협력을 통해 서로에게 최선이 되는 선택을 할 수 있음
에도 서로에 대한 불신과 이기심 때문에 비합리적인 선택을 하게 되는 과정
을 설명하였다.

06 비판적 사고

〈보기〉에서는 국가 기구가 없는 상태에서도 상호 경쟁이 곧 사회
전체의 이익이 된다고 보고 있다. 그러나 이 글의 (라)에서는 〈보
기〉의 관점과 달리 공통의 질서를 바로잡는 국제적 기구가 없는
상황에서 경쟁 관계에 있는 상대 국가가 항상 협동적으로 나오는
것을 기대할 수 없기 때문에 각국의 이익만을 취하게 되는 비합리
적인 사회 현상이 발생한다고 보고 있다.

오답 풀이
❶ 경쟁이 이익 활동에 도움을 주어 사회적 생산력을 향상시킨다는 것은 〈보
기〉의 애덤 스미스의 관점에 해당한다.
❷ 이 글에서 비합리적인 사회 현상으로 예를 들고 있는 사교육 열풍이나
군비 경쟁 등은 타인을 모방하는 심리에서 비롯되는 것이 아니라 상대에 대
한 불신에서 비롯되는 것이다.
❸, ❹ 사적 이익을 통제하는 국가 기구가 없어도 '보이지 않는 손'에 의해
사회적 이익이 증진된다고 한 것은 〈보기〉의 애덤 스미스의 관점에 해당한다.

07 추론적 사고

이 글에 의하면 '죄수의 딜레마'는 서로 경쟁 관계에 있는 두 주체
가 상대에 대한 불신과 이기심 때문에 최선의 선택을 스스로 포기
하고 비합리적인 선택을 하게 되는 상황을 의미한다. ⑤는 공유지
를 돌보며 그곳에서 함께 가축을 키우는 최선의 선택을 포기하고
자신들의 가축 수를 늘리는 이익을 먼저 챙기느라 모두가 더 이상
목축을 할 수 없게 된 상황에 이르게 된 것이므로 '죄수의 딜레마'
와 그 상황이 유사하다고 할 수 있다.

오답 풀이
❶ 두 학생의 경쟁 결과 긍정적 상황에 이르렀으므로 '죄수의 딜레마'와 관
련이 없다.
❷ 두 회사의 합병을 통해 합리적 결과에 이르렀으므로 '죄수의 딜레마'와
관련이 없다.
❸ 점원에 대한 신혼부부의 불신 결과 점원에게만 불리한 상황이 된 것이므
로 '죄수의 딜레마'를 적용하기는 어렵다.
❹ 유명 가수의 이기심이 원작자와의 분쟁을 일으킨 것이므로 '죄수의 딜레
마'를 적용하기는 어렵다.

08 어휘·어법

ⓐ의 '같다'는 '그런 부류에 속한다.'의 의미이다. 이와 쓰임이 유사
한 것은 ④의 '같은'이다.

오답 풀이
❶ '추측, 불확실한 단정'의 의미로 쓰였다.
❷ '기준에 합당한'의 의미로 쓰였다.
❸ '서로 다르지 않고 하나이다.'의 의미로 쓰였다.
❺ '다른 것과 비교하여 그것과 다르지 않다.'의 의미로 쓰였다.

09 사실적 사고

(가)에서 과학에서의 '혼돈'은 완전히 무질서하고 혼란된 상태라는
원래의 뜻과는 차이가 있으므로 '혼돈 이론' 대신 '카오스 이론'이
라고 부르는 것이 낫다는 주장이 있다고 하였을 뿐, 글쓴이가 무엇
이 더 바람직하다고 언급하고 있지는 않다.

❶ (나)에서 간단한 전기 회로에도 비선형 소자가 있어 회로가 일정한 법칙이 없는 것처럼 무질서한 모양으로 나타난다고 하였다.

❷ (다)에서 혼돈 현상의 두 번째 특성으로 먼 미래에 대한 예측성의 결여를 설명하고 있다.

❸ (마)에서 혼돈 이론으로 행성의 운동과 같은 것도 과학의 영역이 되어 설명할 수 있게 되었다고 하였다.

❹ (라)에서 진자의 예를 들어 아주 복잡하고 혼돈스러운 현상도 경우에 따라서는 간단하면서도 일정한 법칙이 있음을 설명하고 있다.

10 사실적 사고

글쓴이는 혼돈 현상의 특성을 셋으로 나누어 설명하면서(ⓑ) 이러한 특성을 구체적인 사례를 들어 좀 더 알기 쉽게 풀이하고 있다(ⓓ). 그리고 혼돈 이론의 의의와 기능을 설명하며(ⓒ) 글을 마무리하고 있다.

11 추론적 사고

(나)에서 기존에는 혼돈스러운 현상을 그저 혼돈으로만 여겼지만 1970년대 이후 혼돈 현상 속에도 질서가 숨어 있다는 사실이 밝혀졌다고 언급하고 있고, (라)에서 혼돈 속에도 질서가 있다는 것을 발견하고 이것이 학문적으로 연구되고 있음을 언급하고 있다. 또한 (마)에서 혼돈 이론은 통계적으로만 다루었던 예측할 수 없는 현상들을 더 잘 이해할 수 있는 길을 열어 주었다고 하고 있다. 이를 종합해 볼 때, 글쓴이는 통계적 방법으로만 현상을 이해하는 것을 과학이라고 여기지는 않음을 유추할 수 있다.

❶ 혼돈 이론이 자연 현상의 해석에 대해 새로운 시각을 제공한다는 내용을 통해 알 수 있다.

❸, ❹ 카오스의 특성을 설명하며 복잡해 보이는 혼돈 속에도 질서가 숨어 있다고 하였다. 이를 통해 과학은 혼돈 속에 있는 일정한 법칙성을 규명해 우리들이 사는 세계를 더 잘 이해할 수 있게 하는 학문임을 알 수 있다.

❺ 혼돈 이론의 기능과 의의를 언급하면서 행성의 운동과 같은 것도 과학의 영역이 되게 하였다는 내용을 통해 알 수 있다.

12 추론적 사고

비선형 효과란 일정하지 않고 변화하여 예측 불가능한 것을 말한다. 따라서 예측 불가능한 결과가 나오는 현상을 찾아야 하는데, ③의 경우 어떤 세기의 충격을 가해도 시계추가 멈춘다는 것이 정해진 결괏값이므로 예측이 가능하다.

❶, ❷, ❹, ❺ 불규칙한 현상과 관련된 것이거나 여러 가지 변수의 개입으로 예측이 불가능한 사례에 해당한다.

[13~16] 기술
엔진 없이 나는 비행기, 글라이더

| 해제 |
이 글은 글라이더의 활공 원리와 성능을 높이는 방법에 대해 설명하고 있다. 먼저 활공의 개념을 언급하며 글라이더의 종류를 제시한 후, 글라이더의 활공 원리에 대해 설명하고 있다. 그다음 글라이더의 성능을 높이는 방법을 지형과 기후, 고도와 비행 속도, 글라이더의 형체와 재질 같은 요인으로 구분하여 설명하고 있다.

| 주제 |
글라이더의 원리 및 성능을 높이는 방법

13 사실적 사고

이 글은 글라이더가 추진력을 얻기 위한 방법을 양력과 항력의 조절을 중심으로 제시하고 있다. 이는 글라이더의 성능에 영향을 미치는 힘의 조절 방법을 중심으로 전개되고 있는 것이므로 ④에 제시된 표제와 부제가 가장 적절하다.

❶ (나)에 글라이더의 활공 원리에 대한 내용은 제시되어 있지만, 글라이더의 역사와 개발자에 대한 내용은 제시되지 않았으므로 적절하지 않다.

❷ (나)를 통해 글라이더와 타 항공기와의 차이점이 기기 내부의 동력 엔진의 유무임을 알 수 있지만, 이것이 이 글의 중심 내용은 아니다.

❸ 글라이더가 활공을 시작할 때 속도를 높이는 것은 글라이더의 성능과 관련되지만, 운행 시 유의 사항을 중심으로 이 글이 전개되고 있지 않으므로 적절하지 않다.

❺ 이 글에서 글라이더의 운행에 영향을 미치는 요인을 양력과 항력을 중심으로 설명하고 있지만, 운행자가 갖춰야 할 요건을 중심으로 제시하고 있지 않으므로 적절하지 않다.

14 비판적 사고

이 글에서 글라이더의 추진력을 높이기 위해서는 양력은 높이고 항력은 줄여야 한다고 설명하고 있다. 따라서 글라이더의 양력과 항력의 비율이 균일해야 추진력을 얻는다는 ④의 내용은 적절하지 않다.

❶ (다)를 통해 열의 상승 기류가 활발히 일어나는 곳을 택하면 글라이더가 오랫동안 날 수 있음을 알 수 있다.

❷ (마)를 통해 글라이더의 성능을 높이기 위한 방법으로 형체 및 재질에 특수한 설계를 이용한다는 것을 알 수 있다.

❸ (라)를 통해 활공 비율이 높을수록 글라이더의 성능이 우수하다는 것을 알 수 있다.

❺ (라)를 통해 글라이더의 속도를 높이는 방법은 높은 고도에서 빠른 속도로 활강을 시작하는 것임을 알 수 있다.

15 추론적 사고

(라)에서 글라이더를 하강시킬 때 높은 속도를 내도록 하는 것은 양력과 관계가 있으며, 높은 고도에서 빠른 속도로 활강을 시작해야 먼 거리를 비행할 수 있다고 하였다. 〈보기〉에서는 빠른 하강 속도를 내기 위해 물을 가득 채운 채로 활강을 시작한다고 하였으므로, '밸러스트 탱크'를 설치한 것은 중량을 조절하여 양력을 높이기 위함임을 알 수 있다.

오답 풀이

❷ 이 글에 글라이더의 구조에 안정감을 주기 위한 부품에 대한 내용은 제시되어 있지 않다.

❸ 〈보기〉의 밸러스트 탱크는 하강 속도를 높이는 것과 관련되며, 글라이더의 착륙을 위한 용도로 보기는 어려우므로 적절하지 않다.

❹ 〈보기〉의 밸러스트 탱크의 설치 목적은 중량 조절을 통해 하강 속도를 높이기 위한 것이지 기기 내부에 동력 자체를 제공하기 위한 것은 아니다.

❺ 〈보기〉의 밸러스트 탱크는 글라이더 내부의 중량을 조절하는 것이지 외부 자연 조건의 한계를 극복하기 위해 설치한 것은 아니다.

16 어휘·어법

ⓑ의 '견인(牽引)'은 '끌어서 당김'이라는 의미로 쓰였다. '굳게 참고 견딤'은 '견인(堅忍)'의 의미이다.

17 사실적 사고

(라)에 아악의 퇴성과 민속악의 퇴성이 지닌 차이에 대한 언급은 나타나 있으나 아악과 민속악 자체의 차이에 대한 언급은 나타나 있지 않다. (라)에서는 성악에 나타난 퇴성의 다양한 모습에 대해 설명하고 있다.

오답 풀이

❶ (가)에서는 농현에 대해 소개하고 그중 하나인 퇴성의 개념과 특징을 설명하고 있다.

❷ (나)에서는 호남 지역의 퇴성에서 나타나는 특징과 그로 인한 음악성을 설명하고 있다.

❸ (다)에서는 퇴성이 다양한 방식으로 음악적 조화를 이룸을 설명하고 있다.

❺ (마)에서는 농현이 우리 음악의 본질적 모습을 보여 주며 우리 음악을 맛나게 하는 필수불가결의 요소임을 설명하고 있다.

18 사실적 사고

(나)에 따르면 퇴성 중 '꺾는음' 혹은 '꺾는목'은 음악의 흐름에서 극히 순간적으로 힘의 균형을 어그러지게 한다고 하였으므로 음들이 균형을 이루는 데 기여한다고 볼 수 없다.

오답 풀이

❶ (라)에서 퇴성은 아악과 민속악에서 그 느낌이 다르게 나타난다고 하였다.

❷ (가)에서 퇴성은 고음에서 저음으로 풀쩍 뛰어내리는 서양 음악의 가락과는 달리 스르륵 흘러내리며 중간에 수많은 음들을 거친다고 하였다.

❹ (가)에서 퇴성은 농현의 하나로 고음에서 저음으로 가락이 진행될 때 고음을 흘려 떨어뜨리면서 저음에 이르게 하는 방법이라고 하였다.

❺ (다)에서 퇴성은 일정한 규칙이 있는 것이 아니라 연주자의 음악성과 개성, 음악적 분위기와 음악적 성격에 따라 다양하게 나타난다고 하였다.

19 비판적 사고

ⓒ은 가사 한 음절에 각각 하나의 음정이 대응되기 때문에 한 음을 꺾거나 떨어뜨리는 퇴성의 양상은 드러나지 않는다. 그러므로 퇴성의 특징인 역동적인 힘과 아름다움을 만들어 내고 있다고 보기 어렵다.

오답 풀이

❶ ㉠의 마지막 음절 '가'가 여러 음이 미끄러져 내려오는 방식으로 연주되고 있으므로 퇴성이 사용되고 있음을 알 수 있다.

❷ ㉡의 '고- 오 ---'는 음이 조금 올라갔다가 다시 떨어지고 있으므로 꺾는음이 나타나 있다고 볼 수 있다.

❹ (나)에서 호남 지역의 퇴성이 다른 음악에서보다 다소 과장되게 나타난다고 하였는데, 위 악보는 호남 지역의 민요에 해당하므로 다른 지역의 음악에서보다 퇴성이 다소 과장되게 나타날 것이다.

❺ (나)에서 호남 지역의 민요에 나타나는 꺾는목은 듣는 이의 감성에 따라 슬픔의 소리가 되기도 하고 신명의 소리가 되기도 한다고 하였다. 따라서 위 악보에서의 퇴성도 이러한 특징이 드러날 것이다.

20 어휘·어법

ⓓ의 '흘러'의 기본형은 '흐르다'로, 어간 '흐르'에 모음 어미 '어'가 붙으면서 '흘러'가 된다. 즉 어간의 '으' 모음이 사라지고 'ㄹ'이 덧붙은 것이다. 마찬가지로 ⓔ의 '다르다'도 어간이 '르'로 끝나므로 이에 모음 어미 '아'를 붙일 경우 '달라'가 되면서 어간의 '으' 모음이 사라지고 'ㄹ'이 덧붙게 된다.

memo